I TIMOTEO, II TIMOTEO Y TITO

Marcos Antonio Ramos

COMENTARIO BIBLICO HISPANOAMERICANO

Títulos que ya han sido publicados

GÉNESIS, primera parte — Esteban Voth

ESDRAS, NEHEMIAS, y ESTER — Samuel Pagán

AMÓS Y ABDÍAS — Washington Padilla

MARCOS — Guillermo Cook y Ricardo Foulkes

HECHOS — Justo L. González

1 TIMOTEO, 2 TIMOTEO Y TITO — Marcos Antonio Ramos

SANTIAGO Y JUDAS — Pablo A. Deiros

TEORÍA Y PRÁCTICA DE LA PREDICACIÓN — Cecilio Arrastía

Títulos que aparecerán próximamente

1 SAMUEL Y 2 SAMUEL — Francisco García-Treto

JEREMÍAS Y LAMENTACIONES — Jorge A. González

MATEO — Rafael Cepeda

Otras obras de Marcos Antonio Ramos

LA PASTORAL DEL DIVORCIO

PANORAMA DEL PROTESTANTISMO EN CUBA

I y II Timoteo
y
Tito

Marcos Antonio Ramos

9200 S. Dadeland Blvd., Suite 209
Miami, FL 33156 U.S.A.

ISBN 0-89922-378-8

Impreso por Carvajal S. A.
Impreso en Colombia - Printed in Colombia

Presentación general

«Lámpara es a mis pies tu Palabra y lumbrera a mi camino», cantaba el poeta de antaño. Aquella lámpara que hace siglos iluminó los pasos del poeta hebreo sigue hasta el día de hoy alumbrando el camino de quienes se acogen a su luz. Sin ella, los caminos de nuestro siglo son tan oscuros como los de las peores épocas de la humanidad. Nos ha tocado caminar en medio de guerras y rumores de guerras, entre pestilencias que matan de noche e injusticias que matan de día. La noche es oscura; el camino, incierto. Hay luces que nos deslumbran y nos hacen perder el camino. Empero, hoy como antaño, la Palabra de Dios sigue siendo lámpara a nuestros pies y lumbrera a nuestro camino.

La importancia y autoridad de las Escrituras fueron principios fundamentales de la Reforma Protestante del Siglo XVI. Empero tal énfasis sobre la Biblia no es característica exclusiva de la Reforma Protestante. Tanto es así, que bien podría decirse que la historia de la iglesia no es sino un largo comentario que el pueblo creyente ha ido escribiendo, no solo con sus palabras, sino también con sus actividades. Buen comentarista fue el cristiano que entregó su vida por su fe. Buen comentarista fue el que supo amar al prójimo, hacer justicia, anunciar perdón. Mal comentarista fue el que persiguió a quienes no concordaban con él, o el que usó de su fe para escapar de su responsabilidad frente al prójimo. Y, si bien es cierto que en la Reforma del siglo XVI la Biblia jugó un papel de suma importancia, también es cierto que en nuestros días, a fines del siglo XX, otra gran reforma comienza a despuntar; y en ella, como en el siglo XVI, el redescubrimiento de las Escrituras ha de jugar un papel central.

La lámpara que alumbra el camino es útil en tanto y en cuanto a su luz se dirige hacia el camino por donde andamos. Hay que cuidar de la lámpara; hay que asegurarse de que sus lentes estén limpios; pero al fin de cuentas lo más importante es ver el camino mismo a la luz de la lámpara.

Es por eso que un comentarista como el presente ha de tratar, no solamente del texto en la situación original en que fue escrito, sino también del texto dentro del contexto en que nos ha tocado vivir.[1] Hay comentarios escritos en otros tiempos y otras latitudes que nos son todavía de gran provecho. Pero no nos basta con tales recursos. Ya nos va haciendo falta un comentario que arroje la luz de la Palabra sobre los ásperos caminos por los que transita el pueblo de habla hispana en todo este vasto hemisferio; ya nos va haciendo falta un comentario escrito por quienes acompañan a nuestro pueblo en ese duro camino; ya nos va haciendo falta, como nuestro propio título lo llama, un «Comentario Bíblico Hispanoamericano».

Es nuestro deseo y nuestra esperanza que el Comentario Bíblico Hispanoamericano sea a la vez un llamado y una contribución a ese redescubrimiento de las Escrituras.

EL CONSEJO EDITORIAL

1 **En los comentarios, la sección «el texto en nuestro contexto» aparece destacada con un tipo de letra diferente.**

Dedicatoria

Para María Cristina Mesa, mi madre,
quien me ha dedicado toda su vida.

Como una muestra de gratitud a Armando Ginard, mi pastor,
y a su esposa María del Carmen,
por acompañarme un tan largo trecho en el camino.

A la memoria de Frederick Fyvie Bruce, conocido como F. F. Bruce,
y de Jean Daniélou, cuyos libros me iniciaron en los estudios del
Nuevo Testamento y el cristianismo primitivo.

Contenido

II TIMOTEO

TITO

Lista de Abreviaturas

Versiones de la Biblia

La Biblia utilizada generalmente es la Reina Valera, versión de 1960. Cuando se cite de otras versiones se verán las siguientes abreviaturas.

BA	*Biblia de las Américas*
BJ	*Biblia de Jerusalén*
CI	*Versión de Cantera/Iglesias*
LNB	*La Nueva Biblia* (Ediciones paulinas)
NBLA	*Nueva Biblia Lationamericana*
NBE	*Nueva Biblia Española*
NC	*Versión de Nácar Colunga*
NTH	*Nuevo Testamento de Herder*
NRV	*Nueva Reina Valera*
PB	*Versión de Pablo Besson*
RVA	*Reina/Valera Actualizada*
RVR	*Reina/Valera Revisada*
TA	*Versión de Torres Amat*
VL	*Versión Latinoamericana*
VM	*Versión Moderna*
VP	*Versión Popular*

Otras abreviaturas

AndUnivSemSt	*Andrews University Seminary Studies* (Berrien Springs, MI)
AnGreg	*Analecta Gregoriana* (Roma, Italia)
AngThRev	*Anglican Theological Review* (Evanston, IL)
Ant	*Antonianum* (Roma)
AusBibRev	*Australian Biblical Review* (Melbourne)
Ap	*Apuntes* (Decatur, Georgia, EE. UU.)

BangThF	*Bangalore Theological Forum* (Bangalore)
Bib	*Biblica* (Roma)
BibArch	*Biblical Archaelogist* (Durham, NC)
BJRL	*Bulletin of John Rylands Library* (Manchester)
BibLitur	*Bibel und Liturgie* (Klosterneuburg)
BibOr	*Bibliotheca Orientalis* (Leiden)
BibSacr	*Biblioteca Sacra* (Dallas, Texas, EE. UU.)
BT	*Boletín Teólogico* (Buenos Aires, Argentina)
BibTo	*The Bible Today* (Collegeville, MI)
BibTrans	*Bible Translator* (London)
BibW	*Biblical World* (EE. UU.)
BibZeit	*Biblische Zeitschrift* (Paderborn, Alemania)
Bsäch	*Berichte über die Verhandlungen der königlich sächsischen Gesellshaft der Wissenschaften* (Leipzig)
BZ	*Biblische Zeitschrift* (Freiburg i.B.; Paderborn)
BZntW	*Beihefte zur Zeitschrift für die neutestamentliche Wissenschaft* (Giessen; Berlin)
CB	*Cuadernos Bíblicos* (Estella Navarra, España)
CBQ	*Catholic Biblical Quarterly* (Washington)
CDT	*Cuadernos de Teología* (Buenos Aires, Argentina)
CH	*Church History* (Chicago, Illinois, EE. UU.)
CollTheol	*Collectanea Theologica* (Varsovia)
Comm	*Communio* (Sevilla)
Conc	*Concilium* (New York)
ConcThM	*Concordia Theological Monthly* (St. Louis, Missouri, EE. UU.)
Christus	*Christus:* (México)
CT	*Christianity Today* (Carol Stream, Illinois, EE. UU.)
Dia	*Dialog* (St. Paul)
DEcum	*Diálogo Ecuménico* (Salamanca, España)
DesT	*Destellos Teológicos* (Fort Wayne, Indiana, EE. UU.)
DIB	*Diccionario Ilustrado de la Biblia*, Caribe, (Miami, 1974)
DT	*Diálogo Teológico* (El Paso, Texas, EE. UU.)
EphThLov	*Ephemerides Theologicae Lovanienses* (Leuven)
EstEcl	*Estudios Eclesiásticos* (Madrid)
EstBib	*Estudios Bíblicos* (Madrid)
EtThRel	*Etudes Théologiques et Religieuses* (Montpellier)
EvTh	*Evangelische Theologie* (München)
EvK	*Evangelische Kirchenzeitung* (Alemania)
EvQ	*Evangelical Quarterly* (Burton, Inglaterra)
Exp	*The Expositor* (London)
ExpTim	*The Expository Times* (London)

FilolNt	*Filología neotestamentaria* (Córdoba, Esp.)
GuL	*Geist und Leben* (München)
HTR	*Harvard Theological Review* (Cambridge, EE.UU.)
IDB	*The Interpreter's Dictionary of the Bible*, 4 vols. + supl., Abingdon, Nashville, 1962
Int	*Interpretation: A Journal of Bible and Theology* (Richmond)
IntRevMiss	*International Review of Missions* (Ginebra)
JBL	*Journal of Biblical Literature* (New Haven)
JES	*The Journal of Ecumenical Studies* (EE. UU.)
JETS	*Journal of the Evangelical Theological Society* (Wheaton, Illinois, EE. UU.)
JTS	*Journal of Theological Studies* (Oxford, Inglaterra)
JEH	*Journal of Ecclesiastical History* (London)
JfdT	*Jahrbücher für deutsche Theologie* (Göttingen)
JJewSt	*Journal of Jewish Studies* (Oxford)
JnRyl	*Journal of the John Rylands Library* (Manchester)
JQR	*The Jewish Quarterly Review* (Merion Station, PA)
JR	*The Journal of Religion* (Chicago)
JRomSt	*The Journal of Roman Studies* (London)
JStNT	*Journal for the Study of the New Testament* (Sheffield)
JTS	*The Journal of Theological Studies* (Oxford)
Kais	*Kairós* (Ciudad de Guatemala, Guatemala)
LMD	*La Maison Dieu* (Paris)
LTP	*Laval theólogique et philosophique* (Quebec, Canada)
MiscB	*Miscelánea Bíblica* (Roma)
Mis	*Misión* (Buenos Aires, Argentina)
Neot	*Neotestaméntica* (Stellenbosch, Sudáfrica)
NkZ	*Neue kirchliche Zeitschrift* (Leipzig)
NRT	*Nouvelle Revue Théologique* (Tournai)
NT	*Novum Testamentum* (Leiden)
NTSt	*New Testament Studies: An International Journal* (Cambridge, Eng.)
PalExQ	*Palestine Exploration Quarterly* (London)
Prot	*Protestantesimo* (Roma)

RCatalT	*Revista Catalana de Teología* (Barcelona)
RechScR	*Recherches de Science Religieuse* (Paris)
RelStudRev	*Religious Studies Review* (Macon, GA)
RestorQ	*Restoration Quarterly* (Abilene, TX)
RevBib	*Revue Biblique* (Jérusalén)
RevisBib	*Revista Bíblica con Sección Litúrgica* (Madrid)
RevScPhTh	*Revue des Sciences Philosophiques et Théologiques* (Paris)
RevThLouv	*Revue Théologique de Luvain* (Louvain)
RevThom	*Revue Thomiste* (Toulouse)
RHE	*Revue d'Histoire Ecclésiastique* (Louvain)
RHPR	*Revue d'Histoire et de Philosophie Religieuses* (Strasbourg)
RicRel	*Ricerche Religiose* (Roma)
RivBib	*Rivista Biblica* (Brescia)
RScR	*Revue des Sciences Religieuses* (Strasbourg)
RTP	*Revue de Théologie et de Philosophie* (Genève; Lausanne)
Salm	*Salmanticensis* (Salamanca)
SBL	*Society of Biblical Literature Research Paper* (EE. UU.)
SC	*Sources Chétiennes* (París,)
ScEccl	*Sciences Ecclésiastiques* (París,)
SecCent	*Second Century* (Macon, GA)
SNTS	*Society of New Testament Studies* (EE. UU.)
ScSpr	*Science et Esprit* (París)
SJT	*Southwesterm Journal of theology* (Forth Worth, Texas,)
ST	*Studia Theologica* (Lund)
StNTUmw	*Studien zum Neuen Testament und seiner Umvelt* (Linz)
StRelScRel	*Studies in Religion / Sciences Religiueses* (Waterloo, Ontario)
Th	*Theology: A Journal of Historical Christianity*
TLT	*Theology Today* (Princeton New Jersey, EE. UU.) (London)
ThQ	*Theologische Quartalschrift* (Tübingen)
ThRund	*Theologische Rundschau* (Tübingen)
ThSt	*Theological Studies* (New York)
ThuGl	*Theologie und Glaube* (Paderborn)
TTQ	*Tübenger Theologische Quartalschrift* (Tubinga, Alemania)
ThWzNT	*Theologisches Wörterbuch zum Neuen Testament,* 10 vols., ed. G. Kittel, W. Kohlhammer, (Stuttgart, 1933-79)
TynBull	*Tyndale Bulletin* (Cambridge, Great Britain)
TZ	*Theologische Zeitschrift* (Basel)
TZT	*Tübinger Zetschrift für Thelogie* (Tubinga, Alemania)

VyP	*Vida y Pensamiento* (San José)
WaW	*Word and World* (St. Paul)
ZKgesch	*Zeitschrift für Kirchengeschichte* (Stuttgart)
ZkT	*Zeitschrift für katholische Theologie* (Innsbruck)
ZntW	*Zeitschrift für die neutestamentliche Wissenschaft* (Giessen; Berlin)

Introducción general

I. Preguntas preliminares

Antes de adentrarnos en la introducción a estos escritos intentaremos contestar algunas preguntas preliminares. En las respuestas empezará a plantearse una serie de cuestiones que consideraremos más adelante.

A. ¿Por qué llamarlas «Epístolas Pastorales»?

Si se atienden otros importantes aspectos, además de lo estrictamente pastoral o relacionado con «la cura de almas», las tres cartas conocidas como «Epístolas Pastorales» o «Cartas Pastorales» pudieran también ser llamadas «Epístolas Eclesiásticas» o «Epístolas Personales». Los elementos eclesiástico y personal forman parte del texto de manera significativa. Además, en círculos cristianos bastante antiguos, se les denominó «Cartas Pontificias», es decir, escritas por un pontífice (*Pontifex*) de la iglesia. En el *Canon de Muratori*[1] estas epístolas son presentadas como comunicaciones oficiales «para darle orden a la disciplina en la iglesia». Tomás de Aquino, al referirse en 1274 a Primera de Timoteo, insistió en lo siguiente: «esta carta es como si fuera una regla pastoral que el Apóstol le entregó a Timoteo». Como en el caso de otros libros de la Biblia, el clasificarlos depende de una serie de factores y la clasificación se hace por lo general cuando se entiende que uno de ellos prevalece sobre los demás.

Fueron eruditos o estudiosos del siglo dieciocho, como D. N. Berdot en 1703 y Paul Anton en 1726, quienes popularizaron la designación conjunta de «Epístolas Pastorales». Berdot usó el nombre refiriéndose más bien a la carta

1 El Canon de Muratori, llamado por algunos Fragmento Muratoriano, es un índice de escritos neotestamentarios redactado probablemente en Roma antes del año 200 y que fue extraído de un manuscrito del siglo VIII en la Biblioteca Ambrosiana de Milán y publicado en 1740 por el director de la misma, el historiador italiano Luis Antonio Muratori. Algunos consideran a Hipólito de Roma como su autor, entre ellos J. B. Lightfoot y M. J. Lagrange.

a Tito; pero Anton lo usó para referirse a las tres epístolas. Muchos creen que fue precisamente Paul Anton[2] quien logró con un libro y una serie de conferencias en la Universidad de Halle en 1726 y 1727, que el nombre fuera aceptado más o menos definitivamente. Lo mismo parece haberse logrado en los pueblos de habla inglesa mediante una obra de Henry Alford publicada a mediados del siglo XIX.[3] En los comentarios católicos que se han publicado en España y América Latina se ha generalizado también esa designación aunque generalmente se prefiere la de «Cartas Pastorales».

Las cuestiones históricas relacionadas con ellas recibirán en esta obra un amplio tratamiento, pero la importancia del nombre merece una consideración inmediata por cuestiones de identificación de las mismas. Sobre estas «Epístolas Pastorales» se han escrito importantes trabajos utilizando precisamente ese nombre como título. También algunas cuestiones relacionadas directamente con ellas han despertado un apreciable grado de controversia al que nos referiremos más adelante. Esas polémicas han contribuido a generalizar esa designación.

Ciertos rasgos o énfasis comunes de estas tres epístolas ayudan a entender mejor las razones por las que ha prevalecido la designación de «Pastorales». Por ejemplo, en estas cartas encontramos bastante luz acerca de la forma en que un pastor se enfrenta a sus deberes y a la importante cuestión de la administración de una iglesia. Otro énfasis es la vida consagrada por parte de los creyentes, preocupación constante de un verdadero pastor de almas. Además, una importante tarea pastoral es el tratar en forma adecuada las confusiones que surgen entre los cristianos, algunas de las cuales conducen a herejías y desviaciones fundamentales.

Por otra parte, es evidente que el título común no es muy exacto. No solamente porque otros aspectos no necesariamente «pastorales» son tratados en las epístolas, sino porque Timoteo y Tito, de acuerdo con la opinión de muchos comentaristas, no eran simplemente ministros o pastores de congregaciones locales sino enviados especiales del Apóstol Pablo y encargados

2 Paul Anton fue un teólogo y académico alemán de fines del siglo XVII y principios del XVIII. En 1686 logró formar, con August Hermann Francke, un importante *collegium philobiblicum* para el estudio de la exégesis bíblica que se convirtió en una escuela que promovía la piedad personal y el celo espiritual. Ese grupo ha sido criticado por algunos por descuidar aspectos de tipo doctrinal. Esas críticas pueden proceder tal vez de la sistemática oposición al pietismo por parte de muchos círculos académicos y eclesiásticos alemanes de la época. Al fundarse la Universidad de Halle en 1694, Anton y Francke estaban entre sus primeros profesores. Anton ha disfrutado de cierto prestigio académico y algunos, como William Barclay, se refieren a él como un «gran erudito». El nombre «Epístolas Pastorales» es usado en su *Exegetische Abhandlungen der Past. Pauli* (1753/1755).

3 Henry Alford (1810-1871). Miembro del Trinity College de la Universidad de Cambridge y Deán de la Catedral de Canterbury. Su edición del Nuevo Testamento en griego (1849-1861) le ganó bastante fama y sirvió para establecer o definir algunos asuntos, entre ellos el nombre de «Epístolas Pastorales». Fue también autor de otras obras así como de himnos religiosos. Alford tradujo al inglés *La Odisea* de Homero.

de cumplir misiones específicas que no se limitaban al ejercicio de un ministerio puramente pastoral. Se ha señalado, por parte de varios especialistas, que estas cartas no constituyen un manual de teología pastoral pues la mayoría de los temas tratados en esos manuales no son tratados en las mismas. Aun así su contenido está relacionado íntimamente con la teología pastoral.

El carácter de estas epístolas merece destacarse desde el principio si es que vamos a tener una idea de la clase de libros bíblicos que estudiaremos en esta obra. Para tratar de contestar la pregunta, empezaremos por decir que estas tres cartas parecen formar un grupo homogéneo.[4] De acuerdo con el profesor Lorenzo Turrado, estas tres epístolas: «tienen el mismo estilo, contienen idéntica doctrina, apuntan a las mismas tendencias heréticas y suponen prácticamente las mismas condiciones históricas», además, nos dice, «Van dirigidas, no directamente a las iglesias, como el resto de las cartas paulinas, a excepción de Filemón, sino a los pastores de esas iglesias».[5] El mismo autor entiende que «Primera de Timoteo insiste particularmente sobre la organización de la iglesia, Tito sobre la vida cristiana, y Segunda de Timoteo sobre la sana doctrina».[6] Pudiera añadirse que muchos de los materiales que se encuentran en ellas son para el uso de las comunidades a las cuales se estaba ministrando y no solamente para los líderes o encargados. Son a la vez cartas personales y epístolas casi públicas por su contenido.

Entre los aspectos que las caracterizan se encuentra su consideración del mensaje cristiano como algo ya hecho, es decir, que se trata de un «depósito» que debemos conservar y preservar. No es solamente la exposición y revisión del mensaje como en otras epístolas atribuídas al Apóstol Pablo. Otras diferencias son igualmente fáciles de comprobar. Por ejemplo, gran parte de la preocupación del autor tiene que ver con la organización eclesiástica, al menos en asuntos tan importantes como el escoger e instalar obispos, presbíteros y diáconos en las comunidades que se vayan formando, lo cual en las otras cartas no recibe ese grado de atención.

La teología generalmente denominada «paulina»,[7] está presente a grandes rasgos y hasta en ciertos detalles en estas cartas, pero se notan diferencias importantes que merecerán en su momento una amplia consideración. Por ejemplo, el ambiente parece estar cronológicamente más avanzado y si se conservan las fórmulas de expectación escatológica existe mucho menos tensión en esa constante expectativa del regreso de Cristo. Se está contemplando un futuro más prolongado para el cual sería necesario prepararse, entre otras

4 No hay duda que por sus temas pertenecen las unas a las otras, como Romanos a Gálatas, por citar un ejemplo.

5 *Biblia Comentada*, Vol. VI (2º), Biblioteca de Autores Cristianos, Madrid, 1975, p. 371.

6 *Ibid.*

7 La teología «paulina» es la de Pablo y de sus discípulos. También se ha generalizado la práctica de considerar como «paulino» todo lo que parezca coincidir con Pablo o se base en su pensamiento.

maneras, mediante una adecuada organización. No vemos tampoco el mismo enfrentamiento con herejes y contradictores fácilmente identificables como los «de la circuncisión» o los opositores sistemáticos a la autoridad apostólica de Pablo, sino con un grupo algo difícil de identificar, o de comprender, y que algunos pudieran calificar de «gnósticos judaizantes» que practicaban la abstinencia y despreciaban el matrimonio y que será necesario considerar a la luz de una variedad interesante de posibilidades.

Cuando estudiemos algunas de las características propiamente literarias nos enfrentaremos a ciertos problemas que no pueden soslayarse. Algunos temas son tratados más de una vez en la misma epístola sin que pueda necesariamente justificarse con una premeditación aparente. Más inquietante para algunos pudiera ser el significativo detalle de que el vocabulario es a veces parecido al de los padres apostólicos o post apostólicos, lo cual es utilizado por muchos para situarlas en el siglo segundo.

Creemos encontrar por lo menos tres asuntos fundamentales que estaban en el propósito del autor.

Primero, quería hacer valer en las iglesias del área del Mar Egeo los principios básicos que formaban parte del «depósito» de la fe. En caso de que el autor no fuera Pablo, como ciertas características de las Pastorales lo sugieren,[8] el escritor desearía reafirmar la tradición paulina entre esas iglesias.

Segundo, deseaba ofrecerles a los líderes de las iglesias una serie de instrucciones que les permitieran aumentar el grado de autoridad de que disfrutaban como ministros del Señor.

Tercero, tenía la intención de ayudarles a combatir las herejías que iban *in crescendo* en aquella época y región. La autoridad que hemos mencionado tiene una relación directa con esa situación.[9]

Por supuesto que pudiera afirmarse que entre los propósitos y objetivos se encuentra el de hacer valer la autoridad apostólica de Pablo, lo cual estaría íntimamente relacionado con todo lo anterior.

8 La cuestión de la autoría paulina ocupará gran parte de nuestra atención en este comentario. También se irá haciendo muy evidente hasta dentro del comentario del texto pues consideraremos todas las posibilidades que plantean las distintas teorías. Creemos que hacerlo es imprescindible para comprender ciertos pasajes y lograr un entendimiento amplio de los temas y las cuestiones que están en juego. Es una manera de aprovechar la riqueza y variedad de materiales procedentes de intérpretes que han llegado a conclusiones diferentes.

9 Como veremos más adelante en el libro, los que defienden la autoría paulina hacen énfasis en los aspectos judíos que pudieran tener estas herejías, asociándolas con los «judaizantes» y con una forma temprana de gnosticismo (es decir, con ideas pre gnósticas) en el siglo primero, mientras que los partidarios de la opinión contraria y de una fecha posterior se refieren a los problemas planteados por el gnosticismo o el marcionismo, los cuales serán también considerados más adelante.

B. ¿Qué esperar de otro comentario?

Puede esperarse de un comentario que su autor dialogue con obras anteriores y con una serie de opiniones y datos que han sido el producto de un largo proceso de investigación sobre la materia realizado por un número apreciable de personas. No se trata solamente de la opinión del autor sino del resultado de la influencia de otras opiniones sobre el comentarista y su propia manera de estudiar, interpretar y concluir acerca del texto. Por otra parte, algunos autores de este tipo de obras se preocupan estrictamente con cuestiones de exégesis, es decir, lo que el texto significaba para los destinatarios de aquellos escritos. Por supuesto que también se están escribiendo comentarios que tienen en mente el «aquí» y el «ahora». Queremos que el nuestro llene esa última condición sin olvidar las otras dos expectativas.

Gordon D. Fee, escribiendo para un simposio publicado por la revista *Theology Today,* expresó una frustración suya en relación con algunos comentarios: «Mi mayor desilusión con la mayoría de los comentarios ha sido lo que he sentido como una ubicación inadecuada de un texto dado en relación con su contexto histórico y literario».[10] Esa prioridad de lo que bien pudiéramos denominar «el texto en su contexto» nos parece esencial. En su defecto, la labor debe considerarse incompleta. En ese mismo número de la prestigiosa publicación, F. Dale Bruner se refería a un asunto íntimamente relacionado con el anterior: «Cada comentarista ha sido situado en algún lugar del mundo creado por Dios, y la vida en ese mundo necesariamente moldeará los comentarios que hace».[11]

Es evidente que hemos heredado una serie de apreciaciones hechas con una óptica extranjera acerca de asuntos que ocurrieron en un lugar del mundo que no es Hispanoamérica, pero tampoco Europa Occidental o la América del Norte. Recordemos que aquellos misioneros que iniciaron el trabajo en la mayor parte de los países de América Latina procedían de esas regiones. Debe reconocerse que generalmente realizaron loables y a veces extraordinarios servicios. Guillermo David Taylor, Secretario Ejecutivo de la comisión de misiones de la Alianza Evangélica Mundial, en una ponencia presentada en una asamblea de COMIBAM celebrada en Sao Paulo, Brasil, en 1987, se refería al «déficit de sensibilidad cultural en el misionero» y al «paternalismo colonial de los mismos». Pero recordaba con complacencia «a los que entendieron y entienden que ser diferente no equivale a ser inferior».[12]

En la mayoría de los casos, fueron los misioneros los que introdujeron en las aulas de los seminarios e institutos teológicos los textos para estudio bíblico

10 «*Reflections on Commentary Writing*», *ThT*, Vol. XLVI, # 4, January, 1990, p. 389.

11 *Ibid*, p. 401. Son las realidades de lo que merece ser presentado como «el texto en nuestro contexto».

12 Véase «*El Desafío transcultural*» en *Kairós*, Seminario Teológico Centroamericano, Guatemala, #6, enero-junio de 1990, pp. 71-90.

que se han utilizado hasta el momento. Los autores de comentarios sobre estas epístolas han sido casi siempre escritores en lengua inglesa o alemana. Sus labores han sido sumamente importantes y hasta fundamentales sobre todo en el ambiente protestante, como también lo han sido las de autores franceses en el católico. Pero falta una perspectiva hispanoamericana que intentaremos estimular y promover con nuestro modesto aporte.

El lector debe entender que no podemos acudir a un número muy impresionante de comentaristas hispanoamericanos precisamente por esa situación, es decir, por no haberlos en buen número. El comentario tiene entre sus intenciones precisamente la de tratar de despertar interés en este tipo de labores. Debemos reconocer labores como las de José I. González Faus que dedica buena parte de un interesante y documentado libro,[13] publicado en España, a considerar en forma contextual una serie de cuestiones planteadas por las Pastorales. Aunque no se trata de un comentario sobre estas cartas y a pesar de que no coincidimos con muchos de sus planteamientos, entendemos que representa un intento serio de utilizar parte del material de las epístolas aplicándolo a nuestro entorno.

Es cierto que no planeamos trabajar en Efeso o Creta, pero lo más probable es que no pensamos hacerlo tampoco en los prósperos suburbios cercanos a Washington, donde se conoce poco acerca de cómo viven realmente los «hispanos» y los ciudadanos de raza negra radicados en la capital norteamericana. Por ejemplo, sería curioso comprobar qué entienden ciertos comentaristas por «irreprensible» en Efeso y Creta y cómo aplican esas palabras al ambiente de pobreza, promiscuidad, falta de oportunidades y marginación de ciertas barriadas y aldeas latinoamericanas o de los «ghettos» hispanos de Norteamérica. Ciertamente no encontrarán allí el concepto de un ciudadano considerado «sólido» producto de una mente acostumbrada a geografías y ambientes que no son los de Efeso o Creta. Por otra parte, algunos de esos hermanos septentrionales serían probablemente acusados hasta de inmorales en comunidades del interior de Latinoamérica donde ciertas prácticas y costumbres estadounidenses serían consideradas incorrectas. Por ejemplo, el dejar pasear a las hijas con desconocidos y sin acompañamiento es inconcebible en algunos ambientes en la región. La aplicación de la palabra «irreprensible» será necesario buscarla en el contexto en que se escribió para después aplicarla fielmente de acuerdo con el entorno de la persona que la lee. Por supuesto que nosotros no tenemos tampoco un dominio absoluto del contexto cretense de los primeros siglos, pero sí algún conocimiento y ciertas vivencias acerca del ambiente de nuestros países y de las situaciones características de los mismos.

En el tema de las viudas que no tenían apoyo financiero o de otro tipo por parte de sus familiares encontramos una situación diferente a la de los países

13 Véase *Hombres de la comunidad*, Editorial Sal Terrae, Santander, 1989, pp. 63-76.

anglosajones y nórdicos en los cuales existen formas de «estado benefactor»[14] y sobre todo una relativa prosperidad inexistente en nuestras regiones, lo cual nos sitúa mucho más cerca de la situación de Efeso o Creta en el primero o segundo siglo y nos permite adoptar ciertas normas que le serían difíciles de entender o aceptar a un norteamericano de clase media.

Es por eso que ha llegado la hora en que los comentaristas tomen en serio las realidades a las que se enfrenta diariamente un pastor o líder cristiano en Guadalajara, Barcelona, La Habana, Santa Rosa de Copán, Masaya, Barranquilla, Cuzco, Buenos Aires, Puntarenas, Río de Janeiro o alguna aldea de Centroamérica, las islas del Caribe o los Andes. No podemos exigirles a los eruditos alemanes, franceses y anglosajones que tengan en cuenta las labores del misionero o pastor entre los obreros migratorios de Norteamérica, los «latinos» de Nueva York, los «chicanos» de California o los habitantes del alucinante mundo de los barrios pobres de Caracas o de las tribus del Amazonas, la Mosquitia o la Araucanía.

La palabra de Dios contiene las enseñanzas básicas que podemos aplicar en cualquier caso, pero debemos ser cuidadosos en distinguir entre lo que es «palabra de Dios» y lo que es resultado de las influencias que un comentarista ha recibido durante su vida y que tal vez no guarden relación con otras situaciones humanas.

Emilio Antonio Núñez, un respetado teólogo centroamericano, pudiera estar señalándonos la tarea a realizar. Por un lado, lo hace como una respetuosa advertencia a algunas de las nuevas teologías latinoamericanas: «En la América Latina tenemos que hacerle al texto bíblico no solamente nuestras preguntas tradicionales, relacionadas con las necesidades del individuo y con el más allá... De lo que se trata no es de atribuirle al texto bíblico un significado que le es ajeno, sino de extraer el que ya posee y relacionarlo sin tergiversaciones con las necesidades del individuo y las de la sociedad. Se entra en diálogo con las Escrituras no para cambiarles su significado, como si éste pudiera modificarse a capricho del intérprete o en respuesta a las transformaciones sociales. Si tal cosa sucediera las Escrituras dejarían de ser la norma suprema y permanente para la fe y conducta de la Iglesia en todo tiempo y lugar».[15] Pero también señala con firmeza acerca de la tarea que nos corresponde realizar a favor de la gente con la que trabajamos: «...no podemos ya sustraernos de nuestra responsabilidad de pensar y hablar teológicamente a partir de las Escrituras, en respuesta a las necesidades vitales de nuestro propio pueblo».[16]

14 Por «estado benefactor» entendemos una situación en la cual el estado y el gobierno tienen la responsabilidad de administrar programas de asistencia social que benefician a desempleados, madres solteras, viudas, ancianos, etc. Estos programas solamente existen en unos pocos países de habla española y si acaso en forma muy limitada y precaria.

15 Emilio Antonio Núñez, *Teología de la Liberación*, Editorial Caribe, San José, 1986, p. 261.

16 *Ibid.*, p. xi.

II. El Nuevo Testamento y el género epistolar antiguo

De acuerdo con algunos diccionarios una epístola es «una carta misiva que se escribe a los ausentes». La prosa epistolar integra el género de las cartas o «conversaciones por escrito con el ausente».[17] En literatura puede tratarse también de una composición poética escrita con fines morales o literarios, dirigida lo mismo a una persona real que a una figurada. Con frecuencia se aprovecha para la exposición de opiniones o asuntos doctrinales. Cuando pensamos en una epístola con fines religiosos los lectores del mundo occidental tienen en mente los escritos enviados por los apóstoles a los creyentes en diversas regiones del antiguo Imperio Romano. Se trata de las cartas más conocidas en la historia de Occidente. Pero no olvidemos que una epístola puede ser de carácter literario, filosófico, descriptivo, satírico, político y religioso. Se le llama epistológrafo a una persona que escribe epístolas con alguna frecuencia y con cierta habilidad.

En cuanto al género epistolar antiguo, se conservan millares de cartas de la antigüedad greco-romana. Muy famosa es la ***Epístola ad Pisones*** de Horacio, considerada como un amplio tratado de preceptiva poética.[18] Del gran orador romano Cicerón se conservan más de 700 cartas. Debe señalarse también que se han encontrado, en papiros recientemente descubiertos, numerosas cartas antiguas en su texto original.

En el género epistolar antiguo, las cartas tenían tres partes fundamentales: saludo o encabezamiento, el cuerpo mismo de la epístola y la conclusión o despedida. No son, pues, muy diferentes de las cartas de nuestro tiempo. Las cartas antiguas siguen un módulo al que por lo general se ajustan.[19] Debe tenerse en cuenta que solían escribirse en papiro, es decir, una especie de junco que se encontraba fácilmente en Egipto, cortado de arriba abajo en finas tiras que se entrelazaban y formaban algo parecido a nuestras hojas de papel.[20] Otros materiales eran tablas con una capa de cera, pergamino, etc.

17 Según una vieja definición latina.

18 Estaba dirigida a unos hermanos llamados Pisón, discípulos del poeta, y se le considera un modelo casi insuperable de epístola didáctica de fondo literario.

19 Utilizamos solamente las divisiones más importantes. En las cartas helenísticas de la época se encontraban los nombres del remitente y del destinatario con una fórmula de salutación. Después venían las acciones de gracias y las peticiones a Dios, seguidas de una fórmula introductoria. Al final se extendían saludos y bendiciones del remitente escritas en su propia mano, reemplazando la firma a que estamos acostumbrados.

20 En Roma se utilizaban tablillas de cera en la vida diaria, pero no se prestaban para la correspondencia. Debe señalarse que las hojas de papiro que se importaban de Egipto eran de menor costo que el pergamino, pero su manejo era más difícil y duraban mucho menos. El pergamino tenía la ventaja de que podía escribirse por dos lados. Esto permitió pasar del rollo, que era escrito sólo en la parte interior, al *codex* o libro en el que las hojas del pergamino se doblaban y se disponían en fascículos. Las mismas formas se aplicaron también al papiro. Se pegaban varias hojas, haciéndose un rollo o agrupándose en códices. Es posible suponer que

Las epístolas del Nuevo Testamento poseen ciertos rasgos comunes. La dirección o sobreescrito consta del nombre y rango de corresponsales y destinatarios con una salutación que se amplía en una extensa acción de gracias (Romanos y Efesios son buenos ejemplos) en que aparecen generalmente las fórmulas griega y judía de «gracia» y «paz». El cuerpo de la carta tiene una longitud que va desde simples esquelas como la de Filemón hasta verdaderos tratados como Romanos. La conclusión raramente se omite y consiste de salutaciones, recados personales, consejos postreros, etc.

Debe tenerse en cuenta que algunas modificaciones se fueron introduciendo al estilo y la estructura del género tal y como se practicaba en aquella época, como se nota en las escritas por Pablo. Por ejemplo, en el encabezamiento se acostumbraba a seguir la siguiente fórmula: «Julio (el remitente) a Marco (el destinatario), salud». Revisando el decreto apostólico contenido en Hechos 15.23 o la carta de Lisias a Félix (Hch. 23.36) lo encontramos. También en la carta de Santiago (Stg. 1.1). En las epístolas paulinas notamos como Pablo comienza por nombrar junto a su persona las de uno o varios colaboradores suyos (1 Co. 1.1-2; Fil. 1.1-2, etc.) y extiende si es necesario esa fórmula para añadir títulos personales y explicaciones (Ro. 1.1-7: Gá. 1.1-5). Entre otros cambios, parece haber trasladado a sus epístolas la costumbre judía de comenzar con acción de gracias. En el cuerpo de la carta notamos lo siguiente. Las epístolas paulinas no pueden ser clasificadas ni como «cartas privadas» ni como «cartas literarias» o «epístolas»[21] en el sentido más estricto. Sus cartas incluyen algo de cada una. Se dirigen a personas y grupos con saludos y noticias que sólo tienen interés para ellos; por otra parte, tratan temas que necesariamente atraen a otros lectores, incluso con un interés universal para toda la iglesia cristiana. Debe reconocerse que este tipo de combinación o de variación no es exclusivo de Pablo, pues otros autores antiguos hicieron lo mismo. Además, mientras la fórmula acostumbrada en la epistolografía antigua, después de notas personales y saludos finales era el uso de las palabras «vale» o «salve» («salud»), Pablo la cambia por una bendición. Es fácil comprobarlo, simplemente compárese Hechos 15.23 (el decreto apostólico) con Romanos 16.15-27.

Era frecuente en la antigüedad el uso de amanuenses. En algunos casos estos no se limitaban a copiar al dictado sino que podían redactar el texto. Sin embargo, por esa razón, la carta no dejaba de ser considerada auténtica. La fórmula final de saludo «vale», escrita por el remitente, servía para que se reconociera como suyo el contenido, a pesar de la intervención mayor o menor de un amanuense. Pablo parece haber usado de amanuense pero no es posible determinar exactamente el papel que éste jugó en el trabajo. Se ha escrito mucho acerca de las posibilidades de su uso en epístolas como Efesios y las

Pablo utilizaba el papiro, material más económico.

21 Nos basamos en la división que hacen A. Deissmann y otros autores.

Pastorales, sobre las cuales ha habido algún problema, entre los eruditos, en determinar exactamente la autoría o la paternidad.

Veintiún escritos del Nuevo Testamento tienen la forma de carta o epístola. Como hemos dado a entender, no todos son realmente cartas en el sentido de que fueron escritas siempre en una ocasión particular para dirigirse a una persona o grupo de personas en forma específica. En el contenido de la Epístola a Santiago es prácticamente imposible encontrar ciertas características de una carta. En el caso del libro de Apocalipsis existe el marco de referencia propio de una carta, pero esa obra pertenece al género apocalíptico en la literatura judía.

III. La Autoría de las Epístolas Pastorales

Si este comentario se hubiera escrito antes de 1804 es probable que se hubiera iniciado con una referencia al hecho de que estas epístolas se presentan a sí mismas como escritas por el Apóstol Pablo. Nosotros nos inclinamos en esa dirección, es decir, favorecemos la teoría de la paternidad paulina. Pero la mayoría de las obras publicadas a partir de 1804 la han rechazado. Por lo tanto, trataremos en este comentario el controversial tema de la autoría aprovechando el resultado de investigaciones realizadas por estudiosos que han emitido opiniones diferentes acerca de la misma. El amplio espacio que dedicaremos al tema tiene una relación directa con su importancia pues coincidimos con una respetable lista de comentaristas cuya opinión puede resumirse en las palabras del profesor Lorenzo Turrado que nos recomienda que «en este punto conviene ser muy cautos» y nos recuerda que «El problema fundamental de estas cartas es el de su autenticidad paulina».[22] Stanley B. Murrow refiriéndose a cuestiones de autoría o paternidad de la Epístola a los Hebreos afirmó que su «...autoría paulina... tiene que decidirse de acuerdo con la evidencia literaria y crítica. No puede resolverse mediante la decisión de una autoridad eclesiástica o religiosa... el hecho de su autoría no puede ser alterado por ninguna autoridad en el cielo o en la tierra. Si Pablo no escribió Hebreos, entonces Hebreos no fue escrito por Pablo y eso es todo lo que hay al respecto. La autoría de cualquier obra solo puede ser reconocida o rechazada; no está sujeta a un decreto».[23] Aunque no aceptemos su forma de presentar el asunto, ni gran parte de su exposición, esta nos ayuda a darnos cuenta que, en los estudios religiosos de nuestro tiempo, el determinar con autoridad más o menos definitiva la paternidad de un libro considerado inspirado o canónico ha salido en gran parte de las manos de las autoridades eclesiásticas y pasado al mundo académico.

22 *Op. cit.*, p. 371.

23 Véase Stanley B. Murrow, *Paul: His Letters and His Theology*, Paulist Press, New York, 1986, p. 50.

A principios del siglo diecinueve algunos profesores y estudiosos de la Biblia habían expresado sus dudas acerca de que Pablo hubiera escrito Primera de Timoteo. Entre ellos estaba J. E. Schmidt, quien hizo pública su opinión en 1804. El primer erudito internacionalmente famoso que cuestionó la autenticidad de estas epístolas lo fue probablemente el notable teólogo y filósofo alemán Friedrich Schleiermacher[24] quien en 1807 presentó algunas preguntas serias a aquellos que defendían la autoría paulina de Primera de Timoteo, hasta entonces una opinión prácticamente unánime. Según Schleiermacher, había necesidad de ocuparse, entre otros, de los siguientes problemas: la presencia de una terminología que él no consideraba como estrictamente paulina, la dificultad de encontrar un escenario adecuado para Pablo, y la ausencia de argumentos coherentes a favor de la autoría paulina. Este interés de tipo erudito por parte de Schleiermacher puede haberle convertido en una especie de padre de una escuela de crítica moderna en cuestiones de evidencia filológica y autenticidad.

Desde entonces, esos problemas han sido abordados por eruditos con las credenciales intelectuales o académicas apropiadas, tanto católicos como protestantes. Sin olvidar a casos aislados dentro de la ortodoxia oriental, generalmente poco inclinada a la alta crítica. En este comentario se harán numerosas referencias a algunos de ellos.

No pasó mucho tiempo sin que se unieran a Schleiermacher numerosos eruditos dispuestos a oponerse categóricamente al origen paulino de esta epístola o a expresar sus reservas al respecto. Pero debe señalarse que fue J. G. Eichhorn quien en 1812 afirmó que sus dudas acerca de la autoría paulina no se limitaban solamente al caso de Primera de Timoteo sino a las tres Epístolas Pastorales. En 1826, W. de Wette expresaba una opinión parecida. Por su parte un personaje importante de la erudición alemana de su tiempo, F. C. Baur, al escribir sobre las Pastorales en 1835, opinó que las mismas fueron escritas en el período post apostólico para rebatir herejías de tipo gnóstico.[25] La posición de Baur se conoce en bastante detalle en parte por su polémica

24 Friedrich Daniel Ernst Schleiermacher (1786-1834), teólogo alemán nacido en Breslau, Silesia. Alumno eminente de la Universidad de Halle. Tenía antecedentes familiares en el pietismo alemán. Además de ser abiertamente nacionalista, trató de unificar las iglesias luterana y reformada en Alemania. En su sistema religioso lo más importante era la experiencia, es decir, que el sentimiento debía jugar el papel principal sustituyendo a la actividad y al conocimiento. Para él, la vida sin religión estaba incompleta, pero rechazaba con frecuencia los aspectos sobrenaturales. De acuerdo con Barth, Schleiermacher era un liberal cuya religión dependía más del humano que de Dios. Fue rector de la Universidad de Berlín y se le debe el traer a Hegel a esa ciudad. Escribió sobre teología, hermenéutica, filosofía y predicación. Fue un notable traductor de Platón. Su obra *Sobre la Religión* es considerada como una expresión teológica del romanticismo, movimiento literario al que perteneció. Trató de defender el cristianismo en el período posterior al iluminismo.

25 Véase «Abgenöthigte Erklätrung», *TZT*, 1836, III, p. 201; «Uber den Ursprung des Episcopats in der christlichen Kirche», *TZT*, 1838, III, pp. 1-185.

con Friedrich August Gottob Tholuck, el más importante teólogo pietista del siglo diecinueve. Tholuck comparó las opiniones de Baur sobre las Pastorales y su autoría con las de D. F. Strauss y su supuesto «escepticismo» en la *Vida de Jesús*, la cual, por su racionalismo, era considerada como una amenaza a la fe del pueblo.[26]

En círculos académicos prevalecen en nuestro tiempo los que no se inclinan a la autoría de Pablo. Podría decirse que los partidarios de las opiniones de Schmidt, Schleiermacher, Eichhorn, de Wette y Baur son ahora la mayoría. Es por eso que muchos dan por sentado que no hay nada más que decir sobre el asunto y que lo lógico es rechazar la autoridad paulina. Pueden estar olvidando que incluso dentro del grupo de eruditos que estaban más estrechamente asociados con Baur no existió unanimidad acerca del asunto.[27] Además, un número respetable de profesores e investigadores, sobre todo comentaristas del ala más conservadora del protestantismo,[28] algunos de los más prestigiosos autores católicos de obras sobre el Nuevo Testamento y la mayoría de los estudiosos ortodoxos orientales se siguen inclinando hacia la autoría paulina o sostienen que un número significativo de materiales de procedencia paulina fueron utilizados en la preparación del texto de estas epístolas como lo conocemos hoy. La mayoría de los cristianos, en las diferentes iglesias, no está muy consciente de la importancia de la corriente de pensamiento desfavorable a la paternidad paulina, pero ésta ha penetrado considerablemente dentro del clero y los seminarios y universidades de casi todas las iglesias históricas, así como en otros círculos familiarizados con la crítica bíblica.

En cualquier caso, nos enfrentamos a una serie de cuestiones fundamentales, argumentos de gran peso, que contradicen de alguna manera la autoría paulina. Por lo tanto, es absolutamente imprescindible que estudiemos el asunto en forma organizada. Para hacerlo, consideraremos una serie de problemas que se presentan y después ofreceremos argumentos a favor y en contra de las diferentes teorías sobre la autoría de estas epístolas.

26 Véase *Evangelische Kirchenzeitung*, mayo, 1836, pp. 290-291.

27 Nos referimos a los integrantes de la famosa «Escuela de Tubinga» que explicaremos más adelante en esta introducción. En relación con la diversidad de opiniones dentro de ese grupo, véase Horton Harris, *The Tübingen School: A Historical and Theological Investigation of the School of F. C. Baur*, Baker, Grand Rapids, 1990, p. 197.

28 Los estudiosos de habla inglesa acostumbran a referirse a los protestantes cuya teología es más conservadora, dentro y fuera de las llamadas iglesias históricas, como «evangelicals» (evangélicos). Debemos alertar a los lectores de este libro que cuando utilicemos la palabra «evangélico» nos estamos refiriendo generalmente a esos protestantes de tradición conservadora. Esa práctica coincide con la de la mayoría de los textos escritos en lengua inglesa, o sus traducciones que citamos en la presente obra. También es necesario tener en cuenta que aunque los sectores «fundamentalistas» son identificados también como «evangélicos», no todos los evangélicos se consideran o son en realidad fundamentalistas.

A. Problemas en torno a la paternidad

Para los efectos de este comentario, lo que nos interesa en esta sección es señalar la diversidad de criterios así como algunos argumentos, objeciones, defensas y contradicciones que han sido presentadas. Trataremos de presentar por lo menos dos puntos de vista sobre cada asunto y al llegar al comentario del texto trataremos de adentrarnos con mayor profundidad en estos asuntos.

1. Problemas con el lenguaje y el estilo

De acuerdo con Werner Georg Kümmel, «Las primeras dudas acerca de la autenticidad de las Pastorales se basaban en el lenguaje».[29] Esto nos indica que algunos argumentos relacionados con el lenguaje y que pudieran utilizarse contra la paternidad paulina se notan más en el original griego que en las traducciones al español y otros idiomas. Los reparos lingüísticos tienen por lo tanto algún peso. Una serie de giros propios y de palabras utilizados por Pablo faltan en estas epístolas, mientras que ciertas palabras usadas por él se emplean aquí con diferente sentido, frecuencia o construcción. Las Pastorales usan giros y palabras que faltan en Pablo; y parece haber más contacto con el lenguaje del mundo helenístico y con la doctrina sapiencial judeohelenística que en otros escritos atribuidos a él. Veamos.

Más de una tercera parte de las palabras que aparecen en las Epístolas Pastorales no se encuentran en las otras cartas de Pablo. William Barclay nos recuerda que 175 palabras que encontramos en las Pastorales no aparecen en el resto de las epístolas paulinas. Sin embargo, hace hincapié en que 50 palabras de las Pastorales están también en otras cartas del Apóstol, pero en ningún otro lugar del Nuevo Testamento.[30] De acuerdo con Ronald A. Ward, 130 palabras que no se encuentran en el resto de la literatura paulina aparecen en otros libros del Nuevo Testamento.[31]

Entre las palabras favoritas de Pablo que no aparecen en las Pastorales, Barclay menciona cruz (*stauros*) y crucificar (*stauroô*) que se utilizan 27 veces en las otras cartas de Pablo pero nunca en las Pastorales.[32] Más de 100 partículas y otras indicaciones de estilo comunes en Pablo no aparecen en las Pastorales. No debe sorprendernos entonces que sean muchos los que entienden que el vocabulario y el estilo difieren apreciablemente del resto del material de origen paulino.

J. M. González Ruíz cita a P. N. Harrison que, según él, «advierte que las epístolas Pastorales constan de 902 palabras, de las cuales 54 son nombres propios. De las restantes 848, el 36%, o sea 306, no se encuentran en las otras

29 *Introduction to the New Testament*, Abingdon, Nashville, 1981, p. 371.

30 Véase *The Letters of Timothy, Titus and Philemon*, Westminster, Filadelfia, 1975, p. 8.

31 Véase *Commentary on 1 & 2 Timothy and Titus*, Word, Waco, 1982, p. 11.

32 *Op. cit.*, p. 9.

diez epístolas paulinas».[33] Debe mencionarse que Harrison trató de mostrar que «las Pastorales se apartan del lenguaje de Pablo en el uso limitado de partículas, el número de palabras que no se encuentran en algún otro lugar en sus escritos y el parentesco del lenguaje con el del siglo segundo».[34] Harrison utilizó métodos estadísticos para demostrar esa opinión, pero ha sido rebatido, entre otros, por los comentaristas C. Spicq y Donald Guthrie.[35]

El comentarista Guillermo Hendriksen, después de describir la carrera de escritor de Pablo, les presenta a los críticos de la autoría paulina la siguiente pregunta: «¿se le entregó al apóstol una lista de palabras con la exigencia de que, no importa cuáles fuesen las circunstancias suyas o de sus lectores, y sin importar el propósito de la epístola o del tema que fuese a escribir, usara invariablemente esas palabras, y solamente ésas...?»[36] Aun cuando no se aceptara su opinión acerca de que «el argumento basado en el vocabulario y la gramática no conduce a parte alguna», debe tenerse en cuenta su señalamiento acerca de que lo escrito en los materiales paulinos disponibles no puede pretenderse contenga todo el vocabulario y sintaxis de Pablo.

E. Glenn Hinson hace una valiosa lista de teorías que tratan de explicar lo que él denomina «peculiaridades»: el uso de un amanuense o secretario, el proceso de envejecimiento de Pablo, variaciones naturales en el vocabulario y estilo de un escritor en proceso de maduración. Hinson entiende que estas explicaciones no pueden justificar todos los cambios radicales que se encuentran en estas epístolas. Pero él mismo se encarga de decirnos que mucho más razonable, para defender la autoría paulina, es reconocer la influencia de ciertos materiales previamente preparados y que fueron utilizados por el autor, tales como «himnos o confesiones de fe, catálogos de virtudes y vicios, códigos éticos, doxologías, proverbios de origen popular, citas de las Escrituras y otros materiales». Sería evidente que «el propio vocabulario de Pablo y su estilo no pueden ser juzgados por estos materiales».[37]

Varias palabras que se encuentran en estas epístolas, pero no en las otras que son atribuidas a Pablo, son de uso bastante frecuente en el vocabulario de los padres apostólicos mientras que algunas, utilizadas en otras epístolas, no aparecen en el vocabulario de esos escritores del segundo siglo. Es más, de acuerdo con González Ruíz: «el vocabulario es muy semejante al de los padres

33 *Enciclopedia de la Biblia*, Ediciones Garriga, Barcelona, 1969, Vol. VI., p. 1015.

34 Werner Georg Kümmel, *op. cit.*, p. 372.

35 Donald Guthrie dedica todo un apéndice de su obra *The Pastoral Epistles*, Tyndale, London, 1957, a examinar y tratar de rebatir las opiniones y métodos de P. N. Harrison. Véase pp. 212-228.

36 *1 y 2 Timoteo/Tito: Comentario del Nuevo Testamento*, Subcomisión de Literatura Cristiana de la Iglesia Cristiana Reformada, Grand Rapids, 1979, pp. 19-20.

37 *The Broadman Bible Commentary*, vol. 11., Broadman, Nashville, 1971, pp. 300-301. Hinson es también autor de una excelente tesis doctoral presentada al Seminario Teológico Bautista del Sur en Louisville, Kentucky: «A Source Analysis of the Pastoral Epistles with Reference to Pauline Authorship». Esta no ha sido publicada.

apostólicos y escritores latinos de principios del siglo segundo. La lengua es menos original....»[38]

Para poder llegar a una opinión definitiva sobre el asunto sería sin embargo casi absolutamente necesario un conocimiento exacto del vocabulario utilizado a fines del primer siglo y compararlo con el de la primera parte del segundo siglo, lo cual no ha podido hacerse en forma que satisfaga a todos. Es decir que el argumento anterior sería más fácil de aceptar si se pudiera hacer en forma precisa una diferenciación clara en torno a las variantes fundamentales en el uso del idioma en el transcurso de poco más de medio siglo. Se pudiera afirmar entonces que permanece en pie el argumento de que se utilizan palabras que se encuentran en los escritos de los padres apostólicos y no en otras epístolas, pero queda abierta la posibilidad de que Pablo las utilizara en un período de su vida y no en otro. A menos que se probara en forma convincente que era imposible que lo hiciera porque sencillamente no existían esas palabras, expresiones o estilo en la segunda mitad del siglo primero. Por lo tanto, no lo consideramos necesariamente como un argumento definitivo ya que hay una evidente diversidad de criterio entre especialistas en la materia. Hendriksen hasta llega a afirmar lo siguiente: «...podría significar que los autores cristianos del siglo segundo habían leído, estudiado y, en cierta medida, copiado y parafraseado a Pablo.»[39]

De paso, puede señalarse también el uso de palabras y expresiones latinas. Pero en realidad solamente puede encontrarse el uso de dos palabras latinas en estos tres libros. La palabra *membrana* o «pergamino» y *paenula* (*felonês* en el griego) o «capote».[40]

Sin pretender agotar un tema que requiere una consideración mucho más minuciosa, intentaremos resumir ciertos aspectos de la cuestión con lo expresado por A. T. Hanson referirse a lo que llama «marcada diferencia de estilo»: «El autor de las Pastorales escribe en un buen griego *koiné* pero su prosa es pedestre. No tenía ni la brillantez ni la profundidad de Pablo».[41] Su afirmación es discutible, pero nos plantea abiertamente un problema: si Pablo fue el autor, utilizó palabras que no aparecen en sus otras epístolas y el estilo es bastante diferente.[42]

Una consideración bastante amplia de los problemas de estilo que existen en las epístolas atribuídas a Pablo, no necesariamente extraños al problema de la autoría en la prosa griega en general, es incluida en una obra de A. Q. Morton

38 *Op. cit.*, p. 1015. Esto inclinaría la balanza hacia la opinión de que no fueron escritas por Pablo en el primer siglo sino tal vez por algún seguidor o imitador suyo en el siglo siguiente.

39 *Op. cit.*, p. 16.

40 Un maletín o cubierta de libros.

41 *The Pastoral Epistles*, Eerdmans, Grand Rapids, 1982, p. 3.

42 El apéndice de Donald Guthrie, que ya hemos mencionado, es precisamente un intento de explicación de esas discrepancias. Véase *op. cit*, pp. 212-228.

y James McLeman[43] que además de plantear el problema en el primer capítulo, hace un análisis de las epístolas paulinas en el séptimo. Los autores, dos teólogos escoceses, han realizado una contribución fundamental que puede ser examinada por todos, independientemente de opiniones. Estas cuestiones de estilo obligan a los comentaristas bíblicos y a los estudiosos en general a compenetrarse con todos los aspectos relacionados con las dificultades, que, como hemos visto, son muchas y muy complicadas. Aunque algunas dificultades han sido evidentemente exageradas sin tener en cuenta que a veces son típicas de ciertos tipos de literatura, y que ello no compromete necesariamente la paternidad o la autoría.

2. Problemas con el trasfondo histórico

La primera cuestión histórica que nos afecta es lo sucedido a Pablo después de ser puesto en libertad. James Moffat afirma que Pablo no salió de lo que muchos denominan su primer encarcelamiento, y esa opinión es sustentada por un buen número de comentaristas. Parece ser que las Epístolas Pastorales implican viajes que no pueden compaginarse con los itinerarios que encontramos en los Hechos de los Apóstoles. En Primera de Timoteo, el autor le recuerda al destinatario que se le ordenó quedarse en Efeso mientras él (Pablo) se dirigía al noroeste, desde Efeso a Macedonia (1 Ti. 1.3). Además, le dice que él (Pablo) espera ir a verlo (1 Ti. 3.14). En el relato de Hechos no hay lugar para el viaje que supone Primera de Timoteo. Con respecto a Tito existe una situación muy parecida. Según la Epístola a Tito, el autor dejó a éste en Creta a cargo de organizar las iglesias (Tit. 1.5) pero le ordena que se reúna con él en Nicópolis de Epiro donde pensaba pasar el invierno (Tit. 3.12). En tres de los cuatro viajes misioneros relatados en Hechos vemos a Pablo acercándose simplemente a Creta.[44] En el viaje a la ciudad de Roma, aunque navegaron «a sotavento de Creta» llegando a Buenos Puertos, Pablo aparece como un «prisionero» que no evangelizó sistemáticamente en la isla (Hch. 27.7-15). En Segunda de Timoteo le vemos como un prisionero en vísperas de ejecución y sin esperanzas de liberación (2 Ti. 4.6-8).

Vayamos al grano. Si Pablo es el autor de las Epístolas Pastorales tiene que haber sido puesto en libertad después del encarcelamiento mencionado en Hechos, realizado con posterioridad otros viajes y sufrido otro encarcelamiento. Para aceptar detalles como ese posible segundo encarcelamiento sería necesario acudir a cierta información proveniente de la tradición eclesiástica.[45] Por ejemplo, Eusebio, historiador que escribió en el siglo cuarto, afirma:

43 *Paul, the Man and the Myth*, Harper & Row, New York, 1966.

44 Debemos aclarar que con frecuencia con referimos a los «cuatro viajes misioneros» por ser esta la forma de referirse a ellos desde el siglo diecinueve y es la más conocida en nuestros países.

45 Nos referimos específicamente a Eusebio, Crisóstomo, Teodoro de Mopsuestia, Jerónimo, etc. Eusebio de Cesarea (265-c.339 d.C., Eusebio, nacido probablemente en Palestina es con-

«Lucas, que nos entregó por escrito Hechos de los Apóstoles, concluyó su relato declarando que Pablo pasó dos años enteros en Roma en libertad, y que predicaba la palabra de Dios sin impedimento. La tradición sostiene que el apóstol, habiéndose defendido, volvió a ser enviado en su ministerio de predicación, y al volver por segunda vez a la misma ciudad, sufrió el martirio bajo Nerón. Durante su prisión compuso la segunda epístola a Timoteo, significando al mismo tiempo que ya había ocurrido su primera defensa y que su muerte se acercaba».[46] Solamente si aceptamos este tipo de datos acerca de la salida de Pablo de la prisión y su regreso a la enseñanza y la predicación antes de su muerte en el año 66 d.C. (según Epifanio), 67 d.C. (según Eusebio) o 68 d.C. (según Jerónimo), es posible aceptar que estas epístolas fueron escritas por él.

Si Pablo fue liberado en esa forma, es entonces posible que haya hecho algún trabajo misionero en España como había planeado (Ro. 15.24,28). Acerca de que el Apóstol fue allá después de su primer encarcelamiento, Clemente de Roma[47] parece ofrecer alguna información al escribir lo siguiente: «...habiendo alcanzado hasta los límites de Occidente y habiendo dado testimonio delante de los gobernadores, dejó este mundo y fue llevado al Santo Lugar, dejando un ejemplo sobresaliente de paciencia».[48] Unas décadas después de Clemente, el *Canon de Muratori* se refiere también al viaje de Pablo a España.

No creemos necesario insistir más en estos asuntos para concluir con lo siguiente, a manera de resumen: la única forma de contestar los argumentos de Moffat y de muchos otros será siempre el afirmar que no todos los detalles de los viajes y actividades de Pablo son relatados en el Libro de los Hechos de los Apóstoles. El mejor recurso de comentaristas como Hendriksen, Guthrie, Spicq y otros parece ser acudir a la tradición eclesiástica a la que hemos hecho referencia. Lo cual no quiere decir que no ofrezcan otros argumentos. Pierre Dornier y Maurice Carrez resumen algunos argumentos utilizados y comentan: «Hay que reconocer que la doble cautividad de Pablo no es una certeza

siderado como el «Padre de la Historia de la Iglesia». Fue obispo de Cesarea y declinó el Patriarcado de Antioquía. Su *Historia Eclesiástica* es para algunos la más importante obra de los tiempos antiguos. Escribió un buen número de libros, incluyendo varios de tipo apologético. Los otros autores son importantes escritores o padres de la iglesia posteriores a Eusebio.

46 *Ecclesiastical History*, II, XXII, Baker, Grand Rapids, s/f, p. 74.

47 Clemente de Roma fue un presbítero-obispo de la iglesia de Roma cuya epístola, enviada a la iglesia de Corinto por la de Roma, le convierte en el primero en la lista de «padres apostólicos». Esa carta es generalmente considerada como la primera obra literaria cristiana posterior al Nuevo Testamento. Algunos escritores antiguos le identifican con el Clemente que Pablo menciona en Fil. 4.3. Su nombre ha sido usado pseudónimamente para darle autoridad o peso a obras antiguas.

48 Clemente escribía desde Roma a fines del siglo primero de nuestra Era. Siendo esa ciudad el centro del Imperio, los «límites de Occidente» podían ser España.

histórica, pero sí una hipótesis razonable». A continuación presentan una reconstrucción de la actividad de Pablo entre su primera cautividad y su muerte utilizando datos de C. Spicq. También explican como John A. T. Robinson, en su obra *Redating the New Testament* (London, 1976) y S. de Lestapis en su libro *L'Enigme des Pastorales de Saint Paul* (Paris, 1976), creen que es posible insertar las Pastorales dentro del marco del libro de los Hechos. Según ellos, estas cartas pudieron ser redactadas por Pablo o por un secretario, de acuerdo con las directrices paulinas, durante el tercer viaje misionero y la cautividad de Cesarea (Robinson) o de Roma (Lestapis).[49]

3. Marción y el ascetismo del siglo segundo

Tal vez más difícil sea la cuestión del gnosticismo del segundo siglo que muchos comentaristas entienden es atacado en las Epístolas Pastorales. También se menciona el marcionismo.[50] Es un dato bastante confiable el de que Marción fue expulsado de la iglesia en Roma por sus ideas en 144 d.C. El ascetismo sobre el cual advierte el autor de las Pastorales (1 Ti. 4.3) es atribuido a Marción y sus seguidores, los cuales practicaron un ascetismo que les llevaba a renunciar al matrimonio, la carne y el vino. Las «genealogías» (1 Ti. 1.4 y Tit. 3.9) serían los «eones» emanados desde el seno de Dios de acuerdo con los gnósticos del segundo siglo. Las «fábulas» (Tit. 1. 14) serían también el resultado de especulaciones por parte de los gnósticos de esa misma época. Si seguimos en esa línea encontramos el caso de la negación de la resurrección corporal (1 Ti. 2.18) que se atribuye al dualismo de los gnósticos del siglo segundo. Es más, se discute si los «argumentos» o «antítesis» de la «falsamente llamada ciencia» (1 Ti. 6.20) son la *Antítesis* de Marción, la cual es del siglo segundo. Finalmente, la afirmación acerca de la inspiración de las Escrituras (2 Ti. 3.16) es presentada como un rechazo al canon de Marción, que solamente aceptaba una versión de Lucas y 10 epístolas de Pablo.[51] En ese caso las Pastorales serían documentos escritos alrededor de esa fecha y no en el primer siglo.

Algunos defensores de la autoría paulina tratan el asunto del ascetismo

[49] Véase Pierre Dornier y Maurice Carrez, *Cartas de Pablo y Cartas Católicas*, Ediciones Cristiandad, Madrid, 1984, p. 255.

[50] Véase Martin Rist, «Pseudepigraphic Refutations of Marcionism», *Journal of Religion*, #22, 1942 y Adolfo Harnack, *History of Dogma*, Vol. I., Robert Bros., Boston, 1895, pp. 227-228 y a Paul Tillich, *A History of Christian Thought: From Its Judaic and Hellenistic Origins to Existencialism*, Simon and Schuster, New York, 1968, p. 34.

[51] Una buena defensa de los argumentos a favor del problema gnóstico del siglo segundo en las Pastorales es hecha por Werner Georg Kümmel, *op. cit.*, pp. 378-380. Sin embargo rechaza que la polémica contra las herejías sea dirigida contra Marción o su *Antítesis* y afirma que esa teoría debe rechazarse por la «profunda antítesis existente en Marción entre el Antiguo Testamento y el judaísmo, además del hecho de que cualquier grado de polémica contra puntos de vista específicamente marcionistas falta por completo».

gnóstico como un tema acerca del cual el Apóstol Pablo, un autor inspirado por el Espíritu Santo, estaba previniendo. Además debe tenerse en cuenta que Pablo advierte contra tendencias ascéticas del mismo tipo en Colosenses 2.16-23. Las «genealogías», de acuerdo con una opinión generalizada en estos sectores de pensamiento, son judías en carácter. Por ejemplo, en el *Libro de Jubileos* se encuentran especulaciones como esas. En Génesis y en Crónicas se mencionan genealogías. Por otra parte, en la literatura gnóstica no se usa la palabra «genealogía» como sinómino de «eón».[52] En relación con las fábulas, recordemos que son abiertamente llamadas «judaicas» en Tito 1.14.

En los párrafos anteriores nos limitamos a ofrecer primero los argumentos utilizados en contra de la autoría paulina, ofreciendo después las respuestas de los defensores de la misma. Es cierto que los que insisten en el gnosticismo y el marcionismo como factores a los cuales se está respondiendo en las Pastorales tienen argumentos adicionales, y que las respuestas que incluimos no son las únicas que ofrecen los defensores de la autoría paulina. La cuestión del trasfondo histórico, al igual que los problemas con el estilo y el vocabulario, requieren mucha más atención.

En muchas ocasiones nos parece que ambos grupos tienen mucho que aportar y hasta sentimos cierta frustración ante la cantidad de información disponible y la posibilidad que unos y otros tienen de enfrentarse a los argumentos de los contrarios. William Foxwell Albright,[53] en la introducción a una importante obra suya cuyo título traducido al español sería *De la Edad de Piedra al Cristianismo: El monoteísmo y su proceso histórico* hace una afirmación en relación a los últimos hallazgos de manuscritos que debe ser tenida en cuenta al enfrentarnos a las frustraciones que presenta al estudioso la cuestión del trasfondo de los escritos neotestamentarios: «el Nuevo Testamento ha probado ser lo que anteriormente se creía: las enseñanzas de Cristo y sus seguidores inmediatos entre alrededor del año 25 y el 80 d.C. A la luz de estos hallazgos el Nuevo Testamento es más judío de lo que habíamos pensado».[54] Como veremos más adelante, al tratar los problemas de organización eclesiástica en las Pastorales, Albright consideraba como «absurdos» ciertos argumentos utilizados por los que rechazan la autoría paulina.

Albright, uno de los más famosos orientalistas de este siglo, entiende que los descubrimientos de Qumrân eliminan una serie de creencias anteriores en el mundo de la erudición y hace una defensa de algunas ideas descartadas hasta

52 Un «eón» era, para un gnóstico, cada una de las inteligencias eternas o entidades divinas emanadas de la divinidad suprema. Podían ser de uno u otro sexo.

53 William Foxwell Albright (fallecido en 1971) fue el profesor de la cátedra W. W. Spence de Idiomas Semíticos en la Universidad de John Hopkins y director de la Escuela Americana de Investigaciones Orientales de Jerusalén. Se le ha considerado internacionalmente como una figura fundamental en los estudios sobre el Cercano Oriente.

54 *From the Stone Age to Christianity: Monotheism and the Historical Process*, Doubleday Anchor Books, Garden City, 1957, p. 23.

el momento mismo de los hallazgos. Pero aun si afirmara que los elementos de las Pastorales que hemos mencionado tienen orígenes judíos y esenios solamente, no respondería definitivamente, a pesar del peso de su enorme prestigio, todas las preguntas de los opuestos a la autoría paulina.[55]

4. Problemas con la doctrina

Se han presentado muchas objeciones en relación al carácter supuestamente paulino de la teología de estas epístolas. En algunos estudios, lo que se menciona es que no hay en ellas una indicación clara acerca de la pre-existencia de Cristo. Se entiende que en ellas Pablo es más moralista que profeta, es decir, que se hace mucho énfasis en virtudes consideradas como «burguesas»: sentido común, seriedad, temperancia, integridad con el dinero, fidelidad conyugal, el ser «irreprensible», etc. Las palabras que Pablo usa para referirse a Dios y a Cristo en las Pastorales son diferentes de las utilizadas por él en otras cartas. El más puramente cristiano o neotestamentario de los títulos dados a Dios, «Padre», solo aparece en saludos iniciales. La encarnación es vista más como una epifanía que como humillación divina (lo cual Pablo parece preferir en otros escritos). Se alega también que en estas cartas el autor utiliza demasiado la filosofía popular del momento (1 Ti. 6.6-10; 2 Ti. 3.13; Tit. 1.12) y que eso sería raro en Pablo.[56]

Otro asunto que también merece atención es que el autor no entra en una serie de discusiones con sus oponentes en la forma utilizada por Pablo, quien siempre se enfrentaba a ellos en una forma bastante dura, pero con argumentos efectivos y cuidadosamente pensados. Muchos no ven esto en las Pastorales.

A pesar de esos problemas y de una serie de detalles adicionales, debe tenerse siempre en cuenta que ni siquiera la Escuela de Tubinga,[57] con-

[55] Antonio González Lamadrid ve una gran influencia de Qumrân en Pablo y en la carta a los Hebreos, acercándose mucho a los pensamientos de Albright que acabamos de expresar. Véase *Los descubrimientos del Mar Muerto*, Biblioteca de Autores Cristianos, Madrid, 1971, pp. 299-334. Este autor se refiere también a las opiniones de J. Murphy O'Connor, quien, según él, entiende que «los pasajes o doctrinas de San Pablo que antes tendían a explicarse por influencias gnósticas, ahora se explican por Qumrân». Véase *op. cit.*, p. 300. González Lamadrid es un especialista español internacionalmente reconocido por sus estudios sobre los descubrimientos del Mar Muerto, y participó en las excavaciones del monasterio de Qumrân. Tiene publicados varios libros y numerosos trabajos sobre esos asuntos.

[56] Algunos de estos problemas son presentados brevemente, pero con gran claridad, por Eduard Lohse, *Introducción al Nuevo Testamento*, Ediciones Cristiandad, Madrid, 1972, pp. 112-113.

[57] Grupo de eruditos de la Escuela de Teología de Tubinga que estuvieron bajo la orientación de F. C. Baur, profesor muy influyente allí de 1826 a 1860. Se caracterizó por su posición antisobrenaturalista y el empleo de la filosofía idealista en la interpretación de la historia. Se le acusa de «crítica tendenciosa» en los estudios sobre la Escritura. Publicaron revistas especializadas como *Tübinger Theologische Jahrbüscher*. Se comenta frecuentemente la tendencia de Baur y sus seguidores a interpretar el NT como un conflicto entre Pedro y la iglesia judía, por una parte, y Pablo, y la iglesia helenística por la otra. Este grupo de profesores, que no debe

siderada como radical, ha negado la base paulina de la teología de las Epístolas Pastorales. En otras palabras, aun los que niegan categóricamente la autoría de Pablo parecen reconocer la existencia de importantes elementos de su teología en las mismas. Lo que generalmente se afirma es que un seguidor del Apóstol trató de presentar su teología en forma aceptable para la gente del siglo segundo.[58]

Los partidarios de la paternidad paulina insisten en que lo importante es precisamente que las ideas coinciden con las de Pablo. Hendriksen afirma que «la doctrina que se enseña en las Pastorales y que se presupone es claramente la misma que se ha sustentado en las diez». Procede entonces a citar los siguientes aspectos de la doctrina de Pablo que resaltan en estas epístolas: los redimidos son llamados escogidos, la salvación se debe a la gracia de Dios en Cristo y no a las obras, Cristo es Dios y el mediador entre Dios y los humanos, su propósito era salvar a los humanos, etc. Además, nos recuerda que la unión mística con Cristo aparece también, así como la necesidad de buenas obras que son fruto de la gracia de Dios.[59]

Algunos defensores de la autoría paulina afirman también que el propósito de las Pastorales no es tal vez tan intensamente doctrinal como el de otras epístolas. Además, creen que el hecho de que un énfasis resalte más en un libro que en otro no indica necesariamente que este último tenga otro autor. El uso de las palabras «fe» y «gracia» (por citar dos ejemplos) queda incluido en esa consideración. La fe como confianza en los méritos de Cristo no es desvirtuada en las Pastorales aunque se haga, en un momento dado, otro énfasis. Sería difícil encontrar un concepto más paulino que «justificados por su gracia» (Tit. 3.7). En cuanto al uso de la palabra «Padre» en las Pastorales, es cierto que éste se limita a los saludos iniciales pero hay que mencionar también que en Primera de Corintios y en Romanos el término aparece solamente en dos ocasiones. Si existe algún problema con el número de referencias al Espíritu Santo debe recordarse que este no es mencionado en Filemón y solo aparece una vez en Segunda de Tesalonicenses y en Colosenses. Pero, para hacer justicia a las diferentes opiniones será necesario ocuparse del asunto en el comentario mismo.

5. Problemas con la organización de la iglesia

Es evidente que una de las características de las Epístolas Pastorales es la atención que dedican a los cargos eclesiásticos. Claro que no debemos pasar

confundirse con un período conservador en la misma universidad a principios del siglo diecinueve, ha recibido tanta atención que el eminente investigador Horton Harris la calificó de «el más importante acontecimiento teológico en toda la historia de la teología desde la Reforma hasta nuestros días».

58 Donald Guthrie expone claramente esa situación. Véase *op. cit.*, p. 39.

59 Guillermo Hendriksen, *op. cit.*, pp. 25-26.

por alto que solamente una décima parte del contenido de estas epístolas tiene que ver con la administración eclesiástica y los cargos en la iglesia. Se ha señalado que no se trata de una especie de manuales para pastores. Pero, aun si las enseñanzas de tipo eclesiástico son escasas en estos libros, reciben un tratamiento más extenso que el que se pueda encontrar en cualquier otro libro del Nuevo Testamento. Precisamente esa es una de las diferencias que contrastan con otros documentos paulinos o neotestamentarios.

Muchos comentaristas entienden que la información que encontramos en las Pastorales demuestra que estos libros se escribieron por lo menos una generación después de la muerte de Pablo. Para algunos ése es el argumento más importante o principal que demuestra que Pablo no pudo haber escrito las Pastorales. El argumento sería que estas cartas revelan que la organización de la iglesia había avanzado demasiado, al menos mucho más que en época de Pablo, ya que en los días de éste no existía un ministerio oficial, remunerado y ampliamente reconocido cuyos requisitos estaban bien definidos.

Por ejemplo, el papel del obispo descrito en estas cartas pudiera ser parecido al del obispo «ignaciano» o «monárquico», es decir, el episcopado que tomó forma a partir del siglo segundo. El primer testimonio claro que tenemos del surgimiento de un solo obispo presidiendo una iglesia o congregación lo encontramos en la correspondencia de Ignacio de Antioquía[60] alrededor del 115 d.C., quien insistió en que tener un solo obispo en la iglesia era importante para hacer sobresalir su autoridad en medio de las herejías. Para Ignacio, el obispo o su delegado era el único funcionario eclesiástico que podía llevar a cabo un bautismo considerado válido o administrar la eucaristía. Ni siquiera un agape podía llevarse a cabo sin su autorización.[61] El historiador Justo L. González hace resaltar lo siguiente: «Ignacio de Antioquía, y esta vez contra los herejes, subraya la autoridad del obispo y los presbíteros como representantes de Cristo y sus apóstoles».[62]

60 Ignacio, obispo de Antioquía (-117 d.C.). Son pocos los datos que se conocen sobre la primera parte de su vida. En realidad la información segura es acerca de siete cartas consideradas como auténticas por autoridades tan confiables y serias como J. B. Lightfoot. En seis de ellas ataca una herejía en la cual se notan elementos docetistas, judaizantes y tal vez gnósticos. En contra de esa situación presenta como arma la adhesión al obispo, los presbíteros y los diáconos, es decir, una jerarquía triple, de la cual Ignacio es el más antiguo defensor y testigo que se conoce. Se le considera también como el más antiguo «obispo monárquico» en Siria. Para él, un obispo podía ser una autoridad unificadora y por eso promovió la idea de un solo obispo en cada iglesia (obispo monárquico). Se le considera un heredero de una tradición apostólica paulina. Al dirigirse bajo custodia a la ciudad de Roma, donde sería ejecutado, fue recibido por Policarpo de Esmirna. Desde allí escribió a iglesias cristianas de Efeso, Trales, Magnesia y Roma. Desde Tróade escribió a las de Esmirna y Filadelfia, y al mismo Policarpo. Algunos, como este último, aseguran que murió en Roma.

61 Véase el resumen que hace F. F. Bruce del gobierno eclesiástico, así como de las funciones episcopales según Ignacio, en *The Spreading Flame*, Eerdmans, Grand Rapids, 1979, pp. 202-209.

62 Véase *Historia del Pensamiento Cristiano* (Vol. I), Methopress, Bs. Aires, 1965, pp. 171-172.

A la luz de lo anterior tenemos ante nosotros el obispo y los presbíteros de las Pastorales. Más adelante haremos referencia a todos los cargos eclesiásticos mencionados o probablemente sugeridos[63] en las Pastorales y ofreceremos un bosquejo histórico de los mismos. Lo que nos interesa ahora es el más importante de estos argumentos, es decir, definir si puede tratarse o no del mismo tipo de obispo.

Los que consideran imposible que el cargo de obispo, con las características que algunos le atribuyen después de estudiar las referencias al cargo que aparecen en estas epístolas, fuera un oficio eclesiástico de época de Pablo entienden que en los días del Apóstol el ministerio era generalmente espontáneo y basado en los dones espirituales. Algunos responden a este argumento afirmando que Pablo, en sus últimos días, habría reconocido la necesidad de un ministerio más oficial y permanente. Ya la iglesia había elegido diáconos (o por lo menos personas encargadas en «servir a las mesas» en forma regular) y enviado «ancianos» (Hch. 11.30). El mismo Pablo había constituido «ancianos en cada iglesia» (Hch. 14.23) y había hecho referencia a «los que trabajan entre vosotros, y os presiden en el Señor, y os amonestan» (1 Ts. 5.12). Es más, a los «ancianos» que mandó llamar en Hch. 20.17, les dice: «Por tanto, mirad por vosotros, y por todo el rebaño en que el Espíritu Santo os ha puesto por obispos, para apacentar la iglesia del Señor...» (Hch. 20.28).[64]

Se discute si los «obispos» y «ancianos» de Pablo en Hechos de los Apóstoles tenían o no las mismas atribuciones de los mencionados en las Pastorales. También se ha enseñado en algunos sectores que estos últimos eran funcionarios eclesiásticos del segundo siglo a los cuales el autor se refiere como si fuesen el Timoteo y el Tito del primer siglo. Este tipo de interpretaciones alteraría el cuadro.

William Foxwell Albright, hablando tal vez a nombre de una erudición más contemporánea que la de algunos de los que defienden o que se oponen a la autoría paulina,[65] escribió lo siguiente: «El repudio de las Epístolas Pastorales de Pablo, que ahora son asignadas por eruditos críticos al segundo cuarto del segundo siglo d.C., se convierte de alguna manera en absurdo cuando descubrimos que la institución de los supervisores o superintendentes (*episkopos* nuestros obispos) en Timoteo y Tito, así como en la literatura cristiana extra bíblica más reciente, es virtualmente idéntica a la institución esenia de *mebaqqerîm* (algo torpemente traducida como censores)».[66]

63 Como en el caso de las «diaconisas», que no aparecen en estas cartas, pero que algunos creen ver aquí en forma embrionaria.

64 Para algunos la fecha de Hechos pertenece claramente a una generación posterior y por lo tanto impediría utilizar estos datos como argumento en este contexto en particular.

65 Lo decimos por la cuestión de los últimos descubrimientos arqueológicos, hallazgos de documentos y ciertas conclusiones a las que se ha llegado en los últimos años en relación con la influencia de los esenios.

66 *Op. cit.*, p. 23.

González Lamadrid coincide plenamente: «La organización de la comunidad de Qumrân presenta paralelos interesantes con la organización de la primitiva comunidad cristiana». Al referirse al cargo de obispo afirma lo siguiente: «Etimológicamente, *episkopos* significa *supervisor, inspector*, es decir, corresponde exactamente al *mebaqqer* y *paqid* de Qumrân. De hecho las funciones propias del *mebaqqer* esenio y el *episkopos* cristiano son similares».[67]

El sistema de gobierno episcopal en que un solo obispo preside la iglesia parece haber surgido durante un período de transición, a fines del primer siglo y principios del segundo, haciéndose evidente en Ignacio de Antioquía y sus epístolas (éste murió según algunos en 117 d.C., aproximadamente). Ya hemos aclarado que según él debe haber un obispo único en cada iglesia, pero se trata realmente de lo que algunos consideran como un obispo congregacional y no diocesano como el que surgiría después. En este contexto un obispo «congregacional» sería realmente el obispo o pastor en una ciudad determinada en la cual existen varios grupos de creyentes, reunidos generalmente en casas y que constituyen, todos ellos y no sólo el grupo de una casa, la «congregación» o conjunto de los creyentes de una ciudad como Corinto, Efeso, etc. El hecho de que Timoteo y Tito hayan sido delegados especiales de Pablo y que tuvieran hasta la autoridad de designar «ancianos» pudiera apartarles un poco del concepto que se pueda tener de los «obispos» del primer siglo e incluso hasta de la forma más temprana de «obispo monárquico» de Ignacio y otros, pero en las condiciones del primer siglo y de los inicios de la obra misionera cristiana era perfectamente comprensible que Pablo, que había constituido, él mismo, a «ancianos», pidiera a otros que hicieran lo mismo en su nombre como cualquier misionero en tiempos más recientes, incluso los que proceden de una tradición congregacionalista.

Por supuesto que lo que hemos expresado no es suficiente para concluir el tema. Hanson, al referirse al texto de las Pastorales, afirma: «El idioma que el autor usa en este contexto es ambiguo: véase 1 Timoteo 3.1ss; Tito 1.7ss. Estas son solamente referencias a *episkopos* en las Pastorales. Pero es fácil comprender por qué el autor usa un idioma ambiguo aquí».[68] Más adelante continúa, en relación al mismo asunto: «El sabía... que en los días de Pablo no había nada parecido al obispo monárquico y que aun en la época en que escribía el cargo no era en modo alguno universal en la iglesia».[69] El comentarista acude a una serie de fuentes de gran prestigio para referirse al hecho de que existe un consenso entre los eruditos acerca de que el episcopado monárquico estaba surgiendo poco antes de las Epístolas Pastorales.[70] H. B. Streeter afirma

67 *Op. cit.*, p. 131.

68 *Op. cit.*, p. 33.

69 *Ibid.*

70 Cita a H. B. Streeter, G. Bornkamm, H. von Campenhausen, A. Erhardt, F. D. Gealy, E. Käsejahh, C. K. Barrett, H. W. Bartsch, E. Schweizer, etc.

lo siguiente: «En el Asia el episcopado monáquico precede los escritos de las Epístolas Paulinas».[71] Las listas y opiniones proceden siempre de opositores de la autoría paulina.

El determinar con exactitud si el tipo de obispos de las Pastorales podía existir o no en los días de Pablo es, pues, extremadamente difícil. En esa misma situación se encuentran tanto los que utilizan la poca información que ofrecen estas Epístolas para considerarles en forma definitiva como obispos del siglo segundo como los que la utilizan para, negar que existan ciertas similitudes con éstos.

También se ha usado en algunos círculos el argumento sobre la prohibición de que el obispo fuera un «neófito» (1 Ti. 3.6). Esto haría difícil de aceptar el orden establecido en las Pastorales ya que en el primer siglo lo que abundaban eran nuevos convertidos. Debe reconocerse que este no es uno de los principales o más frecuentes argumentos que se usan. Sin entrar realmente en una verdadera discusión, basta señalar que en la Iglesia de Efeso habría muchos cristianos con varios años de conversión (Pablo estuvo tres años allí). Pasado el tiempo algunos eran comparativamente más maduros en las cuestiones del evangelio que otros. Es por eso que Timoteo es advertido. En la carta a Tito no se hace referencia a esta prohibición. La iglesia de Creta era más nueva y la regla era inaplicable.

En nuestros días, las iglesias de muchos grupos o denominaciones exigen un grado académico en teología, generalmente de nivel universitario o hasta más avanzado, que haría necesario un apreciable período de tiempo transcurrido desde la conversión hasta la graduación. Pero cuando no hay candidatos disponibles que posean tal credencial, se buscan otros creyentes que puedan realizar esas funciones y a veces ni siquiera pueden usarse personas con largos años de experiencia como «predicadores laicos» sino a personas con dones y buen testimonio, sin importar la fecha de su conversión o bautismo. Antes del Concilio de Trento, celebrado en el siglo dieciséis, muchos sacerdotes no tenían siquiera estudios formales, y esa situación sigue siendo evidente en amplios sectores de las iglesias orientales. Las situaciones en el Tercer Mundo no son totalmente diferentes a algunas de la época apostólica. En la América Latina la educación teológica por extensión es precisamente una respuesta a esa situación.

Algunos presentan la objeción de que en otras epístolas paulinas no se demuestra el mismo interés en cuestiones de cargos eclesiásticos y detalles acerca de arreglos relacionados con obispos, ancianos o presbíteros y diáconos que el que encontramos en las Pastorales. Hay varias citas que pudieran utilizarse para responder a esto. El Apóstol no era indiferente a la organización eclesiástica. De acuerdo con Hechos 14.23, Pablo y Bernabé «constituyeron

71 *The Primitive Church*, The Macmillan Co., New York, 1929, p. 108.

ancianos». En Filipenses 1:1, el Apóstol se refiere a obispos y diáconos de Filipos. En Efesios 4.11 se mencionan los cargos (o el cargo) de «pastor y maestro». Estas palabras aparentemente describen, al menos en este caso particular, una sola posición y no dos. Es decir, Dios constituyó a algunos como «pastores y maestros» (al mismo tiempo). Para los objetores la cita más digna de consideración de las utilizadas sería la de Filipenses pues en el caso de Efesios algunos de ellos la consideran también como deuteropaulina y alegarían probablemente que el libro de Hechos pertenece a una generación posterior y no siempre concuerda con Pablo ni con los datos históricos concretos.

Se objeta también que las Pastorales dan por sentado un sistema de gobierno basado en los ancianos que, de acuerdo con ciertos objetores, no pudo existir en la era apostólica. Nosotros coincidimos sin embargo con la opinión que F. F. Bruce[72] expresa con claridad: «Desde el principio, se nombraron líderes en las comunidades cristianas, sus funciones eran en gran parte comparables a la de los ancianos de las comunidades judías de Palestina y otras tierras». Por otra parte no creemos que las Pastorales sirvan para establecer un «sistema de gobierno» simplemente porque mencionen algunos requisitos que deben llenar obispos, presbíteros y diáconos y se les concedan algunas atribuciones a los obispos, o a las personas de Timoteo y Tito en particular (todo ese tema es muy discutible y se complica por la ausencia de detalles).

Para Hinson, el uso de *presbyteros* en su sentido técnico de «presbítero» o en el más corriente de «anciano», prueba que las Epístolas Pastorales fueron redactadas en un período primitivo y transicional del proceso de formación de ese cargo.[73] Además, según él, «...los papeles jugados por Timoteo y Tito no encajan en el carácter que tenía el episcopado del siglo segundo. Ellos fueron descritos como embajadores personales de Pablo que tenían el propósito de concluir la obra misionera que el empezó».[74]

Algunos partidarios de la autoría paulina han señalado que la forma en que se escogía a algunos obreros cristianos por medio de profetas o profecías (1

72 Frederick Fyvie Bruce (1910-1990), conocido generalmente como F. F. Bruce. Recibió una esmerada formación universitaria en literatura clásica, pero decidió dedicarse a enseñar exégesis y crítica bíblica, haciendo estudios por cuenta propia y produciendo después obras fundamentales. Fue uno de los más notables especialistas en Nuevo Testamento de su generación en las Islas Británicas. Por muchos años fue profesor de esa materia en la Universidad de Manchester. Publicó un número muy elevado de libros e infinidad de artículos. Bruce fue presidente de la Sociedad de Estudios del Antiguo Testamento y de la Sociedad de Estudios del Nuevo Testamento y fue elegido como miembro de la Real Sociedad en el Reino Unido. Este comentarista ha sido considerado una de las figuras más respetadas entre los académicos de persuasión evangélica en los países de habla inglesa y ha penetrado bastante en la comunidad evangélica latinoamericana mediante las traducciones al español de sus libros. El presente comentario de las Epístolas Pastorales está dedicado a su memoria.

73 Por cierto que el mismo comentarista señala que las viudas no constituían, en la época de las Pastorales, una orden, como después ocurriría (según algunos), y que las funciones de «evangelista» no son mencionadas en el segundo siglo (un argumento interesante, pero discutible).

74 *Op. cit.*, p. 302.

Ti. 1.18) sería más propia del ambiente de Pablo en el siglo primero que del contexto del segundo en el cual empieza a tomar forma lo que después llegó a ser una especie de jerarquía eclesiástica y la iglesia se fue institucionalizando.[75] A esto responden otros señalando que las palabras «el don que hay en ti, que te fue dado mediante profecía con la imposición de las manos del presbiterio» pudieran tener relación con un sermón predicado en su ordenación[76] o en el momento en que se le separó públicamente para dedicarse al ministerio, y no con dones de tipo carismático como algunos implican. En cualquier caso, no olvidemos que la palabra «profecía» y el «profetizar» pueden tener más de un significado.

Como en los casos de los otros problemas planteados por la crítica, volveremos a los problemas de organización eclesiástica más adelante en esta introducción y al comentar el texto.

B. Las opiniones de los antiguos

El erudito católico C. Spicq sugiere que en 2 Pedro 3.15 se encuentra la primera cita extraída de las Epístolas Pastorales y encuentra paralelos entre las mismas y los escritos de Clemente de Roma (c. 96 d.C.), Ignacio de Antioquía (c. 110-117) y Policarpo de Esmirna (120). Por nuestra propia cuenta hemos podido encontrar claras alusiones a las Pastorales en Primera de Clemente y en escritos de Ignacio. Todo indica que Policarpo en una carta dirigida a los Filipenses (escrita entre 115 y 135) citó Primera de Timoteo. Hay indicaciones de que citó también a Segunda de Timoteo y Tito. En estos casos la paternidad paulina es aceptada. No olvidemos que en los testimonios de la antigüedad es difícil separar las opiniones acerca del valor de estas cartas y la persona del apóstol Pablo. No nos extrañe, pues, que los apócrifos *Hechos de Pablo* (c. 160 d.C.), los escritos de Ireneo (185-189), Clemente de Alejandría (190-200) y Tertuliano (c. 200), una versión siriaca del Nuevo Testamento (c. 150-200) y el *Canon de Muratori* (c. 175-200) atribuyen a Pablo la condición de autor

[75] F. F. Bruce describe así la situación: «Podemos inferir de esto que la declaración de un profeta o profetisa en la iglesia en Listra marcó a Timoteo ante todos los miembros de la iglesia como una persona a quien Dios había preparado para el trabajo especial que tenía ante sí, como ha sido sugerido... Los ancianos de la iglesia evidentemente reconocieron el don de Timoteo cuando recibió esta confirmación divina, y manifestaron su comunión (o solidaridad) con él en el ejercicio de su don y pusieron sus manos sobre él». Bruce entiende, basándose en 1 Timoteo 1.6, que Pablo se unió a ese acto de reconocimiento y le impuso sus manos también. Véase F. F. Bruce, *Answers to Questions*, Zondervan, Grand Rapids, 1973, p. 16.

[76] Algunos entienden que en la imposición de manos del presbiterio hay una referencia a la ordenación. A esta opinión se pudiera llegar tal vez en base a la ordenación rabínica. Pablo o cualquiera que haya sido el autor de estas cartas, pudo extraer esa práctica del judaísmo. Tengamos en cuenta que no se conoce bien cuándo empezaron las ceremonias de ordenación en el cristianismo. Véase M. Warkentin, *Ordination: A Biblical-Historical View*, Eerdmans, Grand Rapids, 1982, pp. 16-51.

de estas epístolas. Como hemos visto, todas estas obras son del siglo segundo de la Era Cristiana.

Ahora bien, existió bien temprano una corriente contraria a esa opinión e incluso puede decirse que se llegó a rechazar hasta el valor y la canonicidad de estas epístolas. Pero es necesario para encontrarla apartarse de la corriente prevaleciente.[77] Se encuentra en grupos a los cuales puede considerarse como disidentes. Los prominentes gnósticos Basílides[78] y Valentín[79] las rechazaron; pero Heracleón,[80] continuador de la obra de Valentín, citó 2 Timoteo 2.13. Taciano rechazó Primera y Segunda de Timoteo pero defendió la Epístola a Tito.[81]

La opinión de Marción, el famoso hereje, fue contraria a estas cartas, aunque generalmente se afirma que esa postura puede tener relación directa con sus posiciones doctrinales y con el hecho de que las Pastorales tratan de la disciplina eclesiástica. De cualquier manera, su rechazo de estas epístolas es el más conocido de los primeros siglos.

Marción tenía a Pablo como la figura más importante de la iglesia. Es más, afirmaba derivar su doctrina del Apóstol de los Gentiles. Adolfo Harnack [82] dijo que «Marción fue el único hombre de su época que comprendió a Pablo, y aun en su comprensión del mismo no supo comprenderle». Esa opinión, por

77 Ya para fines del siglo segundo de nuestra era e inicios del tercero se había producido un gran cambio. Hasta entonces, a pesar de los esfuerzos de algunos, existía una gran variedad de pensamiento. Esa situación incluía asuntos como qué libros podían utilizarse y cuáles no. Pero el cristianismo fue tomando la forma de una institución presidida por la jerarquía eclesiástica. Ciertos puntos de vista fueron rechazados por la mayoría de las iglesias y, por lo tanto eran considerados como controversiales e incluso como heréticos. Debido a la diversidad de pensamiento existente insistieron en que había una «sola iglesia» (c. 180 d.C.) y que fuera de esa iglesia «no había salvación».

78 Nacido aproximadamente en el año 72 d.C., y muerto en 130. Hizo contribuciones fundamentales al movimiento gnóstico y tuvo como alumno a Marción.

79 Notable heresiarca nacido en Egipto a principios del siglo segundo de nuestra era. Fue el fundador de una de las sectas gnósticas de mayor importancia y enseñó en Roma.

80 Fundador de otra secta gnóstica. Su obra fue estudiada por Orígenes. Se trata también de un personaje del siglo segundo.

81 Taciano nació en el siglo segundo, probablemente en Siria, y en 170 adoptó las doctrinas de los encratitas, miembros de una secta ascética muy rigurosa extendida por Asia Menor. Entre sus obras se encuentra su conocido *Diatessaron* o armonía de los evangelios. Este escritor cristiano fue discípulo de Justino.

82 Adolfo Harnack (1851-1930) es una figura fundamental en los estudios sobre los orígenes del cristianismo y los primeros siglos de la iglesia. Fue profesor en Leipzig, Giessen, Marburgo y Berlín. En esa última ciudad se desempeñó como director de la Biblioteca Real de Prusia. Se ha dicho acerca de él que fue liberal en teología y conservador en los estudios sobre el Nuevo Testamento a pesar de haber impugnado la paternidad literaria del cuarto evangelio y ofrecido interpretaciones no ortodoxas sobre los milagros. Claro que eso no fue lo único que enseñó. Defendió una fecha temprana para «Q», los evangelios sinópticos y los Hechos de los Apóstoles. En cualquier caso, se le considera uno de los más grandes historiadores eclesiásticos de todos los tiempos. Fue uno de los maestros de Karl Barth. Su obra *Misión y Expansión del Cristianismo* ha sido traducida a numerosos idiomas, así como otros trabajos suyos.

supuesto no es necesariamente una alabanza de Marción, sino que refleja la importancia que éste le dio a Pablo. Una devoción que hasta despertó ciertas dudas acerca del Apóstol de los Gentiles entre los cristianos considerados más ortodoxos en aquella época. Es por eso que Tertuliano le llama «el apóstol de Marción» y «el apóstol de los herejes», aunque también le llama «mi apóstol». Pablo era para Marción el único verdadero apóstol de Jesucristo. Para él, los demás habían corrompido el evangelio puro mezclándolo con doctrinas judaizantes. En el canon de Marción, limitado al Nuevo Testamento, las Epístolas Pastorales y Hebreos no estaban incluidas. Se limitaba a una versión del evangelio de Lucas y diez epístolas paulinas. Pero aun las cartas de Pablo que él consideraba auténticas debían ser purificadas de todo lo que no fuera realmente paulino; por ejemplo, los pasajes que asumían la validez continua de los escritos del Antiguo Testamento, que él rechazaba por completo. Su actitud obligó a los líderes del sector más ortodoxo del momento a reexaminar los escritos de Pablo y llegar a una decisión definitiva acerca del canon. De cualquier manera, el canon de Marción pudiera ser considerado tal vez como el primer canon neotestamentario que se conoce.[83]

Al reaccionar ante el canon de Marción, la iglesia antigua designó trece epístolas como «paulinas», incluyendo las Epístolas Pastorales. Es precisamente a partir de esa época que empezamos a contar con declaraciones explícitas de la iglesia definiendo el canon cristiano.[84]

83 Justo L. González al hacer una afirmación similar nos advierte de los problemas presentados por lo que él considera exagerada importancia dada posiblemente por Adolfo Harnack al canon de Marción. González hace estos señalamientos en una nota: «La idea de un canon escriturario era cosa común entre los cristianos ortodoxos, que utilizaban a diario el canon del Antiguo Testamento. Tampoco era nueva la idea del carácter canónico de ciertos escritos apostólicos. La novedad de Marción está en ofrecer un canon o lista fija de libros inspirados». Aclara también que Marción se vio obligado a hacerlo ya que rechazaba el Antiguo Testamento, que necesitaba sustituir. De acuerdo con González, «Los cristianos ortodoxos no se veían en la misma obligación, y es por ello que, aún después del reto de Marción, la iglesia tardó siglos en determinar la extensión exacta del canon neotestamentario. Frente a Marción, los cristianos ortodoxos se limitaron a decir que su canon era insuficiente, pero no pretendieron colocar un canon cerrado frente al que Marción proponía.» Véase Justo L. Gonzalez, *Historia del Pensamiento Cristiano,* (tomo I), Editorial Caribe, 1992, p. 137.

84 Canon quiere decir también «regla». En un sentido amplio indica un catálogo, en este caso de libros. Se trata de los libros que fueron oficialmente reconocidos por contener las normas para la fe cristiana. En este sentido las palabras «canon» y «canónico», que habían sido utilizadas por Orígenes, llegaron a usarse en forma general a partir del siglo cuarto de la Era Cristiana. Pero debe aclararse que la idea de un canon de las Sagradas Escrituras procede de la época veterotestamentaria. En cuanto al canon del Nuevo Testamento, los cuatro evangelios y trece epístolas de San Pablo, incluyendo las Pastorales, habían llegado a recibir aceptación general alrededor del año 130 d.C. Los problemas con Marción contribuyeron a ratificar la necesidad de un canon que incluyera tanto el Antiguo como el Nuevo Testamento. Entre los años 170 y 220 d.C. esos cuatro evangelios y las trece epístolas llegaron a considerarse al mismo nivel de las Escrituras del Antiguo Testamento. Los otros libros del Nuevo Testamento fueron aceptados después. En los casos de Hebreos, Judas, Segunda de Pedro, Segunda y Tercera de Juan y

Un testimonio importante, procedente del siglo cuarto d.C., es el de Eusebio de Cesarea: «Las epístolas de Pablo son catorce, todas bien conocidas y situadas fuera de toda duda».[85] En el capítulo XXII, del libro II, de su *Historia Eclesiástica*, Eusebio hace un extenso uso de la Segunda Epístola a Timoteo como una fuente histórica confiable que él atribuye expresamente a Pablo.[86]

Los problemas de canonicidad constituyen en sí una verdadera especialidad dentro de los estudios bíblicos. Gonzalo Báez Camargo ofreció unos comentarios que nos parecen muy útiles para cerrar esta sección: «El concepto de canonicidad de un escrito religioso es relativamente tardío, y ha sido diverso, en mayor o menor grado, en el curso del tiempo y hasta hoy, según las épocas, las regiones y las confesiones».[87] Como se puede comprobar fácilmente solo hemos ofrecido algunos datos que consideramos útiles en relación a estas epístolas.[88]

C. Teorías modernas

1. El origen paulino

La teoría acerca del origen paulino es expresada en su forma tradicional por numerosos autores. Lorenzo Turrado, por citar un ejemplo, no ve motivo alguno para abandonar la línea trazada por la Pontificia Comisión Bíblica[89] en su decreto de junio de 1913: «...habida cuenta de la tradición de la Iglesia, universal y firmemente constante desde el principio, como lo demuestran de muchas formas los antiguos documentos eclesiásticos, se debe tener por cierto

Apocalipsis persistieron algunas dudas. Atanasio dio testimonio acerca de la lista exacta en su carta pastoral el Domingo de Resurrección en 367 d.C. Un concilio celebrado en la ciudad de Roma alrededor de 382 d.C. ofreció una lista completa de los libros canónicos del Antiguo y el Nuevo Testamento. Eso es conocido como el decreto «Gelasiano» porque Gelasio lo reprodujo en 495 d.C. A pesar de lo anterior, la iglesia griega no estuvo convencida de la canonicidad del libro de Apocalipsis hasta el siglo décimo d.C. Para muchos es la versión oficial y contiene el verdadero canon.

85 *Op. cit.*, p. 83.

86 *Ibid.*, pp. 74-75.

87 Gonzalo Báez Camargo, *Breve Historia del Canon Bíblico*, Ediciones Luminar, México, 1979, p. 8.

88 De singular importancia para entender algunos de estos asuntos, sobre todo relacionados con el canon es el capítulo VII de Justo L. González en *op. cit.*, pp. 134-139. Muy pertinente es el libro de Gonzalo Báez Camargo que acabamos de citar. El lector puede también consultar obras como *The Formation of the Christian Canon* de Hans Von Campenhausen (Fortress, Filadelfia, 1972), *The Canon of Scripture* de F. F. Bruce (InterVarsity, Downers Grove, 1988), *A General Survey of the History of the Canon of the New Testament* de Brooke Foss Westcott (Baker, Grand Rapids, 1980). Véase también un artículo de Simon J. Kistemaker: «The Canon of the New Testament» en *JETS,* vol. 20, # 1, March, 1977, pp. 3-14.

89 Pero se han producido cambios en las actitudes de los miembros de la Comisión después del Concilio Vaticano II.

que las llamadas cartas pastorales, a saber, las dos a Timoteo y la otra a Tito, no obstante la osadía de algunos herejes, que, sin dar razón de ello, las han excluido del número de las cartas paulinas por ser contrarias a su dogma, fueron escritas por el mismo apóstol Pablo y respetuosamente consideradas como genuinas y canónicas».[90] No muy distinta es la introducción al asunto que hacen los comentaristas Roberto Jamieson, A. R. Fausset y David Brown: «La Iglesia Antigua nunca dudó de que fueran canónicas y escritas por Pablo. Se hallan en la versión *Péschitosiriaca* del segundo siglo...»[91] Esa presentación continúa con una larga lista de obras y autores.

Como hemos señalado, entre los convencidos de que Pablo era su autor estaban Ireneo (130-200), Tertuliano (160-220) y Clemente de Alejandría (150-215). Esos nombres se repiten para que tengamos en mente que en la iglesia del segundo siglo había un gran apoyo para esa teoría. También hemos indicado que las Pastorales aparecen en el *Canon de Muratori*. El testimonio disponible de la iglesia antigua es, pues, prácticamente unánime a favor de estas cartas.

Pero, además de las opiniones contrarias de Marción y otros personajes considerados en su época como herejes, debe señalarse que las Epístolas Pastorales no se encuentran en el Papiro *P46*.[92] A esa situación responden algunos comentaristas afirmando que en el mismo faltan porciones y hay espacio suficiente para haber contenido estas cartas. También se afirma que el hecho mismo de que Clemente de Alejandría[93] las conociera prueba que eran conocidas en Egipto aunque hayan sido dejadas fuera del mencionado volumen.

Como hemos dejado entrever no debe sorprender que Marción no las haya incluido en su famoso canon porque sus omisiones son notorias y tienen relación con su rechazo de todo lo que favoreciera el Antiguo Testamento y la Ley (léase 1 Ti. 1.8 y su apoyo a la Ley).

A pesar de todo el respaldo que la paternidad paulina pueda tener en la antigüedad cristiana, el haber considerado alguno de los problemas en cuanto a lenguaje y estilo, trasfondo histórico, organización de la iglesia, etc., nos puede ayudar a entender la razón de las objeciones que se han presentado a la misma por parte de un enorme sector de estudiosos a partir del siglo diecinueve.

90 *Op. cit.*, vol VI (2o), p. 373.

91 *Comentario Exegético y Explicativo de la Biblia*, (tomo II), Casa Bautista de Publicaciones, El Paso, p. 553.

92 El Papiro *P46*, procedente del siglo tercero, fue encontrado en Egipto y adquirido por Chester Beatty en 1931. Este papiro es conocido generalmente por el nombre de su propietario.

93 Clemente de Alejandría (c.155-200) es considerado como uno de los primeros eruditos cristianos. Su nombre era Tito Flavio Clemente y nació probablemente en Atenas. A partir de 190 se convirtió en jefe de la escuela catequística de Alejandría. Combatió firmemente a los gnósticos y escribió varias obras, entre ellas, *Paidagogos* y *Protrépticos*. Esta última era una exhortación a la conversión.

Ceslaus Spicq, erudito dominico, es uno de los que la defiende, sobre todo en *Les Epîtres Pastorales*.[94] Un buen número de sus colegas católicos y muchos protestantes considerados generalmente como conservadores están a su lado. La lista de los defensores de esa teoría incluye los nombres de Lorenzo Turrado, D. Guthrie, B. Reicke, S. de Lestapis y Gordon D. Fee.[95]

La mayoría de estos comentaristas que se inclinan a la paternidad paulina resuelven algunas de las discrepancias aparentes afirmando que las diversas circunstancias demandaron un vocabulario diferente y ofrecen una serie de explicaciones sobre las posibles discrepancias o diferencias.[96]

Deseamos aclarar que la teoría tradicional que defiende la paternidad paulina no debe confundirse con la de autores que entienden que se utilizaron materiales paulinos dentro de la obra de otro autor. Para ellos, las Pastorales o parte de su contenido se remontan de alguna manera a Pablo, pero prefieren alguna teoría que no sea exactamente la de la paternidad paulina entendida en la forma tradicional.[97] Debemos ser cuidadosos en no confundir una teoría con la otra ya que frecuentemente existen algunos elementos comunes como veremos a continuación.

2. La teoría sobre el uso de secretarios

Otra importante teoría que merece ser considerada y tenida en cuenta es la del uso de secretarios. Según los partidarios de ese punto de vista, Pablo no escribió directamente estas epístolas, pero las mismas consisten de materiales

94 *Les Epîtres Pastorales*, J. Gabalda, París, 1947. Véase la introducción de esa obra.

95 Se pudiera mencionar también a J. N. D. Kelly. Preferimos remitir al lector a nuestra bibliografía anotada.

96 Las siguientes son algunas de las explicaciones. Se justifica las diferencias entre las cartas que la mayoría atribuye a Pablo y las Pastorales mencionando la característica de haber sido escritas, estas últimas, para individuos con cargo pastoral. Se trata entonces del estilo, el vocabulario y la técnica de un Pablo dedicado a la tarea de comunicarse con pastores. También hacen un énfasis especial en que éste las escribió siendo ya viejo y habiendo sido víctima de exceso de trabajo y de múltiples adversidades. Su última carta (Segunda de Timoteo) fue escrita, de acuerdo con la opinión de muchos, desde una prisión romana. Lo anterior tiene alguna vigencia si se acepta que las Pastorales, en caso de ser paulinas, fueron las últimas cartas que Pablo escribió. La clave la encuentran algunos en el v. 9 de la Epístola a Filemón: «más bien te ruego por amor, siendo como soy, Pablo ya anciano, y ahora, además, prisionero de Jesucristo». Se refieren a que era un Pablo que había pasado por la experiencia de la prisión y sentía además el peso de los años. Se trataba de un hombre con nuevas experiencias que había tenido un mayor y frecuente contacto con otro tipo de personas. Pudo entonces haber cambiado algunos de sus énfasis, adquirido otros y hasta modificado su estilo. Era, pues, otra época en su vida, en la que el escritor dependía de sus más jóvenes colegas para algunas de las tareas del evangelio. El Apóstol que sabía que la muerte se aproximaba, al escribir a sus queridos amigos, los pastores Timoteo y Tito, pudo haber hecho cambios sustanciales en muchas cosas. También se menciona que existían muchas diferencias entre la situación en Efeso o Creta y la del resto del limitado mundo cristiano de entonces.

97 Entre ellos Joachim Jeremias, E. F. Harrison, Wilhelm Michaelis, etc.

paulinos. Por lo tanto, esta teoría no contradice necesariamente la autoría paulina. Según ella, Pablo sería de todos modos, en cierta forma, el padre de estas epístolas. Uno de los asistentes del Apóstol, actuando como secretario, les daría forma a las cartas. Los elementos que puedan ser considerados como no paulinos deben atribuirse entonces a esa persona. En ese caso, Pablo pudo haber entregado la labor a uno o más ayudantes o secretarios. El uso de amanuenses no es nada nuevo. Pablo parece haber dictado algunas cartas. Tercio realizó esa labor en la epístola a los Romanos (Ro. 16.22). La teoría que nos ocupa ahora va un poco más lejos pues asume que se le dieron ciertos poderes a un ayudante que hizo algo más que copiar: le dio forma al material. Se acepta que el Espíritu Santo, que dirigió a Pablo, lo hizo también con el ayudante.

O. Roller fue uno de los primeros partidarios de esta teoría, W. Metzger la ha defendido con efectividad. C. F. D. Moule también lo ha hecho, pero sólo en forma tentativa. Moule cree que el secretario fue el evangelista e historiador Lucas, durante la vida de Pablo. A. Strobel se inclina a esa misma persona pero, para él, Lucas llegó a ser en realidad una especie de editor después de la muerte del Apóstol. Joachim Jeremias parece inclinarse por la idea de que el secretario fue Tíquico.

Para S. G. Wilson, el autor de los Hechos de los Apóstoles escribió las Pastorales al terminar su obra anterior. Según Wilson, Lucas utilizó ciertas notas de viaje escritas por Pablo y encontradas por él. También cree que leyó otras epístolas paulinas, como Romanos, que no había leído al escribir Hechos de los Apóstoles. Wilson ha sido reconocido como una autoridad en el evangelio de Lucas[98] y escribió todo un libro en defensa de la autoría de Lucas.[99] Por su parte, A. T. Hanson, en un comentario que forma parte de *The New Century Bible Commentary*, señala que Lucas no pudo ser ese secretario ya que en los Hechos de los Apóstoles sólo utiliza una vez la palabra «Apóstol» al referirse a Pablo y no lo asocia con los doce, mientras en las Epístolas Pastorales lo más que se hace resaltar es precisamente su apostolado. También recuerda que Lucas presenta a Pablo, en los Hechos, como un obrador de milagros mientras que en las Epístolas Pastorales no aparece nada de eso.[100]

Un número apreciable de comentaristas evangélicos conservadores han suscrito esta teoría pues han encontrado en ella una forma de contestar varias preguntas difíciles.

La mayor dificultad que presenta pudiera ser el determinar lo que se le puede atribuir al secretario o amanuense. Mientras más se le atribuya a éste,

98 El profesor Emilio Rasco, S. J., de la Universidad Gregoriana de Roma, es el autor de una obra en la que no se discute la supuesta autoría de Lucas en relación con las Pastorales, pero que ofrece una amplia perspectiva del evangelio que lleva su nombre y que pudiera iluminar al respecto. Véase *La Teología de Lucas*, Università Gregoriana Editrice, Roma, 1976.

99 S. G. Wilson, *Luke and the Pastoral Epistles*, London, 1979.

100 *The Pastoral Epistles*, Eerdmans, Grand Rapids, 1982, p. 8.

menos paulina sería la carta. Entre los defensores de esta teoría prevalece la idea de que los secretarios o amanuenses parecen haber escrito muchas cosas que, según lo que ellos entendían, Pablo había tenido en mente. Algunos elementos de esta teoría pueden acercarla a la del seudónimo, pero no debe confundirse con la misma.

Merece mencionarse la opinión de Pierre Dornier, según la cual «después de la muerte del Apóstol, un discípulo, perteneciente sin duda a la iglesia de Roma, habría tomado (hacia los años 70-80 d.C.) esa edición paulina, hoy perdida, y habría presentado una edición más desarrollada y que respondía mejor a las necesidades de la iglesia de su tiempo».[101] Esa especie de «teoría del editor» contiene elementos muy parecidos a aspectos de la teoría que consideraremos a continuación.

3. La hipótesis de los fragmentos

Una tercera teoría pudiera ser considerada tal vez, al menos en ciertos aspectos, como una variante de la anterior. Tiene una gran importancia en los estudios del Nuevo Testamento. Se trata de la «hipótesis de los fragmentos», la cual consiste en que un editor (tal vez un discípulo o imitador de Pablo) utilizó fragmentos de escritos de Pablo (ya fallecido).

El famoso escritor Ernesto Renán[102] y otros estudiosos, habían sugerido que cierto número de fragmentos genuinos, es decir, escritos por Pablo, sirvieron como la base para que un editor trabajara después, a principios del siglo segundo. Estos fueron entonces publicados en forma de tres cartas arregladas como si fueran paulinas pero en las cuales se mezcla lo que es propiamente de Pablo con materiales preparados por el editor.

La más antigua de las obras consultadas que defiende en círculos protestantes esta teoría es *The Problem of the Pastoral Epistles* de P. N. Harrison.[103] Harrison afirmaba haber identificado cinco de esos fragmentos, la mayor parte de ellos en 2 Timoteo, pero otros eruditos tienen diferencias en cuanto a cuáles son los que deben ser considerados, sin duda alguna, como paulinos.

Guthrie presenta una serie de objeciones a Harrison, entre ellas problemas

101 *Les Epîtres Pastorales*, Sources Bibliques, París, 1969, p. 25.

102 Ernesto Renán (1823-1892), filósofo, teólogo y orientalista francés nacido en Tréguier, no debe ser considerado simplemente como un escritor notable. Era también un buen conocedor de cuestiones religiosas, arqueológicas y de otro tipo. Su dominio de las literaturas semíticas y de la teología alemana era apreciable. El problema radica en que su negación de los elementos sobrenaturales en la vida de Jesús le convirtió en una especie de opositor sistemático de la inspiración de las Escrituras y su opinión no siempre puede ser considerada imparcial. Fue profesor en el afamado Colegio de Francia y de sus numerosas obras la más conocida es su *Vida de Jesús* traducida a infinidad de idiomas incluyendo el español. También escribió *Les Apôtres* y *St. Paul.*

103 Véase la referencia a esta obra y su autor en la sección sobre los problemas con el lenguaje y el estilo.

de compilación, fraseología, lingüística, e incluso, según él, el hecho de que un imitador o seguidor de Pablo hubiera tenido cuidado en presentar, más ordenadamente, un número mayor de temas paulinos que Pablo, que no hubiera necesitado demostrar que él mismo era el autor y podía por lo tanto (como parece haberlo hecho) buscar en forma espontánea y natural nuevos temas, más de acuerdo con las necesidades de Timoteo, Tito y sus iglesias.[104]

En resumen, para Harrison, estas cartas son seudónimas, pero en ellas se encuentran genuinos fragmentos paulinos que sobrevivieron después de la muerte del Apóstol.[105] Esa podía ser tal vez la mejor forma de explicar la «hipótesis» o «teoría de los fragmentos».[106]

La mayor objeción que puede presentársele a esta teoría y sus variantes pudiera ser la dificultad en determinar cómo sobrevivieron fragmentos tan pequeños de la obra de Pablo como escritor. El canónigo A. T. Hanson sostuvo brevemente esta posición para abandonarla después citando precisamente objeciones como ésa. El comentarista J. N. D. Kelly[107] consideró esta teoría como una serie inconexa de improbabilidades. Alberto Schweitzer[108] también rechaza de plano la teoría del origen paulino y describió los intentos de descubrir en las Pastorales breves notas escritas por Pablo como «vanos».[109]

Pero debe reconocerse que esta interpretación coincide con una práctica literaria ya bien establecida que cuenta con precedentes en la literatura judía, la de publicar materiales compilados o propios bajo un nombre supuesto. Por lo tanto tiene mucho en común con la siguiente teoría que consideraremos.

4. La teoría del seudónimo

La cuarta teoría que nos interesa insiste en la ausencia de materiales paulinos, lo cual la diferencia de la anterior. Pudiera tal vez ser llamada la teoría del seudónimo. Es actualmente la más aceptada en muchos círculos académicos. Según una forma generalizada de presentar la teoría, no hay elementos escritos o dictados por Pablo en estas epístolas. Se trata, pues, de

104 *Op. cit.*, pp. 48-53.

105 Recomendamos al lector tener en cuenta la explicación de ciertos problemas relacionados con esto, utilizando argumentos de J. N. D. Kelly que encontramos en la exposición que hace P. Dornier en *Cartas de Pablo y Cartas Católicas*, Ediciones Cristiandad, Madrid, 1983, p. 254.

106 Otros defensores de la «hipótesis de los fragmentos» han sido A. Strobel, R. Falconer, G. Holtz y hasta cierto punto P. Dornier. En el caso de estos dos últimos (Dornier y Holtz), defienden reiteradamente que el editor tenía la autoridad paulina por haber sido un discípulo del Apóstol. Dornier entiende que después de la muerte de Pablo, uno de sus discípulos hizo una edición muy marcada por su estilo y adaptada a las necesidades de la iglesia. Véase *Ibid.*, p. 255.

107 J. N. D. Kelly es conocido por muchos más bien como un notable especialista en patrística.

108 Alberto Schweitzer es el famoso médico misionero protestante, musicólogo y teólogo que recibió el Premio Nobel de la Paz y es considerado una figura importante en la teología liberal y en la búsqueda del Jesús histórico.

109 *The Mysticism of Paul the Apostle*, William Montgomery, New York, 1931, p. 42.

alguien que utilizó a Pablo como seudónimo tratando de utilizar su autoridad traspasándola a su propia obra.[110] Muchos profesores de Nuevo Testamento se refieren a la existencia de una especie de «escuela paulina», una corriente de pensamiento basada en escritos y dichos de Pablo cuyos partidarios se consideraban como seguidores de Pablo y en cierta forma se sentían autorizados a hablar en su nombre aún después de su muerte. Es decir, se trataba de continuadores de Pablo. Por supuesto esta es solamente una de las formas de explicar el uso del seudónimo.

N. Brox expone y defiende la «teoría del seudónimo» en su obra *Die Pastoralbriefe*,[111] el primer comentario católico que se atrevió a rechazar de plano la autoridad paulina.[112] Una obra con similar nombre y con una tesis compatible con la anterior fue escrita por el protestante M. Dibelius.[113]

Para algunos de estos autores, la «hipótesis de los fragmentos» que discutimos anteriormente no es más que un intento por aferrarse a la presencia de algunos elementos paulinos en las Epístolas Pastorales. Ahora bien, el uso de un seudónimo o «nombre de pluma» es una práctica bastante frecuente. Incluso el uso de un nombre falso para dar mayor autoridad a un escrito era una práctica común entre los autores de libros apócrifos hebreos.[114] Es fácil comprender por qué se utilizaría el nombre de Pablo, quien combatió efectivamente las primeras herejías, disfrutó de gran prestigio intelectual, fue para muchos el cristiano por excelencia y obtuvo después de su muerte el título de campeón de la ortodoxia.[115]

También a esta teoría se le presentan objeciones. Una de ellas es cómo pudo haberse escrito en forma seudónima un material que contiene tanta información personal sin caer en engaño y ser acusado de falsificador.[116]

Ch. Una opinión personal

Sería posible continuar refiriéndonos a teorías, pero serían variaciones de las anteriores.[117] Nuestra propia opinión es favorable a la paternidad paulina

110 Entre los defensores de esta teoría se encuentran H. Conzelmann, M. Dibelius, F. D. Gealy, A. T. Hanson y otros muchos.

111 *Die Pastoralbriefe*, Regensburger NT, Regensburg, 1969.

112 En realidad es el primer comentario con pretensiones de amplitud que niega esa autoría paulina en el ambiente católico, por lo menos hasta donde nosotros conocemos. Debe señalarse que para algunos es el más completo de los comentarios modernos publicados sobre estas cartas.

113 *Die Pastoralbriefe*, J. C. B. Mohr, Tübingen, 1931.

114 Se usaron nombres como los de Enoc, Baruc, Tobías y los de cristianos antiguos. Los evangelios de Pedro y Nicodemo pueden servir de ejemplo.

115 Pero un presbítero de la provincia de Asia fue condenado y destituído por utilizar el nombre de Pablo. Nos referimos al autor de una supuesta Tercera Epístola de Pablo a los Corintios.

116 Entre las posibilidades estarían las siguientes: que las escribiera un contemporáneo de Marción alrededor del año 140 d.C., o que el autor hubiera tenido una estrecha relación con Pablo.

117 Por ejemplo, para algunos es posible referirse a teorías como las de los «fragmentos» o una de

de estas cartas. No hay duda que existen importantes problemas que son difíciles de explicar y reconocemos que el peso de la erudición contemporánea se inclina en dirección contraria a parte de los pensamientos que vamos a expresar.

Sin embargo, no estamos de acuerdo con que la organización eclesiástica reflejada en las pastorales exija necesariamente una fecha posterior a la época de San Pablo. Para nosotros refleja a grandes rasgos la situación del siglo primero. No solamente porque coincida aproximadamente con prácticas similares de las comunidades esenias, como apuntan González Lamadrid, Albright y muchos otros, sino porque los términos «obispo» y «presbítero» siguen siendo más o menos sinónimos e intercambiables como en anteriores cartas del Apóstol Pablo y en el libro de los Hechos de los Apóstoles. No se nota la diferencia entre los cargos de obispo y presbítero que empieza a hacerse evidente en forma progresiva a partir de las cartas de Ignacio de Antioquía a principios del siglo segundo.

En cuanto a las actividades de Pablo que no son mencionadas en el libro de los Hechos de los Apóstoles, pero que aparecen en estas epístolas, asunto al que tendremos que volver una y otra vez en esta obra, y la fecha de redacción de las Epístolas Pastorales, no nos resulta difícil aceptar la tesis del segundo encarcelamiento ya que no creemos que toda la información sobre la vida misionera de Pablo esté incluida en los Hechos, un libro que termina de forma abrupta. Sobre la tesis del segundo encarcelamiento se ofrecerá una mayor información según se comentan estas cartas.

Los errores combatidos en las Pastorales no eran necesariamente las doctrinas gnósticas del siglo segundo sino que podían bien ser doctrinas proclamadas por elementos judíos en busca de una ciencia o conocimiento superior (mitos, genealogías, prohibición del matrimonio, abstención de ciertos alimentos), lo cual es combatido también en la carta a los Colosenses (Col. 2.4-8; 16-23). Los documentos de Qumrân dan testimonio acerca de la temprana aparición de estas tendencias. En lo que a nosotros concierne, insistir en el carácter gnóstico de los herejes combatidos en estas cartas, en el sentido de que eran del siglo segundo, o en el tema del marcionismo, no es asunto al que no pueda responderse. Lo han hecho con efectividad notables comentaristas cuyas opiniones vamos citando en el comentario junto a aquellos que piensan de manera diferente.

Reconocemos abiertamente lo difícil que nos resultaría explicar las cuestiones de lenguaje y de estilo. Sin embargo, habría siempre que tener en cuenta que estas cartas fueron enviadas a destinatarios diferentes con situaciones distintas a los de otras epístolas consideradas como paulinas. Por otra parte, el

sus variantes como «teoría del editor». La de Dornier, que ya citamos, encajaría tal vez en esta clasificación. Otras tienen relación con las fechas y los encarcelamientos de Pablo en Roma. Unos pocos sostienen la opinión de que se trata simplemente de literatura de ficción, es decir, defienden una «hipótesis de la ficción» considerando hasta los personajes como ficticios.

uso de nuevas palabras y expresiones no es suficiente para asegurar que se trata de otro autor. Los énfasis doctrinales no solamente cambian en las Pastorales sino que se nota la misma situación en otras epístolas. Podemos tener en cuenta los años pasados, las nuevas experiencias de Pablo, sus nuevos contactos en Roma, antes de concluir que el autor de las Pastorales no es el mismo autor de cartas anteriores. Además, de ser demasiado grandes las diferencias de estilo siempre podrían ser explicadas mediante teorías como la de los secretarios o del editor sin afectar demasiado el origen paulino y sin violentar por ello los principios de la epistolografía antigua.

Una solución sugerida es la de que Pablo utilizó un amanuense distinto al de ocasiones anteriores. Gordon D. Fee va más allá y plantea lo siguiente: «(¿O fue él quién escribió estas cartas habiendo utilizado anteriormente un amanuense?)».[118] Es decir, que Fee señala la posibilidad de que estas cartas fueran escritas directamente por Pablo mientras que las anteriores fueron resultado de su trabajo pero con el auxilio de un amanuense. Así se explican las diferencias de estilo.

Finalmente, nuestra opinión coincide a grandes rasgos con la de John R. W. Stott: «...los argumentos que se han adelantado para negar la autoridad de las Epístolas Pastorales (históricos, literarios, teológicos y eclesiásticos) no son suficientes para echar abajo la evidencia, tanto externa como interna, que las autentica como cartas genuinas del Apóstol Pablo a Timoteo y Tito».[119]

Lo que hemos manifestado en los párrafos anteriores no quiere decir que podamos responder a todos los planteamientos de quienes piensan de manera diferente. Pero, como no nos satisfacen los argumentos de una serie de prestigiosos autores contemporáneos que no aceptan la paternidad paulina, preferimos aceptar el testimonio de escritores de los primeros siglos.

A pesar de lo anteriormente expresado, comentaremos las Epístolas a Timoteo y Tito teniendo en cuenta las principales teorías acerca de su paternidad. Resulta imprescindible aprovechar las investigaciones de aquellos comentaristas que contemplan ángulos que no serían considerados o discutidos si nos limitáramos a nuestra propia forma de ver las cosas.

IV. Las fechas

Si tomamos en cuenta las principales teorías y los datos que utilizan sus defensores sería posible pensar que la fecha estaría entre los años 61 y 180 de la Era Cristiana.

Al aceptarse la teoría de la paternidad paulina de las Epístolas Pastorales se está implicando que fueron necesariamente escritas en algún momento posterior al año 60 d.C. El testimonio de antiguos escritos cristianos que hemos

118 *Op. cit.*, p. 26.

119 *The Message of 2 Timothy*, InterVarsity, Downers Grove, Illinois, 1973, p. 16.

mencionado en defensa de esa paternidad pudiera utilizarse en respaldo de tal época. Algunos afirman que en el año 64 Pablo fue de España a Efeso, Colosas (Flm. 22), Macedonia (1 Ti. 1.3) y tal vez a Corinto. Primera de Timoteo pudo haber sido escrita en este viaje. En el año 65 Pablo fue a Efeso y a Creta, regresando a Mileto (2 Ti. 4.20) y Troas (2 Ti. 4.13), pasando por Macedonia hasta llegar a Corinto (2 Ti. 4.20) donde puede haber escrito la Epístola a Tito. Después de pasar el invierno en Nicópolis en Epiro (Tit. 3.12) pasó a Roma donde escribió Segunda de Timoteo. Por supuesto, en cualquier caso, todos estos escritos tuvieron que haber estado terminados antes del año 67 fecha que se utiliza para marcar su ejecución (aunque algunos prefieren el 66 o el 68). Está claro que lo anterior puede aceptarse solo en caso de adoptar la teoría del segundo encarcelamiento paulino que ya hemos mencionado al referirnos a cuestiones de autoría. Es decir, una interpretación que deje abierta la posibilidad de un período de actividad posterior a lo relatado en el libro de los Hechos.[120]

Debe señalarse que un importante grupo de eruditos que no están satisfechos con la interpretación tradicional sobre la autoría paulina ofrecen sus propias fechas de acuerdo en gran parte con su interpretación de ese importante asunto. Ese sector lo componen ciertas figuras fundamentales de los estudios sobre la Biblia en los siglos diecinueve y veinte.

Son muchos los que en nuestra época se inclinan a pensar que fue a mediados del segundo siglo que se escribieron estas Epístolas. El hecho de que ellas están ausentes del canon de Marción nos pudiera hacer inclinar a la idea de una fecha aún posterior. Pero téngase en cuenta que Ireneo, que escribió su obra *Contra las herejías* entre 180 y 190, cita de casi todos los capítulos de las Pastorales.

Se menciona también el período 140-180. En este caso se trata generalmente del punto de vista de los que consideran estas epístolas como materiales escritos contra Marción. Entre ellos está A. E. Barnett. Sin embargo, los que no encuentran en ellas referencias que puedan asociarse a Marción o el gnosticismo más desarrollado creen que son anteriores a Ignacio de Antioquía, que murió aproximadamente en 107, o proceden más o menos de su época.

P. N. Harrison afirma que la Epístola de Policarpo a los Filipenses fue escrita en 135.[121] Como se dice reiteradamente que ésta depende de las

120 Una opinión bastante difundida es la de que no se puede depender de las Epístolas Pastorales para conocer fechas aproximadas de los últimos pasos de Pablo. Para J. V. Bartlet, la mayoría de las actividades del Apóstol mencionadas en estas cartas deben haberse realizado en el período comprendido entre la última parte de su ministerio en Efeso y su último viaje a Judea. Véase «The Historic Setting of the Pastoral Epistles», *Exp*, series VIII, #5, 1913, pp. 28-36; 161-166 256-263, 325-347.

121 Harrison cree que en realidad se trata de dos cartas escritas por Policarpo.

Pastorales, las fechas no tendrían necesariamente que ser muy anteriores a la de la carta de Policarpo.[122]

Fred D. Gealy en *The Interpreter's Bible* se inclina a 130-150 como el período más probable de redacción aunque lo presenta como una sugerencia y como una «conjetura razonable».[123]

Martin Dibelius cree que no debe haber sido en un período demasiado avanzado en el segundo siglo mientras que Rudolf Bultmann entiende que se escribieron entre los años 100 y 150.

Muchos creen que fueron escritas alrededor del año 110. Esa lista incluye a Adolfo Harnack, Burnett Hillman Streeter, P. N. Harrison, James Moffat, Maurice Goguel, etc. Otros se les aproximan bastante, escogiendo el período comprendido entre los años 90 y 110, como es el caso de B. S. Easton; o el que se extiende entre 95 y 105, como es la opinión de F. C. Grant.

Pero los que se inclinan a la teoría de que un editor arregló o dio forma a cartas paulinas que sirvieron de base a las Pastorales defienden el período 70-80, como P. Dornier.

Algunos ven el uso de palabras como «mártir», «confesar» y una serie de referencias al martirologio de Jesús y del propio Pablo como indicaciones de un contexto parecido al de la época de los emperadores romanos de la familia de los Antoninos (138-180 d.C.).[124]

Otro asunto que pudiera inquietar a algunos es la ausencia de referencias a la destrucción del templo de Jerusalén con todo lo que esto significó para el judaísmo y para el cristianismo primitivo. Ese argumento sería utilizado por los partidarios de una fecha anterior al año 70 de nuestra era, pero la simple ausencia de referencias a un acontecimiento no es un argumento que necesariamente sea considerado definitivo.

Como las fechas dependen en gran parte de las teorías de autoría no será difícil al lector tener una idea de nuestra propia opinión al respecto. Nos inclinamos a la tradición de la iglesia antigua que las sitúa en los últimos años de Pablo, pero reconocemos que esta cuestión presenta ciertas complicaciones, como lo revela la erudición de aquellos que se inclinan hacia otras posibilidades.[125]

[122] Policarpo cita o parafrasea a 1 Timoteo 6.7 y Tito 6.10.

[123] *The Interpreter's Bible*, vol. 11, Abingdon Press, Nashville, 1987, p. 370.

[124] El historiador William M. Ramsay, en sus conocidas conferencias en el Colegio Mansfield en 1892, defendió que «el tono de las Epístolas Pastorales en este respecto sólo es consistente con una fecha más temprana». Para él, 2 Timoteo 3.12 y 2 Timoteo 4.17,18 reflejan las persecuciones en época de Nerón. En su opinión, las persecuciones en que los cristianos sufrieron como «malhechores» coinciden con el tono del período neroniano. Véase *The Church in the Roman Empire*, Baker Book House, Grand Rapids, 1979, pp. 247-249.

[125] Un rápido repaso de opiniones encontradas es hecho por el obispo J. B. Lightfoot, Véase «The Date of the Pastoral Epistles», *Biblical Essays*, Baker, Grand Rapids, 1979, pp. 399-418. Téngase en cuenta que esa importante obra fue escrita a fines del siglo diecinueve, y nuevas opiniones e investigaciones han alterado la opinión que se tenía acerca de algunas situaciones.

V. El Apóstol Pablo

Hemos señalado cómo hasta la llegada del siglo diecinueve casi todos entendían que Pablo había sido el autor de estas epístolas. Pero, independientemente de cualquier opinión, ningún aspecto fundamental de las mismas puede tratarse sin tener en cuenta al Apóstol. En definitiva, si otro personaje fue el verdadero autor, no dejó de utilizar el nombre y la autoridad de Pablo. También dirigió las cartas a Tito y Timoteo los colaboradores de Pablo. Por otra parte, cualquiera que haya escrito estas epístolas dependió en parte de información acerca de estos personajes o trabajó con materiales paulinos. Hubiera sido en ese caso el miembro de algún grupo de seguidores o imitadores de Pablo.

Aunque ya hemos ofrecido algunos datos acerca de los últimos años del Apóstol y su relación con estos personajes, que es evidente a través de toda esta obra, será necesario tener en cuenta otros asuntos en relación con su persona.

Saulo nació en Tarso de Cilicia en el Asia Menor en los primeros años de la Era Cristiana y era el hijo de un judío de la tribu de Benjamín que había conseguido la ciudadanía romana. El joven, ciudadano romano por nacimiento, fue educado como fariseo y recibió probablemente parte de su educación en Jerusalén donde cursó estudios bajo la dirección del gran rabino Gamaliel. Su formación religiosa debe haber sido estricta, y dominaba las Escrituras y las tradiciones de los judíos. Era especialista en la ley de Moisés. Es evidente que dominaba el idioma griego y conocía perfectamente la cultura helenista. No era tampoco ajeno a la cultura romana. Le correspondió tal vez el privilegio de tener más educación que el resto de los hombres conocidos históricamente como los apóstoles de Jesucristo. Era en cierta forma un hombre de tres mundos: el romano, el griego y el judío.

Este judío de la dispersión entró en contacto con los cristianos bastante temprano, posiblemente en Palestina. Estuvo presente en el martirio de Esteban, cuidándoles la ropa a los que apedreaban a éste. Saulo había recibido una comisión especial del Sumo Sacerdote para arrestar a los cristianos en Damasco. Fue precisamente camino a esa ciudad que tuvo una visión del Cristo resucitado y perdió temporalmente la visión. En medio de esa experiencia dramática en que escuchó las palabras de Cristo se convirtió. La historia de su conversión la encontramos en Hechos 9.1-19; 22.5-26 y 26.12-18.[126]

[126] Santos Sabugal, doctor en Ciencias Bíblicas por el Instituto Bíblico de Roma y profesor de Exégesis del Nuevo Testamento y de Historia de la Exégesis Bíblica en el Instituto Patrístico «Augustinianum» de esa misma ciudad, ha publicado un estudio sobre la conversión de Pablo, donde analiza argumentos que pudieran indicar que este Damasco sea una región de Qumrân y no la ciudad de Siria que todos conocemos. El erudito español trata de evitar una serie de dificultades exegéticas, geográficas e históricas que presentaría la localización tradicional de la conversión del Apóstol San Pablo junto a Damasco de Siria. La hipótesis de que se trata de una región de Qumrân es expuesta en esa monografía, la primera sobre el tema en nuestro

Después de esto fue bautizado por Ananías, quien le impuso las manos (Hch. 9.17), partiendo hacia Arabia (Gá. 1.17) donde pasó tres años orando y estudiando en un ambiente de soledad y meditación, preparándose para su futuro ministerio. Regresó probablemente a Damasco y después fue recibido en Jerusalén por los apóstoles gracias a la intervención de Bernabé que se había convertido en su amigo. Bajo amenazas de los judíos y rechazado por muchos cristianos tuvo que regresar a Tarso. Hay un período de su vida que nos es desconocido casi completamente.

Años después fue buscado allí por Bernabé que lo llevó a Antioquía. Participó con Bernabé en un viaje a Jerusalén para llevarles ayuda a los cristianos de esa ciudad los cuales pasaban por una gran hambruna acontecida en tiempo del gobierno de Claudio, emperador de Roma. Regresó a Antioquía y de allí partió como misionero realizando varios viajes. Fue la figura principal de la misión a los gentiles, logrando establecer iglesias y grupos cristianos en numerosos lugares. Es por eso que se le conoce como «El Apóstol a los Gentiles». En Hechos 13.9 hay una referencia a él con estas palabras: «Mas Saulo, llamado también Pablo, lleno del Espíritu Santo...». Saulo pasaría a ser conocido históricamente como Pablo o San Pablo.

Al comentar el texto, volveremos a ciertos datos sobre Pablo, especialmente sus últimos días, pero ofrecemos aquí una cronología de la vida del Apóstol, basada mayormente en la tradición cristiana. Al efecto, hemos escogido los datos de Lorenzo Turrado en su comentario publicado por la Biblioteca de Autores Cristianos. El siguiente cuadro es extraído de ese trabajo.[127]

Conversión	36 d.C
Huída de Damasco y subida a Jerusalén	39
Estancia en Tarso	30-43
Predicación en Antioquía con Bernabé y subida a Jerusalén	44
Primer viaje misionero	45-49
Concilio de Jerusalén	49
Segundo viaje misionero	50-53
Tercer viaje misionero	53-58

idioma. El lector que no está familiarizado con el asunto debe conocer que, según algunos, «el país de Damasco» que menciona Sabugal y otros autores es una región de Qumrân bajo dominio nabateo. La expresión designaría la zona noroccidental del mar Muerto, residencia de la comunidad qumránica. Tanto la ciudad de Damasco como esa región noroccidental del mar Muerto forma parte del reino nabateo de Aretas IV. Todo lo que se afirma acerca de la posibilidad de que el Damasco que se menciona no sea la ciudad de Siria es sencillamente una teoría que está siendo estudiada y el lector interesado en los estudios sobre Pablo necesita por lo menos tener una idea general de la misma. Véase Santos Sabugal, *La Conversión de San Pablo: Damasco, ¿ciudad de Siria o región de Qumrân?*, Editorial Herder, Barcelona, 1976.

127 *Op. cit.*, vol. 6(1ª), pp. 255.

Cautividad en Cesarea	58-60
Cautividad romana	61-63
Viaje a España	63-64?
De nuevo en la parte oriental del Imperio Romano	64-66?
Muerte como mártir en Roma	66-68?

Por supuesto que se han preparado otras cronologías. Por citar un ejemplo, muchos consideran que la secuencia sería diferente si las epístolas paulinas son consideradas como las fuentes primarias y se les da prioridad sobre los relatos de Hechos de los Apóstoles.

Si se acepta la estancia de Pablo en Corinto entre 49 y 51 d.C., podríamos aceptar la siguiente cronología ofrecida en un texto de introducción al Nuevo Testamento preparado por el profesor Werner Georg Kümmel. El cuadro que presentamos a continuación es extraído de sus datos.[128]

Conversión	31-32
Primera Visita a Jerusalén	34-35
Estancia en Siria y Cilicia	34-35 o 48
Concilio Apostólico	48
Primer Viaje al Asia Menor y Grecia	48-51 o 52
Segundo Viaje al Asia Menor o Grecia	51-52 o 55-56
Llegada a Jerusalén	55-56

De acuerdo con esta última cronología, no puede llegarse a conclusiones definitivas después de la última fecha ofrecida. No se conoce cuán largo fue el juicio de Pablo en Cesarea.

Estas dos tablas no son en modo alguno las únicas que merecen considerarse. Solamente por dar una idea de la diversidad de criterios que se evidencia en los comentarios y artículos, C. K. Barrett entiende, además de su opinión contraria a un segundo encarcelamiento, que Pablo fue ejecutado en 58 o 59.[129] Por su parte, F. F. Bruce, sólo se limita a afirmar: «En algún momento durante la segunda parte del reinado de Nerón podemos confiadamente decir que Pablo fue juzgado y sentenciado en Roma.»[130]

Un estudio breve sobre las cronologías que se han ofrecido en relación con la vida y obra de Pablo está contenido en la obra de Carrez, Dornier, Dumais y Trimaille *Cartas de Pablo y Cartas Católicas,*[131] que hace una mención especial de los intentos de J. A. T. Robinson, S. de Lestapis, G. Lüdemann y Bo Reicke de obtener una cronología «corta» concentrando más la actividad

128 *Op. cit.*, pp. 254-255.

129 Véase «Pauline Controversies in the Post-Pauline Period» en *New Testament Studies*, # 20, 1973-1974, pp. 229-245.

130 Véase *New Testament History*, Doubleday & Company, Garden City, 1971, p. 367.

131 (Ediciones Cristiandad, Madrid, 1985, pp. 19-36.)

del apóstol. En relación a esto debemos insistir, como lo hace Maurice Carrez, que «nadie que intente esbozar un cuadro de conjunto de la vida de Pablo puede prescindir del libro de los Hechos».[132]

A pesar de que su teología fue originalmente rechazada por muchos, Pablo se convirtió gradualmente en el teólogo cristiano más importante. Sus epístolas fueron coleccionadas después de su muerte. En 1 de Clemente, libro escrito alrededor de 95 d.C., ya se consideraban sus escritos como parte de las Sagradas Escrituras. Independientemente de las teorías acerca de la paternidad de las Pastorales y otros libros atribuidos a él, muchos ya estaban disponibles en época de Marción (alrededor del año 140). Marción utilizó algunos fragmentos de su obra para tratar de defender sus propias ideas, lo cual pudo perjudicar la estimación que de Pablo ya tenían en la iglesia. Agustín de Hipona basó su teología en principios que consideraba como claramente paulinos, y esto contribuyó a la creciente importancia del papel de Pablo en la teología cristiana.

La doctrina del Apóstol tuvo que elaborarse en medio de una confrontación con los judaizantes, los cuales se oponían a la libertad del evangelio, el único medio de salvación que él predicaba. Pablo enseñó que Cristo no era solamente el Mesías, como los judíos cristianos aceptaban, sino también el hijo preexistente de Dios, y a través de él todas las cosas han sido creadas. Después de la muerte de Cristo, según Pablo, fue exaltado a la derecha del Padre y allí recibe la adoración humana. En él, la humanidad pecaminosa es redimida y los que así llegan a ser salvos, aceptando su obra salvadora e intercesora, pasan a ser miembros de su cuerpo, que es la iglesia.

En las Epístolas Pastorales se encuentra precisamente uno de los versículos fundamentales para entender la doctrina paulina: «Porque hay un solo Dios, y un solo mediador entre Dios y los hombres, Jesucristo hombre» (1 Ti. 2.5). El cristiano, según Pablo, no debe vivir solamente su propia vida sino que Cristo vive en él, transformándole a su semejanza ahora y sobre todo en la resurrección, doctrina muy defendida por el Apóstol.

Todo lo que se diga acerca de la contribución de Pablo a sacar el cristianismo de la condición de simple secta judía es poco. Se debe a él, en gran parte, que la iglesia llegara a ser universal o «católica». Señaló claramente que había pasado la época de la ley, los ritos y la circuncisión y que había llegado la era de la gracia de Dios «que trae salvación a todos los hombres». En Pablo terminan las distinciones entre «judío» y «gentil».

El teólogo estadounidense J. Gresham Machen llegó hasta a afirmar lo siguiente: «La religión de Pablo es un hecho que comparece a plena luz ante la historia. ¿Cómo debe ser explicada?, ¿cuáles fueron sus presuposiciones?, ¿sobre qué clase de Jesús se fundó? Estas preguntas nos llevan al corazón del problema histórico. Explique el origen de la religión de Pablo, y usted habrá

132 *Op. cit.*, p. 23.

resuelto el problema del origen del cristianismo?».[133] Ese es un planteamiento al que muchos todavía tratan de responder.

Al estudiar las Epístolas Pastorales recorremos un tramo corto del peregrinaje de Pablo. Pero gracias a ellas entendemos mejor el pensamiento del Apóstol y algo más acerca de los orígenes mismos del cristianismo.[134]

VI. Los destinatarios de estas cartas

Se ha afirmado reiteradamente que estas epístolas estaban dirigidas a personas, en contraste con otras cartas paulinas destinadas a iglesias. Se distinguen de otras epístolas del Nuevo Testamento en que no tienen introducciones o presentaciones como las que se dirigen a la «iglesia de Dios» o a los «amados de Dios» o a los «santos y fieles hermanos en Cristo». Pero, según algunos comentaristas, las Pastorales usan los nombres de Timoteo y Tito para representar una clase dentro de la iglesia (líderes o clérigos).

Si aceptamos la opinión de aquellos que consideran estas epístolas como seudónimas sería difícil entender que son los mismos Timoteo y Tito de la era apostólica. Según algunos intérpretes, Tito y Timoteo vienen a ser, en este contexto, nombres que identifican al alto clero, hombres comparables a los personajes de los días de Pablo. Afirman que el autor se consideraba un «sucesor» de Pablo y que, por lo tanto, podía dirigirse a otros «clérigos» como a «hijos».[135]

En este sector de opinión se hacen consideraciones muy interesantes y hasta atractivas, como la de los «clérigos jóvenes» representados por estos personajes. En cualquier caso tenían que representar a personas con cierta autoridad porque a Tito se le instruye acerca de nombramientos de ancianos y a Timoteo acerca de la remuneración que deben recibir los que ocupen esas posiciones o el castigo que se les debe administrar por faltas cometidas.

Otros concluyen afirmando, casi categóricamente, que Timoteo y Tito eran «ancianos presidentes» y algunos los consideran como una especie de «metropolitanos». Para nosotros todo eso es altamente especulativo y pudiera

133 *The Origin of Paul's Religion*, Eerdmans, Grand Rapids, 1925, pp. 4-5.

134 Para el lector interesado en estos asuntos es importante consultar obras como la mencionada de J. Gresham Machen y también otras más recientes como C. H. Dodd, *The meaning of Paul for Today*, The World Publishing Company, Cleveland, 1957 y F. F. Bruce, *Paul: Apostle of the Heart Set Free*, Eerdmans, Grand Rapids, 1977. Un análisis literario, poco convencional, acerca de Pablo lo hace Gabriel Josipovich; véase «St. Paul and Subjectivity», *The Book of God*, Yale University Press, New Haven, 1988, pp. 235-253.

135 Algunos que entienden que se trata de alguien que no era Pablo ni un amanuense al servicio del mismo creen ver en los «Pablo», «Tito» y «Timoteo» de las Pastorales a obispos monárquicos del segundo siglo. Por ejemplo, B. H. Streeter en *The Primitive Church*, The Macmillan Co., New York, 1929.

depender en algún grado del sistema de gobierno favorito del autor en cuestión.[136]

Independientemente de esas opiniones y de otras parecidas, que también hemos tenido en cuenta, trataríamos siempre de ahondar en los dos personajes que conocemos mejor y que por siglos han sido considerados como los destinatarios, los cristianos del primer siglo Timoteo y Tito, amigos y colaboradores del Apóstol Pablo.

1. Timoteo

Timoteo es mencionado con frecuencia en escritos de la iglesia antigua y su nombre quiere decir «temeroso de Dios». Aparte de este personaje del Nuevo Testamento, otro individuo con el mismo nombre aparece en 1 de Macabeos 5.6 y en 2 de Macabeos 8.30. Ese otro Timoteo, líder de las fuerzas amonitas, fue derrotado por Judas Macabeo, a quien se había opuesto.[137]

Este joven compañero del apóstol Pablo y de Silvano nació en Listra, de padre gentil y madre judía convertida al cristianismo. En 2 Timoteo 1.5 encontramos los nombres de su madre Eunice y de su abuela Loida, las cuales parecen haber sido ejemplos de mujeres de gran fe.

Listra era una ciudad de Licaonia, asignada como colonia romana a Pisidia o Galacia. Había sido visitada por Pablo, el cual participó en la curación de un paralítico. Tanto Pablo como Bernabé fueron honrados por algunos de los pobladores que les tomaron por dioses e intentaron ofrecerles sacrificios. Un grupo de judíos, procedentes de Iconio, amotinaron la población y Pablo fue apedreado.[138]

Timoteo se convirtió muy joven al cristianismo y su madre ya había conocido el evangelio. Se ha señalado que no había sido circuncidado porque su padre era gentil. Para darnos cuenta de la importancia que llegaría a tener aquel joven basta ofrecer el siguiente dato: Timoteo aparece mencionado en 1 Tesalonicenses 1.1 y en 2 Tesalonicenses 1.1, en igualdad de condiciones y categoría, junto con Pablo y Silvano, y los tres se dirigen como un trío a la iglesia de Tesalónica. Pablo, al regresar a Listra en su segundo viaje, eligió a Timoteo como colaborador. Es evidente que Timoteo disfrutaba de un buen testimonio y eso jugó un papel en su incorporación a la obra.

Sobre la futura obra de Timoteo se había predicado (1 Ti. 1:18). Había recibido un don especial como siervo de Dios y le fueron impuestas las manos

[136] Puede encontrarse información bastante minuciosa y clara acerca del surgimiento y desarrollo del episcopado como lo conocemos hoy en la obra de Phillip Schaff, *History of the Christian Church*, vol. 2., Eerdmans, Grand Rapids, 1971, pp. 132ss.

[137] Serafín de Ausejo, *Diccionario de la Biblia*, Editorial Herder, Barcelona, 1970, p. 1942. Véase también Joan Comay, *Who's Who in the Old Testament together with the Apocrypha*, Holt, Rinehart and Wilson, New York, 1971, p. 444.

[138] Véase Justo L. González, *Hechos* de esta serie del *Comentario Bíblico Hispanoamericano.*

por otros presbíteros (1 Ti. 4.14) lo cual pudiera indicar que fue debidamente ordenado, aunque muchos comentaristas no creen existiera ese tipo de ceremonias ni siquiera en una forma embrionaria.[139]

El expositor bautista estadounidense B. H. Carroll, muy reconocido en círculos conservadores, nos recuerda que Timoteo estuvo con Pablo en los relatos de Hechos 16 y 17 en Filipos, Tesalónica y Berea, donde fue dejado por algún tiempo. Volvió a unirse con Pablo en Atenas y de allí fue enviado a Tesalónica nuevamente. Otra reunión con Pablo ocurrió en Corinto y le acompañó a Siria, Jerusalén y Antioquía. Fue enviado a Macedonia desde Efeso y desde allí fue enviado a Corinto. Se reunió con Pablo en Macedonia, le acompaño a Grecia y fue con él a Macedonia (una vez más). En su última visita a Siria Pablo, envió a Timoteo a Troas, y éste fue dejado en Asia. Después de ser prendido Pablo en Jerusalén, Timoteo se une con él en Roma en un encarcelamiento temporal pues fue liberado. Pablo le halla de nuevo en Efeso. Después del arresto de Pablo en Nicópolis de Epiro, o en algún lugar de Acaya, éste es trasladado a Roma donde escribe una segunda carta a Timoteo pidiéndole que viniera a Roma trayendo su capote y sus libros dejados en Troas. Tíquico tomaría el lugar de Timoteo en Efeso. Carroll incluye en su ordenamiento de los hechos la afirmación de que no se sabe si Timoteo llegó a Roma antes de la ejecución de Pablo.[140]

Después de ofrecer ese orden cronológico de Carroll, solamente para ponernos en perspectiva y no para discutir sus detalles, deseamos mencionar que hay algunas cuestiones fundamentales relacionadas con estos acontecimientos que debemos atender. Una de ellas es el dato sobre que Timoteo acompañó a Pablo en su segundo y su tercer viajes misioneros. Se le encomendaron labores importantes en Tesalónica (1 Ts. 3.2-6) y Macedonia (Hch. 19.22). Después de haber dejado Tesalónica y llegado a Atenas, Pablo sintió preocupación por los cristianos tesalonicenses y les envió a Timoteo para que les confirmara en la fe. Estaban pasando por algún tipo de persecución. Timoteo regresó con información bastante positiva acerca del crecimiento y el estado de la obra de aquellos nuevos creyentes, así como también acerca del aprecio que le tenían a Pablo. Mientras éste permanecía en la provincia romana de Asia (Hch. 19.22) Timoteo fue enviado a Macedonia. Después le encontramos acompañando al Apóstol a través de esa región cuando éste se encaminaba, con un grupo, hacia Jerusalén.

Pablo describe a Timoteo como hermano suyo, siervo de Dïos y colaborador (1 Ts. 3.2). Si tenemos en cuenta la forma en que se inicia esa misma epístola, que es presentada como una comunicación de «Pablo, Silvano y Timoteo», pudiéramos hasta llegar a la conclusión de que le concedía el tratamiento de apóstol (1 Ts. 2.6). La relación entre Pablo y Timoteo en Corinto

[139] Como señalamos en otra parte, estas «profecías» son interpretadas por algunos como indicando la predicación que se hace en un servicio de ordenación o de consagración.

[140] *Las Epístolas Pastorales*, CLIE, Barcelona, 1987, pp. 17-19.

está confirmada al ser mencionado éste en los saludos que Pablo escribió desde Corinto a Roma y que encontramos en Romanos 16.21. En 1 Corintios 16.10 encontramos a Pablo tratando de asegurarles a los cristianos de esa ciudad que Timoteo hacía la obra como él, lo cual pudiera indicar su deseo de disipar alguna duda en relación con su persona. O tal vez algún grado de confusión. No es bueno especular demasiado sobre el asunto. Lo que por lo general no se duda es la estrecha relación entre estos dos cristianos del primer siglo. Timoteo no fue solamente un asociado de Pablo sino su emisario, como lo evidencia la lectura de las cartas atribuídas al Apóstol. Pablo procuró que los creyentes respetaran a Timoteo y confiasen en él.

Con la lectura de 2 Corintios 1.1 notamos que Timoteo y Pablo se dirigen a la iglesia de Corinto, posiblemente desde Efeso. Se entiende generalmente que Timoteo había predicado en Corinto, pero se presume que los problemas en esa ciudad continuaron después de su visita. Algunos comentaristas entienden que Tito fue utilizado en la relación especial entre Pablo y la iglesia de Corinto ya que Timoteo no tuvo todo el éxito que se esperaba. Ahora bien, si echamos un vistazo a Filipenses 1.1; Colosenses 1.1 y Filemón 1 notaremos de nuevo a Pablo escribiendo junto a Timoteo, o a nombre de ambos.

La lectura de Filipenses nos revela que el Apóstol pensaba enviarles a Timoteo (Fil. 2.19-20), lo cual revela otra misión encomendada a éste y es una ratificación del concepto paulino acerca de él: «Pues a ninguno tengo del mismo ánimo, y que tan sinceramente se interese por vosotros». El v. 22 contiene palabras que son, a la vez, enfáticas y afectivas: «Pero ya conocéis los méritos de él, que como hijo a padre ha servido conmigo en el evangelio». Es importante recordar, al llegar a este punto, la posibilidad de que Timoteo haya sido convertido por la instrumentalidad de Pablo (1 Co. 4.17, 1 Ti. 1.2). Un dato seguro es que Pablo lo hizo circuncidar para evitar problemas con los judíos.

Hay otras referencias bíblicas sobre esa relación entre los dos personajes, algunas de las cuales revelan que siguió al Apóstol en la cautividad. Sobre todo Filemón 1. En Hebreos 13.23, el autor de esa carta, que para algunos pudiera ser el mismo Pablo, anuncia su liberación: «Sabed que está en libertad nuestro hermano Timoteo...».

Pasemos a su labor en Efeso. En 1 Timoteo 1.3 lo habíamos encontrado a cargo de la obra en esa ciudad. Las dos cartas dirigidas a él tienen que ver con ese ministerio en particular.[141] La tradición antigua le considera como obispo (o pastor) en Efeso. A. T. Hanson entiende que 1 Timoteo 1.3, al referirse a la presencia de Timoteo, implica que éste probablemente quedó localizado allí después de la muerte de Pablo.[142] Hanson también parece entender que Timoteo había estado en prisión en algún lugar que no era Roma, posiblemente

141 Pero en 2 Timoteo 4.21, Pablo le pide pasar a Roma.

142 *Op. cit.*, p. 21.

Efeso. Utiliza la cita de Hebreos 13.23 anunciando la liberación de Timoteo para afirmar que si la carta a los Hebreos fue escrita desde algún lugar fuera de Italia, como muchos creen, entonces la prisión fue probablemente en Efeso.[143]

De cualquier manera, el ministerio de Timoteo en Efeso está lo suficientemente documentado en la tradición eclesiástica como para que ese dato en particular sea aceptado fácilmente.[144] Se pueden citar fuentes tradicionales sobre el martirio de Timoteo en época de Domiciano. Se afirma también que una multitud le aporreó por su oposición abierta al culto de Artemis o Diana.[145]

Para finalizar, citaremos al comentarista Merrill C. Tenney que hace una síntesis de lo que revelan los materiales disponibles en relación con el carácter de Timoteo: «Timoteo era de un carácter confiable, pero no enérgico. Daba la impresión de inmadurez, a pesar de que debió haber tenido treinta años de edad, por lo menos, cuando Pablo le asignó el pastorado de Efeso... Era tímido... y tenía problemas estomacales. Las epístolas que llevan su nombre tenían como propósito alentarle y fortalecerle.»[146]

2. Tito

Algunos han tratado de probar que Tito es el «Justo» de Hechos 18.7.[147] Los que así han pensado utilizan el Códice Sinaítico en el cual aparece «Tito». Aun en ese caso, el probar que se trata de la misma persona requeriría una mayor documentación. Lo más conocido acerca de él es que se trata de un amigo y compañero de los viajes de Pablo. Es por eso que en muchas obras de consulta se le identifica como «Tito: el compañero de Pablo».

Se conoce que era de origen pagano, no es mencionado en los Hechos de los Apóstoles y lo que sabemos de él es extraído de las cartas de Pablo y de la tradición de la iglesia antigua. A pesar de no haber sido circuncidado acompañó a Pablo a Jerusalén (Gá. 2.1). El Apóstol se opuso a que se cediera, en este caso, a las presiones de los judaizantes.[148]

143 *Ibid.*

144 La insistencia tradicional en que Timoteo fue obispo de Efeso, como hemos afirmado, cuenta con gran apoyo. De acuerdo con Eusebio fue el primer obispo de esa ciudad.

145 El documento llamado *Acta S. Timothei*, del siglo cuarto, narra su martirio y utiliza la fecha del 22 de enero del año 97 para el mismo. Según ese relato murió en manos de paganos por oponerse a las festividades de Diana, celebradas en forma licenciosa. Sus reliquias fueron trasladadas a Constantinopla en 356. La fiesta de San Timoteo la celebran los griegos y sirios el 22 de enero y la iglesia latina (o romana) el 26 de enero (antigüamente el 24).

146 *The New Testament: A survey*, Eerdmans, Grand Rapids, 1955, p. 348.

147 Puede consultar el estudio sobre ese pasaje en la obra de Justo González, *Hechos*, de esta misma serie del *Comentario Bíblico Hispanoamericano*.

148 Algunos padres de la iglesia y también varios intérpretes contemporáneos de la Biblia creen que Pablo llegó a un arreglo temporal sobre esta cuestión de la circuncisión de los cristianos. Tito fue aceptado en la asamblea de creyentes sin necesidad de ser circuncidado.

En 2 Corintios y en Gálatas se le menciona, generalmente en forma elogiosa y confirmando su papel en los primeros esfuerzos evangelizadores, siempre cercano a la persona de Pablo (2 Co. 2.13; 7.6; 8.6; 8.16; 8.23; 12.18; Gá. 2.1.). Tito realizó un extraordinario servicio en relación con las ofrendas para los cristianos pobres de Judea. En 2 Corintios 8.16-24 se revela hasta qué punto era objeto de reconocimiento y el alto grado de utilidad que su persona representaba en la obra. Fue en más de una ocasión comisionado de Pablo, mensajero de confianza, importante colaborador del Apóstol incluso durante las famosas disputas ocurridas en Corinto. Es tanto el reconocimiento que recibe que algunos utilizan eso como argumento a favor del carácter seudónimo de estas epístolas porque entienden que el Tito de la epístola no puede ser el mismo que recibe tantos elogios.

En 2 Corintios seguimos encontrando información. Pablo fue informado acerca de que sus instrucciones habían sido desafiadas allí, en un ambiente donde no se le reconocía plenamente su autoridad apostólica. Envió entonces a Tito a Corinto para comprobar la situación. Después se reunirían. Pablo se sintió defraudado cuando no encontró a Tito en Troas pero se gozó enormemente cuando lo encontró en Macedonia. Las noticias que traía eran bastante buenas: el informe original no había sido cierto o la situación había cambiado. Tito fue el instrumento que Dios usó para consolar a Pablo y asegurarle que su autoridad apostólica era aceptada.

El Apóstol le envió de nuevo a Corinto, lugar donde había sido muy efectivo, mucho más que otros mensajeros y colaboradores. Le correspondería llevar a cabo el proyecto de conseguir ayuda para la iglesia de Jerusalén. Le acompañaba un hermano cuya alabanza, según el texto: «se oye por todas las iglesias».

Pablo le ordenó también ir a Nicópolis, tal vez la Nicópolis situada al noroeste de la boca del Golfo de Corinto. Pablo esperaba pasar allí el invierno. Con frecuencia se utilizan argumentos sobre si ese dato contradice otra información disponible acerca de los viajes de Pablo. Pero éste bien pudo haber ido al norte, hacia Nicópolis, después de la visita a Corinto que encontramos en 2 Corintios 2.1. Es decir, que bien puede explicarse ese detalle. En 2 Timoteo 4.10 vemos como fue enviado a Dalmacia, en el territorio de la actual Yugoslavia. La tradición eclesiástica lo sitúa también en Creta, que proporciona el contexto de la epístola dirigida a él.[149]

VII. Los cargos eclesiásticos y las pastorales

El autor de las Pastorales da por sentado que los lectores conocen ciertos

149 Se creía que su cuerpo estaba enterrado en Creta y que, después de la invasión de los sarracenos en 823 d.C., su cabeza fue llevada a la ciudad de Venecia donde ha sido venerada. La fiesta de San Tito la celebran los griegos y los sirios el 25 de agosto y la iglesia latina (o romana) el 26 de enero, junto con la de Timoteo. Antiguamente se celebraba aparte el 6 de febrero.

detalles relacionados con los cargos de tipo eclesiástico que menciona en estas cartas. Se hace referencia a obispos, ancianos (o presbíteros) y diáconos. Las «viudas», en la opinión de algunos, pudieran constituir otro cargo y otros ven, por derivación, posibles referencias a las «diaconisas», lo cual es bastante especulativo.[150] Otros se van al extremo de no concederles un lugar apreciable. Como se verá en esta introducción y en el texto del comentario, se ha modificado la opinión de un gran sector acerca de la naturaleza y origen de los cargos eclesiásticos.

1. El obispo

En las Epístolas Pastorales se menciona el cargo de obispo dos veces (1 Ti. 3.1-2 y Tit. 1.7) y se hace hincapié en los requisitos para ocuparlo. No tanto en sus funciones. Tampoco se describe claramente cómo serían elegidos sus ocupantes después de pasados los días de Pablo, Timoteo y Tito. Pero cuestiones como esa última ya son tratadas en los escritos de Orígenes.[151] El trabajo del obispo es considerado en las Pastorales como «buena obra», ya que de acuerdo con 1 Timoteo 3.1: «Si alguno anhela obispado, buena obra desea». Le corresponde «cuidar la iglesia de Dios» y esto es relacionado, en cierta forma, con labores administrativas ya que 1 Timoteo 3.5 afirma que «...el que no sabe gobernar su propia casa, ¿Cómo cuidará de la iglesia de Dios?».

La palabra «obispo» procede del latín vulgar *biscopus* y aparece en el Nuevo Testamento como la traducción del vocablo griego *episkopos* que debemos traducir literalmente como «inspector»[152], «guardián» o «vigilante», y probablemente como «supervisor». La palabra parece denotar una función

150 Estas cuestiones relacionadas con los cargos eclesiásticos no tienen la misma importancia para todos los cristianos. Muchos hacen énfasis en la jerarquía y en los nombres de los cargos. Para esos cristianos, la iglesia y la jerarquía son prácticamente la misma cosa. Hasta el punto de que muchos teólogos del siglo pasado y hasta de nuestra propia época han llegado a entender que la jerarquía, por ser de origen divino, es la que garantiza la supervivencia de la iglesia hasta la consumación de los tiempos. Véase J. A. Möhler, *TTQ*, #5, 1823, p. 497.

151 Véase Everett Ferguson, «Origen and the Election of Bishops» en *Church History*, vol. 43, # 1, March 1974, pp. 26-33.

152 De acuerdo con Joachim Jeremias, en las comunidades esenias del primer siglo un inspector o *mebaqqer* estaba al frente de cada «campamento», enseñaba el sentido exacto de la ley, admitía a los candidatos después de examinarlos y estaba a cargo de instruirlos. Sus relaciones con la comunidad eran descritas con la imagen del pastor y el rebaño. Jeremias compara sus funciones con los *archontes* de los fariseos y el *episkopos* de los cristianos. También afirma que existía un «inspector de todos los campos» y concluye de la siguiente manera: «En realidad sería improbable que las comunidades cristianas de la época neotestamentaria hubiesen tomado sólo la función de los *episkopoi* de las comunidades particulares». Nótese el plural en Filipenses 1.1 y no el *episkopos* monárquico. Este último, como sabemos, aparece por primera vez en Ignacio de Antioquía. Véase su obra *Jerusalén en tiempos de Jesús*, Ediciones Cristiandad, Madrid, 1977, pp. 274-276.

del ministerio y probablemente se trata de una alternativa para «presbítero» (Hch. 20.17,28; Fil. 1.1; 1 Ti. 3.1; Tit. 1.7s).

En Timoteo 1.7 leemos: «Porque es necesario que el obispo sea irreprensible como administrador de Dios; no soberbio, no iracundo, no dado al vino, no pendenciero, no codicioso de ganancias deshonestas». El obispo debe ser «retenedor de la palabra fiel tal como ha sido enseñada, para que también pueda exhortar con sana enseñanza y convencer a los que contradicen» (1 Ti. 1.9). Para el escritor de estas cartas, es importante que el obispo «tenga buen testimonio de los de afuera» (1. Ti. 3.7) y también que no vaya a caer en «envanecimiento», ya que se establece una limitación, es decir, «no un neófito, no sea que envaneciéndose caiga en la condenación del diablo» (1 Ti. 3.6). Lo anterior puede indicar que el ser obispo conllevaba cierta autoridad, o prestigio, que podía ocasionar problemas a una persona sin mucho control sobre su ego. Con el tiempo, un «obispo» llegaría a ser una persona con mucho poder.[153]

2. El anciano o presbítero

En las Epístolas Pastorales se menciona el cargo de «anciano» o «presbítero» en 1 Timoteo 5.1,17 y Tito 1.5; 2.2. La palabra anciano viene del griego *presbyteros*, es decir, una persona mayor. Recordemos que los de mayor edad eran considerados más capaces de gobernar y aconsejar. Los judíos tenían sus «ancianos» (Ex. 3.18 y Mr. 11.27).[154] Recordemos también que la palabra «senado» viene del latín *senex* o «anciano» y esa institución era una asamblea de patricios que gobernaban la antigua Roma con el prestigio de sus antecedentes y su supuesta experiencia.

El anciano debe llenar básicamente las mismas condiciones que el obispo. Si leemos cuidadosamente el primer capítulo de Tito, nos daremos cuenta de que el autor parece hablar de un mismo cargo cuando se refiere en unos versículos a ambas palabras: «Por esta causa te dejé en Creta, para que corrigieses lo deficiente, y establecieses ancianos en cada ciudad, así como yo te mandé; el que fuere irreprensible, marido de una sola mujer, y tenga hijos

153 Entre los padres apostólicos, Ignacio es el único que habla del episcopado monárquico, es decir que un solo obispo presida una iglesia. Véase P. Burke, «The Monarchical Episcopate at the End of the First Century», *JES* #7, 197.

154 Entre los judíos antiguos el «anciano» era originalmente el jefe de una tribu o familia que administraba la justicia y dirigía las actividades bélicas (Ex. 18.13-16). Llegó el momento, después del asentamiento en Canaán, cuando pasaron a ser considerados como una especie de nobleza (Dt. 19.12; Jos. 9.11; Jue. 8.14; 1 R. 21.8). Los jueces de Israel tenían atribuciones de tipo judicial y administrativo. Cuando se estableció el gobierno monárquico disminuyó la influencia y autoridad de los «ancianos», pero no quedaron eliminados del cuadro. En la época posterior al destierro, los ancianos y los jefes formaban un consejo local (Esd. 10.8-14). En la época de los evangelios los encontramos junto a los príncipes de los sacerdotes y los escribas en el consejo supremo (Mt. 27.41; Mr. 11.27 y Lc. 22.66).

creyentes que no estén acusados de disolución ni de rebeldía. Porque es necesario que el obispo sea irreprensible» (Tit. 1.5-7).

Cuando vemos la forma en que se diferencian hoy las denominaciones en relación con cargos como el de «anciano» o «presbítero», notamos que no se trata solamente de interpretación del Nuevo Testamento sino de formas diferentes de entender la tradición.[155]

En 1 Timoteo 5.17, en una referencia a los ancianos «que gobiernan bien», se hace una diferenciación al mencionar a aquellos «que trabajan en predicar y enseñar» y que por lo tanto «sean tenidos por dignos de doble honor».[156]

Si son muchos los problemas que presentaría el hacer una clara separación entre un «obispo» y un «anciano», una situación parecida es la diferenciación que se trata de hacer entre «ancianos-docentes» (o pastores) y «ancianos-gobernantes» (laicos).[157]

Pasando a otro asunto, los ancianos deben ser defendidos, hasta donde sea posible, de acusaciones a la ligera: «Contra un anciano no admitas acusación sino con dos o tres testigos» (1 Ti. 5.19). En otras palabras, su contacto con tanta gente, la tendencia de muchos a acusar a los líderes y la posibilidad de que alguna persona en particular se ofenda por una actitud o decisión de los mismos, hacían necesario el ejercer mucho cuidado antes de hacerles caso a las acusaciones. Había que proteger a estos siervos de Dios de acusaciones falsas o exageradas procedentes de una sola fuente.

155 Los católicos y anglicanos, entre otros, entienden que un obispo es un presbítero (o anciano) que tiene funciones adicionales y que está jerárquicamente por encima de los otros presbíteros o ancianos. Los bautistas y congregacionalistas, la mayoría de las iglesias independientes y muchos grupos pentecostales entienden que la palabra «obispo» se refiere a una de las funciones del pastor, que es un presbítero o anciano. En la denominación pentecostal conocida como Asambleas de Dios, uno sólo de los ministros ordenados de un distrito ostenta el rango de «presbítero», no así los otros. Los presbiterianos y la mayoría de los reformados se acercan a esas interpretaciones con su sistema de gobierno, pero para ellos hay dos tipos de ancianos, los que pastorean y por lo tanto ejercen funciones no muy diferentes a los pastores de iglesia en el sistema congregacionalista y los ancianos que junto a uno de sus colegas conocido como «pastor» administran la iglesia. Estos últimos son laicos y se les llama generalmente «ancianos gobernantes», formando con el pastor una especie de gobierno colegiado de la congregación.

156 Estos últimos serían considerados, en el ambiente presbiteriano o reformado, como «ancianos docentes» o como pastores, mientras que los otros serían simplemente «ancianos gobernantes» porque sin ser pastores gobiernan o administran junto con ellos las iglesias.

157 Sin embargo, no encontraríamos en estas cartas la información detallada que sería necesaria para poder probar o echar abajo las diferentes interpretaciones aun si ese fuera nuestro interés. Es decir, existe un amplio campo para las interpretaciones particulares, a veces bastante diferentes las unas de las otras. De acuerdo con la mayoría de los eruditos contemporáneos, en el mismo Nuevo Testamento hay varias formas de gobierno y ninguna de ellas parece ser normativa. A pesar de eso hay indicaciones útiles que pueden aprovecharse.

3. Los diáconos

En las Epístolas Pastorales los diáconos son mencionados en 1 Timoteo 3.8. La palabra griega *diakonos* quiere decir «servidor», pero esto no implica necesariamente algún grado de inferioridad sino que, al contrario, el énfasis recae sobre su utilidad. Según 1 Timoteo 3.8-13, los diáconos deben llenar básicamente las mismas condiciones que los demás, pero no parecen tener las funciones o el «status» de un obispo o presbítero. Tampoco se les advierte sobre los mismos peligros.

En Hechos 6.1-5 se menciona la selección de creyentes que debían dedicarse mayormente a ayudar a los apóstoles en asuntos como el auxilio de las viudas y hacer posible que éstos se pudieran dedicar a «la palabra de Dios» (Hch. 6.2). Sin embargo, dos de esos primeros ayudantes, Esteban y Felipe, parecen haber sido poderosos y activos predicadores. Debe señalarse que aunque hablamos de los primeros «diáconos» al referirnos a los cristianos escogidos en Hechos 6.1-5, en ese pasaje no se dice que tuvieran ese título sino que su función era la diaconía,[158] es decir, la del servicio. Herbert Haag expresa la siguiente opinión, generalizada en varios círculos eclesiásticos: «Mejor podrían identificarse estos siete con los que más tarde se llamaron presbíteros, pues a los siete correspondía no sólo atender a los pobres, sino también predicar y bautizar».[159] Por supuesto que esa opinión sería discutible para muchos.

En las Pastorales tampoco encontramos mucha información sobre las funciones de los diáconos y el asunto parece estar sujeto a una serie de posibilidades. Lo que encontramos son los requisitos, que no parecen diferenciarse mucho de lo que se pide de obispos y presbíteros (1 Ti. 3.8-13).

De acuerdo con el mismo Haag y muchos otros autores: «Aun cuando quede impreciso el lugar y circunstancias de la fundación del diaconado, así como su función primitiva, puede afirmarse con seguridad que se trata de un oficio típicamente cristiano. Ni el oficio ni el título se tomaron de modelos judíos y helenísticos».[160]

Lo que entendemos por «diácono» actualmente tiene probablemente más relación con la historia eclesiástica que con el material bíblico; y eso pudiera decirse de los anteriores cargos eclesiásticos.[161]

158 También los doce tenían una diaconía: la de la palabra. Véase Justo L. González, *Hechos* de esta serie *Comentario Bíblico Hispanoamericano.*

159 *Breve Diccionario de la Biblia*, Editorial Herder, Barcelona, 1985, p. 173.

160 *Ibid.*

161 Por la época de Ignacio, en el siglo II, empieza a desarrollarse un triple ministerio de obispos, presbíteros y diáconos y para el siglo tercero se consideraba generalmente al diácono como un vínculo entre el obispo o presbítero y la iglesia. En el Concilio de Arlés, en el siglo cuarto, se le consideraba subordinado a los presbíteros (para entonces ya el obispo era el presbítero principal en una región). El diaconado perdió importancia durante la Edad Media a no ser como un cargo previo o preparatorio en relación con el presbiterado. A partir de la Reforma se hace

El diaconado ha recibido recientemente una renovada y real importancia en las diferentes iglesias, incluyendo la romana, como un cargo aparte del de presbítero y no sólo como un paso en el camino al sacerdocio o presbiterado. Para los católicos el diaconado sigue siendo un rango previo al sacerdocio aunque algunas personas, extraídas de las filas del laicado, trabajan actualmente como diáconos sin llegar a ser sacerdotes. En las iglesias ortodoxa oriental, episcopal y metodista la situación ha sido muy parecida. Pero los episcopales (que son los mismos anglicanos de los países que pertenecieron al Imperio Británico) tienen «diáconos perpetuos» como los católicos de hoy. Los metodistas han creado una nueva categoría de «ministros diaconales» totalmente independiente del presbiterado y por lo tanto en el metodismo ya no se mira necesariamente al diácono como a alguien que aspira a ser ordenado como presbítero.[162] En las iglesias bautistas y congregacionalistas, así como en la gran mayoría de las iglesias pentecostales, de santidad e independientes, el diácono es un laico que realiza ciertas funciones que no son consideradas como «clericales» en el sentido que se le da a esa palabra en algunos ambientes religiosos.

4. Diaconisas y viudas

En la mayoría de los comentarios sobre las Pastorales el tema de las diaconisas es mencionado aunque la palabra no aparece en las mismas. Las referencias a la conducta de ciertas mujeres en 1 Timoteo 3.11 parecen ser interpretadas como posibles alusiones a las «diaconisas», «diáconos-mujeres» o simplemente a las esposas de los diáconos. La frecuencia e intensidad de estas opiniones de eminentes eruditos nos obliga prácticamente a tratar la cuestión de las diaconisas en nuestro propio comentario aunque la referencia inmediata sea a las mujeres.[163] Según Everett Ferguson, que las identifica como «diáconos femeninos», el asunto puede contemplarse de la siguiente manera: «...la discusión de la presencia de diaconisas en el período del Nuevo Testamento ha girado en torno a dos pasajes. Romanos 16.1 describe a Febe como un 'diácono' (*diakonos* como nombre femenino) de la iglesia de Cencreas. ¿Tiene la palabra su sentido general de un siervo o el significado técnico de un funcionario de la iglesia? Tal vez más significativo para el status de Febe es su descripción como 'ayudante'».[164] En relación a 1 Timoteo 3.11 afirma que en él: «mujer es ambiguo: esposas (¿De diáconos y obispos?) o

de nuevo algún énfasis en ese cargo.

162 Todavía hay un diaconado que lleva al presbiterado en el metodismo.

163 Varios autores de comentarios que son citados frecuentemente en esta obra incluyen información histórica acerca de las diaconisas aun a pesar de no aparecer el cargo en forma clara en las Epístolas Pastorales.

164 Véase Everett Ferguson, *Encyclopedia of Early Christianity*, Garland Publishing Inc., New York & London, 1990, pp. 258-259.

mujeres diáconos (¿Como Juan Crisóstomo en su Homilía # 11 sobre 1 Ti. 3.11?). La construcción paralela con 3.1 y el v.8 sería un argumento para una orden de ministros separada de las demás, mientras que la interrupción en la forma de describir los diáconos podría favorecer el significado de esposas».[165] Ese mismo autor se encarga de aclarar que otra posibilidad sería la de que «... esas mujeres fueran ayudantes femeninos de los diáconos».[166]

Antes de continuar la consideración de este tema, es oportuno citar la opinión de Lorenzo Turrado: «Creen algunos que es una alusión a las esposas de los diáconos, las cuales debían cooperar, con su buen nombre y fidelidad, a la labor de sus maridos. Sin embargo, juzgamos más posible, como suponen otros (M. Sales, Ricciotti, Dornier), que se trata de diaconisas al estilo de Febe, mencionada en Romanos 16.1, adscritas al servicio y asistencia material de las mujeres. Con ello, la ilación del pensamiento resulta más lógica: también los diáconos mujeres...».[167] El mismo autor añade que «El vocablo *diakonos* lo mismo puede ser masculino (Ro. 13.14) que femenino (Ro. 16.1), de ahí que San Pablo designe a las diaconisas simplemente como las mujeres suponiendo que aún pertenecen a la misma categoría (diáconos) de que viene hablando».[168]

La palabra «diaconisa» proviene del griego *diakonissa*. Pero, como hemos visto, en el Nuevo Testamento griego sólo se encuentra la palabra *diakonos* aun cuando se refiera a lo que generalmente se traduce como «diaconisa» en Romanos 16.1. En relación a ese pasaje, muchos han seguido una política parecida a la de Karl Barth en una de sus obras en la que se refiere a Febe simplemente como alguien que «estaba sirviendo a la iglesia de Cencreas».[169] Resumiendo la suma de opiniones, la interpretación que se hace de las diaconisas mencionadas en las Escrituras presenta algunos problemas. Para algunos eran simplemente las esposas de los diáconos. Otros entienden que eran «diáconos» de sexo femenino o «diáconas».[170]

La distinción entre viudas y diaconisas en los documentos eclesiásticos de los primeros siglos es más bien oscura.[171] Pero es evidente que varias interpretaciones de los temas de las viudas y las diaconisas encuentran, o más bien tratan de encontrar, alguna base en la «lista» de 1 Timoteo 5.9.[172] Lo cual no quiere decir que existiera una «orden» en el siglo primero comparable a otras

165 *Ibid.*

166 Text of Footnote

167 *Op. cit.*, p. 394.

168 *Ibid.*

169 Véase Karl Barth, *A Shorter Commentary on Romans*, SCM, London, 1959, p. 180.

170 Estos últimos siguen la política de referirse a una mujer que ocupa el cargo de presidente como «presidenta» o de alcalde como «alcaldesa».

171 En algunos documentos se usan las palabras «diacona», «vidua» o «virgo canónica».

172 Un estudio bastante completo de esta situación y de las interpretaciones de los pasajes en las Epístolas Pastorales es la obra de Bonnie Bowman Thurston, *The Widows: A Women's Ministry in the Early Church*, Fortress, Minneapolis, 1989; véase pp. 36-44.

órdenes de mujeres que se desarrollaron después.[173] Ni tampoco estamos seguros que existiera tal cosa sino, en todo caso, una lista de viudas dedicadas a la obra religiosa de manera especial y que recibían a la vez cierto grado de reconocimiento y alguna ayuda para su sostenimiento. Ni siquiera ese asunto está completamente claro.

Pero la existencia de requisitos para participar como «viuda» en la iglesia pudiera indicar alguna función. Todo esto será analizado más detalladamente en el texto del comentario. Se puede anticipar que no hay demasiada información en las Pastorales. Por lo tanto, se trata más bien de relacionar una posibilidad, o una serie de posibilidades, con el posterior desarrollo de un cargo.

Plinio, en su carta a Trajano, habla de *ancillae quae ministrae dicenbantur* sin que su uso de la palabra «ministra» nos indique mucho. En realidad no es hasta el siglo cuarto que se sabe algo concreto acerca del oficio de diaconisa. Tanto en la *Didascalia Apostolorum*[174] como en las *Constituciones Apostólicas*[175] se describen sus funciones, las cuales son servir de asistentes del clero al ministrar a mujeres pobres y enfermas, bautizar mujeres y servir como una especie de intermediarias entre el clero y las mujeres.

Cuando el bautismo de adultos empezó a declinar en número, el oficio de diaconisa parece haber declinado en importancia. Sucede también que muchas de ellas empezaron a realizar funciones ministeriales en comunidades nestorianas y monofisitas donde podían a veces administrar la comunión a las mujeres, leer las Escrituras, etc. En cuanto a la abrogación de ese cargo en la iglesia occidental pueden mencionarse concilios regionales del siglo sexto como el de Orleans celebrado en 533, pero en ciertos lugares parece haber continuado la labor de las diaconisas hasta el siglo onceno. La continuación del cargo de diaconisa en algunas iglesias orientales durante todo este período de la Edad Media puede documentarse, sobre todo en el caso de los monofisitas. No solamente se creó un cargo de diaconisa en esa comunidad, como

173 En distintos períodos de la historia eclesiástica han funcionado organizaciones de mujeres, viudas, diaconisas, monjas, etc.

174 Libro de origen sirio, fechado tal vez en el siglo tercero. En él se encuentran normas sobre la vida cristiana y sobre ciertos cargos eclesiásticos. El obispo debe tener más de 50 años, las viudas deben atender su ministerio de ayudar a los necesitados, los huérfanos deben ser adoptados por cristianos sin hijos, los mártires son alentados y las herejías judaizantes y gnósticas son combatidas. De ese documento sobrevivieron fragmentos del griego y se conserva completo solamente en siríaco y parcialmente en latín.

175 Se trata en realidad de ocho libros del siglo cuarto. Son atribuidos a Clemente de Roma (personaje muy anterior a la redacción de los mismos) pero parecen haber sido compilados por un arriano. En estos libros se actualiza el material de obras anteriores como la *Tradición Apostólica* de Hipólito y la *Didascalia Apostolorum*. Encontramos en ellos las órdenes menores del subdiaconado, el portero y el cantor. Estos libros fueron considerados como heréticos en el Concilio Trullano II en 692. Algunos fragmentos han sido utilizados en las colecciones orientales de derecho canónico.

ya hemos señalado, sino que se conocen algunas de sus funciones en el período en cuestión.[176]

El asunto se confunde con el tema, mucho más polémico, de la incorporación de mujeres a las órdenes mayores. Algunos eruditos contemporáneos creen que eso sucedía en la Antigüedad y la Edad Media y no solo en referencia a diaconisas sino a mujeres presbíteros y obispos. Todo lo cual sería discutible para muchos porque se citan casos aislados geográficamente y ordenaciones que evidentemente tenían limitaciones o fueron oficiadas por obispos controversiales.[177] Lo que sí está claro es que existieron abadesas que ejercieron ciertas funciones episcopales en la Edad Media.

Aunque no se acepte la interpretación que ve en el Nuevo Testamento indicios de la existencia de un grupo de mujeres que en sus funciones se parecieran a las diaconisas modernas, podemos hablar de diaconisas a partir del siglo cuarto. Es en base a esa situación que se habla de un movimiento moderno de «restauración» del cargo de diaconisa, siempre que este existiera en algún momento en la forma que ahora se practica.[178] En 1836 el pastor Federico Fliedner fundó una comunidad de diaconisas protestantes en Kaiserwerth, compuesta mayormente por enfermeras. Sociedades como ésta, y otras parecidas, fueron establecidas en el Reino Unido por metodistas, anglicanos y presbiterianos. También se les considera como auxiliares del ministro para el trabajo pastoral.

Las «diaconisas» son actualmente un cargo o un rango en proceso de cambio, como tantos otros en el ministerio de las iglesias en la época en que se escribe este comentario. En cuanto al trato que se da a las «viudas», un tema diferente del anterior, sigue dependiendo de cuestiones culturales y económicas, independientemente de las obligaciones religiosas que se contrae con ellas en la esfera de la vida cristiana.

5. Consideraciones adicionales

Después de haber echado un vistazo a los posibles significados e implicaciones de los cargos pastorales o de las palabras que algunos han asociado con los mismos, a veces con cierta arbitrariedad, nos parece útil relacionarlos con las diferentes conclusiones a las que se ha llegado acerca de la relación de

176 Arthur Vööbus, «The Origin of the Monophysite Church in Syria and Mesopotamia», *CH*, Vol. 42, #1, March, 1973, p. 21.

177 Véase Joan Morris, *The Lady was a Bishop*, The Macmillan Company, Nueva York, 1972. Esa obra se refiere sobre todo al importante papel de abadesas con jurisdicción episcopal en la Edad Media.

178 En algunos libros y artículos se habla de la «restauración» del cargo de diaconisa pero algunos objetan a que sea una «restauración» porque tienen sus reservas acerca de que las diaconisas anteriores a esa época tuvieran relación con las funciones que ahora realizan.

esos cargos con la fecha de redacción de estas cartas. Por supuesto que esto implica el peligro de repetir algún aspecto o detalle considerado anteriormente.

Las Pastorales, según muchos de sus intérpretes y comentaristas, pudieran ser analizadas mejor si se tiene en cuenta el contexto del siglo segundo, cuando los apóstoles y profetas fueron reemplazados por los obispos y presbíteros como los líderes con mayor autoridad. Pero una interpretación tradicional, con base en testimonios de la antigüedad, sitúa su funcionamiento en el primer siglo.[179]

Según Joachim Jeremias y otros comentaristas, la palabra obispo (*episkopos*) era preferida en Asia y presbítero (*presbyteros*) en Macedonia. Una larga lista de intérpretes se inclina a la interpretación, ya mencionada, de que se trata de distintos nombres o funciones, según sea el caso, utilizados para referirse al mismo cargo.

Solo el diaconado queda, en las diferentes interpretaciones, como un cargo totalmente diferente del presbiterado o del episcopado. Es también innegable que después del primer siglo encontramos obispos con un rango superior al del presbítero, pero en el siglo primero hasta comentaristas católicos de probada ortodoxia prefieren hablar de «presbíteros-obispos».[180]

Nosotros coincidimos a grandes rasgos con un comentario hecho en un artículo sobre las epístolas de Timoteo y Tito publicado en *The Oxford Dictionary of the Christian Church* cuyo autor entiende que los obispos no habían alcanzado en la época de las Pastorales el rango que después se les atribuyó (como obispos monárquicos) en los escritos de Ignacio. Ese trabajo aclara también que en esas mismas epístolas «no pueden distinguirse de los presbíteros». El mismo artículo señala que en esas cartas el uso del término «diácono» quería indica solamente la condición de «ayudantes, asistentes» sin indicar un verdadero rango o «grado» en el ministerio.[181]

Aunque ya hemos ofrecido alguna información al respecto sería apropiado que analizáramos el asunto en perspectiva histórica, considerando todos los cargos de los primeros tiempos de la iglesia. Esto nos pudiera ayudar a comprender mejor estas epístolas en los aspectos que tienen que ver con cargos eclesiásticos, disciplina, administración y trabajo pastoral.

Parece ser que el ministerio coincidía originalmente con el apostolado ya que la primera iglesia fue la de Jerusalén y esta constituía también la iglesia cristiana en la primera etapa hasta que se organizaron otras. Cuando los apóstoles no pudieron realizar todas las funciones se crearon otros cargos. Los apóstoles eran originalmente doce, pero después de la traición de Judas se escogió a Matías. Otros hombres: Pablo, Bernabé y Santiago el hermano del Señor parecen haber tenido rango apostólico. Varios creyentes fueron con-

179 En esta obra se hace referencia a que el *episkopos* («*supervisor*», «*inspector*») *corresponde al mebaqqer* esenio del primer siglo. Véase Antonio González Lamadrid, *op. cit.*, pp. 126-131.

180 Véase, Lorenzo Turrado, *op. cit.* p. 382.

181 F. L. Cross, *op. cit.*, p. 1378.

siderados como profetas o profetisas en los primeros años de la iglesia, entre ellos algunos apóstoles. En la lista de los primeros cargos o funciones estaba también el de evangelista, que al igual que el de los apóstoles y los profetas, es mencionado en el libro de los Hechos de los Apóstoles. Marcos, Lucas, Timoteo, Tito, Epafras, Silas, Trófimo y Apolos eran evangelistas. Podemos tal vez, como lo hace Philip Schaff,[182] compararlos a los misioneros de hoy y a los predicadores itinerantes de otras épocas. El historiador mencionado les consideraba también como una especie de «comisionados apostólicos» por haber sido enviados por los apóstoles.

Los líderes en las congregaciones locales que se iban estableciendo eran los obispos o presbíteros y los diáconos o ayudantes. Los títulos de obispo y presbítero se concedían a una misma persona. Después se harían otros arreglos. Mientras disminuía el número de apóstoles aumentaba el de los creyentes que ocupaban las funciones de obispo-presbítero o diácono-ayudante en las iglesias locales.

Pero, al iniciarse el siglo segundo, los cargos de obispo y presbítero parecen utilizarse para dos responsabilidades diferentes. El obispo presidía la congregación[183] y estaba rodeado de un consejo de presbíteros. Más adelante encontramos a obispos presidiendo diócesis (nombre dado a las provincias romanas) compuestas por varias iglesias locales.

Jerónimo, uno de los padres antiguos, explicó el origen del episcopado como el resultado de una necesidad, evitar las divisiones en la iglesia. Para este respetado escritor cristiano, el episcopado salió del presbiterado. Esa era también la opinión del Papa Urbano II quien en 1091 afirmó que la iglesia primitiva solo conoció dos órdenes eclesiásticas: el presbiterado y el diaconado.

El nombre de «obispo» llegaría a serle dado al presbítero más importante en una iglesia o diócesis porque la palabra «obispo» significaba, de acuerdo con antiguas inscripciones y monumentos, el funcionario encargado de los asuntos financieros en los templos romanos. Existe también la teoría, en parte basada en el dato anterior, de que la palabra «obispo» se extrajo de su contexto original y se utilizó primero para designar a los miembros de una orden superior de diáconos a cargo de las finanzas y la distribución de fondos a los pobres en las primitivas iglesias. Los presbíteros se ocupaban entonces de los asuntos espirituales.

182 Philip Schaff (1819-1893). Historiador y ecumenista nacido en Suiza. Fue discípulo de F. C. Baur en la Universidad de Tubinga. Después de radicarse en Estados Unidos se convirtió en una figura fundamental de los estudios históricos sobre los orígenes y el desarrollo del cristianismo. Fue también una autoridad en literatura bíblica. Fundó la Sociedad Americana de Historia de la Iglesia. Autor de *A History of the Christian Church*, *The Creeds of Christendom* y otras obras importantes.

183 En este contexto, la congregación, como ya se ha señalado reiteradamente, la componían los distintos grupos de cristianos en una ciudad.

Encontramos también el uso de la palabra «ángel de la iglesia» aplicado a personajes del libro de Apocalipsis. Se refería posiblemente a los obispos-presbíteros de las iglesias.

Como las primitivas iglesias funcionaban también como sociedades caritativas que se ocupaban de los pobres y las viudas, según los relatos del Nuevo Testamento, los «diáconos» y «diaconisas» tenían como su principal función ayudar en esas labores.

Un dato importantísimo acerca de los cargos y las funciones tiene que ver con el Concilio de Jerusalén. En esa reunión participaron, si leemos cuidadosamente Hechos 15.1-34: «hermanos», «apóstoles» y «ancianos» (o «presbíteros»). Santiago, el hermano del Señor, como obispo-presbítero local presidió las reuniones. No era uno de los doce apóstoles originales. Una serie de pasajes parecen indicar que aunque los apóstoles tomaron muchas iniciativas, sobre todo en asuntos doctrinales y misioneros, los creyentes participaban directamente en la administración de la iglesia.

Como generalmente sucede, los cargos y sus funciones han tomado otras formas a través del tiempo de acuerdo con las nuevas necesidades y con las diferentes circunstancias.[184] Ni siquiera una perspectiva histórica puede ser suficiente para que determinemos los detalles de un sistema de gobierno dado. Por ejemplo, podemos ver importantes elementos de gobierno congregacional en algunas situaciones. Pero justificar bíblicamente cada aspecto de la administración de las iglesias de tipo congregacionalista no es tan fácil. Una situación similar experimentarían los partidarios de otros sistemas de gobierno de las iglesias.

VIII. Las herejías en el contexto epistolar

Muchos comentaristas insisten en que el peligro representado por la proliferación de herejías provocó, en el siglo segundo, una reacción caracterizada por el énfasis en la jerarquía. Aunque ese asunto tiene relación directa con el problema de la autoría de estas epístolas, no deja de tener también alguna relación con una realidad permanente del cristianismo que tendría que incidir también en la época de Pablo en caso de que él fuera el autor. Para muchos grupos cristianos, a través del tiempo, la existencia de una jerarquía autoritaria ha sido la mejor garantía contra las ideas falsas. El énfasis que los católicos hacen en la autoridad de la sede romana y su ocupante tiene mucho que ver

184 Esta posición ha sido aceptada incluso dentro de iglesias en las que la jerarquía juega un gran papel. Sorprende a muchos que en la eclesiología de algunos teólogos católicos europeos como Hans Küng se interpreten ciertas cuestionas en forma aceptable a un enorme sector de los evangélicos. En la América Latina se tiene el caso significativo del teólogo Leonardo Boff, algunos de cuyos planteamientos acerca de la jerarquía y la eclesiología pudieran ser aceptados por muchos protestantes. Por ejemplo, véase *Iglesia: carisma y poder, ensayos de eclesiología militante*, Editorial Sal Terrae, Santander, 1984, pp. 245-260.

con todo esto. De la misma manera, en los primeros años de la iglesia, los apóstoles hicieron uso de su autoridad precisamente para evitar divisiones y herejías. Claro está que resulta difícil pensar que la creación de cargos eclesiásticos fue provocada solamente por cuestiones doctrinales. La necesidad de un ministerio organizado resaltaba desde la creación del movimiento cristiano, sobre todo en cuanto al trabajo pastoral, entre otras consideraciones. Para algunos, un deber fundamental del ministerio es la preservación de la sana doctrina. No debe extrañarnos entonces que algunos eruditos vean en las Epístolas Pastorales una reacción a los avances del gnosticismo en el siglo segundo. Para ellos, esa jerarquía en proceso de desarrollo era indispensable para la guerra contra los herejes. Por ejemplo, algunos ven en la referencia a «profanas pláticas sobre cosas vanas» (1 Ti. 6.20) un ataque contra las ideas de Marción expresadas en su *Antítesis*. Según ellos, el cristianismo pudo haber estado a punto de sucumbir ante los ataques del gnosticismo y el marcionismo. Sería entonces en ese contexto que las Pastorales surgirían, así como también un aparente énfasis en la jerarquía.

Aun si se sustenta una interpretación bastante distinta a la anterior, no parece haber dudas acerca de que el problema de las herejías tiene relación con la redacción de estas cartas. Ciertas tendencias heréticas, o que algunos pudieran considerar como tales, tanto judías como helenísticas, existían en Creta y Efeso. Una especie de gnosticismo embrionario pudiera no ser ajeno a la situación en el primer siglo. Como veremos más adelante, al comentar Primera de Timoteo, algunos prefieren identificar el gnosticismo del segundo siglo como la situación a la que se enfrentaba el autor de estas cartas. Esa posición ha sido sostenida por un número respetable de eruditos en los siglos diecinueve y veinte. Es muy posible que se tratara por lo menos de los antecedentes de un gnosticismo posterior y por lo tanto más desarrollado, como lo sería seguramente el del siglo segundo. La opinión acerca de que el marcionismo pudiera ser la tendencia combatida merece también nuestra atención, así como elementos de docetismo que pudieran existir en el problema.

Si tomamos uno de los pasajes en que encontramos el problema de las herejías (1 Ti. 4.1-5), notaremos inmediatamente las referencias a «doctrinas de demonios» así como a prácticas ascéticas: el celibato y el abstenerse de alimentos. El caso de los alimentos aparece también en las epístolas a los Romanos y los Colosenses. En la iglesia de Roma había problemas relacionados con la comida. En la herejía mencionada en Colosenses 2.16; 20-22, encontramos también, entre otras, creencias heréticas que regulaban los alimentos. Pero en esa última carta no se encuentran alusiones al problema del celibato. Se conoce que la más estricta secta de los esenios lo practicaba.

Hay que tener también en cuenta el hecho de que el autor, en este pasaje en particular, pudiera estar hablando proféticamente y contemplando situaciones del futuro, es decir, se referiría a tendencias que irían penetrando y consiguiendo seguidores

Por cierto que se enfrenta al problema de los alimentos ofreciendo una respuesta, pero no lo hace con el asunto del celibato. Algunos intérpretes lo explican afirmando que aunque no lo imponía a otros, como ciertos maestros harían en el futuro (según su profecía), Pablo (considerado por muchos como el autor) era partidario del celibato.

Será necesario echar también un vistazo a algunos movimientos que pudieran tener alguna relación, directa o indirecta, con el problema de las herejías discutidas en el comentario del texto. Debe aclararse que la inclusión de un grupo no quiere necesariamente decir que lo identifiquemos necesariamente con las herejías confrontadas en estas epístolas. Lo que sucede es que deseamos hacer justicia a todas las posibilidades,

Finalmente, algunos comentaristas y estudiosos, entre ellos C. K. Barrett, aceptan la posibilidad de que el autor haya mezclado todas las herejías que había conocido hasta la fecha.[185]

1. Judaismo «esotérico»

Varios eruditos han hecho una distinción entre dos tipos de judaísmo existentes en Palestina en la época de Jesús: el judaísmo oficial y el judaísmo al que se considera más o menos esotérico. No debe olvidarse que los libros de la literatura apocalíptica afirmaban ser las revelaciones de secretos divinos a ciertas figuras ilustres del pasado.

Las especulaciones sobre fábulas y genealogías mencionadas en 1 Timoteo 1.3-7 pudieran haber surgido en el seno de un grupo de personas supuestamente conocedoras de la ley divina, pero absortas en mitos y leyendas judías sin una sólida base escrituraria, los cuales eran muy frecuentes entre los grupos más o menos «esotéricos» que ya contenían elementos helenísticos. La discusión acerca de las genealogías de ciertas familias se hacía en secreto. Además, el *midrash* del Libro de Crónicas, que contenía aparentemente una discusión detallada de la genealogía de las familias, se había difundido en forma semiclandestina y se afirmaba que ciertas personas no eran dignas de estudiarlo. Al referirse a la influencia de los escribas en el pueblo, Joachim Jeremias entiende que no se debía solamente a que conocieran la tradición, sino que el factor decisivo era que llegaban a los puestos claves por ser «portadores de una ciencia secreta, de la *tradición esotérica*».[186] Muchísima

185 Véase «Pauline Controversies in the Post-Pauline Period», *New Testament Studies*, #20, 1973-1974, pp. 240-241.

186 Véase su obra *Jerusalén en tiempos de Jesús*, Ediciones Cristiandad, Madrid, 1977, p. 253. Para un estudio acerca de la tradición esotérica en el bajo judaísmo y en el cristianismo es importante su obra *Die Abendmahlsworte Jesu*, Gotinga, 1967; véase la versión española: *La Ultima Cena: Palabras de Jesús*, Ediciones Cristiandad, Madrid, pp. 118-130.

información acerca de misticismo y de misterio se ocultaba del público general y se trasmitía solamente a unos pocos escogidos. Muchos siglos después, durante la Edad Media, se levantaron una serie de restricciones que impedían conocer ciertas interpretaciones esotéricas.[187] Las relaciones entre la llamada literatura apocalíptica y estas manifestaciones han sido señaladas reiteradamente. Un ejemplo puede serlo *El libro de los jubileos*, una especie de comentario haggádico sobre el Génesis; de ahí que sea llamado también *El pequeño Génesis*. Este libro, escrito a fines del segundo siglo o principios del primero a.C., abarca desde la creación hasta la entrada en Canaán y se divide en cincuenta jubileos de cuarenta y nueve años, es decir siete por siete ya que la cronología está basada en el número siete. Según ese comentario, los ángeles practicaban la circuncisión, los arcángeles guardaban el reposo, Jacob no cometió engaño y los patriarcas estuvieron involucrados en una serie de aventuras que no son mencionadas en el Génesis canónico.[188]

No debe sorprender que ese tipo de especulaciones haya sido llevado a los círculos cristianos primitivos por creyentes de origen judío que estaban familiarizados con las mismas. Las «fábulas judaicas» de Tito 1.14 pudieran no ser necesariamente diferentes a las que caracterizaban este tipo «esotérico» de judaísmo. Este tiene alguna relación con los esenios y con formas tempranas de gnosticismo entre los judíos, como será fácil comprobar al analizar los otros grupos o tendencias.[189]

2. Esenios y Qumrân

La secta judía de los esenios, conocida sobre todo por su tendencia ascética, no es mencionada ni en las Escrituras ni en el Talmud, pero se le menciona en los importantes escritos de Flavio Josefo,[190] Filón de

187 Este tema es tratado con relativa amplitud por Adin Steinsaltz, *The Essential Talmud*, Widenfeld and Nicholson, London, 1976. El capítulo 26, intitulado «El mundo del misticismo», estudia el tema dentro del judaísmo. Esta declaración es muy iluminadora: «El esotericismo fue aparentemente enseñado por vez primera en tiempos antiguos... Esos grupos secretos continuaron sus actividades en el período del Segundo Templo, y las distintas sectas esenias fueron aparentemente influidas por sus enseñanzas secretas como puede saberse de fuentes fuera del Talmud....» (véase pp. 212-213).

188 Ya a fines de la era antigua estaban bien documentados los casos de judíos involucrados en todo tipo de especulaciones y rituales con influencia pagana y muy cerca de lo que consideramos generalmente como esotérico. Véase Pierre Chuvin, *A Chronicle of the Last Pagans*, Harvard University Press, Cambridge, 1990, p. 32.

189 Véase también F. H. Colson, «Myths and Genealogies», *JTS*, #19, 1918, pp. 265-271.

190 Flavio Josefo (37-c.100). Historiador judío nacido en Palestina y miembro de una familia sacerdotal. Su vida fue muy variada pues fue sacerdote, miembro de los fariseos, comandante de un grupo judío en Galilea, intérprete al servicio de los mismos romanos a los que había combatido, escritor en lengua griega, historiador, etc. Sus obras *Guerras de los judíos*, *Antigüedades de los judíos*, *Contra Apionem*, etc, son muy útiles. Gracias a él se conoce bastante de los zelotes, los esenios y otros grupos del primer siglo.

Alejandría,[191] Hipólito[192] y Plinio el Viejo.[193] Su nombre es probablemente arameo y significa «los devotos». De acuerdo con D. S. Russell, «El nombre esenio probablemente se deriva de una palabra aramea que significa santo o piadoso y corresponde a la hebrea *hasid*».[194] Los esenios desarrollaron sus actividades sobre todo entre los años 150 a.C., y 70 d.C. Parecen haber surgido después de la revuelta de los Macabeos (167-160 a.C.). En algún momento entre el año 152 y el 110 a.C., un grupo de esenios, o de sus líderes, parece haberse retirado en Qumrân a orillas del Mar Muerto. Parece que los esenios todavía tenían alguna actividad en el siglo segundo d.C., siempre dentro de Palestina pues el movimiento se limitó a esa región. Pero se discute sobre si pudieron sobrevivir como una comunidad aparte después de la destrucción de Jerusalén. Muchos encuentran cierta influencia del esenismo en los ebionitas y otros grupos y sectas. Vivían de manera muy organizada y practicaban entre ellos una forma de comunismo. Su piedad no era muy diferente a la de los judíos ortodoxos y los fariseos. Pero muchos aspectos de su culto y su doctrina procedían tal vez de fuentes no judías. Para ingresar había necesidad de pasar por un noviciado de tres años y hacer votos de pobreza y de guardar los secretos. Elegían a sus propios superiores, a quienes obedecían estrictamente, y se caracterizaban también por observar el celibato y por renunciar a las posesiones materiales y actividades comerciales. Se dedicaban a sencillas actividades agrícolas para ganarse la vida. En cuanto a la práctica del celibato no debe generalizarse ya que Flavio Josefo entendía que algunos se casaban. Los esenios evitaban todo lo que fuera lujoso, como lo era el aceite en aquella época, y evitaban todo contacto innecesario con personas que no compartían sus ideas. Su vida estaba basada en el trabajo, el estudio bíblico y las oraciones.

En las últimas décadas los investigadores han tratado de obtener más información acerca de los esenios utilizando los Rollos del Mar Muerto. Esto presenta sin embargo varios problemas fundamentales puesto que la relación entre los esenios y los miembros de la comunidad de Qumrân no se han podido definir claramente.

Se conoce que los esenios tenían en su seno a sacerdotes que constituían la parte superior de su comunidad. Josefo entendía que ellos administraban las

191 Escritor judío de Alejandría en el primer siglo d.C. Miembro de una delegación alejandrina ante el emperador de Roma. Combinó sus estudios del Antiguo Testamento con la filosofía griega y es considerado como un importante pensador de su época. En sus numerosos estudios acerca de crítica sobre el Pentateuco, apologética y filosofía se encuentra mucha información útil. Sus descripciones de sectas monásticas judías como los esenios son bastante valiosas.

192 Hipólito (U-c. 236) Presbítero en Roma. Estuvo al servicio del obispo Ceferino a quien después acusó de profesar elementos de sabelianismo.

193 Plinio Secundo (23-79 d.C). Escritor y naturalista romano. Se le conoce como Plinio el Viejo y era tío de Plinio el Joven. Escribió su *Naturalis Historia*, una especie de enciclopedia, y una de las obras más importantes de la antigüedad. También contribuyó al conocimiento que tenemos acerca de sectas y grupos del primer siglo.

194 *El período intertestamentario*, Casa Bautista, El Paso, 1973, p. 48.

finanzas. El mismo historiador afirma que creían en la predestinación y que junto a una creencia en la inmortalidad del alma se adherían a una creencia en la preexistencia de la misma.

Es necesario estar alerta a una serie de contradicciones en los escritos antiguos. Filón afirma que los esenios se abstenían de todo tipo de sacrificios de animales mientras que Josefo informa que debido a sus puntos de vista acerca de la pureza, fueron excluidos del patio del templo y por esta razón ofrecían sus propios sacrificios en sus comunidades.

Las diferencias con la comunidad de Qumrân son evidentes. De acuerdo con Filón, los esenios no hacían juramentos; pero el *Documento de Damasco*[195] prescribe varios juramentos para los de Qumrân cuyo manual de disciplina imponía dos años de noviciado mientras que el de los esenios consistía de tres. Mientras que los Rollos del Mar Muerto parecen preservarle un lugar a los esenios dentro del judaísmo, Josefo y Filón parecen indicar que es difícil considerarles dentro de la corriente principal del judaísmo del Segundo Templo. Finalmente, los esenios eran considerados como una forma monástica de tendencia sincrética sujeta a cierta influencia del ascetismo helenístico. Pero los más recientes estudios sobre los Rollos del Mar Muerto parecen presentarles como gente que en realidad tenía simplemente una preocupación enorme acerca de la pureza ritual.

Los esenios, como otros grupos judíos preocupados por la pureza en el primer siglo d.C., han sido considerados por algunos como una secta prácticamente marginal mientras otros hasta les han exaltado como una especie de semilla del cristianismo. Es muy probable que ambas posiciones estén equivocadas, por lo menos en el sentido de ser exageraciones. Existió una reacción pietista bastante grande al judaísmo oficialista y su espíritu pragmático. Pero es muy posible que la iglesia primitiva haya recibido alguna influencia, o infiltración, por parte de esa reacción, de la cual los esenios y la comunidad de Qumrân formaban parte. A Joachim Jeremías le «llama la atención la semejanza de organización exterior entre los esenios y la comunidad primitiva de Jerusalén».[196] Para Jeremias esa semejanza tenía relación con la comunidad de bienes (Hch. 2.44; 4.32,34-37; 5. 1-11) y el celebrar una comida diaria en común (Hch. 2.46). Eso también sucede con los tres procedimientos de la disciplina eclesiástica: primero los interesados solos, después dos o tres testigos y, finalmente, acudir a toda la comunidad reunida (Mt. 18.15-17; Tit. 2.10). Una explicación que ofrece es la presencia de los esenios en «el gran

195 Esta obra es llamada también el *Documento Sadoquita* y fue descubierta por S. Schechter en 1896-1897 en la sinagoga caraíta del Viejo Cairo. Su paternidad se les ha atribuido a saduceos, esenios, samaritanos, fariseos, dositeos, judeocristianos y otros. La fecha de composición se ha hecho oscilar entre la época de los seleucidas y el siglo onceno de nuestra era. Es probable que la fecha haya sido entre el período macabeo y el año 70 d.C. Es de la mayor importancia para conocer el pensamiento de los judíos y los orígenes del cristianismo.

196 *El mensaje central del Nuevo Testamento*, Salamanca, Ediciones Sígueme, 1972, p. 124.

número de sacerdotes» que según Hechos 6.7, se sumaron a la comunidad cristiana».[197]

Al descubrirse en 1947 los Rollos del Mar Muerto, se ha dividido la opinión sobre la identidad de los esenios y la comunidad de Qumrân.[198] Algunos aceptan una fecha anterior a los Macabeos. Otros los identifican con los zelotes del siglo primero d.C. Pero parecen haber sido una rama de los esenios organizada en época de Alejandro Janeo (102 a.C.) o antes. Existen evidencias de una comunidad grande de esenios y otra bastante similar integrada por sectarios. Ambos vivían en o alrededor del valle de Qumrân y pueden haber formado una sola comunidad. Los parecidos entre ambos grupos son enormes. Josefo habla de tres (y una vez hasta de cuatro) partidos, entre los judíos de comienzos de la Era Cristiana. De acuerdo con E. F. Sutcliffe: «la secta a la que pertenecía Qumrân era lo suficientemente desarrollada e importante para mencionarse en esta lista; y el único de los cuatro partidos con el que se pueden identificar, es con el de los esenios».[199]

Los de esta comunidad pensaban que vivían en los últimos tiempos y que el Mesías estaba al llegar. Ya habían hasta establecido el orden en el que se participaría en una comida especial a su llegada.

De acuerdo con S. Taylor, algunos de los esenios se retiraron al valle de Qumrân entre 152 y 110 a.C y permanecieron allí hasta la invasión de los partios en 40 a.C. También el terremoto de 31 a.C. pudo haber sido la razón de que abandonaran ese lugar y se acercaran a Jerusalén. Poco después de la muerte de Herodes el Grande (4 a.C.) algunos esenios regresaron a Qumrân.[200]

En el estudio de sus orígenes parece haber al menos un dato seguro en cuanto a la relación entre los esenios y la comunidad de Qumrân. Según F. F. Bruce y numerosos eruditos puede afirmarse con bastante certeza que ambos grupos descienden de los «hasidim» del segundo siglo a.C.[201] Los esenios no son mencionados en el Nuevo Testamento. Las razones ofrecidas por algunos autores son interesantes, pero no vemos en esas consideraciones una relación directa con el estudio de las Epístolas Pastorales.[202]

3. Protognosticismo judío

De acuerdo con autores como Oscar Cullmann, existió en Palestina, al margen del judaísmo oficial, una especie de gnosticismo judío al que lla-

[197] *Ibid*, pp. 124-125.

[198] Véase Edwin Yamauchi, *Las Excavaciones y las Escrituras*, Casa Bautista, El Paso, 1977, pp. 138-161.

[199] *Enciclopedia de la Biblia*, Ediciones Garriga, Barcelona, 1969, vol. VI., p. 48.

[200] *Evangelical Dictionary of Theology*, Baker, 1984, Grand Rapids, p. 367.

[201] *New Testament History*, Doubleday, New York, 1972, p. 101.

[202] Véase James H. Charlesworth, *Jesus within Judaism: New Light from Exciting Archaeological Discoveries*, Doubleday, New York, 1988, pp. 54-75.

maremos protognosticismo o pregnosticismo para diferenciarlo de un tipo de gnosticismo más conocido y que tomó forma a partir del siglo segundo d.C. Según Donald Guthrie, «todo lo que puede afirmarse categóricamente es que esos falsos maestros en las Pastorales tienen una relación remota con el gnosticismo». Es decir, según su opinión «la evidencia muestra una forma incipiente de gnosticismo».[203] Una serie de autores como M. Goguel, B. Weiss y M. Dibelius, que Guthrie cita, han expresado la imposibilidad de identificar la herejía mencionada en las Pastorales con el gnosticismo del siglo segundo. Si nos detenemos en el caso de Dibelius, la identifica específicamente como «protognosticismo judío».[204] También advierte que «la conexión de nuestros gnósticos con el judaísmo no es absolutamente segura, pero parece probable».[205]

Cullmann afirma lo siguiente: «el cristianismo primitivo parece enraizarse en un judaísmo que, por falta de una expresión mejor, llamaré esotérico».[206] Entiende también que a éste puede llamársele «gnosticismo judío» y que «denota ya una influencia helenística o sincretista».[207]

Barclay resume algunos de estos problemas de la siguiente forma: «Es bastante claro que la herejía detrás de las Epístolas Pastorales era el gnosticismo. Algunos han usado ese hecho para tratar de probar que Pablo no podía haber tenido nada que ver con la redacción de las mismas, porque, dicen, el gnosticismo no surgió sino hasta mucho tiempo después que Pablo».[208] Pero continúa de la siguiente manera: «Las ideas básicas del gnosticismo estaban en la atmósfera que rodeaba a la iglesia primitiva, aun en los días de Pablo».[209]

El canónigo Hanson apunta que los autores que defienden la autoría paulina generalmente hacen énfasis en los elementos judíos en la herejía combatida y nos recuerda la posición de Spicq favorable a una posible relación o parecido con las enseñanzas del Qumrân. Entonces se refiere a la opinión de Dornier que considera esa herejía como pregnóstica y a Brox que traza un paralelo con las enseñanzas falsas atacadas en la carta a los Colosenses,[210] sugiriendo que había un elemento docético.[211]

En cualquier caso, una opinión de Oscar Cullmann nos parece bastante definitiva: «El que se emplee el término gnosticismo o no, me parece un juego de palabras... el gnosticismo no es un movimiento de contornos bien de-

203 *Op. cit.*, p. 37.

204 *Op. cit.*, p. 53.

205 *Op. cit.*, pp. 42-43.

206 Oscar Cullmann, *Del evangelio a la formación de la teología cristiana*, Ediciones Sígueme, Salamanca, 1972, p. 44.

207 *Ibid.*, p. 44s.

208 *Op. cit.*, p. 8.

209 *Ibid.*

210 Sobre ese tema hay un artículo en español que pudiera ser útil; véase a Juan D. Cave en «La herejía colosense y las herejías de las sectas», *DT*, #2, Octubre, 1973, pp. 25-36.

211 *Op. cit.*, pp. 24-25.

limitados».[212] Claro que debe tenerse presente que él defiende la idea de una especie de gnosticismo judío muy relacionado con tendencias esotéricas del judaísmo no oficial.[213]

J. B. Lightfoot entiende que las herejías combatidas en las Pastorales eran de origen judío, se caracterizaban por especulaciones y por un pretendido conocimiento superior, sus adherentes practicaban ritos mágicos o misteriosos, contenían elementos ascéticos y tenían un carácter corrompido y engañoso. Esas conclusiones no eliminan una serie de dificultades para el estudioso. Para él, se trataba específicamente de los ofitas que tenían las características anteriormente mencionadas[214] o de un grupo bajo la influencia de los mismos. Ese mismo erudito entiende que los ofitas eran contemporáneos dê los apóstoles. Para Lightfoot, estas herejías no podían ser antijudías mientras que los grupos gnósticos posteriores eran esencialmente antijudíos.[215]

4. Gnosticismo

Como se ha dado a entender, es difícil llegar a ciertas definiciones acerca de qué constituye el gnosticismo y cuáles son formas preliminares o anticipadas del mismo.[216]

De acuerdo con González, «Bajo el título general de gnosticismo se conoce un grupo variadísimo de doctrinas religiosas que florecieron por el siglo II de nuestra era, y que tenían un marcado carácter sincretista».[217] El mismo historiador señala acertadamente que los gnósticos tomaban y adap-

212 *Op. cit.*, pp. 43-44n.

213 Lorenzo Turrado se inclina también en dirección a la idea de los «pregnósticos», señalando siempre la opinión de L. Cerfaux según el cual existe una «pre gnosis» vinculada en Alejandría a la filosofía y la contemplación, mientras que en Asia Menor y Siria había ido más bien hacia la mitología y la magia. Véase *op. cit.*, pp. 377-378.

214 Los ofitas eran miembros de una secta gnóstica surgida en Siria, la cual consideraba a la serpiente como símbolo de la suprema emanación de la divinidad. Algunos eruditos creen que surgió en Siria en el siglo II, lo cual presenta un problema para las fechas de Lightfoot. Para mayor información véase J. D. Douglas en su artículo sobre la misma en *Diccionario de historia de la iglesia*, Caribe, Miami, 1989, p. 797.

215 Véase «Additional note on the heresy combated in the Pastoral Epistles», *Biblical Essays*, Baker, Grand Rapids, 1979, pp. 411.-418.

216 No debe olvidarse que según muchos escritores cristianos antiguos, empezando por Justino, Simón Mago fue el fundador del gnosticismo en el primer siglo, pero, como apunta Justo L. González: «La realidad histórica parece ser, no que Simón Mago haya fundado este tipo de religión, sino que fue en el episodio que nos narra el capítulo VIII de Hechos que por primera vez el cristianismo se enfrentó al gnosticismo». González también se refiere a Menandro, discípulo de Simón que parece haber sido gnóstico judío más bien que cristiano. También estudia a una serie de grupos gnósticos como los carpocracianos, Cerinto y otros, con rasgos procedentes del judaísmo para después entrar en una consideración de lo que él llama, correctamente, «gnosticismo judaizante» cuyo principal exponente pudo haber sido Elxai en la primera mitad del siglo II. Véase *op. cit.*, pp. 148-165.

217 *Op. cit.*, p. 148.

taban cualquier doctrina que les interesase y por lo tanto, al enfrentarse al cristianismo naciente, adaptaron a su sistema aquello que les pareció más valioso de la nueva doctrina. También coincidimos con su opinión sobre el origen del gnosticismo, al que él considera «...un sincretismo de dualismo persa, misterios orientales, astrología babilónica, y cuanta doctrina circulaba por el mundo del siglo II».[218] mientras rechaza la opinión de Adolfo Harnack acerca de que el gnosticismo es «una helenización aguda del cristianismo».[219]

Aunque no existe un consenso acerca de sus orígenes, algunos eruditos de nuestro tiempo han llegado a la conclusión de que se trataba de un fenómeno bastante independiente del cristianismo, es decir, la existencia de gnósticos que se confundieran con cristianos o tuvieran relación con iglesias no debe servir para quitarle vida propia al gnosticismo. Sin embargo, Francisco García Bazán [220] discute el llamado «gnosticismo cristiano» como un fenómeno en el cual había una profunda fe en Cristo y con valores devocionales, lo cual es muy discutido en muchos círculos. Luis Farré, que comenta su libro bastante favorablemente, hace bien en identificar a su autor como un «apologeta» de ese movimiento.[221] Existe tanta confusión que es imprescindible determinar si las obras que se consultan constituyen o no algún tipo de propaganda a favor de nuevas formas de gnosticismo que parecen querer enraizarse en América Latina.

En los sistemas gnósticos hay un dualismo ontológico, una oposición entre un Dios trascendente e inefable y un demiurgo ignorante que es en realidad una especie de caricatura del Dios del Antiguo Testamento, creador del cosmos. Muchos gnósticos creían que la materia es tan eterna como Dios mismo. Al crear el mundo, Dios utilizó una materia esencialmente mala. Para un gnóstico, Dios no pudo crear directamente el mundo y tuvo que utilizar una serie de emanaciones o «eones» cada vez más distantes de él. Llegó el momento en que una emanación o «eon», tan distante, pudo crear el mundo y hacerse cargo de la materia. Entre Dios y los humanos hay entonces una serie de esas emanaciones y cada una tiene su nombre y su propia genealogía. De ahí que en el gnosticismo existieran numerosas fábulas y genealogías. Para llegar a Dios, se debía ascender por esa escalera de emanaciones, necesitando un conocimiento especial y ciertos secretos para ir pasando por las distintas etapas que conducirían a él. Al ser mala la materia, como ellos enseñan, también lo es, necesariamente, el cuerpo. Por lo tanto, solamente una persona con grandes conocimientos intelectuales llegaría a dominar los secretos que permiten allegarse a Dios.

218 *Ibid.*

219 González acepta las fuertes influencias griegas en el gnosticismo pero advierte que ésa no fue la única fuente en que bebieron los maestros de ese movimiento.

220 *La esencia del dualismo gnóstico*, Ediciones Castañeda, San Antonio de Padua, Provincia de Buenos Aires, 1978.

221 *Cuadernos de Teología*, vol. 5, no. 3, Buenos Aires, 1978, pp. 247-248.

El gnóstico debía ser o bien un asceta o bien una persona situada por encima de los límites de la moralidad. De acuerdo con el esquema gnóstico, se pudiera dar una de estas dos situaciones: que el cuerpo sea sometido a un ascetismo muy riguroso que elimine las necesidades y destruya los instintos o, por el contrario, no importa lo que se haga con el cuerpo, casi todo es permitido.

En otras palabras, al no basarse la salvación en las obras sino en el conocimiento, era posible, según ciertos maestros, comportarse en forma abiertamente libertina porque la corrupción no podía contaminar «las perlas» (que eran ellos).

Cierto grado de divinidad habitaría en tales personas y como éstas estarían ajenas a esa realidad, Dios les enviaría una especie de mensajero trayendo la salvación en forma de «gnosis». Al ser «despertados» de esa forma, los iniciados escaparían de sus cuerpos terrenales al morir, logrando reunirse con la deidad y escapar a esferas planetarias de demonios hostiles.

Algunos gnósticos proclamaban una actitud radical, ascética, en torno a cuestiones como el matrimonio. Además, estimaban la creación de la mujer como el origen del mal. Para ellos la procreación de hijos no era sino la multiplicación de las almas encadenadas por el mal, es decir, el poder de las tinieblas.

Este breve panorama del gnosticismo debe ser suficiente para darnos una idea de las razones por las cuales tantos eruditos ven una probable relación entre el gnosticismo y la herejía combatida en las Pastorales.[222]

Finalmente deseamos citar a Paul Stevens Kramer «Ningún líder gnóstico se proclamó a sí mismo como cristiano: ningún escritor cristiano de los primeros cuatro siglos afirmó jamás que los gnósticos fueran cristianos. Por lo tanto, un gnóstico no puede ser considerado como un hereje». Esa opinión debe ser tenida en cuenta, independientemente de todo lo que se ha dicho en esta sección.[223]

5. Marcionismo

Marción fue un famoso hereje del siglo segundo.[224] Fue excomulgado en 144 d.C., después de haber sido un líder de la comunidad cristiana en Roma. Fundó su propio movimiento y logró que sus iglesias se organizaran en

222 Una obra fundamental para este tipo de estudios lo es la de F. C. Burkitt, *Church and Gnosis*, Cambridge University Press, Cambridge, 1932.

223 Paul Stevens Kramer, «The Sources of Primitive Gnosticism and Its Place in the History of Christian Thought», disertación académica presentada en la Universidad de Chicago, 1936, p. 123.

224 Marción era hijo de un acaudalado dueño de navíos de Sinope en el Ponto, al noreste del Asia Menor. Su padre era obispo en Sinope.

diversas regiones del Imperio Romano. Algunos, en nuestro tiempo, olvidan que ese grupo fue poderoso y próspero, contando con muchos adeptos.

En el marcionismo se acentuaban las diferencias con el judaísmo. La teología de Marción se caracteriza por establecer una falta de continuidad entre el Antiguo y el Nuevo Testamento, entre Israel y la iglesia, entre el Dios veterotestamentario y el Dios y Padre de Jesucristo. En otras palabras, hasta producirse la Encarnación, cuando Jesús empieza a revelar a su Padre, el verdadero Dios, los humanos no habían tenido un conocimiento adecuado del mismo.

Para Marción, Pablo era una figura fundamental, incluso heroica. Desde el primer momento encontramos fácilmente su pretensión de que había extraído sus principios y doctrinas de las enseñanzas de Pablo.[225] Es importante repetir un dato fundamental. Marción tenía su propio canon que consistía de diez epístolas de Pablo (no incluía entre éstas a las Epístolas Pastorales y la carta a los Hebreos) y el Evangelio de Lucas, del cual había hecho su propia edición quitando algunos pasajes, como hizo también con el material paulino que utilizaba.

En el sistema de Marción el dios del Antiguo Testamento era un demiurgo, un ser inferior que había creado el mundo material y había establecido su control sobre el mismo. Debe aclararse que no lo consideraba como malo; pero no tenía los mismos atributos que el Dios y Padre de Jesucristo. La teología de Marción consistía de una serie de antítesis (como lo indica el título de su obra principal, *Antítesis*). Se trata de la antítesis entre la ley y el evangelio, entre la carne y el espíritu, la naturaleza y la gracia, la justicia y el amor. La ley es el principio del demiurgo y los judíos mientras que el evangelio es el principio del Dios de amor y redención en Jesús. La carne es lo que marca el orden natural y es por lo tanto mala mientras que el espíritu es la característica del reino eterno. Debe decirse también que la ley pone el énfasis en premios y castigos y, consecuentemente, en la justificación por obras, mientras que el evangelio destaca la fe, la gracia y la libertad.

Sólo contamos hoy con fragmentos de su obra que encontramos en la obra de Tertuliano *Contra Marción* y existe controversia en relación con si era o no un verdadero gnóstico, señalándose generalmente que su énfasis era gnóstico por su actitud negativa hacia el mundo físico y el cuerpo, su docetismo (que explicaremos) y su tendencia al ascetismo. Pero es importante recordar que no entra en la misma explicación del proceso de la redención que los gnósticos reconocidos hacen.

Independientemente de cuál haya sido su relación con el gnosticismo, Marción obligó a los cristianos a plantearse las enseñanzas bíblicas acerca de la creación, la salvación y el problema del mal. Fue en respuesta a su canon o

225 Véase la sección anterior «Las opiniones de los antiguos, los escritos antiguos y el canon».

lista de libros aceptados que la iglesia tomó en serio la necesidad de hacer un canon que fuera aceptado por todos.

Desde los días de F. C. Baur en el siglo diecinueve ha habido eruditos que han creído ver en las Pastorales ataques a la herejía de Marción. Para hacerlo, sería también necesario situarse en el siglo segundo. Aun muchos de los que aceptan esa posible fecha alegan que la herejía que fue atacada más firmemente fue el gnosticismo; y Marción no era en realidad un gnóstico, a no ser en ciertos énfasis. Además, en las Pastorales no hay ataques a elementos que puedan ser directamente relacionados con el marcionismo.[226]

La aparición del título del libro de Marción *Antítesis* («argumentos») en 1 Timoteo 6.20 lleva a muchos a pensar que se estaba rebatiendo su sistema en las Pastorales. Por supuesto que el hablar de «antítesis» («argumentos») no es necesariamente el contraste que Marción hacía entre el cristianismo y el judaísmo, sino que pudiera tratarse de las opiniones de quienes especulaban con genealogías judías. En otras palabras, tal vez se trata de una coincidencia verbal. Con lo cual, por supuesto, no termina la controversia.

6. Docetismo

La palabra «docetismo» viene del griego *dokein* que quiere decir «parecer» o «aparentar». Tanto el gnosticismo como el marcionismo contienen elementos de docetismo en su explicación de la persona y obra de Cristo. El docetismo surge en la teología cristiana como un punto de vista que entiende que Cristo no era un hombre real sino que simplemente parecía serlo. Sus orígenes no son bíblicos sino helenísticos y orientales. Ya existía en el primer siglo[227] y después se iría desarrollando y alcanzando más influencia. Es importante comprender que el docetismo es más una tendencia que una doctrina formulada y unificada. Algunas formas de docetismo sostuvieron que Cristo escapó milagrosamente la muerte y que Judas Iscariote o Simón de Cirene ocuparon su lugar antes de la crucifixión. El peligro principal que presenta el docetismo está relacionado con la encarnación y afecta las creencias acerca de la expiación y la resurrección. Fue combatido por Ignacio y los principales escritores anti-gnósticos. Serapión, obispo de Antioquía (190-203), fue el primero en utilizar la palabra «docetista».

El docetismo está irremediablemente relacionado con ideas acerca de la materia que la presentan como intrínsecamente mala. No nos extraña, pues, que existieran elementos de docetismo en el gnosticismo y el marcionismo.

Las ideas del docetismo son mencionadas en esta sección debido a la

226 Una breve y erudita consideración del intento de reforma de Marción y sus ideas puede encontrarse en la obra de Reinhold Seeberg, *Manual de Historia de las Doctrinas*, vol. 1, Casa Bautista, El Paso, 1964, pp. 111-113.

227 Evidencia de su existencia como un peligro doctrinal la encontramos en pasajes del Nuevo Testamento donde aparentemente se le combate, tales como 1 Juan 4.1-3; Col. 2.8; 2 Juan.

insistencia de varios estudiosos en que creencias como éstas, que ya estaban bien desarrolladas en el siglo segundo (cuando según algunos comentaristas se escribieron estas epístolas), ejercieron influencia en la mente del autor de Primera de Timoteo y las otras Pastorales. Es decir, que éste estaría preocupado por el problema del docetismo. Debe tenerse en cuenta que Cerinto, un doceta, se opuso al apóstol Juan en Efeso. Esa herejía parece haber tenido alguna fuerza en esa ciudad. Es posible que a ello se deba el énfasis en la «carne» y «sangre de Cristo» en escritos juaninos.[228]

Aun si no se acepta la fecha del segundo siglo, debe tenerse en cuenta que estas ideas ya estaban germinando y pueden haber tenido relación con el contexto y el problema de las herejías. Aun escritores alejandrinos considerados como ortodoxos, Clemente y Orígenes entre ellos, pudieron haber tenido tendencias docéticas.[229] El apolinarismo,[230] el eutiquianismo [231] y el monofisismo[232] tienen algunos elementos docéticos en sus doctrinas.

228 Véase 1 Juan 4.2-4; 5.6-8.

229 No debe olvidarse que Alejandría fue la ciudad natal de muchos maestros gnósticos y en ella convergían ideas griegas y orientales así como todo tipo de tendencias doctrinales.

230 El apolinarismo es asociado con las enseñanzas de Apolinar de Laodicea (c. 310-390) quien aceptaba que Jesucristo fue un ser humano y a la vez plenamente Dios, pero no creía posible que en Cristo coexistieran una personalidad divina con otra humana. Rechazó el arrianismo y el gnosticismo. El apolinarismo fue condenado en varios sínodos regionales y en el Segundo Concilio de Constantinopla en 381. Logró sobrevivir en forma modificada en el monofisismo o eutiquianismo.

231 El eutiquianismo es la doctrina de Eutiques (c. 378-454) un antiguo monofisita. El eutiquianismo es una forma de monofisismo. Su enfoque fue condenado por Flaviano, patriarca de Constantinopla.

232 El monofisismo fue una doctrina en la iglesia de la parte oriental del Imperio Romano. Factores políticos y religiosos tienen que ver con ese movimiento. También fue una reacción contra el nestorianismo. La palabra se compone de *monos* (solo) y de *fusis* (naturaleza). El énfasis principal es la existencia de una sola naturaleza, y no dos, en Cristo. Esa era para ellos la única manera de proteger la unidad de la persona de Cristo. El Concilio de Calcedonia (451) había definido que Jesús era «verdadero Dios y verdadero hombre». La reacción monofisita todavía tiene repercusiones en las creencias de algunas iglesias orientales.

Bosquejo de la introducción general a los comentarios de primera y segunda de Timoteo y Tito

I. Preguntas preliminares
  A. ¿Por qué llamarlas «Epístolas Pastorales»?
  B. ¿Qué esperar de otro comentario?
II. El Nuevo Testamento y el género epistolar
III. La autoría de las Epístolas Pastorales
  A. Problemas en torno a la paternidad
    1. Problemas con el lenguaje y el estilo
    2. Problemas con el trasfondo histórico
    3. Marción y el ascetismo del siglo segundo
    4. Problemas con la doctrina
    5. Problemas con la organización de la iglesia
  B. Las opiniones de los antiguos
  C. Teorías modernas
    1. El origen paulino
    2. La teoría sobre el uso de secretarios
    3. La hipótesis de los fragmentos
    4. La teoría del seudónimo
  Ch. Una opinión personal
IV. Las fechas
V. El Apóstol Pablo
VI. Los destinatarios de estas cartas
    1. Timoteo
    2. Tito

VII. Los cargos eclesiásticos y las Pastorales

1. El obispo
2. El anciano o presbítero
3. Los diáconos
4. Diaconisas y viudas
5. Consideraciones adicionales

VIII. Las herejías en el contexto epistolar

1. Judaísmo esotérico
2. Esenios y Qumrân
3. Protognosticismo judío
4. Gnosticismo
5. Marcionismo
6. Docetismo

Bibliografía general

Textos y versiones

Biblia de Jerusalén, Editorial Desclée de Brouwer, Bilbao, 1967.

La Biblia de las Américas, La Fundación Bíblica Lockman, La Habra, California, 1986.

La Biblia al día, Editorial UNILIT, Miami, 1979.

La versión latinoamericana, Sociedades Bíblicas en América Latina, 1946.

Nueva Biblia latinoamericana, Ediciones Paulinas, Madrid 1972.

Nueva Reina Valera, Sociedad Bíblica Enmanuel, Miami, 1990.

The Septuagint with Apocrypha: Greek and English, Hendrickson Publishers, Peabody, 1986.

Versión Cantera Iglesias, Biblioteca de Autores Cristianos, Madrid, 1979.

Versión de Pablo Besson, Nuevo Testamento, Junta Bautista de Publicaciones, Buenos Aires, 1948.

Versión moderna, Sociedades Bíblicas Unidas, Buenos Aires, s/f.

Versión Nácar Colunga, La Editorial Católica, Madrid, 1976.

Versión popular: Dios habla hoy, Sociedades Bíblicas Unidas, Miami, 1983.

Versión Reina Valera, Revisión de 1960, Sociedades Bíblicas Unidas, Miami.

Versión Reina Valera actualizada, Editorial Mundo Hispano, El Paso, 1989.

Versión Torres Amat, La Prensa Católica, Chicago, 1964.

Comentarios

William Barclay, *The Letters to Timothy, Titus and Philemon*, The Westminster Press, Philadelphia, 1975.

C. K. Barrett, *The Pastoral Epistles*, Clarendon, Oxford, 1963.

Karl Barth, *A Shorter Commentary on Romans*, SCM Press Ltd., London, 1959.

J. H. Bernard, *The Pastoral Epistles*, Cambridge University Press, Cambridge, 1899.

Raymond E. Brown, en *Comentario Bíblico San Jerónimo*, vol. IV, Ediciones Cristiandad, Madrid, 1972.

_________, *The Gospel according to John*, Doubleday & Company, Garden City, 1966, 2 vol., 1208 pp.

Norbert Brox, *Die Pastoralbriefe*, Regensburger NT, Regensburg, 1969.

Juan Calvino, *Comentarios a las Epístolas Pastorales de San Pablo*, TELL, Grand Rapids, 1968.

Maurice Carrez, *et. al.*, *Cartas de Pablo y Cartas Católicas*, Ediciones Cristiandad, Madrid, 1984.

B. H. Carrol, *Las epístolas pastorales*, CLIE, Barcelona, 1987.

Guillermo Cook, y Ricardo Foulkes, *Comentario de Marcos*, del Comentario Bíblico Hispanoamericano, Editorial Caribe, Miami, 1990.

Martin Dibelius, y Hans Conzelmann., *The Pastoral Epistles*, Fortress Press, Philadelphia, 1972.

Pierre Dornier, *Les Epîtres Pastorales*, Sources Bibliques, Paris, 1969.

B. S. Easton, *The Pastoral Epistles*, Charles Scribner's and Sons, New York, 1947.

Carlos R. Erdman, *Las epístolas pastorales a Timoteo y a Tito*, Tell, Grand Rapids, 1976.

R. Falconer, *The Pastoral Epistles: Introduction, Translation and Notes*, Clarendon Press, Oxford, 1937.

Gordon D. Fee, *New International Biblical Commentary*, Hendrickson Publishers, Peabody, 1988.

Fred D. Gealy, y Morgan P. Noyes, en *The Interpreter's Bible*, vol. 11, Abingdon Press, Nashville, 1987.

J. Glenn Gould, en *Comentario Bíblico Beacon*, vol. 9, Casa Nazarena de Publicaciones, Kansas City, 1965.

Donald Guthrie, *The Apostles*, Zondervan, Grand Rapids, 1975.

_________, *The Pastoral Epistles*, Inter-Varsity Press, Leicester, 1984.

Donald Guthrie, *et. al.*, *Nuevo comentario bíblico*, Casa Bautista de Publicaciones, El Paso, 1977.

A. T. Hanson, *The Pastoral Epistles*, William. B. Eerdmans Publishing Co., Grand Rapids, 1982.

P. N. Harrison, *The Problems of the Pastoral Epistles*, Oxford University Press, Oxford, 1921.

Guillermo Hendriksen, *Comentario del Nuevo Testamento*, Subcomisión de Literatura Cristiana de la Iglesia Cristiana Reformada, Grand Rapids, 1979.

D. Edmund Hiebert, *Tito y Filemón*, Publicaciones Portavoz Evangélico, Terrassa, 1981.

E. Glenn,Hinson, *The Broadman Bible Commentary*, vol. 11, Broadman Press, Nashville, 1971.

J. L. Houlden, *The Pastoral Epistles*, Eerdmans, Grand Rapids, 1957.

Roberto Jamieson, *et. al., Comentario exegético y explicativo de la Biblia*, tomo II, Casa Bautista de Publicaciones, El Paso, s/f.

Joachim Jeremias, *Die Briefe an Timotheus und Titus* en *Das Neue Testament Deutsch*, vol. 9, Vandenhoeck & Ruprecht, Zürich 1963.

J. N. D. Kelly, *A Commentary on the Pastoral Epistles*, Adam & Charles Black, London, 1963.

Homer A. Kent, *The Pastoral Epistles*, Moody Press, Chicago, 1982.

A. R. C. Leaney, *The Epistles to Timothy, Titus and Philemon: Introduction and Commentary*, SCM, London, 1960.

Simon Legasse, *La carta a los Filipenses y la carta a Filemón*, Editorial Verbo Divino, Estella, Navarra, 1985.

H. P. Lippon, *St. Paul's First Epistle to Timothy*, Klock, Minneapolis, 1978.

W. Lock, *A Critical and Exegetical Commentary on the Pastoral Epistles*, T. & T. Clark, Edinburgh, 1924.

Bruce Metzger, *A Textual Commentary on the Greek New Testament*, United Bible Societies, 1971.

Handley C. G. Moule, *The Second Epistle to Timothy*, Religious Tract Society, 1905.

Charles F. Pfeiffer, y Everett Harrison, *The Wycliffe Bible Commentary*, Chicago, Moody Press, 1975.

Alfred Plummer, *The Pastoral Epistles*, en *The Expositor Bible*, Hodder and Stoughton, Naperville, 1888.

Joseph Reuss, *Primera carta a Timoteo*, Editorial Herder, Barcelona, 1967.

____________, *Segunda carta a Timoteo*, Editorial Herder, Barcelona, 1989.

____________, *Carta a Tito*, Editorial Herder, Barcelona, 1968.

H. Roux, Les Epîtres Pastorales, Gèneve, 1959.

Alfred Rowland, *Studies in First Timothy*, Klock, Minneapolis, 1985.

Ernest F. Scott, *The Pastoral Epistles*, *Moffat New Testament Commentary*, Hodder & Stoughton, Naperville, 1936.

Moisés Silva, *Phillipians*, Moody Press, Chicago, 1988.

Ceslaus Spicq, *Les Epîtres Pastorales*, J. Gabalda et Cie., Paris, 1947.

John R. W. Stott, *The Message of 2 Timothy*, InterVarsity Press. Downers Grove, Illinois, 1973.

C. A. Trentham, *Studies in Timothy*, Convention Press, Nashville, 1959.

Michel Trimaille, *La primera carta a los tesalonicenses*, Editorial Verbo Divino, Estella, Navarra, 1985.

Lorenzo Turrado, *Biblia comentada*, vol. VI (1º.), Biblioteca de Autores Cristianos, Madrid, 1975.

_________, *Biblia comentada*, vol.VI (2º.), Biblioteca de Autores Cristianos, Madrid, 1975.

Ronald A. Ward, *Commentary on 1 & 2 Timothy and Titus*, Word Books Publisher, Waco, Texas, 1974.

Newport J. D. White, *The Pastoral Epistles* en *The Expositor's Greek New Testament*, Hodder and Stoughton, Naperville, 1910.

G. B. Wilson, *The Pastoral Epistles*, Banner of Truth, Edinburgh, 1982.

S. G. Wilson, *Luke and the Pastoral Epistles*, London, 1979.

N. A. Woychuk, *Exposición de Segunda Timoteo*, Publicaciones Portavoz Evangélico, Barcelona, 1973.

Léxicos y Diccionarios

A Dictionary of the Bible, Baker Book House, Grand Rapids, 1969.

A Greek-English Lexicon of the New Testament and other Early Christian Literature, University of Chicago Press, Chicago, 1957.

An Analysis of the Greek New Testament, Max Zerwick y Mary Grosvenor, Universidad Pontificia Gregoriana, Roma, 1981.

An Idiom Book of New Testament Greek, C. F. Moule, Cambridge University Press, Cambridge, 1959.

Bible Cyclopedia: Critical and Expository, A. R. Fausset, The S. S. Scranton Company, 1917.

A Textual Commentary of the Greek New Testament, Bruce Metzger editor, United Bible Societies, New York, 1971.

Biblical & Teological Studies: A Handbook of Special and Technical Terms, Zondervan, Grand Rapids, 1983.

Breve diccionario de la Biblia, Herbert Haag, Editorial Herder, Barcelona, 1985.

Concordancia alfabética de la Biblia, W. H. Sloan y Alfredo Lerín, Casa Bautista de Publicaciones, El Paso, 1987.

Concordancia analítica greco-española, J. Stegenga y A. E. Tuggy, Editorial Libertador, Maracaibo, 1975.

Concordancia breve de la Biblia, Editorial Mundo Hispano, El Paso, 1964.

Concordancia greco-española del Nuevo Testamento, Hugo M. Petter, CLIE, Terrassa, 1987.

Christian Words, Nigel Turner, Thomas Nelson Publishers, Nashville, 1981.

Diccionario de la Biblia, Serafín de Ausejo, Editorial Herder, Barcelona, 1970.

Diccionario de las religiones, Pedro Rodríguez Santillana, Alianza, Madrid, 1989.

Diccionario de religiones, E. R. Pike, Fondo de Cultura Económica, México, 1966.

Diccionario de sectas y herejías, Alberto Ruiz, Editorial Claridad, S.A., Buenos Aires, 1977.

Diccionario de teología contemporánea, Bernard Ramm, Casa Bautista de Publicaciones, El Paso, 1984.

Diccionario del cristianismo, O. de la Brosse, A. M. Henry y Ph. Rouillard, Editorial Herder, Barcelona, 1974.

Diccionario enciclopédico UTEHA, Unión Tipográfica Editorial Hispanoamericana, México, 1951.

Diccionario ilustrado de la Biblia, Editorial Caribe, Miami, 1974.

Diccionario teológico del Nuevo Testamento, Ediciones Sígueme, Salamanca, 1980.

Dictionary of Latin and Greek Theological Terms, Baker Book House, Grand Rapids, 1985.

Enciclopedia de la Biblia, Ediciones Garriga, S.A., Barcelona, 1969.

Encyclopaedia Britannica, Encyclopaedia Britannica, Inc, Chicago, 1969.

Encyclopedia of Early Christianity, Garland Publishing, Inc., New York & London, 1990.

Evangelical Dictionary of Theology, editado por Walter A. Elwell, Baker Book House, Grand Rapids, 1984.

Gran enciclopedia Larousse, Editorial Planeta, Barcelona, 1964.

Greek-English Lexicon of the New Testament, Joseph Henry Thayer, Zondervan, Grand Rapids, 1965.

Handbook of Biblical Criticism, Richard N. Soulen, John Knox Press, Atlanta, 1981.

Handbook to the Bible, Lion Publishing, Herts, 1983.

Manual bíblico ilustrado, Editorial Caribe, San José, 1976.

Nuevo auxiliar bíblico, Casa Bautista de Publicaciones, El Paso, 1977.

Nuevo diccionario interlineal griego-español, Francisco Lacueva, CLIE, Terrassa, 1984.

Palabras griegas del Nuevo Testamento: su uso y su significado, Casa Bautista de Publicaciones, El Paso, 1977.

Pictorial Encyclopedia of the Bible, Zondervan , Grand Rapids, 1975.

The Archaeological Encyclopedia of the Holy Land, Tomas Nelson Publishers, Nashville, 1986.

The International Standard Bible Encyclopedia, Geoffrey W. Bromiley (editor general), William B. Eerdmans Publishing Company, Grand Rapids, 1979.

The Interpreter's Dictionary of the Bible, 5 vols., Abingdon Press, Nashville, 1982.

The New International Dictionary of New Testament Theology, 3 vols., Colin Brown (editor general), Zondervan, Grand Rapids, 1982.

The New International Dictionary of the Christian Church, Zondervan, Gran Rapids, 1974.

The Woman's Encyclopedia of Myths and Secrets, Barbara Walker, Harper Collins, San Francisco, 1983.

Theological Dictionary of the Greek New Testament, vols. I-X, Gerhard Kittel & Gerhard Friedrich, Eerdmans, Grand Rapids, 1962-1976.

Unger's Guide to the Bible, Tyndale House Publishers, Inc., Wheaton, 1974.

Vine's Expository Dictionary of Old and New Testament Words, Fleming H. Revell Company, 1981.

Who's Who in the New Testament, Holt, Rinehart and Winston, New York, 1971.

Who's Who in the Old Testament Together with the Apocrypha, Holt, Rinehart and Winston, New York, 1971.

Word Meanings in the New Testament, Ralph Earle, Baker Book House, Grand Rapids, 1988.

Otros libros

Aland, Hurt y Barbara, *The Text of the New Testament*, Eerdmans, Grand Rapids, 1987.

Albright, William Foxwell, *From the Stone Age to Christianity*, Doubleday Anchor Books, Garden City, 1957.

Alvarez, Carmelo, *Santidad y Compromiso*, Casa Unida de Publicaciones, México, 1985.

Alves, Rubem, *Protestantism and Repression*, Orbis Books, Maryknoll, 1985.

Angus, Samuel, *The Religious Quests of the Graeco Roman World*, Charles Scribner's Sons, New York, 1929.

Araya, Victorio, *El Dios de los Pobres*, Editorial DEI, San José, 1983.

Bacon, B. W., *An Introduction to the New Testament*, The Macmillan Co., New York, 1900.

Báez-Camargo, Gonzalo, *Breve historia del canon bíblico*, Ediciones Luminar, 1979.

Bacchiocchi, Samuele, *Women in the Church*, Biblical Perspectives, Berrien Springs, Michigan, 1987.

Bass, Clarence B., *Backgrounds to Dispensationalism*, Baker Book House, Grand Rapids, 1960.

Bastian, Jean Pierre, *Historia del protestantismo en la América Latina*, CUPSA, México, 1990.

Beasley-Murray, G. R., *Baptism in the New Testament*, Eerdmans, Grand Rapids, 1983.

Beasley-Murray, G. R., *Baptism in the New Testament,* Eerdmans, Grand Rapids, 1983.

Beegle, Dewey M., *The Inspiration of Scripture*, The Westminster Press, Philadelphia, 1962.

Berkhouwer, G. C., *A Half Century of Theology*, Eerdmans, Grand Rapids, 1977.

Boff, Leonardo, *Iglesia: carisma y poder, ensayos de eclesiología militante*, Editorial Sal Terrae, Santander, 1985.

Bonhoeffer, Dietrich, *Sociología de la iglesia*, Ediciones Sígueme, Salamanca, 1969.

Bromiley, Geoffrey W., *Historical Theology: An Introduction*, Eerdmans, Grand Rapids, 1978.

Brooten, Bernadette, *Women Leaders in the Ancient Synagogue*, Scholars Press, Chico, California, 1982.

Bruce, F. F., *A Mind for What Matters*, Eerdmans, Grand Rapids, 1990.

__________, Answers to Questions, Zondervan, Grand Rapids, 1973.

__________, *Biblical Exegesis in the Qumran Texts,* Eerdmans, Grand Rapids, 1959.

__________, *Jesus & Christian Origins Outside the New Testament,* Eerdmans, Grand Rapids, 1974.

__________, *New Testament History, Doubleday & Company, Inc.*, Garden City, New York, 1980.

__________, *Paul: Apostle of the Heart Set Free,* Eerdmans, Grand Rapids, 1977.

__________, *Second Thoughts on the Dead Sea Scrolls*, Eerdmans, Grand Rapids, 1980.

__________, *The Books and the Parchments*, Fleming H. Revell Company, Old Tappan, New Jersey, 1963.

__________, *The Canon of Scripture*, InterVarsity Press, Downers Grove, Illinois, 1988.

__________, *The New Testament Documents: Are they reliable?*, William B. Eerdmans, Grand Rapids, 1982.

__________, *The Spreading Flame*, Eerdmans, Grand Rapids, 1979.

Bultmann, Rudolph, *Primitive Christianity*, World Publishing, New York, 1972.

Burkitt, F. C., *Church and Gnosis*, Cambridge University Press, Cambridge, 1932.

Campenhausen, Hans von, *The Formation of the Christian Bible*, Fortress Press, Philadelphia, 1977.

The Cambridge History of the Bible, 3 vols., Cambridge University Press, Cambridge, 1969.

Ceram, C. W., *Gods, Graves, andScholars*, Alfred A. Knopf, New York, 1968.

Collins, Raymond F., *Introduction to the New Testament*, Image Books, Garden City, New York, 1987.

Connolly, R. H., *Didascalia Apostolorum*, Clarendon Press, Oxford, 1929.

Conzelmann, H., y Lindemann, A., *Interpreting the New Testament: An Introduction to the Principles and Methods of N. T. Exegesis*, Hendrickson Publishers, Peabody, 1988.

Costas, Orlando, *El Protestantismo en América Latina Hoy*, Publicaciones INDEF, Miami, 1975.

Costas, Orlando (editor), *Predicación evangélica y teología hispana*, Editorial Caribe, Miami, 1982.

Culmann, Oscar, *Baptism in the New Testament*, The Westminster Press, Philadelphia, 1950.

__________, *Jesus and the Revolutionaries*, Harper & Row, New York, 1970.

__________, *Del evangelio a la formación de la teología cristiana*, Ediciones Sígueme, Salamanca, 1972.

__________, *Salvation in History*, SCM Press Ltd, Londres, 1967.

__________, *The Christology of the New Testament*, The Westminster Press, Philadelphia, 1975.

__________, *The State in the New Testament*, Charles Scribner's Sons, New York, 1956.

Cunliffe-Jones, Hubert, *A History of Christian Doctrine*, Fortress Press, Philadelphia, 1978.

Chadwick, Henry, *The Early Church*, Penguin Books, New York, 1981.

Charlesworth, James H., *Jesus within Judaism*, Doubleday, New York, 1988.

Charlesworth, James H. (editor), *The Old Testament Pseudepigraphic*, Doubleday, New York, 1985 2 vols.

Chuvin, Pierre, *A Chronicle of the Last Pagans*, Harvard University Press, Cambridge, 1990.

Dalmais, Irénée-Henri, *Liturgias orientales*, Editorial Casal I Vall, Andorra, 1960.

Dana, H. E., *El Nuevo Testamento ante la crítica*, Casa Bautista de Publicaciones, El Paso, 1965.

Daniel, Glyn, *Origins and Growth of Archaeology*, Galahad Books, New York, 1967.

Daniélou, Jean, *History of Early Christian Doctrine Before the Council of Nicaea,* Westminster Press, Philadelphia, 1964-1977, 3 vols.

__________, *The Christian Centuries: A History of the Catholic Church*, McGraw-Hill, New York, 1964., vol. I.

__________, *Théologie du Judeo-Christianisme*, Paris, 1975.

Davies, J. G. (editor), *Dictionary of Liturgy and Worship*, The Westminster Press, Philadelphia, 1986.

De Cadiz, Luis M., *Historia de la literatura patrística*, Editorial Nova, Buenos Aires, 1954.

Deissmann, A., *A Light From the Ancient East*, New York, 1922.

De Tuya, Manuel y José Salguero, *Introducción a la Biblia*, Biblioteca de Autores Cristianos, Madrid, 1967, 2 Vols.

Díaz-Alvarez, Manuel, *Pastoral y secularización en América Latina*, Ediciones Paulinas, Bogotá, 1978.

Dodd, C. H., *The Meaning of Paul for Today*, The World Publishing Company, Cleveland, 1970.

Doresse, Jean, *The Secret Books of the Egyptian Gnostics*, Inner Traditions International, Rochester, Vermont, 1986.

Drioton, Etienne; Georges Contenau y J. Duchesne-Guillemin, *Las Religiones del Antiguo Oriente*, Editorial Casal Il Vall, Andorra, 1958.

Eerdmans' Handbook to the History of Christianity, Eerdmans, Grand Rapids, 1977.

Elizondo, Virgilio, *Galilean Journey: the Mexican American experience*, Orbis, Maryknoll, 1985.

Ellisen, Stanley, *Divorce and Remarriage in the Church*, Zondervan, Grand Rapids, 1980.

Enslin, Morton Scott, *The Ethics of Paul*, Abingdon Press, Nashville.

Eusebio de Cesarea, *Ecclesiastical History*, Baker Book House, Grand Rapids, 1969.

Ferm, Deane William, *Third World Liberation Theologies*, Orbis Books, Maryknoll, 1988.

Fox, Robin Lane, *Pagans and Christians*, Alfred A. Knopf, Inc., New York, 1987.

Friedman, Richard Elliot, *Who wrote the Bible?*, Summit Books, New York, 1987.

Gager, John G., *The Origins of Anti-Semitism*, Oxford University Press Oxford, 1983.

García Bazán, Francisco, *La esencia del dualismo gnóstico*, Ediciones Castañeda, San Antonio de Padua, Buenos Aires, 1978.

Geisler, Norman L. (editor), *Inerrancy*, Zondervan, Grand Rapids, 1979.

Giles, James E., *De pastor a pastor*, Casa Bautista de Publicaciones, El Paso, 1988.

Gimbutas, Marija, *The Language of the Goddess*, Harper and Row Publishers, San Francisco, 1990.

González Gunsalus, Catherine y Justo Luis González, *Sus almas engrandecieron al Señor*, Editorial Caribe, Miami, 1977.

González, Justo L., *Historia del pensamiento cristiano*, Editorial Caribe, Miami, 1992.

__________, *Mañana: Christian Theology from a Hispanic Perspective*, Abingdon Press, Nashville, 1990.

González Faus, José I., *Hombres de la comunidad: apuntes sobre el ministerio eclesial*, Editorial Sal Terrae, Santander, 1989.

González Lamadrid, Antonio, *Los descubrimientos del mar Muerto*, Biblioteca de Autores Cristianos, Madrid, 1971,

Goppelt, Leonhard, *Apostolic and Post-Apostolic Times*, Baker Book House, Grand Rapids, 1980.

Green, Michael, *Evangelism in the Early Church*, Eerdmans, Grand Rapids, 1970.

Guelich, Robert A., *Apostolic and Post-Apostolic Times*, Baker Book House, Grand Rapids, 1970.

Gundry, Robert H., *A Survey of the New Testament*, Zondervan, Grand Rapids, 1970.

Gottwald, Norman K., *The Hebrew Bible*, Fortress Press, Philadelphia, 1987.

Grant, Michael, *The History of Ancient Israel*, Charles Scribner's Son, New York, 1984.

Green, Michael, *Evangelism in the Early Church*, Eerdmans, Grand Rapids, 1970.

Greenleef, J. Harold., *Introduction to New Testament Textual Criticism*, William B. Eerdmans, Grand Rapids, Michigan, 1972.

Harnack, Adolf, *History of Dogma*, Robert Bros., Boston, 1895.

__________, *The Mission and Expansion of Christianity in the First Three Centuries*, Peter Smith, Gloucester, Mass, 1972.

Harris, Horton, *The Tübingen School*, Baker Book House, Grand Rapids, 1990.

Harrison, Everett F., *Introduction to the New Testament*, William. B. Eerdmans, Grand Rapids, 1971.

Henry, Carl F. H., *God, Revelation and Authority*, Vol. III., Word Books, Waco, 1979.

Hester, H. I., *Introducción al Nuevo Testamento*, Casa Bautista de Publicaciones, El Paso, 1974.

Ironside, H. A., *Timothy, Titus, Philemon*, Loizeaux Brothers, Neptune, New Jersey, 1986.

Isasi-Díaz, Ada y Yolanda Tarango, *Hispanic Women: Prophetic Voice in the Church*, Harper and Row Publishers, San Francisco, 1988.

Jeremias, Joachim, *Jerusalén en tiempos de Jesús*, Ediciones Cristiandad, Madrid, 1977.

__________, *ABBA y el mensaje central del Nuevo Testamento*, Ediciones Sígueme, Salamanca, 1983.

Johnson, Paul, *A History of the Jews*, Harper & Row Publishers, New York, 1987.

Josephus, Flavius, *Complete Works*, Kregel Publications, Grand Rapids, 1960.

Josipovich, Gabriel, *The Book of God*, Yale University Press, New Haven, 1988.

Kramer, Paul Stevens, *The Sources of Primitive Gnosticism and Its Place in the History of Christian Thought*, Disertación presentada en la Universidad de Chicago, 1936.

Kümmel, Werner Georg., *Introduction to the New Testament*, Abingdon, Nashville, 1981.

Küng, Hans, *Theology for the Third Millenium: An Ecumenical View*, Doubleday, New York, 1988.

__________, *La Iglesia*, Editorial Herder, Barcelona, 1968.

Ladd, George Eldon, *Jesus and the Kingdom: The Eschatology of Biblical Realism*, Word Books, Waco, 1964.

Latourette, Kenneth Scott, *A History of Christianity*, vol. I, Harper and Row Publishers, New York, 1975.

Lebreton, Jules y Jacques Zeiller, *The History of the Primitive Church*, The Macmillan Co., New York, 1949.

Leith, John H., *Creeds of the Churches*, Aldine Publishing Company, Chicago, 1963.

Lestapis, S. de, *L'Enigme des Pastorales de Saint Paul*, Paris, 1971.

Lightfoot, J. B., *Biblical Essays*, Baker Book House, Grand Rapids, 1979.

Lillie, William, *Studies in New Testament Ethics*, The Westminster Press, Philadelphia, 1961.

Lohse, Eduard, *Introducción al Nuevo Testamento*, Ediciones Cristiandad, Madrid, 1975.

Machen, J. Gresham, *The Origin of Paul's Religion*, William. B. Eerdmans, Grand Rapids, 1925.

Maccoby, Hyam, *The Myth-Maker: Paul and the Invention of Christianity*, HarperCollins, San Francisco, 1986.

Marrow, Stanley B., *Paul: His Letters and His Theology*, Paulist Press, Mahwah, 1986.

Meeks, Wayne A., *From the Maccabees to the Misnah*, The Westminster Press, Philadelphia, 1987.

Metzger, Bruce, *The New Testament, its Background, Growth and Content*, Abingdon Press, Nashville, 1965.

Meyer, Jean, *Historia de los cristianos en América Latina*, Vuelta, México, 1989.

Mickelsen, Alvera (editor), *Women, Authority & The Bible*, Downers Grove, Illinois, 1986.

Míguez Bonino, José (editor), *Jesús: Ni vencido ni monarca celestial*

(Imágenes de Jesucristo en América Latina), Tierra Nueva, Buenos Aires, 1977.

Miles, A. R., *Introducción popular al estudio de las Sagradas Escrituras*, Editorial Caribe, San José, 1969.

Montefiore, Claude G., y Herbert Loewe, *A Rabbinic Anthology*, Shocken, New York, 1974.

Morris, Joan, *The Lady was a Bishop*, The Macmillan Company, New York, 1973.

Morton, A. Q., y James McLeman, *Paul, the Man and the Myth: A Study in the Authorship of Greek Prose*, Harper & Row, New York, 1966.

Nácar Fuster, D. Eloino y Alberto Colunga, *Santa Biblia Selecta: Historia y Revelación*, Editorial Valles, S. L., Barcelona, 1960.

Núñez, Emilio A., *Teología de la liberación*, Editorial Caribe, Miami, 1986.

Padilla, René, *El Reino de Dios y América Latina*, Casa Bautista de Publicaciones, El Paso, 1975.

Padilla, Washington, *La iglesia y los dioses modernos*, Corporación Editora Nacional, Quito, 1989.

Pagels, Elaine, *The Gnostic Gospels*, Randon House, New York, 1979.

_____________, *Adam, Eve and the Serpent*, Vintage Books, New York, 1989,

Pannenberg, Wolfhart, *Teología y Reino de Dios*, Ediciones Sígueme, Salamanca, 1974.

Parada, Dr. Hernán, *Crónica de Medellín*, Indo-American Press Service, Bogotá, 1975.

Pinnock, Clark H., *The Grace of God: The Will of Man*, Zondervan, Grand Rapids, 1989.

Pixley, Jorge, *Hacia una fe evangélica*, Editorial DEI, San José, 1988.

_____________, *La mujer en la construcción de la iglesia*, Editorial DEI, San José, 1986.

¿Qué significa ser protestante en Mesoamérica?, Consejo Latinoamericano de Iglesias, Panamá.

Rahner, Karl, *La iglesia y los sacramentos*, Editorial Herder, Barcelona, 1964.

Ramm, Bernard, *La revelación especial y la palabra de Dios*, La Aurora, Buenos Aires, 1967.

Ramos, Marcos Antonio, *El pastor y la iglesia de hoy*, Convention Press, Nashville, 1991.

_____________, *Historia de las religiones*, Editorial Playor, Madrid, 1989.

_____________, *La pastoral del divorcio*, Editorial Caribe, Miami, 1988.

_____________, *Panorama del protestantismo en Cuba*, Editorial Caribe, San José, 1986.

____________, *Protestantism and Revolution in Cuba*, University of Miami School of Interamerican Studies, Miami, 1989.

Ramsay, William M., *The Church in the Roman Empire*, Baker Book House, Grand Rapids, 1979.

Rasco, Emilio, *La teología de Lucas: origen, desarrollo, orientaciones*, Università Gregoriana Editrice, Roma, 1976.

Richard, Pablo (editor), *Raíces de la teología latinoamericana*, Ediciones DEI, San José, 1985.

Robertson, A. T., *The Minister and His Greek New Testament*, Baker Book House, Grand Rapids, 1977.

____________, *Types of Preachers in the New Testament*, Baker Book House, Grand Rapids, 1979.

Robinson, James M., *The Nag Hammadi Library*, Harper & Row Publishers, San Francisco, 1988.

Rops, Daniel, *¿Qué es la Biblia?*, Editorial Casal I Vall, Andorra, 1961.

Russell, D. S., *El período intertestamentario*, Casa Bautista de Publicaciones, El Paso, 1973.

____________, *The Method and Message of Jewish Apocalyptic*, The Westminster Press, Philadelphia, 1964.

Ryrie, Charles Caldwell, *Dispensationalism Today*, Moody Press, Chicago, 1965.

Sabugal, Santos, *Análisis exegético sobre la conversión de San Pablo*, Editorial Herder, Barcelona, 1976.

Sandoval, Moisés, *On The Move: A History of the Hispanic Church in the United States*, Orbis Book, Maryknoll, 1990.

Schaff, Philip, *History of the Christian Church*, William B. Eerdmans, Grand Rapids, 1971.

Schultz, Hans Jürgen (editor), *Tendencias en la teología en el siglo XX*, Studium, Madrid, 1970.

Schweitzer, Albert, *The Mysticism of Paul the Apostle*, William Montgomery, New York, 1931.

Schweizer, Eduard, *Church Order in the New Testament*, SCM, London, 1961.

Seeberg, Reinhold, *Manual de historia de las doctrinas*, tomo I, Casa Bautista, El Paso, 1967.

Segundo, Juan Luis, *De la sociedad a la teología*, Carlos Lohle, Buenos Aires, 1970.

Shiel, James, *Greek Thought and the Rise of Christianity*, Barnes & Noble, Inc, New York, 1968.

Smith, M. A., *The Church Under Siege*, InterVarsity Press, Downers Grove, Illinois, 1976.

Sobrino, Jon, *Resurrección de la verdadera iglesia*, Editorial Sal Terrae, Santander, 1984.

Spencer, Aída Besancon, *Beyond the Curse: Women called to ministry*, Thomas Nelson Publishers, Nashville, 1985.

Steinsaltz, Adin, *The Essential Talmud*, Weidenfeld and Nicolson, Londres, 1976.

Stevenson, J., *A New Eusebius: Documents Illustrating the History of the Church to AD 337*, SPCK, London, 1987.

Streeter, H. B., *The Primitive Church*, The MacMillan Corporation, New York, 1929.

Tenney, Merrill C., *The New Testament*, Eerdmans, Grand Rapids, 1955.

Thurston, Bonnie Bowman, *The Widows: A Women's Ministry in the Early Church*, Fortress Press, Minneapolis, 1989.

Trend, W. H. C., *The Rise of Christianity*, Fortress Press, Philadelphia, 1984.

Tillich, Paul, *A History of Christian Thought*, Simon and Schuster, New York, 1968.

Tucker, Ruth A., y Liefeld, Walter, *Daughters of the Church*, Zondervan, Gran Rapids, 1987.

Unger, Merrill F., *Biblical Demonology*, Scripture Press, Wheaton, 1952.

Verner, David, *The Household of God: The Social World of the Pastoral Epistles*, Scholars Press, Chico, California, 1983.

Von Campenhausen, Hans, *Tradition and Life in the Church*, Collins, London, 1968.

Von Rad, Gerhard, *Teología del Antiguo Testamento*, vol. II, Ediciones Sígueme, Salamanca, 1976.

Vos, Geerhardus, *Biblical Theology*, Eerdmans Grand Rapids, Michigan, 1948.

Warkentin, Marjorie, *Ordination*, Eerdmans Grand Rapids, 1982.

Westcott, Brooke Foss, *A General Survey of the History of the Canon of the New Testament*, Baker Book House, Grand Rapids, 1980.

Wilson, R. S., *Marcion: A Study of a Second-Century Heretic*, James Clark & Co., London, 1933.

Yamauchi, Edwin, *Las excavaciones y las Escrituras*, Casa Bautista de Publicaciones, El Paso, 1977.

Yoder, John, *Jesús y la realidad política*, Ediciones Certeza, Buenos Aires, 1985.

Zimmermann, Heinrich, *Los métodos histórico-críticos en el Nuevo Testamento*, Biblioteca de Autores Cristianos, Madrid, 1969.

Zodhiates, Spiros, *New Testament Studies on Women in the Home and Church*, Nashville, 1990.

Publicaciones y series especializadas

Analecta Gregoriana
Apuntes

Biblical World
Bibliotheca Sacra
Biblische Zeitschrift
Boletín Teológico
Bulletin of John Rylands Library

Catholic Biblical Quarterly
Cuadernos Bíblicos
Cuadernos de Teología (ISEDET)
Christianity Today
Church History

Destellos Teológicos (Seminario Concordia)
Diálogo Ecuménico (Universidad de Salamanca)
Diálogo Teológico

Evangelical Quarterly
Evangelische Kirchenzeitung
Expositor
Expository Times

Journal of Ecumenical Studies
Journal of the Evangelical Theological Society
Journal of Religion
Journal of Theological Studies

Kairós (SETECA)

Laval théologique et philosophique

Misión

New Testament Studies

Recherches de Science Réligieuse
Restoration Quarterly
Revue Biblique

Science et Esprit
Society of Biblical Literature Seminar Papers
Society of New Testament Studies Monograph Series
Sources chrétiennes
Southwestern Journal of Theology
Studies and Documents

The Journal of Biblical Literature
Theologische Quartalschrift
Theologische Zeitschrift
Theology Today
Tübinger Theologische Quartalschrift
Tübinger Zeitschrift für Theologie

Vida y Pensamiento (SBL)

Zeitschrift für die neutestamentliche Wissenschaft

Bibliografía anotada

La mayoría de las obras descritas brevemente en esta sección son comentarios de las Epístolas Pastorales o estudios acerca de las mismas. También comentamos otros libros que abordan los problemas que los eruditos encuentran en ellas. Consideramos que algunas breves notas explicativas pudieran ser de utilidad especial para los que deseen profundizar en el tema o se propongan seleccionar los materiales más indicados para su estudio. Por lo general, ofrecemos información básica sobre el autor y su punto de vista acerca de la paternidad paulina de estas cartas.

Se incluyen también otras notas acerca de estudios generales o monográficos por considerarlos como una posible ayuda para entender ciertos aspectos de estas epístolas o de otros libros del NT que puedan tener alguna relación con las mismas, sobre todo cuando han sido escritos en español o traducidos a nuestra lengua. Pero no describimos aquí las diferentes introducciones al estudio del NT, léxicos y diccionarios que se han publicado, porque entendemos que el lector puede obtener fácilmente una información adecuada sobre ese tipo de materiales.

Deseamos aclarar que algunos comentarios traducidos al español son incluidos simplemente por ser de fácil acceso a nuestro público aunque algunos de ellos no son considerados como obras de erudición apreciable, ni fue esa la intención de sus autores. Por otra parte, nos sentimos obligados a ofrecer información sobre libros que no han sido traducidos a nuestro idioma por tratarse de obras fundamentales o selectas, de las cuales no nos parece posible prescindir para un estudio riguroso de las Epístolas Pastorales.

Finalmente, ofrecemos unos datos básicos acerca de las revistas especializadas que utilizamos con mayor frecuencia en nuestro comentario y de algunas que pudieran ser especialmente útiles a los investigadores, por publicarse en español.

Notas sobre libros

Gonzalo Báez-Camargo, *Breve Historia del Canon Bíblico*, Ediciones Luminar, México, 1979. El fallecido periodista e investigador mexicano conocido como «Pedro Gringoire» nos dejó este breve estudio básico que pudiera ser provechoso a los estudiantes de lengua española como introducción al tema del canon de la Biblia. Su valor principal radica en facilitar información acerca del origen de ciertas discusiones y dudas que se notan en los comentarios sobre las Epístolas Pastorales y otros libros.

William Barclay, *The Letters to Timothy, Titus and Philemon*, The Westminster Press, Philadelphia, 1975. La serie de comentarios de Barclay se ha ido traduciendo al español. Su autor fue uno de los más importantes intérpretes del NT en las Islas Británicas y los países de habla inglesa en la segunda mitad de este siglo. Barclay fue profesor en la Universidad de Glasgow. Su comentario es riguroso, pero trata de estar al alcance del lector promedio y consigue ese propósito. Sin embargo, a veces se refleja en sus conclusiones acerca de ciertas palabras bíblicas la influencia de la cultura de la región del Atlántico del Norte. En cuanto a la autoría, el comentarista entiende que es probable que un maestro cristiano escribió las Pastorales utilizando la ayuda de elementos sustanciales del pensamiento paulino que habían llegado hasta él y algunas cartas breves del Apóstol que obraban en su poder. Al ampliar estos fragmentos paulinos estaba tratando de combatir herejías y hacerles frente a problemas. Si aceptáramos esta teoría, pudiéramos concluir en que el verdadero autor de las Pastorales, al usar el nombre y la autoridad del Apóstol, logró que la voz de éste llegara a nosotros.

Norbert Brox, *Die Pastoralbriefe*, Regensburger NT, Regensburg, 1969. La fama de este comentario procede en parte de haber sido el primer autor católico de relieve internacional que rechazó abiertamente la autoría paulina. Esta obra es citada frecuentemente. El manejo de las fuentes que hace Brox es impresionante, hasta el punto que hasta algunos defensores de la paternidad paulina consideran el suyo como el más completo comentario de esta época.

Maurice Carrez, Pierre Dornier; Marcel Dumais y Michel Trimaille, *Cartas de Pablo y Cartas Católicas*, Ediciones Cristiandad, Madrid, 1983. Este libro ecuménico, disponible en español, no es propiamente un comentario sino una introducción, pero ofrece buena información sobre las epístolas del NT incluyendo las Pastorales, las cuales les fueron encargadas a Dornier y Carrez. El estudio que hace de estas últimas concluye con la afirmación de que no son escritos del siglo segundo. Considera probable la hipótesis de que sean producto de un secretario «con gran libertad de expresión» y admite la posibilidad de que fueron escritas algún tiempo después de la muerte de Pablo por uno de sus discípulos (hacia 70/80 d.C). Debido a la multiplicidad de las teorías, sus autores terminan su exposición de estas cartas repitiendo el título de la obra de S. de Lestapis, *El enigma de las Pastorales*, para sugerir la dificultad en escoger entre tantas hipótesis. Dornier es identificado más adelante en esta bibliografía anotada. El otro autor que trabajó en las Pastorales en el libro citado es Maurice Carrez, profesor en instituciones protestantes de estudios superiores y en el Instituto Católico de París. El pastor Carrez sirvió como coordinador de toda la obra.

B. H. Carroll, *Las epístolas pastorales*, CLIE, Terrassa, 1987. Esta obra, traducida al español, forma parte de la exposición de toda la Biblia escrita por el mismo autor y publicada originalmente por los bautistas del sur de EE.UU. Su obra es una de las más conocidas entre los cristianos conservadores en la América Latina y España. Contiene una defensa de la autoría paulina y utiliza los datos tradicionales. Se le atribuye un apreciable valor homilético ya que contiene ilustraciones y explicaciones útiles. Carroll fue profesor en la Universidad de Baylor en Texas y dirigió el proceso de fundación del Seminario Teológico Bautista del Suroeste en Fort Worth, Texas.

Oscar Cullmann, *The Christology of the New Testament*, The Westminster Press, Philadelphia, 1963. Esta obra estudia los títulos o nombres utilizados por Jesús o aplicados a él por escritores del NT. Su punto de vista es muy diferente al de Rudolf Bultmann en su *Teología del Nuevo Testamento*. La cristología de Cullmann le es muy útil al estudiante de las Pastorales. El autor, elegido a la Academia Francesa, es uno de los eruditos cristianos más destacados en los últimos tiempos. En 1954 fue escogido para una cátedra en la Sorbona. Las obras de Cullmann son de enorme utilidad para los estudios del NT. Su influencia rebasa los límites confesionales, geográficos y académicos, debido a su gran prestigio internacional.

_______________, *Del evangelio a la formación de la teología cristiana*, Ediciones Sígueme, Salamanca, 1972. Las opiniones vertidas acerca de la relación entre las epístolas y el problema de un judaísmo más o menos esotérico obligan a leer este libro que ha sido traducido al español.

S. De Lestapis, *L'enigme des Pastorales de Saint Paul*, Paris, 1976. El autor se plantea las cuestiones realmente confusas en cuanto al problema de la paternidad de las Pastorales, pero entiende que representan una teología paulina intermedia entre la de las cartas mayores y la de Colosenses y Efesios. Para el comentarista, 1 Timoteo y Tito deben ser estudiadas juntas, y su eclesiología es parecida a la de Romanos. Las dos cartas pastorales mencionadas fueron escritas, según él, entre Filipos y Mileto al concluir el llamado tercer viaje misionero. También entiende que 2 Timoteo se escribió a principios de la llamada primera cautividad romana de Pablo. No cree posible insertar estas cartas dentro del marco de los Hechos. De Lestapis es un especialista en el NT y es bastante conocido en los estudios religiosos contemporáneos en lengua francesa.

Martin Dibelius, (revisado por Hans Conzelmann), *The Pastoral Epistles*, Fortress Press, Philadelphia, 1972. Conocido en círculos académicos por su título en alemán *Die Pastoralbriefe*. No creemos posible que ningún estudio serio de las Epístolas Pastorales pueda prescindir de esta obra que es fundamental en los estudios sobre la materia. Con mucha frecuencia se hace referencia a ella como *D-C* por los apellidos de Dibelius y Conzelmann. El trabajo tiene muy en cuenta el contexto en que se escribieron estas epístolas. La posición sobre el autor de las mismas es que no se trata del apóstol Pablo sino de otro cristiano que utilizó su nombre como seudónimo. No solamente rechaza la paternidad literaria de Pablo sino que también duda que se hayan utilizado fuentes paulinas.

Pierre Dornier, *Les Epîtres Pastorales*, Sources Bibliques, Paris, 1960. Algunos comentaristas e intérpretes, que respetan su erudición, consideran que esta obra se aproxima bastante a las opiniones de Spicq. Pero debe reconocerse la originalidad de muchos de los argumentos utilizados. Dornier, que sugiere la fecha 70/80 d.C., para las Pastorales, pertenece al grupo de eruditos más reconocidos que defiende la idea de que las herejías combatidas en las cartas tienen relación directa con el protognosticismo. El autor, un sacerdote de San Sulpicio, es especialista en literatura paulina y profesor de Biblia en Orleans, Francia.[1]

Burton Scott Easton, *The Pastoral Epistles*, Charles Scribner's Sons, New York, 1947. Lo más que este autor puede aceptar en relación con la paternidad de Pablo es que las Pastorales contengan fragmentos de origen paulino, pero parece dudarlo y rechaza abiertamente la tradicional paternidad paulina. El libro contiene útiles estudios de las palabras del texto. Su comentario es muy citado. Este profesor es conocido sobre todo por su obra *Christ in the Gospels*.

Carlos R. Erdman, *Las Epístolas Pastorales a Timoteo y Tito*, TELL, Grand Rapids, Michigan, 1976. Se trata de una versión al español del breve comentario sobre estas cartas de Carlos R. Erdman, quien escribió una serie sobre el Nuevo Testamento. Parece haber sido escrito para el pastor y el maestro ya que el autor no comparte los resultados de investigaciones sobre la materia, las cuales dominaba. Erdman fue profesor emérito de Teología Práctica del Seminario Teológico de Princeton. Su comentario refleja su

1 Véase la información sobre *Cartas de Pablo y Cartas Católicas*, en la cual también trabajó Dornier.

preocupación por las cuestiones representadas por la especialidad académica que le fue encomendada.

R., Falconer, *The Pastoral Epistles: Introduction, Translation and Noes*, Clarendon Press, Oxford, 1937. Este comentario parece haber sido escrito bajo la gran influencia de las notables investigaciones lingüísticas de Harrison, pero tiene sus propios valores y defiende puntos de vista diferentes a los de ese autor en una serie de temas significativos, sobre todo en el asunto de las fechas de las Pastorales.

Gordon D. Fee, *1 and 2 Timothy & Titus*, Hendrickson Publishers, Peabody, Massachusetts, 1988. Este comentario es favorable a la autoría paulina aunque reconoce las dificultades que ella representa para el erudito contemporáneo. Según el *Expository Times* se trata del mejor de los estudios conservadores publicados recientemente. El autor del comentario es profesor de NT en el Colegio Regent en Canadá y utilizado continuamente en conferencias y estudios por los evangélicos conservadores en los países de habla inglesa.

Fred D. Gealy, y Morgan P. Noyes, *Epístolas Pastorales* en *Interpreter's Bible*, vol. 11, Abingdon Press, Nashville, 1987. Se trata probablemente del comentario más difundido entre los estudiosos norteamericanos. Una de sus contribuciones es ofrecer un panorama bastante completo en poco espacio. La riqueza de datos es impresionante. Es casi imprescindible consultarlo. Defiende la teoría de que las epístolas se escribieron ya bien avanzado el segundo siglo, opinión no aceptada en muchos círculos. Gealy es profesor emérito de Nuevo Testamento en la Escuela de Teología Perkins y enseñó en el Japón. Noyes perteneció a la facultad del Seminario Teológico Union en Nueva York.

Antonio González Lamadrid, *Los descubrimientos del mar Muerto*, Biblioteca de Autores Cristianos, Madrid, 1971. Ningún estudioso de las Pastorales puede prescindir de las grandes realidades representadas por los hallazgos del mar Muerto. Tampoco se puede pasar por alto el aporte que al conocimiento del contexto de estas epístolas haría un estudio de la secta de los esenios. El autor de este libro participó en 1954 de las excavaciones del monasterio de Qumrân y su autoridad en la materia es ampliamente reconocida entre los eruditos de habla española e incluso en otros ambientes.

José I. González Faus, *Hombres de la comunidad: apuntes sobre el ministerio eclesial*, Editorial Sal Terrae, Santander, 1989. No se trata de un comentario sobre las Pastorales, pero ofrece un estudio serio de problemas fundamentales acerca de la iglesia, el ministerio y los cargos pastorales en base a estudios de estas epístolas. Su análisis del problema de la clericalización del ministerio es refrescante y útil, sobre todo para cualquier intento de contextualización.

Justo L. González, *Historia del Pensamiento Cristiano*, primer tomo, Editorial Caribe, Miami, 1992. Esta obra es ya un clásico en los estudios religiosos en los países de habla española y ha sido traducida al inglés, el chino y otros idiomas. Fue publicada originalmente por Methopress de Buenos Aires. El primer tomo es casi imprescindible para el estudioso hispanoamericano de estas epístolas pues ofrece un claro panorama del pensamiento cristiano en los primeros siglos, sin el cual resulta prácticamente imposible entender el contexto y sobre todo las opiniones vertidas por los partidarios de una fecha posterior al primer siglo para la redacción de las Pastorales. Su autor, antiguo profesor de la Universidad de Emory, es el más conocido historiador eclesiástico protestante hispanoamericano. Sus libros son usados como texto en seminarios y universidades en EE.UU. y América Latina.

J. Glenn Gould, *Las Epístolas Pastorales* en *Comentario Bíblico Beacon*, Tomo IX, Casa Nazarena de Publicaciones, Kansas City, 1965. En este comentario, traducido al castellano, la sección dedicada a las Pastorales no es demasiado extensa, pero reúne las condiciones básicas para ofrecer ayuda al predicador y al maestro. Defiende la respetabilidad de la paternidad paulina. Su autor ha enseñado en instituciones docentes de la Iglesia del Nazareno.

Donald Guthrie, *The Pastoral Epistles*, William B. Eerdmans, Grand Rapids, 1984. Un estudio muy erudito que defiende la autoría paulina. Es probable que sea uno de los mejores comentarios sobre las Epístolas Pastorales publicados dentro del ala evangélica conservadora. El autor dialoga frecuentemente con otras opiniones y puntos de vista. Guthrie es profesor del Colegio Bíblico de Londres y ha escrito extensamente en calidad de editor, investigador y erudito bíblico.

A. T. Hanson, *The Pastoral Epistles*, William B. Eerdmans, Grand Rapids, 1982. Es un comentario básicamente evangélico conservador en sus énfasis a pesar de su teoría sobre la paternidad. El comentarista entiende que el libro fue escrito por un autor inspirado que lo hizo a nombre de Pablo, usando su nombre como seudónimo, pero entiende que reflejaba la posición paulina. Hanson defendió inicialmente la llamada «hipótesis de los fragmentos» en su colaboración con el *Cambridge Bible Commentary* publicado en 1966. El autor ha sido profesor de teología en la Universidad de Hull y canónigo de la Catedral de Santa Ana en Belfast, Irlanda del Norte. Con anterioridad se había desempeñado como docente en colegios teológicos en el sur de la India.

P. N. Harrison, *The Problem of the Pastoral Epistles*, Oxford University Press, Oxford, 1921. En esta obra se demuestra un enorme conocimiento lingüístico y en la misma se pueden encontrar los diferentes argumentos modernos en contra de la autoría paulina. Defiende sin embargo la idea de que estas cartas contienen al menos cinco fragmentos genuinos procedentes de la pluma de Pablo. Las dificultades son estudiadas con una apreciable erudición y bastante objetividad. El autor trata esos problemas en artículos aparecidos en importantes publicaciones especializadas como *New Testament Studies*, *The Evangelical Quarterly* y *The Expository Times*.

Guillermo Hendriksen, *1 y 2 Timoteo/Tito*, Subcomisión Literatura Cristiana de la Iglesia Cristiana Reformada, Grand Rapids, 1979. De las obras disponibles en versión castellana, ésta pudiera ser la más erudita. Se trata de una defensa de la autoría paulina enmarcada en un contexto de apreciable erudición y de respeto por otras opiniones. El autor de este comentario es uno de los principales eruditos bíblicos de teología reformada y su obra, considerada conservadora, es reconocida por comentaristas con otras perspectivas.

D. Edmund Hiebert, *Tito y Filemón*, Publicaciones Portavoz Evangélico, Barcelona, 1981. Este libro traducido al español es demasiado breve, pero contiene un buen bosquejo. Hace un énfasis marcado en la vida piadosa y da por sentada la autoría paulina. Su autor es profesor de Nuevo Testamento en un seminario menonita en EE.UU.

E. Glenn Hinson, *1-2 Timothy and Titus*, en el Comentario Bíblico Broadman, Broadman Press, Nashville, 1971. El autor presupone la autoría paulina por considerar que presenta menos problemas que otros puntos de vista. La exposición que hace del texto es clara y utiliza diversas fuentes. Hinson ha sido profesor de historia de la iglesia en el Seminario Bautista del Sur en Louisville, Kentucky. Además del comentario ha realizado otras investigaciones sobre la autoría de estas cartas.

G. Holtz, *Die Pastoralbriefe*, de la serie del *Theologischer Handkommentar zum NT*, Berlin, 1972. Una defensa de la teoría de los secretarios y de la presencia de materiales litúrgicos en las Pastorales. Según su opinión formaban parte de los ritos utilizados en la celebración de la Santa Comunión. Demuestra una apreciable erudición aunque algunos de sus argumentos sobre esos temas han sido rechazados recientemente.

Roberto Jamieson, A. R. Fausset y David Brown, *Comentario Exegético y Explicativo de la Biblia*, Tomo II, Casa Bautista de Publicaciones, El Paso, s/f. Los autores se inclinan a la autoría paulina. Uno de los más conocidos comentarios de toda la Biblia traducidos al español y acogidos por el sector más conservador en nuestros países. Por la época en que fue preparado, este comentario, que incluye lógicamente las Pastorales, no pudo utilizar una serie de descubrimientos y de estudios contemporáneos.

Joachim Jeremias, *Die Briefe an Timotheus und Titus*, de la serie *Das Neue Testament Deutsch*, Göttingen, 1963. Todos los libros de Jeremías merecen ser tenidos en cuenta. Se trata de una obra sumamente erudita que defiende la teoría de los secretarios. Algunos la identifican como defensa de la autoría paulina, pero debe tenerse en cuenta que en ese caso no sería el tipo de paternidad literaria tradicionalmente entendida. No sería nada fácil encontrar una obra que supere los argumentos utilizados, independientemente de si se aceptan o no. También es útil para todo tipo de estudiosos, aparte de la teoría que prefieran. Se demuestra mucha objetividad.

__________, *El Mensaje Central del Nuevo Testamento*, Ediciones Sígueme, Salamanca, 1972. Este libro es importante para aquellos que quieren entender mejor algunas opiniones sobre la influencia de ciertas sectas judías en el contexto de estas cartas. Joachim Jeremias es una autoridad internacionalmente reconocida en las relaciones del Nuevo Testamento y el judaísmo tardío. El capítulo 5, «Originalidad del mensaje del Nuevo Testamento: Qumrân y la teología», tiene un interés especial. Jeremias fue profesor en las universidades de Berlín, Greifswald y Göttingen.

J. N. D. Kelly, *A Commentary on the Pastoral Epistles*, Adam & Charles Black, 1963. Una excelente crítica de la «hipótesis del fragmento» se encuentra en este libro, que rechaza los argumentos de quienes creen que estas cartas se escribieron en el siglo segundo. Kelly entiende que las enseñanzas falsas combatidas en las Pastorales existían en los días de Pablo. Además, explica la ausencia de las Pastorales del canon de Marción y del papiro de Chester-Beatty (*P46*). También considera como respuesta a los problemas de estilo, el uso de un amanuense. El autor hace su propia traducción del texto griego para beneficio del que no domina la lengua. El estudioso podrá beneficiarse del dominio que demuestra Kelly acerca de investigaciones recientes sobre la materia.

Joseph Barber Lightfoot, *Biblical Essays*, Baker Book House, Grand Rapids, 1979. Esta importante obra de un prolífico profesor inglés, uno de los más grandes eruditos en la historia del anglicanismo, contiene su estudio «La fecha de las pastorales», el cual es importante para los estudiosos del tema. El autor predice que la alternativa de situar estas epístolas al final de la vida del Apóstol o de abandonar la autoría paulina sería aceptada tanto por los que la defienden como por los que la rechazan y se convertiría en terreno común en las discusiones del asunto. Asimismo rechaza la posibilidad de que estas cartas tengan relación con los acontecimientos descritos en el libro de los Hechos de los Apóstoles. Lightfoot entendía que las herejías combatidas en las Pastorales eran las de la secta gnóstica de los ofitas o contenían elementos parecidos a los de ese grupo. El canónigo Lightfoot ocupó dos importantes cátedras en Cambridge. Abandonó la universidad para ocupar el obispado de Durham. Fue considerado en su época como una gran autoridad en los estudios sobre los padres apostólicos y la iglesia primitiva. Estos ensayos fueron publicados en 1893.

W. A. Lock, *A Critical and Exegetical Commentary on the Pastoral Epistles*, T. & T. Clark, Edinburgh, 1924. Este comentario, que revela una apreciable erudición, ha sido criticado reiteradamente por cierta indecisión en cuanto a aceptar o rechazar la autoría paulina. Curiosamente, otros la consideran «una de las mejores defensas en inglés de la autoría paulina». Todo depende de si la «autoría» se entiende en su forma tradicional. En todo caso, el libro es citado en una gran cantidad de obras. Es un trabajo minucioso que será de gran utilidad a los más preocupados por los probables significados de ciertas palabras en griego. Este volumen forma parte de la serie del *International Critical Commentary*.

Joseph Reuss, *Primera Carta a Timoteo, Carta a Tito, Segunda Carta a Timoteo*, Editorial Herder, S.A., Barcelona, 1967, 1968 y 1980. Estos tres libros son comentarios breves sobre las Pastorales. Como no abundan las traducciones al español de comentarios sobre estas cartas, el trabajo de Reuss, que revela un buen conocimiento de las mismas, pudiera ser útil. Su autor, obispo auxiliar de Maguncia, sustenta la interpretación tradicional sobre la autoría paulina.

Daniel Rops, *¿Qué es la Biblia?*, Editorial Casal I Vall, Andorra, 1961. Aunque existen otros materiales introductorios al estudio de la Biblia que también han sido traducidos al español, esta obrita merece ser tenida en cuenta. Le ofrece al lector una serie de datos básicos, bien escogidos y presentados lúcidamente y con brevedad. Asimismo, ofrece un brevísimo panorama de algunos estudios disponibles en francés. Rops, elegido a la Academia Francesa, ha realizado un trabajo apreciable de divulgación de los estudios religiosos avanzados. Entre sus obras debe destacarse también *La Iglesia de las Revoluciones*, de gran valor histórico.

Ernest F. Scott, *The Pastoral Epistles*, Harper & Brothers, New York, 1936. Esta obra forma parte del *Moffat New Testament Commentary* y utiliza los métodos más avanzados de crítica bíblica conocidos hasta la fecha de la publicación. Refleja en gran parte la posición de P. N. Harrison en cuestiones lingüísticas y de autoría.

Ceslaus Spicq, *Les Epîtres Pastorales*, J. Gabalda et Cie, Paris, 1947. Se trata de un libro sumamente bien escrito. Sus valores literarios son comparables a su excelente erudición. El autor defiende la autoría paulina. Algunos creen que ofrece demasiada información. En cualquier caso se trata de una obra fundamental en estos estudios. El autor ha sido considerado generalmente como uno de los más ilustres profesores y eruditos bíblicos católicos de su generación. La lectura de esta obra es prácticamente imprescindible para los estudiosos del Nuevo Testamento.

Alan M. Stibbs, *Nuevo Comentario Bíblico*, Casa Bautista de Publicaciones, El Paso, 1977. Stibbs es decano y profesor de Nuevo Testamento del Colegio Teológico Oak Hill en Londres. Es autor de las secciones sobre las Pastorales y Hebreos y estuvo a cargo de la edición inglesa de este comentario, que ha sido traducida al español. Sostiene que Pablo tenía una mayor gama o riqueza de vocabulario y de estilo de lo que algunos estudiosos contemporáneos le atribuyen y que pudo haber utilizado un amanuense para escribir las cartas. En otras palabras, acepta la paternidad paulina.

John R. W. Stott, *The Message of 2 Timothy*, InterVarsity, Downers Grove, Illinois, 1973. Una exposición más que un comentario. Se trata de un libro que contiene las ideas básicas y las presenta en forma útil. Contiene una breve defensa de la paternidad paulina de la epístola. Stott es uno de los más notables maestros bíblicos de nuestro tiempo y un autor prolífico. Es director del Instituto para el Cristianismo Contemporáneo en Londres y ostenta el título de Capellán Honorario de la Reina de Inglaterra.

C. A. Trentham, *Studies in Timothy*, Convention Press, Nashville, 1959. Este comentario es demasiado breve para ser de verdadera ayuda en una investigación profunda sobre el tema. Su mayor contribución radica necesariamente en la síntesis, pero también en el uso de datos básicos para una exposición sencilla del texto. El autor defiende la autoridad paulina, pero reconoce que no dispone de espacio para hacerlo adecuadamente. Trentham fue profesor de la Universidad de Baylor y jefe del Departamento de Religión de la Universidad de Tennessee.

Lorenzo Turrado, *Biblia Comentada*, tomo VI (2º), Biblioteca de Autores Cristianos, Madrid, 1975. Es un comentario breve dentro de una obra que estudia otros escritos del Nuevo Testamento pero posee grandes valores. El padre Turrado considera probable la autoría paulina, pero ofrece diversas opiniones. Es uno de los mejores materiales sobre el tema escritos originalmente en castellano. El autor del comentario es profesor de Nuevo Testamento de la Universidad Pontificia de Salamanca.

Ronald A. Ward, *Commentary on 1 & 2 Timothy and Titus*, Word Books Publisher, Waco, 1974. Un comentario conservador en el cual se presentan argumentos que parecen favorecer la autoría paulina. Su mayor defecto es la breve introducción que ofrece a estos libros. Pero el comentario del texto es valioso y muy útil para la predicación expositiva. Es una obra escrita con mentalidad pastoral y con una erudición muy aceptable. El canónigo Ward ha sido profesor de Biblia en el Colegio de Divinidades de Londres y en el Colegio Wycliffe de la Universidad de Toronto.

Brooke Foss Westcott, *A General Survey of the History of the Canon of the New Testament*, Baker Book House, Grand Rapids, 1980. Esta historia de la formación del canon es sumamente útil para aquellos que quieran estudiar estas epístolas o cualquier libro del Nuevo Testamento. La historia del canon neotestamentario se divide en tres partes y contiene apéndices e índices que serán de gran ayuda. El autor fue profesor de teología en la Universidad de Cambridge, Inglaterra, y obispo de Durham.

N. A. Woychuk, *Exposición de Segunda Timoteo: El Adiós del Apóstol Pablo*, Publicaciones Portavoz Evangélico, Barcelona, 1976. Esta edición española del breve comentario de Woychuk es otro trabajo útil para el trabajo pastoral. Como en el caso del comentario de Carlos Erdman, no dialoga frecuentemente con otros autores y comentaristas aunque cita a algunos. Tampoco se propuso compartir el resultado de investigaciones eruditas. La razón más probable parece ser su énfasis mayormente inspiracional. Woychuk da por sentada la paternidad paulina. El autor es un maestro de Biblia muy aceptado en círculos dispensacionalistas y pre-milenarios.

Notas sobre revistas y series especializadas

Analecta Gregoriana (Roma, Italia) Serie en varios idiomas de la Facultad de Teología de la Pontificia Universidad Gregoriana de Roma. Entre los cientos de trabajos publicados se encuentran muchos sobre el Nuevo Testamento. Algunos se han publicado en español.

Apuntes (Decatur, Georgia, EE.UU.). Revista publicada cuatro veces al año por el Programa Mexico-Americano de la Escuela de Teología Perkins de la Universidad Metodista del Sur en Dallas, Texas. Sus artículos están escritos en inglés y español. Se presenta como «reflexiones teológicas desde el margen hispano» en EE.UU. y contiene algunos trabajos sobre temas bíblicos y crítica de libros.

Bibliotheca Sacra (Dallas, Texas, EE.UU.). Revista en inglés publicada cuatro veces al año por el Seminario Teológico de Dallas. Sus artículos son generalmente sobre temas bíblicos y reflejan de manera erudita la posición pre-milenial y dispensacionalista.

Biblische Zeitschrift (Paderborn, Alemania). Revista en alemán. La mayoría de sus colaboradores son católicos. A pesar de la erudición de sus artículos, estos están al alcance de un público culto, pero no necesariamente especializado en estas cuestiones.

Boletín Teológico (Florida, Buenos Aires, Argentina). Revista de la Fraternidad Teológica Latinoamericana. Se publica en español. Además de trabajos sobre teología contiene muchos artículos sobre temas bíblicos y crítica de libros.

Christianity Today, (Carol Stream, Illinois). Revista en inglés. Además de publicar todo tipo de trabajos sobre temas religiosos, contiene excelentes estudios sobre el Nuevo Testamento y crítica de libros de gran utilidad. Una de las más conocidas publicaciones periódicas religiosas en lengua inglesa.

Cuadernos Bíblicos (Estella, Navarra, España). Serie de estudios bíblicos y comentarios breves de libros de la Biblia. Es publicada por Editorial Verbo Divino y es mayormente de orientación católica.

Cuadernos de Teología (Buenos Aires, Argentina). Revista del Instituto Superior Evangélico de Estudios Teológicos (ISEDET). Se publica en español y contiene también artículos sobre temas bíblicos y crítica de libros. Su perspectiva es claramente ecuménica y latinoamericana.

Church History (Chicago, Illinois, EE.UU.). Revista de la Sociedad Americana de Historia Eclesiástica. Se publica en inglés cuatro veces al año. Contiene valiosos trabajos que pueden ayudar a esclarecer situaciones de los primeros siglos y por lo tanto de los libros del Nuevo Testamento.

Destellos Teológicos (Fort Wayne, Indiana, EE.UU.). Revista en español publicada dos veces al año por el Seminario Concordia de Fort Wayne de la Iglesia Luterana del Sínodo de Missouri. Contiene algunos artículos sobre temas bíblicos y crítica de libros.

Diálogo Ecuménico (Salamanca, España). Revista ecuménica publicada en español por la Universidad de Salamanca. A pesar de que su énfasis son temas ecuménicos, teológicos e históricos contiene artículos útiles para el investigador bíblico.

Diálogo Teológico (El Paso, Texas, EE.UU.). Revista en español de la Casa Bautista de Publicaciones. Muchos de los materiales que contiene son sobre temas bíblicos.

Evangelical Quarterly (Buxton, Inglaterra). Una revista teológica publicada en inglés cuatro veces al año. Entre sus artículos muchos son sobre temas bíblicos y refleja la posición prevaleciente en círculos evangélicos internacionales.

Expository Times (Banstead, Inglaterra). Una revista publicada en inglés. Contiene muchos artículos sobre el Nuevo Testamento.

Journal of the Evangelical Theological Society (Wheaton, Illinois, EE. UU.). Revista publicada en inglés cuatro veces al año. Representa el punto de vista de eruditos evangélicos que aceptan la «inerrancia» de las Escrituras.

Son abundantes sus artículos sobre el Nuevo Testamento y sus reseñas sobre libros que estudian la materia.

Kairós (Ciudad de Guatemala, Guatemala). Revista publicada en español dos veces al año por el Seminario Teológico Centroamericano (SETECA). Representa la posición prevaleciente entre los eruditos inclinados al dispensacionalismo en la región, pero no se limita a esa posición. Contiene muchos artículos sobre el Nuevo Testamento.

Misión (Buenos Aires, Argentina). Revista de orientación cristiana publicada trimestralmente como órgano misionológico de la Comunidad Kairós. Contiene algunos artículos sobre el Nuevo Testamento. Su mayor utilidad radica en la aplicación de los pasajes a la situación latinoamericana.

New Testament Studies (Cambridge, Inglaterra). Se publica cuatro veces al año. Es una revista que contiene artículos en varios idiomas, sobre todo en inglés. Es la publicación de la Sociedad de Estudios del Nuevo Testamento y resulta indispensable para los investigadores.

Revue biblique (Jerusalén, Israel). Revista en francés publicada cuatro veces al año por la Escuela Bíblica de Jerusalén. Contiene artículos sobre exégesis del Nuevo Testamento y sobre arqueología bíblica. Su orientación es claramente católica.

Sources Chrétiennes (París, Francia). Serie en francés fundada por Jean Daniélou y Henri de Lubac en 1942. Considerada como la serie más productiva de textos cristianos antiguos y sus traducciones modernas al francés. Se han publicado más de 300 volúmenes.

Southwestern Journal of Theology (Fort Worth, Texas, EE.UU.). Revista en inglés publicada cuatro veces al año por el Seminario Teológico Bautista del Suroeste en E.U. Artículos eruditos desde la perspectiva de los bautistas del sur. Contiene muchos trabajos sobre el Nuevo Testamento.

Theologische Zeitschrift (Basilea, Suiza). Revista en alemán publicada cuatro veces al año por la Universidad de Basilea. Es un instrumento indispensable para los interesados en los métodos de crítica bíblica.

Theology Today (Princeton, New Jersey, EE.UU.). Revista mensual publicada en inglés. Contiene sobre todo trabajos acerca de temas teológicos, pero incluye numerosos artículos sobre temas bíblicos y crítica de libros que resulta sumamente útil para conocer los últimos libros eruditos sobre estos temas.

Vida y Pensamiento (San José, Costa Rica). Revista en español publicada por el Seminario Bíblico Latinoamericano (SBL). Contiene artículos sobre diferentes temas, incluyendo el bíblico. Es un instrumento adecuado para conocer los estudios religiosos desde la perspectiva de la teología latinoamericana.

Zeitschrift für die neutestamentliche Wissenschaft (Berlín, Alemania). Es considerada como la más importante publicación sobre estudios del Nuevo Testamento y alta crítica bíblica en lengua alemana.

I Timoteo

Introducción a I de Timoteo

A. Ocasión de la epístola

Pablo estuvo relacionado con los inicios de la iglesia en Efeso. Es probable que permaneciera allí entre 55 y 57 d.C.[1] El Apóstol debía estar al tanto de acontecimientos que afectarían a esa congregación. La obra cristiana estaba bastante desarrollada ya que el autor le pide a Timoteo que no elija a «neófitos» como obispos y habla acerca de desviaciones y errores bien extendidos (1.3-4). De acuerdo con el texto, Timoteo estaba en Efeso (1.3) y Pablo le escribe para darle instrucciones que le permitieran llevar a cabo un mejor trabajo como pastor. Timoteo se desenvolvía en medio de una serie de situaciones que tenían relación directa con la conducta de los creyentes y con las influencias a las cuales estaban sujetos. Sobresalía el problema de las herejías o puntos de vista radicalmente divergentes en cuanto a asuntos fundamentales de la fe cristiana.

En cuanto a la fecha, si aceptamos que Pablo estaba en Macedonia y se proponía regresar a Efeso, y que Timoteo presidía la iglesia en esa última ciudad, no pudo ser escrita antes de la cautividad romana de Pablo. Como en la introducción hemos expuesto la posibilidad de un segundo encarcelamiento paulino, creemos oportuno aclarar que nos estamos refiriendo entonces al primero. Pablo, al ser liberado de lo que pudiera haber sido su primer encarcelamiento romano, pudo también haber viajado a España (Ro. 15.24-28) y regresado a la parte este del Imperio Romano conforme a sus intenciones (Flm. 22). Entonces hubiera podido escribir desde Macedonia a Timoteo el cual parece haber sido en cierta forma su representante personal allí. La fecha estaría entonces entre los años 64 y 67 si se acepta la interpretación más tradicional. Al comentar el texto tendremos en cuenta otras opiniones.

1 Esta fecha se ofrece simplemente por concordar con los datos cronológicos que se han ofrecido en este comentario. En relación con su presencia en Efeso y los vínculos con la iglesia allí, véase Hechos 19.1-40; 20.17-38.

B. Contenido

En el primer capítulo el autor presenta una serie de instrucciones para la iglesia y sus ministros. Esto tiene relación con cuestiones como «diferente doctrina», «fábulas» y «genealogías» que estaban afectando la integridad doctrinal y la paz de la iglesia. Al mismo tiempo, se ofrece un testimonio personal sobre las bendiciones concedidas a Pablo que había sido «recibido a misericordia» por Dios. Encontramos también hermosas alabanzas al Señor y una exhortación a Timoteo a militar en forma tal que logre mantener la «fe»y la «buena conciencia».

En los capítulos 2 y 3 encontramos sin embargo una preocupación marcada por el culto público de la iglesia y por el carácter de los líderes de la misma. Esto pudiera hacernos concluir que estaba tratando de ordenar los asuntos eclesiásticos para entonces hacerles frente a las doctrinas falsas. Esa conclusión pudiera tener cierta base en 3.15: «para que si tardo, sepas cómo debes conducirte en la casa de Dios, que es la iglesia del Dios viviente, columna y baluarte de la verdad» si se utiliza en relación a 1.3: «Como te rogué que te quedases en Efeso, cuando fui a Macedonia, para que mandases a algunos que no enseñen diferente doctrina». Nos parece que este último versículo pudiera ser el que nos ofrezca la clave del propósito principal del autor, hacerles frente a las doctrinas falsas. Pero es evidente que se preocupó también porque la iglesia estuviera en orden y que sus líderes se condujeran bien, como lo indica 3.15.

Esto se nota cuando repasamos los capítulos siguientes. En el capítulo 4 se advierte sobre la falsa doctrina. También se describe y exalta la vida de piedad y servicio. En el capítulo 5 encontramos instrucciones sobre deberes pastorales en relación con las viudas, cuya situación parece haber sido un problema significativo. Asimismo se les hace frente a posibles acusaciones contra los «ancianos» de la iglesia, a los cuales se les reconoce. No olvidemos lo que se le instruye a Timoteo en cuanto a que no imponga «con ligereza las manos a ninguno» (5.22). Tal advertencia tiene que ver con la importancia de ese cargo.

De singular importancia para la situación de los países de habla española es el capítulo 6 en el cual, dentro del contexto de su época, Pablo se refiere al peligro representado por el amor a las riquezas y exalta el «contentamiento» por encima de la posesión de bienes materiales, lo cual bien pudiera ser aplicado al excesivo consumismo que caracteriza ciertas sociedades y clases sociales a las que se quiere imitar. A la vez, les pide a los esclavos respetar a sus amos en forma fraternal y ser ejemplos como trabajadores. Pero ni siquiera en esa última parte se olvida del peligro de los falsos maestros y hace además una exhortación a Timoteo, pidiéndole que pelee «la buena batalla de la fe».

Los cristianos de Efeso podían ser llevados a una serie de errores que en su caso no venían de fuera, de «falsos hermanos» infiltrados en la congregación (Gá. 2.4; 2 Co. 11.4) sino que se trataba de gente que estaba bien adentro de la iglesia como se les anunció a los ancianos de Efeso en Hechos 20.30. Los que propagaban esos errores habían encontrado en algunas mujeres un campo fértil (2.9-15; 5.3-16 y sobre todo si acudimos a 2 Ti. 3.6-9), lo cual ayudaría a entender ciertas referencias a las mismas que de otra manera presentarían dificultades en la interpretación, como lo veremos en el comentario del texto. Los falsos maestros trabajaban en las iglesias que funcionaban probablemente en los hogares de cristianos de Efeso como lo entienden varios comentaristas[2] y el combatirlos parece ser prioritario en esta epístola.

El problema fundamental estaría en determinar con exactitud quiénes eran esos maestros y cuáles eran sus doctrinas, labor a la que los comentaristas debemos dedicarnos abordando el tema con la suficiente humildad y honestidad intelectual que nos permita admitir que sólo podemos aproximarnos a un asunto tan difícil de definir con precisión.

El contenido de esta carta es eminentemente doctrinal y pastoral en el sentido de que las referencias a doctrinas falsas son hechas en el contexto del trabajo realizado por pastores como Timoteo y los «obispos» o «ancianos» de Efeso, cuya conducta y carácter eran sumamente importantes en una confrontación de esa naturaleza.

La invasión de las sectas

Los países de habla española, así como Brasil, han sido invadidos por una serie de nuevas sectas, las cuales están bastante apartadas de los principios básicos del cristianismo bíblico. Es evidente que proliferan los movimientos caracterizados por la manipulación teológica y política. Por otra parte, los creyentes son también afectados por graves crisis sociales que no se limitan a problemas con las viudas o los esclavos, temas que encontramos en esta carta.

La vida cristiana, entendida en forma amplia, tiene una relación directa con los peligros doctrinales y sociales que nos afectan, muy parecidos a algunos que consideraremos en este comentario. Independientemente de la posición que se sustente acerca de ciertos pasajes difíciles de interpretar y de cuestiones como las tratadas en la introducción (acerca de autor, fecha, ambiente, etc.) no es demasiado difícil situarnos mentalmente en las décadas de los años 50 y 60 d.C. Pablo se enfrentaba a grupos judaizantes, apoyados por sectores conservadores en la Diáspora, y al sincretismo religioso del mundo helenístico que había atraído a muchos judíos inclinados a las especulaciones. Si a eso le sumamos las influencias

2 Por ejemplo, véase Gordon D. Fee en *op. cit.*, p. 8.

filosóficas y religiosas que los gentiles conversos iban trayendo a la iglesia, veremos un cuadro caracterizado por la confusión.

Esa última palabra caracteriza también a nuestro ambiente. Países y pueblos tradicionalmente católicos, y con minorías evangélicas apreciables y en crecimiento, son ahora invadidos por sectas que traen ideas que se unen a una idolatría rampante y a un sincretismo con raíces ancestrales. Entre las nuevas doctrinas y prácticas encontramos algunas como las siguientes: Cristo les predicó a los antiguos indios americanos, el cristiano tiene que alejarse totalmente del mundo (lo cual no se plantea en estas cartas), los humanos pueden llegar a ser una especie de dioses, las enfermedades son puramente mentales, etc. También existe el problema de que algunos dan la impresión de creer que la efectividad de la iglesia y hasta la salvación misma tienen relación con el número de los que alzan la mano en reuniones masivas (lo cual puede ser útil, pero no es lo más importante). Por un lado, algunos hacen énfasis en cuestiones materiales (el consumismo es tal vez el mejor o más frecuente ejemplo o caso que nos afecta en nuestro ambiente) mientras pretenden ser sumamente «espirituales». Por otra parte, sectores enteros se caracterizan por una superficialidad lamentable al aceptar cualquier libro, folleto, mensaje, teoría o secta.

C. Bosquejo de primera de Timoteo

I. Las doctrinas y el ministro (1.1-20)
   A. La salutación (1.1-2)
   B. Efeso y los falsos maestros (1.1-3)
   C. Un testimonio de gratitud hacia Cristo (1.12-17)
   Ch. El recordatorio de una profecía (1.18-20)
II. La oración y el ministro (2.1-15)
   A. Orando por todos (2.1-4)
   B. El único intermediario (2.5-8)
   C. La posición y comportamiento de la mujer cristiana (2.9-15)
III. Los ministros (3.1-16)
   A. Obispos en la iglesia de Dios (3.1-7)
   B. El diaconado (3.8-13)
   C. La conducta de Timoteo (3.14-15)
   Ch. Un himno cristiano de los primeros siglos (3.16)
IV. El ministro como ejemplo (4.1-16)
   A. Enseñanza falsas en los postreros días (4.1-5)
   B. La enseñanza y la piedad del ministro (4.6-8)
   C. Otra «Palabra fiel» (4.9-10)
   Ch. Timoteo como ejemplo (4.11-12)
   D. El ministerio pastoral de Timoteo (4.13-16)
V. Consejos al ministro (5.1-25)
   A. Un pastor para todos (5.1-2)
   B. La provisión para las viudas (5.3-8)
   C. Las viudas en la obra de Dios (5.9-10)
   Ch. Las viudas jóvenes (5.11-16)
   D. Presbíteros en la iglesia de Dios (5.17-22)
   E. Asuntos prácticos y personales (5.23-25)

VI. La batalla del ministro (6.1-21)
   A. Amos y siervos (6.1-2)
   B. Advertencia sobre falsos maestros (6.3-5)
   C. Los peligros de las riquezas (6.6-10)
   Ch. Exhortación a un ministro de Dios (6.11-14)
   D. El Dios inmortal (6.15-16)
   E. Recomendaciones a los ricos (6.17-19)
   F. La bendición (6.20-21)

I

Las doctrinas y el ministro

A. La salutación (1.1-2)

Pablo, apóstol de Jesucristo, por mandato de Dios nuestro Salvador, y del Señor Jesucristo, nuestra esperanza, a Timoteo, verdadero hijo en la fe: Gracia, misericordia y paz, de Dios nuestro Padre y de Cristo Jesús nuestro Señor.

V. 1. Esta fórmula de saludo es parecida a las que encontramos en Romanos 1.1-7; 1 Corintios 1.1-3; Efesios 1.1-2. Una carta escrita en nuestro propio tiempo y ambiente hubiera empezado de esta manera: «Querido Timoteo» o «Estimado Timoteo». Pero la epístola que nos ocupa se inicia con una forma de salutación muy frecuente en cartas del período greco-romano.

El autor se identifica desde el primer momento como apóstol, la credencial de mayor valor en la iglesia primitiva. Es una identificación doble, pues tiene relación con su persona y con su autoridad. Pablo, tal vez como ningún otro predicador de la antigüedad, le dio a la condición de apóstol la importancia más grande. Barclay insiste en que él no estaba envanecido por el cargo sino por el hecho mismo de que Dios le hubiera escogido para una labor de esa índole. Es decir, que estaba impresionado por el privilegio recibido.[1]

La palabra «apóstol» viene del griego *apostolos*, de la misma familia de *apostellô* o «enviar». Un *apostolos* era, pues, alguien que era enviado a una misión. En los escritos del historiador griego Heródoto, la palabra indicaba un enviado en el mismo sentido que lo es un embajador, alguien que representa a un monarca o a una nación. En este pasaje, de acuerdo con el canónigo Ward, la palabra se usa en el sentido más estricto, es decir el de Hechos 1.21-26.[2] Ese

1 *Op. cit.*, p. 17.

2 En ese pasaje encontramos el relato de la selección de un sustituto para Judas Iscariote. El requisito que se demandaba era que fuera uno de «estos hombres que han estado juntos con nosotros todo el tiempo que el Señor Jesús entraba y salía entre nosotros». José llamado Barsabás, que tenía por sobrenombre Justo, y Matías, llenaban esa condición. La suerte cayó

mismo autor se encarga de recordarnos que ese tipo de tratamiento no es utilizado cuando uno le está escribiendo a un amigo íntimo a menos que se conozca que la carta tiene propósitos más amplios o que debe ser acogida en gran parte por el peso de alguna autoridad. Juan Calvino entendía que la identificación que Pablo hace de sí mismo como apóstol daba a entender que no estaba escribiendo solamente para Timoteo, que conocía bien ese detalle, sino para un público muy grande. Necesitaba también evitar que menospreciaran su mensaje.[3]

¿Qué clase de enviado?

Pablo se presenta, pues, como un enviado de Cristo el rey de la iglesia. Pero el Apóstol no representaba un sistema de gobierno, un tipo de sociedad, un partido, una filosofía más o un movimiento sometido a las veleidades humanas. Su cargo no era el resultado de la satisfacción de una vanidad o la consecuencia de una lucha por el poder como los nombramientos de embajadores o enviados hechos por gobernantes que necesitan premiar a sus partidarios. En algunos de nuestros países se premia la lealtad de los partidarios, o se buscan nuevos simpatizantes de importancia, por medio de una especie de prebenda en el cuerpo diplomático. Entre nosotros existe una vieja costumbre mediante la cual los gobernantes recompensan a algún intelectual simpatizante del régimen con un cargo diplomático. En otros casos, se le otorga el nombramiento a algún escritor o periodista con el propósito de silenciar sus críticas. A veces hasta se evita el peligro de un golpe de estado o levantamiento militar concediéndole a un general o coronel el rango de «agregado militar» en una embajada en el extranjero. De esa manera se le aleja del país y de los cuarteles. Actualmente se imita también la costumbre extranjera de designar como embajadores a individuos que han hecho grandes contribuciones a las campañas políticas. Hasta se selecciona para cargos de esa naturaleza e importancia a personas que no conocen el idioma y la cultura del país al cual son enviadas.

También se le encomiendan misiones religiosas de cierto relieve a individuos, premiándoles por mantener cierta postura dentro de una iglesia, denominación o movimiento religioso. Los que contribuyen con cantidades sustanciales a proyectos misioneros o educativos son invitados a presidir juntas o realizar funciones

sobre Matías y fue contado entre los once apóstoles.

3 *Comentario a las Epístolas Pastorales de San Pablo*, TELL, Grand Rapids, p. 23.

especiales que conllevan cierto grado de representatividad. El creyente que es recompensado por cuestiones que no se relacionan con su fidelidad a Dios o su capacidad y disposición para servirle se encuentra en una situación no demasiado diferente a la que acabamos de mencionar en el contexto de la cultura de nuestros países. Si esas condiciones están presentes, seleccionar una persona que ha contribuido financieramente no estaría fuera de lugar. Pablo era un verdadero embajador y representante que llenaba todos los requisitos y por lo tanto no era una simple cuestión de satisfacer su vanidad o estimular su ego. Realizar la función de apóstol o la de misionero no debe convertirse en una especie de título honorífico. Ese nombramiento o cargo no debe servir para simplemente salir del paso o complacer a alguien.

El autor mencionaba constantemente la voluntad divina en sus salutaciones como vemos en Primera y Segunda de Corintios, Colosenses, Efesios, Segunda de Timoteo y sobre todo en Gálatas. En esa última carta se presenta como «Pablo, apóstol (no de hombres ni por hombre, sino por Jesucristo y por Dios el Padre que lo resucitó de los muertos)» (Gá. 1.1). En la epístola que nos ocupa hay una connotación imperativa como lo revela el uso de «por mandato», que en una vieja versión al castellano se traduce «por mandado» (TA). La palabra griega es *epitagê*, indicando una ley que es impuesta como el mandato que proviene del rey o el oráculo de una deidad. Existe el caso de un altar dedicado a la diosa Cibeles *kat'epitagên*, es decir, «de acuerdo con el mandato de la diosa». Pablo tenía una especie de mandato real, que en este caso procede de Dios mismo. Su mandato era a predicar el evangelio, edificar los creyentes, enfrentar las desviaciones doctrinales, señalar cuál era la buena conducta y decirle a lo bueno, «bueno», y a lo malo «malo».

Los supuestos «mandatos» divinos

La existencia de un elemento profético, de denuncia, en el cristianismo debe siempre ser resaltada, pero no debe servir para privar a éste de su especificidad. El evangelio tiene necesariamente una dimensión social como se nota fácilmente en el Sermón del Monte. Al mismo tiempo, es importante evitar cualquier forma de manipulación que saque al cristianismo de su misión principal. El evangelio es, por encima de cualquier otra consideración, el mensaje de Dios para la salvación del alma. Ese fue en gran parte el contexto del mandato divino recibido por Pablo y otros predicadores del primer siglo, lo cual no excluye otras actividades dignas de un cristiano. Tampoco debe servir de excusa para que nos desentendamos de los otros problemas a que se enfrenta la sociedad, aquí y ahora. En lo que debemos ser muy cuidadosos es en no utilizar a Dios e invocar su autoridad en asuntos que no están necesariamente relacionados en forma directa con un «mandato» como el de Pablo. Claro que hemos recibido un «mandato» que incluye el aspecto profético, pero seamos respetuosos en no reclamar la autoridad que ese «mandato» nos da cuando no estemos absolutamente convencidos que la tenemos. En nuestra historia tenemos una larga lista de personajes que se han presentado como «enviados de Dios» o como «hombres providenciales». Un caso reciente fue el de un gobernante ibérico que utilizaba el título «caudillo de España por la gracia de Dios».[4] Su pretendido mandato divino incluía la eliminación total de imaginarias conspiraciones dirigidas por «comunistas, masones y protestantes». La lista de esos dictadores, líderes «populistas» y «revolucionarios» incluye desde individuos sin una verdadera ideología política definida hasta la vasta gama del pensamiento político. Han buscado casi siempre algún apoyo en la religión o en el anticlericalismo, convirtiendo a veces este último en una especie de filosofía religiosa. Pero aún si simplemente afirman que su mandato procede del pueblo, lo cual muchas veces es discutible, tratan de disfrazar sus demandas con cierto ropaje religioso. Sus seguidores les han comparado hasta con el mismo Cristo y los «santos». Muchos de estos partidarios incondicionales han buscado algún tipo de justificación «religiosa» de sus hechos. Se han convertido en simples voceros y defensores de alguien que para ellos parece tiene algún tipo de «unción» de lo alto por considerarles defensores de la tradición. Pero, en otros casos, se ha justificado su incondicionalidad con el endeble razonamiento de que tales líderes encarnan una justicia social enseñada en la Biblia. El «mandato» de Pablo y de las Escrituras no es a desalojar a indios de sus tierras, a justificar asesinatos de enemigos políticos, a enriquecerse, a sembrar el odio entre los distintos sectores de la sociedad o a conseguir la victoria de un partido o sistema, cualquiera que éste sea. Podemos fácilmente caer en una forma de religiosidad en la cual se da la impresión de que Dios nos hubiera dado exactamente el tipo de «mandato» que los apóstoles recibieron para que lo utilicemos para aspirar a concejales o diputados, aliarnos con algún sistema, organizar la policía o un grupo de guerrilleros, ensalzar partidos y gobernantes, etc. Cada creyente puede adoptar la actitud que considere correcta hacia la vida pública y dará cuenta a Dios. Afirmar poseer una autorización

4 Nos referimos a Francisco Franco Bahamonte. Esta costumbre no se limita en modo alguno a países hispanoamericanos. En Gran Bretaña, los reyes de esa nación protestante todavía utilizan el título «Defensor de la Fe» otorgado por un papa a Enrique VIII en el siglo dieciséis.

directa de lo alto es lo que constituye el problema principal. Nada de lo que hemos dicho anteriormente debe leerse de tal manera que se concluya que negamos el derecho del creyente a participar en la vida pública. Tampoco negamos que su testimonio cristiano puede tener una gran relación con algunas de estas actividades. Es más, se puede promover esa participación. El cristiano necesariamente defenderá lo justo. Lo que nos inquieta es la tendencia que existe en algunos que utilizan la obra de Dios para apoyar convicciones personales e incluso caprichos. ¡Cuidado con utilizar a Dios para propósitos humanos o para promover una agenda política o social que nos beneficie personalmente!

También existe entre nosotros un problema directamente relacionado con el mundo de la religión. Algunos creen que el ser apoyados por alguna organización religiosa, sobre todo si tiene su sede en el exterior, le concede al creyente una autoridad enorme. Otros consideran que la posesión de un grado académico avanzado, sobre todo si se obtuvo en el extranjero, le concede un poder o una autoridad que otros creyentes no tienen. Es probable que no les preocupe o interese tener un claro llamamiento de parte de Dios. Debemos estar bien seguros de que hablamos en nombre del Señor. Por lo tanto, debemos examinarnos a nosotros mismos hasta que tengamos una verdadera seguridad de haber recibido un «mandato». No debemos pretender ser apóstoles exactamente en el mismo sentido que lo fue Pablo, pero debemos tener un mínimo de autoridad para llevar a cabo la gran labor que tenemos por delante.

Entre los católicos el «mandato» tiene necesariamente una estrecha relación con la «sucesión apostólica» y esto afecta, en menor grado, a los episcopales o anglicanos y a las iglesias orientales. Aunque reconocen que otros pueden tener un llamamiento, e incluso cierta autoridad, para ser «ministros de la palabra» o «ministros del evangelio», reservan ciertas implicaciones del «mandato» para aquellos cuya ordenación o consagración se haya recibido de manos de los sucesores de los apóstoles, los obispos. En el caso de los católicos romanos, el «mandato» puede tener alguna relación con la jerarquía. Por ejemplo, el Papa puede conferirle cierta autoridad especial al obispo de una diócesis, a un nuncio apostólico, etc. En países de mayoría católica como los nuestros[5] estos asuntos deben estar necesariamente en la mente de muchos lectores.

5 Todos los países de habla española tienen una mayoría de católicos bautizados con excepción de Cuba donde la mayoría de la población no ha recibido el bautismo. Por lo tanto, a pesar de su tradición católica, ese país no puede ser considerado actualmente como católico o cristiano

Nos enfrentamos después al primer posible problema con el lenguaje y el estilo. No encontramos el título «Dios nuestro Salvador» en ninguna otra de las epístolas atribuídas a Pablo.[6] Existen antecedentes del Antiguo Testamento para el uso de este tratamiento. Por ejemplo, el salmista habla de «el Dios de mi salvación» (Sal. 24.5). No extraña entonces que María se refiera en su famoso cántico a «Dios mi salvador» (Lc. 1.46-47).

El de «Dios nuestro salvador» es un tema repetido en las Pastorales. Pero, de acuerdo con Joachim Jeremias, el Mesías no es nunca presentado en el Antiguo Testamento como el Salvador y Jesús jamás se presentó a sí mismo como tal. Tampoco es llamado de esa forma en las más antiguas tradiciones surgidas en Palestina a principios de la era del Nuevo Testamento.

La palabra era utilizada frecuentemente en círculos helenísticos en los cuales había muchos «salvadores», incluyendo al César romano. No parece extraño que los cristianos que, en la opinión de sus contemporáneos expresada en Hechos 17.7, andaban «diciendo que hay otro rey, Jesús», transfirieran el tratamiento al Mesías. Una posible explicación es la siguiente. En el Antiguo Testamento Dios es llamado «salvador». La salvación de la cual él es autor se consigue precisamente en Cristo. La palabra es entonces transferida a él (Mt. 1.21; Lc. 2.11).

El término «Salvación» significaba originalmente la liberación de la opresión, del peligro o de la asechanza de los enemigos. Pero también tiene relación con temas o doctrinas bíblicas como la propiciación, la redención, la adopción, la justificación, el perdón y la santificación. Tiene que ver incluso con el cielo y con la esperanza cristiana.

También hay una mención de «Jesucristo nuestra esperanza». Se trata de otra transferencia de un título de Dios a Cristo. Pablo habló en otro pasaje de «el Dios de esperanza» (Ro. 15.13). «Jesucristo nuestra esperanza» combina dos significados. El es, sin duda, la base de nuestra esperanza. Antes de él estábamos «sin esperanza» (Ef. 2.12). Asimismo, él es el objeto de nuestra «esperanza», como se nota claramente en Juan al decir que «...cuando él se manifieste, seremos semejantes a él, porque le veremos tal cual él es. Y todo aquel que tiene esta esperanza en él, se purifica...» (1 Jn. 3.2-3). El tema de la esperanza es tal vez más importante todavía en Primera de Pedro, como lo revelan estas palabras: «...nos hizo renacer para una esperanza viva, por la resurrección de Jesucristo de los muertos» (1 P. 1.3).

siguiendo las normas que tradicionalmente se utilizan para determinar esa cuestión.

6 Pero Ralph Earle, consciente de esta situación, se refiere a su uso en la versión de Deuteronomio 32.15 en la Septuaginta y en pasajes litúrgicos como Lucas 2.47 y Judas 25. Para él, «No hay justificación razonable para usar esto como un argumento contra la autoría paulina de las Epístolas Pastorales. Dios es nuestro Salvador tan verdaderamente como Jesucristo es nuestro Salvador». Véase su obra *Word Meanings in the New Testament*, Baker Book House, Grand Rapids, 1986, p. 381.

Las diferentes «esperanzas»

Volviendo a los usos que se hace de palabras que en realidad se aplican estrictamente a Dios y a Cristo, no debe sorprendernos que Nerón y Ptolomeo Soter utilizaran el título de «salvador» y que Escipión el Africano fuera llamado «nuestra esperanza y nuestra salvación». En América Latina algunos gobernantes, al proclamarse, como un presidente antillano,[7] «Benefactor de la Patria» o «Padre de la Patria Nueva», están indicando que son los «salvadores» de su pueblo por haber reconstruido una ciudad o enfrentado una crisis. Pero el uso de la palabra «esperanza» tiene que ver frecuentemente con una necesidad muy profunda. Nuestros pueblos se han visto a veces en situaciones difíciles en las cuales ni siquiera se vislumbra una esperanza, humanamente hablando. No nos extraña que acudan a una serie de grandes líderes humanos, como hicieron los brasileños al llamarle a un compatriota «el caballero de la esperanza»[8] en las décadas de 1930 y 1940. Pero el cristiano debe tener en cuenta que la salvación que Dios ofrece no puede ser comparada a promesas humanas, no importa la envoltura o la etiqueta que se les trate de dar. Reconocemos que algunas esperanzas son respetables. Sin embargo, con cuánta tristeza hemos visto a creyentes sinceros utilizados por líderes que después traicionaron los ideales que en un momento dado representaron una esperanza legítima. Cuando ésta se encarna en personas, partidos, instituciones, sistemas, existe un probable peligro para la vida espiritual y el testimonio personal del creyente. Muchas veces decimos con cierta resignación que «lo último que se pierde es la esperanza». Afortunadamente tenemos una esperanza firme en Cristo que se ha convertido, de veras, en «nuestra esperanza». Aun reconociendo la legitimidad de algunas esperanzas y lo justificadas que pueden estar ciertas causas, para el cristiano la «esperanza» en el sentido más estricto de todos, radica en la persona de Jesucristo.

V. 2. De la presentación del autor se pasa entonces a la identificación del destinatario: Timoteo. Pablo se refirió siempre a esa persona con gran afecto. En el versículo 2 encontramos una reafirmación de que le consideraba como un verdadero creyente. Le considera, además, un hijo legítimo, que es lo que

7 Rafael Leónidas Trujillo Molina de la República Dominicana.

8 Luis Carlos Prestes.

la palabra «verdadero» quiere decir en este caso, contrastándolo entonces con los ilegítimos. El Apóstol se consideraba como un padre espiritual de Timoteo y sus palabras revelan la posibilidad de mantener una relación en el ministerio que superaba las diferencias generacionales y de otro tipo. En otra versión encontramos el uso de estas palabras «verdadero hijo mío en la fe» (BJ) lo cual acerca aún más a ambas personas.

Debe tenerse en cuenta que «en la fe» quiere decir «en Cristo». No estaría mal dar un vistazo a 1 Corintios 4.17: «Por esto mismo os he enviado a Timoteo, que es mi hijo amado y fiel en el Señor, el cual os recordará mi proceder en Cristo, de la manera que enseño en todas partes y en todas las iglesias». Pablo parece haber sentido una satisfacción especial en referirse a Timoteo, recomendarlo y utilizarlo como testigo de su propio ministerio.

¿Caudillismo o trabajo en equipo?

Muchas veces el celo o la preocupación por la competencia impiden que existan relaciones tan estrechas y permanentes entre los ministros. En muchas congregaciones hispanoamericanas encontramos la siguiente situación: a pastores e iglesias les parece imposible la existencia de un verdadero colaborador con rango de copastor. En realidad han surgido muchos problemas por esa situación ya que algunos copastores han dividido la iglesia. Son muchos los factores que contribuyen a esto. En ocasiones, nuestros feligreses están acostumbrados a seguir caudillos y líderes. A veces se le da más importancia a una personalidad que a la unidad del cuerpo de Cristo. En la época de Pablo esa era también una realidad. Las relaciones ministeriales pueden deteriorarse fácilmente. El mismo Pablo tuvo serios problemas con otros colaboradores, como Marcos, pero la norma debe ser la cooperación estrecha. El trabajo debe hacerse en equipo. Las relaciones de este tipo deben cultivarse en el estilo de las existentes entre Pablo y Timoteo. El trabajo del evangelio no es una competencia como la que existe entre las naciones o los empresarios. Si no se consigue establecer buenas relaciones entre los que trabajan en la misma obra cristiana difícilmente podremos influir en la sociedad de la manera que Dios quiere.

Después de identificar al destinatario, Pablo le expresa los más hermosos deseos: «Gracia, misericordia y paz, de Dios nuestro Padre y de Cristo Jesús nuestro Señor». Las cartas paulinas se caracterizan por menciones frecuentes de bendiciones de Dios. En la mayoría de ellas encontramos referencias a la «gracia» y la «paz». En las Pastorales se insiste también en la «misericordia». La gracia, en el lenguaje del Nuevo Testamento, es algo que se ha conseguido sin merecerlo. Lo opuesto a deuda. Una forma de entenderlo es acudir a Romanos 4.4: «Pero al que obra, no se le cuenta el salario como gracia, sino como deuda». En el griego clásico, la palabra quiere decir «favor», «belleza», «dulzura». En español no deja de recordarnos el vocablo «simpatía» aunque sea indirectamente. Pero prevalece en las epístolas el sentido de algo que es inmerecido y que revela la generosidad de Dios. Pablo hace referencias al hecho de que, por la gracia de Dios, él fue llamado y llegó a ser lo que ahora era.

En cuanto al uso de la paz, se trata de un saludo frecuente entre los judíos y forma parte del pensamiento hebreo. Para un judío moderno o un hebreo antiguo la paz ha simbolizado un estado muy superior a la simple ausencia de guerra o conflicto. Es una situación bienaventurada, una felicidad especial y mucho más.[9]

La paz como mercancía

La palabra «paz» ha sido abusada a través del tiempo. Se promete «paz con Dios» o «paz espiritual» en una serie de folletos y libros, algunos con más valor que otros. Varios grupos a los cuales se denomina «espiritistas» en algunos países o «espíritas» en otros, hacen gran énfasis en la «paz». También acuden a ella un buen número de charlatanes en la radio y la televisión. Nuestros políticos han estado en primera fila a la hora de utilizarla. Desde los «congresos por la paz» hasta consignas como «Este hombre es la paz» o «Paz, Trabajo y Progreso».[10] Pudiéramos concluir irónicamente que, en muchos casos, las referencias a esa palabra parecen referirse más bien a la paz de los sepulcros que a cualquier otro tipo de «paz». Es necesario estar conscientes que la paz se ha conver-

9 La palabra hebrea *shalom* es muy difícil de reproducirse en otra lengua. Por lo tanto es difícil comprender todo su alcance. En sentido absoluto es el bienestar y la prosperidad material y espiritual, individual y colectivamente, sobre todo de Israel y especialmente Jerusalén. En sentido relativo se trata de buenas relaciones entre personas, pueblos, familias, en el matrimonio y entre el humano y Dios. Lo opuesto no es necesariamente una guerra. Aunque parezca increíble, dentro del sentido estricto de esta palabra puede existir el concepto de una guerra bien llevada, la cual sería también *shalom*. Lo opuesto es entonces todo lo que pueda perjudicar las buenas relaciones entre los humanos o el bienestar del individuo. Véase Serafín de Ausejo, *op. cit.*, p. 1465-1466.

10 Estos lemas fueron utilizados por el General Fulgencio Batista Zaldívar en sus campañas electorales por la presidencia de Cuba. «Este hombre es la paz» fue la consigna de sus partidarios en 1940, y «Paz, Trabajo y Progreso» lo sería en 1954. El uso de la palabra «paz» no tiene relación con el dato de que Batista estudió brevemente en una escuela cuáquera en Banes, Oriente, Cuba. Los cuáqueros se han distinguido por su lucha a favor de la paz. En su caso todo indica que fueron asesores políticos, comunistas en 1940, y de los partidos tradicionales en 1954, los que le instaron a presentarse como el hombre que traería la paz a su país.

tido en una especie de mercancía que algunos ofrecen como un producto más.

Hay que reconocer en esta «paz» de la salutación paulina algo muy diferente a lo anterior. En realidad la condición de cristiano debe conducirnos a ser luchadores por la paz en un sentido bien amplio. Nadie tiene un monopolio sobre la paz, pero los cristianos, por nuestra tradición y por el mismo mensaje bíblico, tenemos la obligación de adherirnos a ella y vivir por ella. Para tener una idea más clara de las implicaciones que puede tener la palabra pudiéramos acudir al uso que se hace de la misma en 1 Corintios 7.15: «Pero si el incrédulo se separa, sepárese; pues no está el hermano o la hermana sujeto a servidumbre en semejante caso, sino que a paz nos llamó Dios». En otras palabras, el cristiano que es abandonado por un esposo o esposa incrédulo tiene derecho a dar por terminada esa relación matrimonial que le ha causado una situación en la cual no hay paz. Dios nos ha llamado a disfrutar la paz. Su propósito no es que tengamos que vivir en condiciones contrarias al disfrute de la misma. Es por eso que hablar de un mensaje de paz no es contrario al espíritu del evangelio sino todo lo contrario. No es solamente «paz espiritual» o la «paz» que se consigue por algún tiempo, quizás hasta por un período relativamente prolongado, firmando un tratado. Es algo mucho mayor e importante.[11]

B. Efeso y los falsos maestros (1. 3-11)

Como te rogué que te quedases en Efeso, cuando fui a Macedonia, para que mandases a algunos que no enseñen diferente doctrina, ni presten atención a fábulas y genealogías interminables, que acarrean disputas más bien que edificación de Dios que es por fe, así te encargo ahora. Pues el propósito de este mandamiento es el amor nacido de corazón limpio, y de buena conciencia, y de fe no fingida, de las cuales cosas desviándose algunos, se apartaron a vana palabrería, queriendo ser doctores de la ley, sin entender ni lo que hablan ni lo que afirman.

11 Por supuesto que los pasajes bíblicos que utilizamos aquí no son todos los que se refieren a la paz. Estos siempre deben ser interpretados de acuerdo con los diversos contextos. Por ejemplo, Jesús afirmó «No penséis que he venido para traer paz a la tierra; no he venido para traer paz, sino espada. Porque he venido para poner en disensión al hombre contra su padre, a la hija contra su madre, y a la nuera contra la suegra» (Mt. 10.34). En ese pasaje la imposibilidad de alcanzar la paz tiene relación con la demanda que hace Jesús de que le pongamos en primer lugar, incluso por encima de nuestras relaciones familiares. Algunos utilizan este pasaje para ofrecer alguna justificación a que los cristianos participen en la guerra. Por otro lado, Dios no nos garantiza una paz que sea necesariamente igual a la que anhelamos tener. En muchas ocasiones los cristianos han sufrido hasta la persecución y el martirio.

Pero sabemos que la ley es buena, si uno la usa legítimamente; conociendo esto, que la ley no fue dada para el justo, sino para los transgresores y desobedientes, para los impíos y pecadores, para los irreverentes y profanos, para los parricidas y matricidas, para los homicidas, para los fornicarios, para los sodomitas, para los secuestradores, para los mentirosos y perjuros, y para cuanto se oponga a la sana doctrina, según el glorioso evangelio del Dios bendito, que a mí ha sido encomendado.

Terminada la salutación, que ha incluido la presentación del autor y la identificación del destinatario, el Apóstol empieza a mencionar situaciones que no nos deben parecer extrañas a nuestra propia generación. La presencia de «irreverentes», «profanos», «parricidas», «matricidas», «homicidas», «fornicarios», «sodomitas», «secuestradores», «mentirosos» y «perjuros» es por lo menos tan real ahora como lo era antes. Con la diferencia de que las comunicaciones masivas y el alucinante mundo de las «telenovelas» lo llevan a nuestras casas diariamente. En algunos casos se ha llegado a un grado mayor de refinamiento o de dramatismo, según sea la situación. Nos desarrollamos en un ambiente en el cual la droga ha conquistado naciones enteras, como Colombia, que viven prácticamente cautivas del llamado cartel de Medellín y regiones como el Cono Sur donde los «secuestros» y los «desaparecidos» han estado a la orden del día. En cuanto a la inmoralidad rampante no se necesita nada más que sintonizar aunque sea ocasionalmente los receptores de televisión para tener una idea de lo que está sucediendo y que ahora no solamente se expone sino que prácticamente se justifica y hasta se glorifica en las pantallas de nuestros receptores. Temas a los que nos veremos obligados a regresar en breve.

Pero antes de continuar con nuestro propio contexto debemos familiarizarnos con el muy interesante trasfondo de Efeso y su religiosidad que resultará necesariamente útil al que desee interpretar debidamente estas palabras. Efeso, situada en la desembocadura del Caistro, en el mismo cruce de las rutas de tráfico griegas y del Asia Menor, fue fundada en los tiempos anteriores a la dominación griega de la región y fue reedificada en 356 a.C. A partir de 133 a.C., fue la capital de la provincia romana de Asia. Era, pues, la ciudad principal de Asia Menor, había en ella bastante riqueza y radicaba allí la sede del gobernador o procónsul provincial. En esa ciudad se adoraba a la diosa Diana o Artemis que tenía en ella un fastuoso templo. Allí se encontraba una sede importante del culto a los emperadores romanos y también de una serie de sectas, cultos y grupos practicantes de la magia. La población incluía una fuerte comunidad judía que disfrutaba de muchos recursos económicos, lo cual creaba cierto ambiente de antisemitismo en algunos sectores.

Pablo visitó la ciudad durante su segundo y tercer viajes misioneros.[12] La

12 En esta oración estamos usando la división en primero, segundo, etc., que se inició en el siglo

segunda vez residió allí alrededor de tres años hasta que el tumulto promovido por el platero Demetrio le obligó a abandonarla. La de Efeso era una de las mayores iglesias del grupo de aquellas en las que Pablo había tenido algún tipo de relación con sus inicios, pero una gran oposición al cristianismo se originó en esta ciudad donde nacieron o residieron importantes líderes cristianos como Apolo, Priscila, Aquila, Erasto, Trófimo, Tíquico, Onesíforo, Escevas, Figelo, Himeneo, Alejandro, Hermógenes y el mismo Timoteo. Juan el Evangelista, de acuerdo con la tradición, se radicó en Efeso y desde allí ejerció influencia sobre las iglesias del Asia Menor. El mensaje al «ángel de la iglesia en Efeso» es bien conocido. Se le reconocían sus obras, trabajo y paciencia, su oposición a los «malos», el haber probado a los «que se dicen ser apóstoles», el aborrecer «las obras de los nicolaítas»[13] y su sufrimiento, pero se le reprocha haber «dejado tu primer amor» (Ap. 2. 1-7).

Comprometidos con el pueblo

Pablo le recuerda a Timoteo su compromiso con Efeso. El evangelio no es solamente una causa que se predica de casa en casa, de ciudad en ciudad, sino que puede implicar un compromiso con un sitio en particular. La voluntad de Dios, según el autor de Primera de Timoteo, era que Timoteo permaneciera en la ciudad. Es increíble que algunos pasen por alto el compromiso que los cristianos tenemos con la ciudad. Muchos pastores hispanoamericanos en los Estados Unidos trabajan en barrios pobres, los llamados «ghettos» hispanos o «barrios», en los cuales las sectas y el sincretismo juegan un enorme papel. Existe la tentación de irse a otra parte, sobre todo después de adquirir un grado académico en alguna universidad o seminario teológico. Buscar un barrio en los suburbios es más atractivo que trabajar con los pobres. Un cargo profesoral o administrativo puede deslumbrar. En la América Latina empiezan a presentarse situaciones como las siguientes: un pastor que después de enfrentarse a un difícil pastorado urbano decide dedicarse al evangelismo porque es más atractivo y deslumbrante, se le reconocerá más fácilmente, podrá hacer muchos contactos provechosos. Existe también la tentación de convertirse en teólogo

diecinueve y todavía es utilizada en muchas versiones de la Biblia en español.

13 Los nicolaítas parecen haber sido una secta hereje repudiada por la iglesia de Efeso pero tolerada por la de Pérgamo (Ap. 2.15). Además de tener errores acerca de la persona de Jesucristo, comían alimentos ofrecidos a los ídolos, practicaban una vida licenciosa, es decir, abusaban de la libertad cristiana y pueden ser considerados como antinominianos. Sobre ellos escribieron Clemente, Ireneo y Tertuliano. Algunos creen que su nombre se deriva del de Nicolás, uno de los «siete» servidores o «diáconos» de la iglesia de Jerusalén.

y ver su nombre mencionado frecuentemente en papel impreso. Ser evangelista o teólogo en respuesta a un llamado de Dios es muy respetable, pero también lo es el compromiso con el lugar donde Dios nos puede estar utilizando más efectivamente y donde probablemente somos más necesarios. El pastor que prefiere quedarse a trabajar en su país, o en un barrio pobre, merece ser admirado. El ministro de Dios, aún si se siente llamado a la cátedra o a otras funciones, debe tratar de mantener contacto frecuente o constante con el pueblo. Algunos critican a los profesores de seminario que atienden iglesias ya que no quieren dejar de ser pastores. Respetamos a quienes prefieren concentrarse en la cátedra y sabemos que en algunos casos es imposible o muy difícil combinar ambas labores, pero el contacto con el pueblo y sus necesidades ayuda a mantener un compromiso con un lugar determinado.

Es probable que el lector no necesite que se le recuerde que el problema de las herejías es tan antiguo como el cristianismo mismo. El autor tiene como propósito principal combatir poderosas formas de herejía que afectaban a la iglesia. Muchos detalles que encontramos en estas epístolas tienen relación directa o indirecta con las herejías y los herejes. En el caso específico de Efeso pudiera pensarse que se trataba de los «nicolaítas» a los que se refería el autor de Apocalipsis. Pero lo más probable es que los nicolaítas no guarden relación con los grupos a los que se enfrentaba el escritor de las Pastorales. En la introducción de esta obra ya nos hemos ocupado de ofrecer algunos datos preliminares sobre el contexto en que se escribieron las Pastorales y sobre opiniones acerca de posibles influencias heréticas en Efeso y Creta.

Los epítetos que utiliza el autor de Primera de Timoteo son ciertamente fuertes. Para él, estos herejes profesan conocer a Dios sin saber nada real acerca de su divina persona, están deseosos de controversia, han rechazado la verdad, sus mentes son depravadas, etc. Son amantes de sí mismos y del dinero. Hay en ellos arrogancia, ingratitud y desobediencia. Aun así, no encontramos demasiados datos acerca de quiénes son estos herejes. No se menciona alguna secta o grupo. Himeneo y Alejandro son mencionados sin saber nosotros prácticamente nada acerca de sus personas u obras a no ser aquellos pocos comentarios que encontramos en el texto.

Imaginemos por un momento el ambiente en que se escribieron estas cartas. El Mediterráneo estaba rodeado de tierras diversas que se comunicaban marítimamente. Todo tipo de influencias judías y paganas proliferaban por todas partes. Las filosofías esotéricas y los nuevos dioses estaban a la orden del día. El cristianismo mismo, en sus diversas formas, era para muchos una especie de herejía o de nueva doctrina que algunos hasta consideraban algo misteriosa.

Ceslaus Spicq dedica bastante atención, en su obra *Saint Paul: les Epîtres Pastorales*, a tratar de probar que los falsos maestros eran en este caso judíos cristianos y señala tres tipos de errores que él considera como judíos, aunque mezclados con elementos griegos o nativos de la región: mitos y genealogías, elementos de magia, y ascetismo en comidas y matrimonio. Considera que una serie de interpretaciones alegóricas del Antiguo Testamento, de carácter marcadamente especulativo, dieron lugar a los peligros expresados en el primer capítulo de Primera de Timoteo. Para él, los falsos maestros interesados en detalles insignificantes eran judíos cristianos que insistían sobre minucias de interpretación rabínica. Este autor insiste también en que tales maestros eran probablemente personas familiarizadas con conceptos de la filosofía griega y de la retórica. En su manera de analizar estos personajes, entiende que eran «gnósticos» solamente en cuanto a su orientación exageradamente intelectualista, no tanto en los aspectos religiosos. Como ya afirmamos en la introducción, es probable que no se tratara de un gnosticismo bien desarrollado como el que encontramos en el segundo siglo.

Para Spicq, los elementos de magia combatidos por el autor de estas cartas pueden atribuirse a judíos convertidos, una especie de magos y astrólogos de tradición zoroastriana. Se conoce que los judíos habían recibido la influencia de los caldeos de Mesopotamia. La astrología era conocida entre ellos, como también entre los griegos.

Los elementos de ascetismo en la comida y el matrimonio mencionados en Primera de Timoteo no deben sorprendernos. La distinción entre comida «limpia» e «impura» tiene sus raíces judías. La actitud negativa hacia el matrimonio de algunas sectas marginales entre los judíos es bien conocida.

Pero es enorme el sector compuesto por intérpretes que consideran que estas herejías eran básicamente gentiles en cuanto a su origen. Hacen un marcado énfasis en el gnosticismo. Para ellos, problemas como las disputas sobre la circuncisión, los mitos judíos, los maestros de la ley y las discusiones sobre la misma, deben ser interpretados como si no tuvieran relación con formas de tendencia judía dentro del cristianismo, y los entienden más bien como formas más desarrolladas de gnosticismo que las existentes entre judíos del primer siglo. Ya hemos afirmado en la introducción que entendemos que esa posición es discutible; pero no tenemos dudas acerca de que este sector merece ser tenido en cuenta por la seriedad de aquellos intérpretes y comentaristas que lo componen. Regresemos, pues, al texto de esta epístola.

Vv. 3-4. Se le urge a Timoteo que permanezca en su trabajo pastoral en Efeso y se le encarga además que silencie a aquéllos que promueven ideas contrarias a la fe cristiana en la forma en que Pablo, bajo inspiración divina, la interpreta. En el idioma original, «te rogué» implica autoridad y persuasión, al mismo tiempo. Se discute si la palabra *parakaleô* debería ser utilizada en su significado más fuerte: «exhortar».

Macedonia había llegado a ser una provincia romana y estaba situada al norte de Grecia. Además, el viaje se produjo más tarde que los mencionados en el libro de los Hechos de los Apóstoles.

La referencia a Efeso no implica necesariamente que el Apóstol había estado allí recientemente ya que pudo haber dejado a Timoteo en ruta hacia Efeso pidiéndole que habitara allí. La conversación entre Pablo y Timoteo no tuvo que producirse necesariamente en Efeso. Pablo puede estar sugiriendo aquí que Timoteo no había estado muy convencido de la conveniencia de quedarse en Efeso, una de las principales iglesias de Asia. Esto pudiera implicar cierta timidez por parte suya, así como sus reservas en cuanto a hacerse cargo de una responsabilidad tan grande.

Las palabras «para que mandases a algunos que no enseñen diferente doctrina» no indican la presencia de un dictador, un comandante o un sargento mayor, aunque pudiera asumirse esa connotación. Timoteo tenía que dar órdenes porque ése es el significado de «mandar» y no otro. Aquí es muy posible se esté hablando de personas que, dentro de la iglesia, pueden enseñar una doctrina que sea diferente de la original. No se está haciendo referencias a individuos de fuera de la iglesia, abiertamente reconocidos como herejes, que estén tratando de infiltrarse.

La frase «fábulas y genealogías interminables» ha dado lugar a bastante controversia. Una versión preparada especialmente para la América Latina lo expresa de esta manera: «cuentos y listas interminables de nombres» (NBLA). Para los que no aceptan la autoría paulina se trata más bien de una forma elaborada de gnosticismo judío. Pero pueden explicarse de otra manera si se tiene en cuenta la *haggada*[14] judía. Las «fábulas» pueden ser los cuentos y enseñanzas falsas de maestros cuyos errores son precisamente discutidos en las Epístolas Pastorales en 4.7; 2 Timoteo 4.4 y Tito 1.14. Es decir, son de «profanas y viejas» y tienen un origen judío. En cuanto a las «genealogías interminables» (véase Tit. 3.9) pudieran referirse a las enseñanzas de los gnósticos acerca de los movimientos y asociaciones de los «eones» que cubrían la distancia entre Dios y lo creado por él. Pero las palabras «fábulas» *(mythoi)* y «genealogías» *(genealogiai)* no son utilizadas en descripción alguna que se haya hecho de los sistemas gnósticos, mientras que sí aparecen con cierta frecuencia en el helenismo y en el judaísmo helenístico.[15] Creemos más bien que pudieran referirse a historias y leyendas de los judíos con una cubierta helenística.[16] No olvidemos que los judíos tenían una sinagoga en Efeso, como encontramos en Hechos 19.8,17. Es probable que allí se levantara, como en otras partes, la constante pregunta acerca de la descendencia de Abraham y cuestiones similares. Pero no es posible precisar con exactitud el contenido de estas «fábulas» y «genealogías» sin caer en cierta especulación.

14 Aquellas partes de la literatura rabínica que no pueden ser consideradas como de carácter legal. Se caracterizan por la exposición imaginativa y por la explicación de narraciones de los textos del Antiguo Testamento, utilizando anécdotas, máximas, alegorías, etc.

15 Una buena presentación de este asunto la hace Gordon D. Fee. Véase *op. cit.*, pp. 41-42.

16 Ese tipo de especulaciones las podemos encontrar en el *Libro de Jubileos*, en *Preguntas y Respuestas sobre el Génesis* de Filón y en el *Libro de Antigüedades Bíblicas* de un pseudo Filón.

El darles demasiada importancia a estas cuestiones causaría necesariamente problemas en la iglesia. De ahí la preocupación del autor. Lo anterior provoca «disputas» en vez de «edificación». Pablo arremetía contra contiendas, disputas y cuestiones necias que dividieran la iglesia y contribuyeran a rebajar la categoría de un mensaje que merecía mucha mejor suerte que el convertirse en causa de peleas y simples especulaciones. Hay un evidente sabor a judaísmo esotérico en todo esto que el autor quiere evitar.

V. 5. Algo que se olvida frecuentemente en el fragor de una polémica o ante el imperativo que representa una denuncia es que el propósito del discurso teológico debe ser necesariamente promover el amor. Si se prohibía la enseñanza de la falsa doctrina no era por un dogmatismo sin propósito sino por amor. Mientras que la especulación promueve fricciones, el evangelio, al predicarse, crea amor. Aquí tenemos, pues, un amor motivado teológicamente. A la vez, no olvidemos que la palabra que se usa aquí y que traducimos como «mandamiento» es un termino militar en griego: *parangelia* que pudiera bien indicar la ley mosaica, en cuyo caso implicaría que los falsos maestros no habían concebido bien su propósito verdadero. Por otro lado, lo más probable es que el autor tenía en cuenta las obligaciones morales del cristiano. Aun cuando hablamos de mandamientos, el fin de todas las exhortaciones es la caridad, el amor.

Un «corazón limpio» es un requisito inescapable. La palabra «corazón», cuando su significado procede directamente del que encontramos en el Antiguo Testamento, implica «todos los afectos humanos». Como apuntan algunos, el amor no se creó a sí mismo, no es temporal o secular. Surge en una persona cuya fe en Cristo es real y verdadera. No hay propósito de engañar o de jugar. Por lo tanto, es más que apropiado hablar de limpieza.

En cuanto a «buena conciencia», la palabra griega *suneidêsis* quiere indicar el «juzgarse uno mismo». Este concepto sobre la conciencia era conocido sobradamente en la cultura helenística y adquiriría una aplicación más amplia en la religión cristiana. *Suneidêsis* pudo haberse originado con los estoicos o en el pensamiento popular de los griegos, como creen otros. La conciencia puede ser débil, incapaz de llegar a decisiones. A veces no puede llegar a trabajar propiamente. Puede estar cauterizada (1 Ti. 4.2). Una referencia interesante es 1 Corintios 8.7-13. Dentro del contexto de la libertad cristiana o el abuso que se hace de ella, se trata del asunto de una conciencia debilitada por falta de conocimiento o por un mal ejemplo como el representado por aquellos que comen de lo sacrificado a los ídolos porque ven a otro hermano hacerlo. El creyente tiene libertad para comer de todo, pero si hay algún creyente que se escandaliza la situación cambia. En consecuencia, la conciencia de cada uno debe también dejarse gobernar por la del más débil. Además, una mala conciencia puede ser un recordatorio de nuestros pecados. Quiere decir, o implica, conocimiento de una responsabilidad personal o un sentido de culpa. Una «buena conciencia» apunta hacia una culpa que ha sido quitada y a pecados que han sido perdonados. En 1 Pedro 3.16 notamos lo siguiente: si nos comportamos bien, nuestra conciencia es buena.

La «fe no fingida» puede explicarse sin mayor dificultad. Una fe que consiste solamente en una pretensión, sin basarse en algo sólido, era evidente en los falsos maestros. Una «fe no fingida» contradice la hipocresía y el engaño. Es de esperarse que en las filas cristianas muchos simplemente profesen serlo, pero su cristianismo sea fingido.

Cuando se exagera el grado de fe que se posee

En nuestro ambiente encontramos ejemplos constantes de una «fe fingida». Muchos han asociado la fe cristiana con el tono de la voz, los gestos que se hacen al hablar, el exagerar en testimonios públicos las bendiciones recibidas o la forma en que Dios nos ha usado. Una frenética carrera por demostrar que «tenemos más fe» o que «somos más fieles creyentes en la Biblia» que los demás es necesariamente un ejercicio dañino que puede convertirnos en meros manipuladores de la fe ajena. Cuando un nombramiento eclesiástico se logra a base de demostrar superioridad espiritual y la piedad se mide por expresiones que no reflejan una realidad, no se está manifestando una «fe no fingida», sino todo lo contrario. Lo mismo sucede si queremos sobresalir demostrando que los demás son demasiado «liberales» o «conservadores», según sea el caso. Lo que hacemos frecuentemente es apelar a los mismos recursos que los políticos menos escrupulosos, los cuales no quieren llegar al poder demostrando sus buenas intenciones, su capacidad y su disposición a trabajar sino probando que los otros son peores que ellos. Trasladar eso al mundo de la religión es una forma de profesar una «fe fingida».

Muchos de nosotros creemos firmemente en el poder de Dios para sanar a los enfermos, pero nos hemos encontrado con una serie de «sanadores» que utilizan trucos y señuelos para llevar a cabo pretendidas «curaciones». Nos referimos a ciertos casos en particular ya que no queremos generalizar. No nos opondríamos jamás a las oraciones por los enfermos, sino todo lo contrario. Pero la religión de Cristo no puede basarse en el engaño ni en el uso indiscriminado y frecuente de la «psicología de las multitudes». Una «fe no fingida» se basa en el poder de Dios, no en nuestras formas de impresionar y manipular. De una fe fingida no puede surgir el amor sino el odio, la intriga, la división, el engaño y la confusión. Si éstos se disfrazan de «fe» o de «piedad» se podrá confundir pero no se agradará a Dios ni se será de verdadera bendición a otros. Lo más importante de nuestra religiosidad tiene necesariamente que ser el amor. Esa tendencia a atacar, dividir, manipular, cercenar, desprestigiar, calumniar y ofender que existe en ciertos movimientos religiosos contradice la esencia misma del evangelio. Una «fe» que produce reuniones eclesiásticas en las que el odio reemplaza al amor es necesariamente una «fe fingida». No puede ser otra cosa.

Vv. 6-7. Si el objeto estaba equivocado, el alcanzarlo no era más que vana palabrería. En una antigua versión se utiliza la palabra «charlatanería» (TA). Al perder su sana orientación cristiana este tipo de «creyentes» han caído en pura basura. La palabra adecuada es *mataiologia*, es decir, el resumen de lo irrelevante, que caracteriza las enseñanzas falsas. No se consigue nada importante, no se obtiene una verdadera meta. Todo se convierte, pues, en el reino de lo irrelevante. El secreto de la identificación de estos «palabreros» puede estar en estas palabras del versículo 7: «queriendo ser doctores de la ley, sin entender ni lo que hablan ni lo que afirman». El deseo de ser considerados como «doctores de la ley» ya está indicando el carácter marcadamente judío de estos falsos maestros que prefieren destacarse en cuestiones de interés esotérico antes que en presentar el mensaje del evangelio cristiano.

No tienen un sentido profundo del contenido del texto sagrado. Sus palabras no tienen profundidad. No nos resulta nada nuevo el que sutilezas sin significado alguno hayan oscurecido las profundidades de la verdad de Dios. Esa era también la situación contemplada. El judaísmo rabínico produjo un personaje tan respetable como Gamaliel y era lógico que algunos quisieran acercarse a esos niveles, pero una ambición tan legítima no podía albergarse si no se llenaban esos requisitos o se trataba simplemente de trepar alcanzando un reconocimiento inmerecido. Mucho menos si se trata de acentuar lo «desconocido», «misterioso», «esotérico» como parece haber sido el caso.

Sincretismo, sectas y desviaciones

El depósito de la verdad debe ser resguardado. No puede ser confiado a personas que no tienen la mente de Cristo, que no han sido regeneradas ni han pasado por un proceso de maduración o crecimiento espiritual. Son incapaces de penetrar en las profundidades del evangelio. Es el Señor mismo quien abre el entendimiento, como encontramos en el pasaje de Lucas 24.45. Al aparecerse a los diez en Jerusalén, Jesús les habla del cumplimiento de la ley y los profetas en su misma persona. Pero era necesario que él procediera a abrirles «el entendimiento, para que comprendiesen las Escrituras». Ser «doctor de la ley» no consiste simplemente en poseer un título académico y recibir el tratamiento público que nos identifique como tales. Tampoco consiste en nuestra capacidad de impresionar con la supuesta revelación de «secretos».

El canónigo Hanson, como muchos otros, se inclina a rechazar la posibilidad de que se hable aquí de judaizantes sino que parece ver en esto un uso gnóstico del Antiguo Testamento. Admite ciertos elementos judíos pero busca una explicación aceptable al identificar a estos personajes como judíos cristianos que enseñaban el gnosticismo.[17] Comprendemos su posición, pero insistimos en Tito 1.14 y la referencia a «fábulas judaicas» y en Tito 3.9 y las «discusiones acerca de la ley». El ambiente es demasiado parecido al judaísmo esotérico para añadirle, sin datos más específicos, elementos del elaborado gnosticismo del siglo segundo, época en que la influencia judía, por otra parte, había disminuido en las filas cristianas.

Barclay resume las características del hereje en cinco: un deseo de novelería,[18] una exaltación de la mente a expensas del corazón, el tratar más con argumentos que con acción, el ser movidos por la arrogancia más que por la humildad y el dogmatismo sin conocimiento.[19] Una mirada cuidadosa en derredor nuestro nos permitiría encontrar una verdadera multitud de personas que llenan estas condiciones, lo mismo entre los llamados fundamentalistas que entre los considerados como liberales en cuanto a teología. Tampoco sería difícil encontrarlos en las diferentes alas «religiosas» de los partidos y movimientos políticos de diversos matices. Las nuevas «discusiones acerca de la ley», entendida esta última en forma amplia hasta abarcar también el Nuevo Testamento y las interpretaciones del mismo que algunos consideran como si fuera texto sagrado, son interminables. Lo «novelero» ha sido adoptado como evidencia de dinamismo, de actualidad, de relevancia y de vitalidad. Es necesario siempre, para algunos, tener un nuevo plan, ofrecer un producto diferente, invitar a un predicador sensacional, hablar sobre algo que nadie haya hablado antes, como si eso fuera posible. Es el reino de la especulación, donde se le puede presentar al

17 *Op. cit.*, p. 58.

18 La palabra «novelería», en la forma que se utiliza aquí para traducir al español el término «novelty», se refiere en algunos lugares a la tendencia a estar buscando siempre algo nuevo y deslumbrante, a veces con el propósito de impresionar. Una persona «novelera» siente atracción por las cosas nuevas y extrañas y las promueve, a veces profesionalmente. El autor considera que, en este caso por lo menos, la palabra «novedad», que sería la traducción más fácil, no es suficiente.

19 *Op. cit.* pp. 31-33.

creyente una vida cristiana que no ha sido vivida por su expositor. Se trata de principios que no se han llevado a la práctica.

Debe señalarse por otra parte que Barclay no tiene necesariamente en cuenta nuestra situación en particular sino que pudiera estar partiendo de los valores de la clase media en la zona del Atlántico del Norte y es de esperarse que no comprenda las características de la situación de nuestra gente. Aunque no se trata solamente de un problema existente entre los de habla española, notamos como en nuestros países se pudiera estar predicando un Cristo docético, es decir, privado de su humanidad. También se le separa de los problemas diarios del género humano en su aspecto material. Estas han sido tendencias bastante marcadas dentro del movimiento cristiano. Especialmente cuando la iglesia se limita a ser una agencia dedicada al rescate de las almas perdidas. Las Escrituras discuten problemas de esta vida. Se enfrentan no solamente a cuestiones del alma sino también del cuerpo. Los pasajes que se refieren a temas como la pobreza, el sufrimiento, la soledad, el abandono, la opresión, la enfermedad, abundan en los libros sagrados. El libro de Santiago nos llama la atención a obras que deben ser realizadas en esta vida y no en el cielo. Amós habla de formas de opresión que están siendo dirigidas por hombres y no por ángeles caídos. Los Salmos se refieren a enfermedades de nuestro cuerpo y no necesariamente del alma. Pero hay quienes sólo citan a Jesús utilizando pasajes que tienen que ver con la salvación o con temas íntimamente relacionados con ella. No olvidemos que Jesús también hace señalamientos críticos a la sociedad, alimenta multitudes hambrientas, sana los enfermos, etc. Para tener una idea de las desviaciones habría que tener en cuenta esos asuntos.

Las desviaciones son mucho más profundas que las reveladas por las interesantes críticas de Barclay. Limitarnos a ellas como la forma de encontrar herejías sería simplista. Pensemos por un momento en algunos problemas que se convierten en tendencias o prácticas verdaderamente heréticas en nuestro ambiente. No solamente la marcada tendencia al docetismo sino problemas como los siguientes. El espiritismo es un problema bastante serio en Brasil, pero se extiende también a países de habla española. Una serie de escritos supuestamente «filosóficos», teosofía,[20] espi-

[20] La teosofía es una doctrina más o menos religiosa que tiene como objetivo el conocimiento de Dios, revelado por la naturaleza, así como elevar el espíritu hasta unirlo con la divinidad. La teosofía es afín a las tendencias sincretistas de los gnósticos. Como la conocemos hoy, tomó forma en el siglo diecinueve pretendiendo constituir una síntesis científica de las religiones pero en muchos casos se inclinó al espiritismo y el ocultismo. Una rama americana fundada por E.

ritismo,[21] el pensamiento de Allan Kardec[22] y creencias religiosas de los distintos pueblos (africanos en la zona del Caribe e indígenas en otras latitudes americanas) asumen formas sumamente complicadas. Fenómenos como la «macumba»,[23] el «vudú»[24] y las religiones «afro-cubanas» o «afro-caribeñas» que son parte de la herencia religiosa conocida por algunos como «afro-americana»,[25]

P. Blavatzki y A. Besant, con alguna influencia del hinduismo, ha llegado a la América Latina por medio de los escritos de las autoras mencionadas y por la organización de sociedades o logias teosóficas en varios países. Una de sus creencias más populares es la de la reencarnación, extraída de religiones orientales.

21 Doctrina sustentada por los que se valen del magnetismo o utilizan otros medios para evocar el espíritu de los muertos y afirman conversar con ellos.

22 Allan Kardec, cuyo verdadero nombre era León Hippolyte Denizart Rivail (1804-1869) fue un espiritista francés que trató de unificar las creencias religiosas. Autor de *El Evangelio según el Espiritismo* y otras obras. Según este escritor, en el hombre coexisten el alma o espíritu, el cuerpo o envoltura material y el *periespíritu* o cobertura fluida que sirve como intermediario entre el cuerpo y el espíritu y puede aparecer en determinados casos inducido por el espíritu, actuando sobre la materia inerte y haciéndose perceptible mediante fenómenos de movimientos impuestos a ciertos cuerpos, ruidos, etc. Lo único que muere en el humano sería entonces el cuerpo. Estos fenómenos se manifiestan a través de personas que se conocen como «médiums». Las obras de Kardec penetraron grandemente los países latinoamericanos, sobre todo Brasil donde hasta se organizaron iglesias basadas en sus ideas.

23 Culto afro-americano parecido a la «umbanda». Véase nota sobre las religiones «afro-americanas».

24 El vudú es un culto muy difundido en las Antillas, sobre todo en la República de Haití, país en el cual se originó en la época de los inicios de la colonia francesa en la Isla de la Española, cuya parte oeste es conocida como Haití. Se trata de una mezcla de elementos de las religiones animistas africanas, del politeísmo de los habitantes de la Guinea y del cristianismo. Al ser «evangelizados», los negros haitianos conservaron, muchos de ellos, sus creencias propias. La base del culto vudú consiste en prácticas rítmicas acompañadas de tambores, invocaciones corales, cantos y mímica ejecutada rítmicamente, conducente a crear un estado de posesión estática en los creyentes. El «dios» penetra en ellos y los subyuga hasta llevarlos a la postración. Sus prácticas, sobre todo los sacrificios de animales, les han atraído mucha oposición. Se les atribuye magia negra y hasta satanismo por parte de sus críticos. Debe tenerse en cuenta que los practicantes del «vudú» tienen divinidades propias pero muchos de ellos afirman ser católicos o cristianos.

25 Este término sirve para incluir una serie de grupos religiosos que también tienen algunas características del espiritismo o que son considerados como una forma más primitiva del mismo. Bajo este nombre genérico se incluyen grupos derivados de las antiguas religiones africanas de los yorubas y los bantúes (entre otros) así como un número de variantes. El grupo conocido como «Umbanda», en el Brasil, tiene elementos africanos, católicos, orientales y del espiritismo de Kardec, así como de las religiones indígenas de la región. En Cuba y entre los cubanos radicados en los Estados Unidos y otros países existen grupos que como en Brasil se identifican a veces como «católicos», pero que practican ritos africanos mezclados con creencias católicas como la invocación y el culto a los santos, especialmente Santa Bárbara y San Lázaro (en realidad se refieren a Lázaro, el personaje de una de la parábolas de Jesús [Lc. 16.19-31] y no al San Lázaro del santoral católico) a los cuales se identifica en forma algo confusa con los dioses del panteón africano. Otras formas de sincretismo afro-americano florecen en varios países del Caribe.

así como la presencia muy difundida de un sincretismo religioso debido en gran parte a una evangelización forzada y deficiente en época de la conquista y colonización, no pueden ser analizados fácilmente con una óptica extranjera.

Contribuye en forma significativa a empeorar esa situación confusa la llamada «ciencia cristiana»,[26] el mormonismo,[27] formas exageradas de «numerología bíblica»[28] y esquemas minuciosamente preparados acerca de la Segunda Venida de Cristo que por su pretendida exactitud o aproximación desafían las palabras mismas de Jesús acerca de la imposibilidad de conocer el día y la hora de su regreso. Las discusiones sobre detalles de la escatología han llegado a sustituir las verdades fundamentales e innegables, como lo es el hecho del regreso de Cristo, por una serie de detalles que son producto de una interpretación forzada de las Escrituras.[29]

26 «Ciencia cristiana» es el nombre de una forma de religiosidad predicada por la Iglesia Científica de Cristo (o Iglesia de Cristo Científico) fundada por Mary Baker Eddy (1821-1910) en Boston, Estados Unidos. En su famosa obra *Ciencia y Salud con Llave para las Escrituras* la señora Baker Eddy afirmó que el sufrimiento y la muerte son los efectos de una forma incorrecta de pensamiento consistente en una creencia falsa en la existencia de la materia. La salud puede ser restaurada al oponerse el pensamiento correcto a las «ilusiones» del paciente que cree estar enfermo. La primera de sus iglesias, la «iglesia madre» situada en Boston, fue fundada en 1879.

27 Los mormones son los miembros de la Iglesia de Jesucristo de los Santos de los Ultimos Días, con sede en Salt Lake City, Utah, Estados Unidos, y de otros grupos similares que se originan en la predicación de Joseph Smith (1805-1844). Este afirmó haber descubierto el llamado *Libro de Mormón*, en el cual, entre muchas otras cosas, se enseña que Cristo predicó a los indios de América y se establece una religiosidad en la cual el ser humano puede llegar a ser una especie de «dios». Los mormones se bautizan por los muertos, practicaban originalmente la poligamia y son gobernados por un Consejo de Apóstoles, uno de los cuales, su presidente, es una especie de profeta viviente. Uno de esos «profetas vivientes» lo ha sido Ezra Taft Benson, político republicano y conocido miembro de la Sociedad John Birch, una organización anticomunista estadounidense que tuvo gran influencia en las décadas de los años cincuenta y sesenta y lleva el nombre de un misionero bautista cuya muerte es atribuida a los comunistas chinos. Benson sirvió como Secretario de Agricultura en la administración del general Dwight David Eisenhower. Los mormones son ahora bastante numerosos en la América Latina, donde algunos les consideran cristianos a pesar de no creer en la Trinidad y combinar una forma de politeísmo con elementos del cristianismo tradicional. Acostumbran enviar parejas de jóvenes montados en bicicleta los cuales visitan los hogares y distribuyen literatura. El mormonismo es muy poderoso por las altas contribuciones financieras que sus miembros hacen a la iglesia, el enorme número de negocios y posesiones administrados por la iglesia, y su gran fuerza en la política norteamericana. Controlan casi completamente la vida política, económica y social en el estado de Utah y ejercen gran influencia en Wyoming, Idaho, Arizona, Nevada, California y otros estados del oeste de EE.UU.

28 La numerología bíblica es el estudio de los números utilizados en las Escrituras para determinar su significado místico. No hay duda que algunos números tenían un significado o propósito en la literatura hebrea, pero ciertos sectores han exagerado todo esto y presentan dogmáticamente sus conclusiones, lo cual no nos debe desanimar a tener en cuenta seriamente, comparando texto con texto, algunos significados razonables que puedan encontrarse.

29 No nos referimos a la predicación acerca de la Segunda Venida de Cristo o al estudio de las

Muchas veces, las conclusiones a que se llega, producto de la imaginación o del capricho, quieren presentarse como definitivas e inapelables.

En cuanto a la arrogancia, esta planta parece crecer en todos los jardines. El orgullo espiritual imposibilita la verdadera exégesis y la praxis es utilizada a veces para justificar el deseo de sobresalir. Los creadores de imperios religiosos son nuevos heresiarcas que escogen dos o tres temas favoritos olvidando el resto de las enseñanzas bíblicas. La imitación de ciertos tele-evangelistas ha llegado a crear una proliferación de «egos inflados» que pretenden serlo todo: teólogos, exégetas, líderes espirituales, conductores de masas, ideólogos de algún sistema político favorito (o conveniente).

El mundo de habla española en nuestro tiempo está más lleno de herejías, o de mentalidades heréticas que no han llegado a formular su propia herejía, que la misma Efeso en el siglo primero (el segundo si se acepta la otra interpretación principal sobre las fechas de las Pastorales). Los conceptos prevalecientes acerca de Dios no son exactamente los mismos profesados por los judaizantes o los gnósticos (cualquiera que fuera el caso) pero no dejan de presentar tremendas similitudes. Se predica en algunos lugares a un Cristo buscador de votos para alguna causa o instrumento de algún sistema que se sacraliza con más rapidez que la que los militares demuestran al efectuar uno de los frecuentes golpes de estado. Pero también se comete el error de presentar un Jesús que no tiene relación alguna con las enormes crisis estructurales y morales de la sociedad, las cuales afectan inevitablemente el cuerpo, que no es tan malo como los gnósticos insistían, y el alma, que tiene que sufrir por el ambiente creado por las condiciones materiales no necesariamente edificantes. La ausencia de una herejía que sea exactamente igual a las mencionadas en estas epístolas no debe llenarnos de complacencia, porque han surgido otras que son parecidas, y hasta peores.

En cuanto al asunto del «conocimiento», o de la falta del mismo, no es necesario militar en el gnosticismo o en la escuela de los seguidores de fábulas judaicas para demostrar la existencia de la ignorancia más rampante. Unas cuantas lecturas de folletos escritos por personas sin la debida formación en las Escrituras y sin conocimientos acerca de la historia del pensamiento cristiano,

profecías, lo cual es correcto y forma parte de nuestro propio trabajo y estilo pastoral y educativo, sino a exageraciones y confusiones que son el resultado de puntos de vista estrechos que confunden una interpretación o punto de vista con la verdad definitiva acerca de algún aspecto de la Segunda Venida de Cristo.

convierten a ciertas figuras en «sabios» capaces de llegar a las conclusiones más «profundas» sobre temas que en realidad no pueden ni siquiera dominar periféricamente. Lo mismo se encuentra usted con un estudio disparatado acerca de un tema tan sagrado e importante como el regreso de nuestro bendito Salvador como un manual para alcanzar la felicidad más absoluta en esta vida aunque el lector se esté muriendo de hambre, habite en un tugurio o esté confinado a una mazmorra.[30]

Nuevas interpretaciones, que nada tienen que envidiar a las de gnósticos y judaizantes, se utilizan para «penetrar profundamente» en el análisis de temas como la salud, el matrimonio, la familia, los problemas sociales.

Barclay, cuyas ideas acerca de las características del hereje hemos simplemente mencionado y después explicado desde nuestra propia perspectiva, describiéndolas incluso como insuficientes desde el ángulo hispanoamericano, nos ofrece algunas características del pensador realmente cristiano. Según él, son las siguientes: su pensamiento está basado en la fe, es motivado por el amor, viene de un corazón puro, procede de una buena conciencia, y ese pensador cristiano obra sinceramente.[31] Esperamos que quiera decir con eso que se trata de la fe de Jesús, no de los intereses de la secta; del amor que no está motivado solamente por números y estadísticas sino por las necesidades espirituales y materiales del pueblo; de una pureza que impide el enriquecimiento o las bacanales escondidas detrás de un piadoso sermón pronunciado con gestos bien estudiados y con los gritos estentóreos de una pretendida denuncia del pecado; de una buena conciencia que no tiene relación con trastiendas y agendas escondidas; y una sinceridad que nos lleva a decirle a lo que es malo, malo, y a lo que es bueno, bueno, pero sin practicar el maniqueísmo.[32]

30 Este tipo de escritores confunden el «contentamiento» mencionado por Pablo con la «felicidad». Son dos cosas distintas.

31 *Ibid.*, pp. 33-34.

32 El maniqueísmo es la doctrina de una secta dualista fundada por Mani (216-276 d.C.) en Persia. Criado en una secta judeo-cristiana, Mani quiso liberar a la religión cristiana de influencias judaicas, combinando entonces elementos de gnosticismo, cristianismo, budismo y zoroastrismo. Se consideraba, él mismo, como el Paracleto enviado por Jesús y enseñaba la lucha entre dos reinos, la luz y el bien, las tinieblas y el mal. En el esquema de Mani, Jesús vino al mundo en apariencia humana (Mani era docetista) para librar las partículas de luz y lograr que regresaran al reino de la luz. Puede decirse que el maniqueísmo fue una secuela del gnosticismo, pero reduciendo los elementos cristianos. En la secta coexistían los «perfectos» con los simples «oyentes». Maniqueos son llamados también aquellos que creen que las cosas y los temas son totalmente malos o totalmente buenos sin dejar nada en el medio. Muchos juicios exagerados y posiciones extremas son identificados, pues, con cierta forma de maniqueísmo aunque no se acepte el sistema enseñado por Mani. Las formas de religiosidad que dividen los asuntos en

Vv. 8-11. Es indudable que la ley tiene funciones útiles cuando es aplicada correctamente. Si la ley es usada legítimamente (*nominôs*) su utilidad es enorme. Es tal vez apropiado señalar que se trata de un adverbio que aparece en el Nuevo Testamento solamente en este pasaje y en 2 Timoteo 2.5. A pesar de su mal uso por falsos maestros, el valor de la ley es innegable. El autor no enseña que debe dejarse a un lado. Recordemos las palabras del Apóstol en Romanos 7.12,16, es decir, «la ley es santa» y «la ley es buena». La ley debe, eso sí, ser aplicada de acuerdo con el propósito de evitar que se haga el mal. Una versión más reciente lo expresa así: «buena es la ley, si uno usa de ella legítimamente» (PB). En este sentido debe ser descrita y presentada como «buena». Guthrie nos recuerda que la palabra griega que se utiliza es *kalos*, más bien que *agathos*. La primera nos llama la atención no solamente a su calidad intrínseca sino a la belleza de su forma externa.[33] El autor no se lamenta, pues, de los preceptos establecidos en la ley mosaica sino que se opone a la especulación sobre el Pentateuco. Por otro lado, una cosa es aplicar la ley en forma «legalista» y otra «legítimamente». Esa salvedad es necesario hacerla en forma contínua, no solamente en relación con estos asuntos específicos. En Romanos 7.12,16, el énfasis recae en que la ley es «santa» y la «ley es buena», como hemos visto. En 2 Timoteo 3.15-17 se nos dice que es «útil». No encontramos en estos versículos del primer capítulo una verdadera contradicción con el pasaje anteriormente citado o con el pensamiento paulino en general. Sin embargo, B. S. Easton entiende que se trata de declaraciones irreconciliables mientras que Joachim Jeremias apela al estilo de Romanos 7.12,16 para mostrar la compatibilidad entre ellas.

Al leer la lista ofrecida en los vv. 9 y 10, se pudiera llegar a la conclusión de que el justo (si lo hay) no necesitaría la ley. Lo que sucede es que en cierta forma no la necesita. De existir alguien verdaderamente justo, la ley no sería necesaria. Pero la realidad es la siguiente: el mundo está lleno de gente que necesita muchísimo de la ley. Esta lista de pecadores sirve, entre otras cosas, para demostrarlo en forma sencilla y clara. Aquí la palabra justo *dikaios* quiere decir lo mismo que en 1 Pedro 3.18 donde se nos habla de que Cristo «el justo» pagó «por los injustos, para llevarnos a Dios». Es decir, la palabra no indica a la persona que se considera a sí misma como tal. Ese es el caso del fariseo en Lucas 18.9. Lo que sucede es que, por la obediencia del Salvador, los injustos han llegado a ser justos (Ro. 5.19). Estamos hablando de una justicia que no procede de nosotros mismos sino de Dios. La ley se dirige al injusto, al que hace lo malo. El cristiano no está «bajo la ley sino bajo la gracia» (Ro. 6.14). Esta tenía su papel cuando no éramos cristianos (Gá. 3.24) pero ya no estamos bajo ella. Lo anterior quiere decir también que el cristiano no está bajo la ley como un medio de justificación. Pablo reconoce el lugar que a ella le corres-

totalmente buenos o totalmente malos encajan casi perfectamente en ese esquema.

33 *Op. cit.*, p. 60.

ponde en la vida del cristiano que ha sido salvado por gracia mediante la fe. Recordemos que Jesús interpretó la ley de una nueva manera. Es la ley moral, no una ley que es, a la vez, ceremonial, civil y moral. Para nosotros es la ley moral, no la ley ceremonial, ni la ley incorporada hasta en sus más mínimos detalles en la legislación civil.

En un enfoque que pudiera parecer negativo, el autor nos dice que, para el individuo respetuoso de la ley, ésta tiene en cierta forma menos significación práctica que para aquél que hace el mal.

Los irreverentes y profanos son generalmente presentados como aquéllos que hacen ofensas directas a Dios. Hanson entiende que «parricidas y matricidas» indica en este caso falsos maestros que arruinan los hogares, pero cita a F. M. Hitchcock que parece ver aquí una referencia a Nerón que asesinó a su madre. Guthrie considera que se refiere a los que golpean o castigan a sus padres, es decir, una violación extrema del quinto mandamiento. Para él, los «fornicarios» y los «sodomitas» que aquí son mencionados son «personas inmorales» que han cometido violaciones igualmente extremas del mandamiento que prohíbe el adulterio. No olvidemos tampoco que, según datos ofrecidos por Filostrato, en Efeso vivían muchos homosexuales. Para el canónigo Ward, los «secuestradores» son culpables de robo y los mentirosos y perjuros de levantar falso testimonio. Debe tenerse en cuenta que, aplicando la ley mosaica, los intérpretes se inclinan a ver a «sodomitas» y «fornicarios» (llamados también «inmorales» en algunas traducciones a la lengua inglesa) dentro de un contexto de violación del séptimo mandamiento, que prohíbe el adulterio y en el que muchos incluyen todos los pecados sexuales. Para ampliar el alcance de lo que se está tratando de hacer, se llega a condenar todo lo que «se oponga a la sana doctrina», es decir, cualquier otra cosa, no mencionada en los mandamientos o en las interpretaciones que se han hecho de éstos, y que contradice los principios de elevada conducta enseñados en la doctrina de Cristo y sus apóstoles. Entiéndase aquí la palabra «doctrina» como doctrina moral. No parece tratarse de doctrina teológica. Seríamos demasiado simplistas si pensáramos que estos son los únicos pecados que merecen incluirse en la lista. Otras violaciones son igualmente condenables y tienen mucha relación con los pecados aquí mencionados.

Pecados que a algunos no les conviene mencionar

En nuestro ambiente abundan pecados relacionados con la promiscuidad. Tanto ésta como la cultura de la pobreza y las deprimentes condiciones de vida de nuestro pueblo deben ser analizadas. De la misma manera que algunos golpean a los padres o «secuestran», hay otros que oprimen a los trabajadores y campesinos, torturan a los que se oponen a su sistema de opresión y encarcelan a sus oponentes sin causas justificadas. Es triste que esto se aplique a casi todo el espectro ideológico y no a un partido o grupo determinado.

¿Podemos en buena conciencia eximirles de una mención ahora que nos referimos a este impresionante catálogo de pecados? Ciertamente sería difícil hacerlo. ¿Qué diría el autor de estas epístolas acerca de ciertos aspectos muy negativos de la conquista de América y la matanza y explotación de los indios?

¿Se justifica una patente de corso o tal vez una licencia eclesiástica para explicar la actividad cruel de los explotadores de ayer y de hoy? En Norteamérica, Europa y otras regiones, algunos cristianos prósperos parece que leen esta lista de pecados con una actitud aparentemente piadosa, en el sentido convencional que se da a esta palabra, mientras olvidan que ellos mismos, que no pueden comprar a Dios a pesar de sus muchos recursos, explotan inmisericordemente a otros seres humanos, directamente o mediante las compañías en las cuales han hecho inversiones. Para amplios sectores latinoamericanos sucede exactamente lo mismo. Después de la caída del famoso «Muro de Berlín» y otros acontecimientos en la Europa del Este, hemos visto las pruebas indubitables de la gran diferencia que existía entre el nivel de vida de los líderes políticos de esos países y el resto de la población. Esas revelaciones han sido reconocidas con pena por líderes socialistas de otras latitudes, los cuales se sienten decepcionados. Más impresionante es el hecho de que han aparecido en países como Alemania Democrática, Polonia y Rumania, enormes fosas comunes donde yacen los restos de enemigos políticos e ideológicos. Nos referimos a tumbas exactamente iguales a las que se han encontrado recientemente en Chile para vergüenza de toda una era en la historia de ese culto país, a pesar de repetidas referencias a los «paraísos del proletariado», por parte de unos, y a «civilización cristiana», por parte de otros. También se buscan fórmulas para justificar o no mencionar el genocidio, las bombas de *napalm* y la rapiña, las cuales, al envolverse dentro de algunas etiquetas ideológicas, reciben otro nombre. Nadie, en el mundo capitalista o en los países socialistas, en el Norte o en el Sur, está exento de ser responsable por una serie de pecados. Aunque creamos que algunas de estas cuestiones no ofenden directamente a Dios, ni a los que se sientan cerca de nosotros en el banco de la iglesia, deben ser incluidas en esta lista. Tales pecados no son los favoritos de algunos predicadores que arremeten, con toda razón, contra el aborto o el materialismo, pero no quieren herir a sus feligreses que son responsables por pecados cuya mención es embarazosa. Es interesante cómo los comentaristas más eruditos los incluyen sin muchos detalles al hablar de violaciones contra la «sana doctrina» entendida como doctrina moral.

El autor no ha hablado de la ley siguiendo su propia opinión sino conforme al evangelio que le ha sido encomendado. No hay tal vez necesidad, en el caso del v. 11, de abundar mucho sobre el original porque «el glorioso evangelio del Dios bendito» quiere decir en griego exactamente «el evangelio de la gloria del Dios bendito». Dios es «bendito», no solamente en el sentido de que los humanos le bendicen, sino que él merece ser llamado así. Además, es «bendito» por derecho propio y no por la frecuencia o intensidad de nuestra alabanza. En otras palabras, nada que podamos darle le hace merecedor de bendiciones. La condición de «bendito» le pertenece. Aún así, en las Escrituras se bendice su nombre santo y esto forma parte de nuestra alabanza y culto a Dios. Un pasaje bien conocido y utilizado es el Salmo 103.

Los autores que no aceptan la paternidad paulina anotan frecuentemente que Pablo no parece haber utilizado ese epíteto[34] en referencia a Dios, en ningún otro libro atribuido a su persona.[35]

Pudiera señalarse, más como una curiosidad que como la explicación o el complemento de algo que hayamos dicho, que Homero llama a los dioses «benditos» y que muchos eruditos entienden que la práctica fue adoptada por los judíos helenistas. Sin embargo, la palabra *makarios* es utilizada varias veces para referirse a los humanos. Un ejemplo lo tenemos en las bienaventuranzas (Mt. 5.3-1).

Otro detalle significativo es que Pablo mencionó más de una vez el hecho de que el evangelio le había sido encomendado. Por citar un caso, en Gálatas 2.7 se refiere a que le «había sido encomendado el evangelio de la circuncisión». Lo que parece decir es que Dios mismo le encomendó ese trabajo. Por lo tanto, estaba hablando en nombre de Dios. E. Glenn Hinson entiende que Pablo reitera nuevamente su comisión apostólica ya que «contrario a lo que los judaizantes piensan, tanto él como su mensaje son auténticos. Pablo no podría olvidar la experiencia en el camino a Damasco».[36]

C. Un testimonio de gratitud hacia Cristo (1.12-17)

Doy gracias al que me fortaleció, a Cristo Jesús nuestro Señor, porque me tuvo por fiel poniéndome en el ministerio, habiendo yo sido antes blasfemo, perseguidor e injuriador; mas fui recibido a misericordia

34 Nos referimos específicamente a *makarios* y no a otros términos que también se traducen por «bendito».

35 Véase A. T. Hanson, *op. cit.*, pp. 59-60.

36 *Op. cit.*, p. 309.

porque lo hice por ignorancia, en incredulidad. Pero la gracia de nuestro Señor fue más abundante con la fe y el amor que es en Cristo Jesús. Palabra fiel y digna de ser recibida por todos: que Cristo Jesús vino al mundo para salvar a los pecadores, de los cuales yo soy el primero. Pero por esto fui recibido a misericordia, para que Jesucristo mostrase en mí el primero toda su clemencia, para ejemplo de los que habrían de creer en él para vida eterna. Por tanto al Rey de los siglos, inmortal, invisible, al único y sabio Dios, sea honor y gloria por los siglos de los siglos. Amén.

V. 12. Aquél que había sido el principal y más enconado adversario de la causa del evangelio era ahora un ejemplo de su poder. No debe parecernos algo nuevo el que el autor exteriorice su acción de gracias. Una razón de esa gratitud es el haber sido tenido por fiel como lo expresa una versión católica: «...porque, al ponerme en este ministerio, me consideró digno de confianza» (CI). Es importante señalar que no encontramos aquí ningún alarde o vanidad ya que la palabra que utiliza para esta ocasión es *diakonia*. Esta expresión, favorita de Pablo, sirve tal vez para restar alguna fuerza a las tesis que rechazan el origen paulino y sobre todo a los que ni siquiera aceptan que algunos materiales utilizados hayan sido redactados por Pablo. Guthrie advierte que, de haber sido escrito este libro en el segundo siglo, cuando, según algunos, los diáconos tenían funciones específicas, la palabra *diakonia* hubiera sido algo confusa para referirse a un apóstol.[37] También señala que estas palabras «llaman la atención a la iniciativa divina», algo que le daba seguridad a Pablo para realizar sus labores. Dios le había escogido, había confiado en él y le había nombrado. Ciertamente le había «fortalecido» también. Su anterior interpretación religiosa y su forma de vivir o de tratar de guardar la ley de acuerdo con los cánones del legalismo fariseo le habían hecho débil en contraste con el evangelio, al que él mismo llama «poder de Dios» (Ro. 1.16) y que le había hecho fuerte.

Vv. 13-14. Ahora bien, las ofensas de Pablo habían sido contra Dios, presente en Cristo y en la iglesia. Al perseguir a esta última había perseguido al mismo Jesús (Hch. 9.4). Aquí notamos los antecedentes judíos de Pablo. Los pecados que había cometido tenían relación directa con su «ignorancia» y su «incredulidad» hacia el evangelio. Había sido un «hebreo de hebreos» y le resultaba imposible creer en aquél que contradecía algunas de las expectativas de la gente que creía y vivía como lo había hecho Pablo. No desconocía la letra de la ley, pero había sido ignorante de su verdadera interpretación en el sentido más amplio. Es decir: «siendo ignorante, lo hice en incredulidad» (BLA). Claro que todo esto nos presenta un problema. Si Dios le perdonó porque lo hizo «en incredulidad», ¿dónde está la necesidad de la gracia divina

37 *Diakonia* se encuentra 34 veces en el Nuevo Testamento y es usada en un sentido general como servicio por amor, de seres humanos o de ángeles, el levantar ofrendas, etc.

que se menciona en el v. 14? Algunos hasta pudieran decir que este lenguaje no es paulino. La clave pudiera ser que la gracia es imprescindible aún en casos en los cuales hay ignorancia. El pecado se cometió de todas formas. Pero ninguna explicación será para satisfacción de todos.

La segunda parte del v. 14 es interpretada por algunos como si quisiera decir «la fe y el amor» del pueblo de Dios, la iglesia cristiana. Esta le había ayudado, ya que incluso muchos de sus integrantes llegaron a confiar en él y a acompañarle en su ministerio. Todo eso a pesar de su pasado nada recomendable y de sus antecedentes de perseguidor fanático y cruel. De cualquier manera, la fe reemplaza a la incredulidad y la ignorancia. El amor toma el lugar de la persecución.

V. 15. En el original, la palabra «fiel», como la encontramos en el v. 15, denota seguridad. Además, *pistos* quiere decir no solamente «seguro» sino también «confiable». Creemos en un mensaje, confiamos en una persona. «Palabra fiel» es una expresión muy propia de las Pastorales. Como en 1 Timoteo 4.9 estas palabras vienen acompañadas de las siguientes: «digna de ser recibidas por todos» y probablemente indican en forma especial que a la abundancia de la gracia (un tema muy paulino) se debe responder con una aceptación total y no solamente incondicional. Nadie debe rechazarla. El mensaje de Pablo es precisamente Cristo Jesús, aquél que pagó por los pecados humanos. El vino al mundo con el propósito específico de librarnos de nuestros pecados. Claro que también vino a vencer al maligno y a llevar «cautiva la cautividad». No vino simplemente a darnos un ejemplo o a que se dijera pomposamente que las profecías se habían cumplido, aunque esos aspectos tienen su lugar. Salvar a los pecadores era el propósito principal de la encarnación. Cristo se hizo hombre para salvar a todos los humanos aunque solamente algunos aceptarían la gran salvación que Dios ofrece. Pablo hace entonces la mayor confesión de humildad posible. Se proclama el primero de los pecadores. Los pecados de Pablo eran más reales, para él, que los de cualquier otra persona. Antes de su conversión en el camino a Damasco es un pecador. Después lo seguiría siendo, aunque arrepentido y salvado. No sería el primer pecador en el tiempo, en la cronología, sino el más famoso de los pecadores arrepentidos. Y su conversión la más famosa. Todavía hoy, «el camino a Damasco» sigue siendo un tema favorito en la predicación. No hay duda, Pablo no preside necesariamente la lista de los pecadores en el sentido de que haya sido literalmente el peor de todos; pero, en lo que a él concernía, tenía que considerarse el primero de los pecadores. Conocía bien sus debilidades, recordaba su pasado de oposición directa al propósito de Dios, conocía perfectamente su anterior legalismo y su desorbitado fanatismo. En un momento dado, no le hubiera sido difícil a un hombre consciente del tipo de pecados cometidos por Pablo el atribuirse la condición de primero de los pecadores. La palabra griega *protos* quiere decir algo así como «el principal», aunque se traduzca como «primero» en español, mientras que en el v. 16 indica claramente «el primero».

V. 16. Si el caso de Pablo era el ejemplo más famoso de un pecador arrepentido en su época, también se trataba del más conspicuo caso de una persona que se beneficiaba de la clemencia de Dios en aquel contexto. Por el significado que tiene en el original podemos llegar a la conclusión de que Pablo se consideraba de veras el primer caso de un pecador conspicuo, reconocido y temido, en convertirse al evangelio y recibir clemencia. El Apóstol entiende su propio caso como un ejemplo de lo que Dios puede hacer por las vidas. Por lo tanto, estaba llamado a servir de ejemplo, *upotupôsis*, de los que «habrían de creer en él para vida eterna». Dicho en las palabras de la Biblia de Jerusalén: «Y si hallé misericordia fue para que en mí primeramente manifestase Jesucristo toda su paciencia y sirviera de ejemplo a los que habían de creer en él para obtener vida eterna» (BJ).

V. 17. En vista de lo anterior, el pecador perdonado, convertido en ejemplo de generaciones venideras, no podía hacer menos que alabar a Dios en forma muy especial. Se trata de una verdadera doxología.[38] Aun al ser traducido del original a nuestro idioma, la belleza de lo que se dice en este pasaje es apreciable. La frase «Rey de los siglos» pudiera proceder directamente del culto en la sinagoga. La frase se encuentra en Tobías 13.7, y también puede encontrarse cierta base en los salmos. Por ejemplo, el Salmo 145.13: «Tu reino es reino de todos los siglos». Pudiera especularse un poco acerca de en qué épocas puede llamarse a Dios el rey: la «era venidera» o tal vez alguna dispensación en particular. Pudiera ser el período de la iglesia, entendido como en 1 Corintios 10.11 («...a quienes han alcanzado los fines de los siglos»). Ciertamente será así en la era celestial, cuando los reinos de este mundo lleguen a ser «los reinos de Dios y de Cristo». Pero, independientemente de las interpretaciones y los detalles, Dios es el «Rey de los siglos» en el sentido que él es el rey de la eternidad. George Eldon Ladd afirma que «Dios permanece para siempre como el Rey de los siglos».[39] La palabra «inmortal» puede proceder, como expresión literaria y en su significado más preciso, de la filosofía griega. Quiere decir «no perecer» o «imperecedero». Lo de «invisible» no debe sorprendernos pues «Dios es espíritu» (Jn. 4.24). Tampoco lo de «único» y «sabio». Se entiende perfectamente que se pida para él «honor y gloria por los siglos de los siglos». Algo similar encontraremos en 1 Timoteo 6.16.

38 Una doxología consiste en palabras que le atribuyen gloria a Dios. La palabra procede del griego doxologia o «palabras de gloria». En nuestro tiempo las doxologías generalmente tienen una forma trinitaria e incluyen con frecuencia la palabra «gloria».

39 *Op. cit.*, p. 115.

Se recupera la alabanza espontánea

En los países de habla española se está recuperando bastante una vieja tradición cristiana, la de una alabanza a Dios que sea espontánea. En muchísimos círculos, por siglos y hasta por períodos enteros, el culto ha caído en el más exagerado formalismo. En el caso de la música se seguían patrones estéticos extranjerizantes aceptados sin mayor reflexión por las llamadas «iglesias nacionales».[40] Claro que los viejos himnos de la fe están entre los favoritos de algunos de nosotros y, si son bien traducidos y adaptados, deben permanecer en los himnarios. Es bueno señalar que los latinoamericanos han empezado a producir sus propios himnos y a utilizar sus propios instrumentos. Algunas de esas prácticas serían discutibles en ciertos casos, pero el texto nos lleva directamente a la cuestión de la alabanza y encontramos aquí un asunto que debe ser considerado.

En estos versículos encontramos material para la defensa de la alabanza espontánea a Dios. Mencionar sus atributos, exaltar su nombre, recordar sus bendiciones, identificar lo que él hace por nosotros, reconocer la honra que merece, deben ser parte de la vida diaria del cristiano. Nos emocionamos en un juego de pelota[41] o balompié, o asistiendo a la convención o asamblea de un partido político, pero no estamos dispuestos jamás a decir «bendito sea el nombre de Dios» o «gloria a Dios». Es cierto que se ha caído en excesos y que a veces estas palabras se utilizan indiscriminadamente después de escuchar partes de un sermón o una exhortación que no tienen nada que ver con el asunto. Ese es un peligro. Pero privarnos de la alabanza sería, más que un problema, una verdadera desviación.

Es evidente que el culto de los latinoamericanos, los hispanos de Estados Unidos y los españoles es diferente. Parece que la alabanza se va incorporando en forma apreciable al estilo de vida de los creyentes en nuestros pueblos. Algunos ridiculizan a los cristianos que utilizan precisamente estas mismas expresiones que encontramos en la epístola: «Rey de los siglos», «inmortal», «honor

40 No utilizamos esta palabra como en el caso de las iglesias nacionales separadas de Roma o de alguna otra sede eclesiástica sino que nos atenemos el lenguaje de los misioneros y las consabidas distinciones entre ellos y los «obreros nacionales» o las «iglesias nacionales» para diferenciar estas últimas de la llamada «misión» o «junta misionera» o de la denominación en su país de origen.

41 Béisbol.

y gloria», etc. Otros desprecian a los que utilizan la palabra «aleluya» con alguna frecuencia. Es cierto que la repetición constante puede parecer ridícula. También la forma de pronunciar estas palabras y el tono de voz. Lo que no debe hacerse es reprimir al que lo haga sensatamente.

La reacción contra el uso de expresiones de alabanza puede tener alguna relación con el problema de la hipocresía y con el peligro del fanatismo. La alabanza externa puede ser utilizada para reemplazar cosas tan importantes como la buena preparación de un sermón, la limpieza de vida e incluso la vida devocional. Eso debe ser tenido en consideración. Una experiencia cristiana en la que se utilizan ciertas palabras con el simple propósito de impresionar o demostrar piedad sería desastrosa para la causa del evangelio y para nuestra propia relación con Dios. Pero los hispanoamericanos no nos caracterizamos por una cultura religiosa indiferente a la alabanza, la cual encuentra un terreno fértil en medio de nosotros. Siempre que se eviten excesos y el introducir doctrinas inaceptables por medio de la música, lo único que puede hacerse con este énfasis en la música y la alabanza es reconocerlo y estimularlo.

Ch. El recordatorio de una profecía (1.18-20)

Este mandamiento, hijo Timoteo, te encargo, para que conforme a las profecías que se hicieron antes en cuanto a ti, milites por ellas la buena milicia, manteniendo la fe y buena conciencia, desechando la cual naufragaron en cuanto a la fe algunos, de los cuales son Himeneo y Alejandro, a quienes entregué a Satanás para que aprendan a no blasfemar.

Aún antes de escribirse esta epístola, Timoteo había recibido exhortaciones o ruegos (1 Ti. 1.3). Le correspondía exhortar y rechazar a los falsos maestros y se le recuerda que no debe retirarse de la lucha. Aquí se presenta el asunto como si fuera de índole comparable a la práctica militar. Es cuestión de milicia, de pelea. Se exige una verdadera militancia, con todo lo que ella implica.

V. 18. El verbo «encargar» *(paratithêmi)* usado al encargar la obligación a Timoteo, es utilizado también en 2 Timoteo 2.2 cuando se le instruye encargar el ministerio a otros. El «hijo» espiritual de Pablo debía militar de acuerdo con profecías, es decir, palabras dadas por Dios acerca de su persona. El v. 17 nos muestra ese aspecto: «Este mandamiento, hijo Timoteo, te encargo, para que conforme a las profecías que se hicieron antes en cuanto a ti, milites por ellas la buena milicia». Otra versión lo pone de la siguiente manera: «de acuerdo con las profecías pronunciadas sobre ti anteriormente» (BJ). No se está hablando aquí del Antiguo Testamento sino de personas con dones especiales, profetas de tiempos del Nuevo Testamento, que hablaron acerca de Timoteo. No olvidemos que fueron profetas los que reconocieron que Pablo y Bernabé eran escogidos de Dios para la obra misionera (Hch. 13.3). En Hechos 16.3 encontramos, específicamente, la existencia de personas que daban «buen testimonio» de Timoteo. En una época en la que se manifestaban abundantemente los dones, como este período especial en que no se había completado todavía la revelación escrita del Nuevo Testamento, profecías como estas debían ser frecuentes. Joachim Jeremias señala la posibilidad de que se hubieran producido antes de la ordenación de Timoteo ya que lo que indicaban era el llamamiento del mismo al ministerio sagrado. Pero otros entienden que las profecías pueden haber sido las palabras mismas de Pablo durante el servicio de ordenación. De cualquier manera, estas palabras revelan la confianza que Pablo tenía en Timoteo como el escogido de Dios para aquella tarea.

V. 19. La fe y la conciencia son interdependientes. El Apóstol se limita a dos elementos de la armadura del cristiano: «la fe y buena conciencia» como vemos en el texto. La fe no es solamente la doctrina verdadera sino nuestra propia experiencia con Dios entendida en un sentido muy amplio. Por supuesto que hasta una creencia incorrecta sería suficiente para desviarnos incluso en asuntos morales, como es fácil probar con la ayuda de la historia eclesiástica. Pero aquí se señala la fe en su sentido más amplio y espiritual. Pablo se preocupa de mostrar el peligro de no tener en cuenta los dictados de la conciencia. Es por ello que se utiliza la palabra *apôtheomai*, que quiere decir «desechar». Una persona de fe es alguien que la posee en forma permanente, es decir, la fe tiene que ser ejercida continuamente. De la misma manera, la conciencia es buena si es tenida en cuenta, es decir, si se le obedece efectivamente. Hay una relación estrecha entre la fe y la conducta. En cierta forma podemos hablar de una interdependencia. No olvidemos que «la fe, si no tiene obras, es muerta en sí misma» (Stg. 2.17). Al rechazar la conciencia muchas personas naufragaron en cuanto a la fe. Aquél que desobedece a Dios se aleja de él y finalmente ni siquiera ora. Su fe ha ido desapareciendo por lo menos en un aspecto fundamental que la relaciona con la vida cristiana, con el fervor y la comunión, es decir, el gozo proporcionado por la salvación que se ha recibido.

V. 20. Aparecen entonces dos personajes de los cuales sabemos poco. En 2 Timoteo 2.17 se habla de «Himeneo y Fileto» en relación a «profanas y vanas palabrerías» mencionadas en el versículo anterior y a una «palabra» que «carcomerá como gangrena». En 2 Timoteo 4:14 se habla de que «Alejandro, el calderero me ha causado muchos males...». Puede tratarse de los casos de Himeneo y Alejandro, que desecharon la buena conciencia y es también probable que se compenetraran con doctrinas falsas. Se trata de creyentes que naufragaron. El que hayan sido entregados a Satanás, como el caso de 1 Corintios 5.5, dice bastante acerca de la gravedad de la situación. El lenguaje es muy parecido. En el pasaje de Primera de Corintios se habla de «destrucción de la carne» para que «el espíritu sea salvo». Algunos hablan de excomunión, separación de la comunión eclesiástica en la iglesia. Otros mencionan enfermedad física. De cualquier manera, no se trata de un castigo que se inflige simplemente por castigar, porque se menciona el que «aprendan a no blasfemar» y en una versión preparada para elementos populares se expresa así: «cosas ofensivas contra Dios» (VP). Parece haber un aspecto educativo. La disciplina tiene el propósito de restaurar. Por lo tanto, sin dejar que la mente especule libremente con la poca información disponible, podemos pensar en una gravedad evidente, un remedio excepcional, pero también en un propósito claro de restauración.

Disciplina y restauración en nuestras iglesias

Sin sucumbir al extremismo, debemos notar que la disciplina no se aplica ya en muchas iglesias. Es frecuente el caso de una persona, o un grupo, que ha sido expulsado por haberle causado problemas a la iglesia o al pastor, pero notamos que muchas veces no se toman decisiones firmes cuando hay violaciones de la moralidad y la doctrina. En estos casos parece combinarse el desechar la buena conciencia (vivir fuera de la voluntad de Dios en cuanto a la conducta que se debe seguir) y el enseñar doctrinas falsas, lo cual puede ser interpretado como blasfemia en algunos casos. Es necesario seguir las indicaciones y las normas que encontramos en las Escrituras, las cuales siempre tienden a restaurar al caído, sin disimular el pecado o la desviación. Es necesario combinar ambos elementos. El otro extremo es el de expulsar o excomulgar simplemente como castigo, sin tener en cuenta la restauración, que debe ser siempre completa cuando se le extiende a un hermano o hermana. El pasaje de Mateo 18.15-17 debe ser siempre tenido en cuenta e incluido en el marco de referencia en que se traten o apliquen estas cuestiones. Muchos toman todo esto muy a la ligera. Por ejemplo, al ser disciplinados tratan de encontrar rápidamente una iglesia donde no se les conozca. A veces hasta se sienten heridos a pesar de ser ellos los que con su conducta han ofendido a Dios y sus hermanos en forma pública. También quieren que se acepten sus argumentos en contra de la congregación de la cual fueron separados. Otros convierten al pastor en blanco de sus ataques o rechazan entonces la vida congregacional por un tiempo prolongado o definitivamente. Encuentran refugio en la religión electrónica, en los predicadores de la radio y la televisión, pero continúan afirmando ser cristianos fieles sin buscar el perdón de Dios y de los hermanos. Por supuesto que no nos estamos refiriendo a casos de flagrante injusticia o de legalismo en los cuales no se trata de asuntos reales de «fe» y «buena conciencia» sino de caprichos e interpretaciones particulares de detalles y minucias impuestos a creyentes que no están dispuestos a la trivialización de la experiencia religiosa por líderes caprichosos, dictatoriales e inconsecuentes. Se conoce ampliamente el famoso caso de un teleevangelista, muy apreciado por un gran sector en América Latina, que descargó públicamente su ira y expresó una condenación pública contra otro predicador famoso en los medios electrónicos que había sido acusado de desviaciones morales. El implacable fiscal confesó, al ser descubierto meses después, pecados comparables a los de aquél a quien había atacado con crueldad y sin misericordia. Cuando su denominación le impuso un período de disciplina que sólo afectaba su ministerio público, no su relación con la iglesia local, la decisión le pareció demasiado rigurosa y continuó su ministerio por cuenta propia. No juzgamos el caso pero creemos que cuando la disciplina es razonable debe aceptarse. No hacerlo, pudiera ser una forma extrema de desechar «la buena conciencia». Lo cual no quiere decir que cerremos las puertas a aquellos casos difíciles en los que no se acepta la disciplina. La vida pudiera encargarse de llevarles a una posición de verdadera humildad y arrepentimiento.

Un problema evidente en América Latina, sin que sea exclusivo de la región, radica en que en el ambiente religioso, sobre todo entre los evangélicos, la disciplina es aplicada en forma arbitraria. A veces se siguen los lineamientos de misioneros extranjeros o líderes nacionales cuyo criterio de selección incluye prejuicios de tipo cultural. Al escoger ciertos «pecados» y excluir a otros pudiera convertirse todo en un ejercicio desordenado de moralismo. Otras arbitrariedades no tienen un origen extranjero sino nacional. Algunos de los líderes aplican criterios que tienen relación directa con su cultura más que con los principios bíblicos. Puede separarse de la comunión eclesiástica a un adúltero, pero nunca a una persona que maltrate a otra económicamente. Un fornicario puede comparecer ante un tribunal eclesiástico o ante la iglesia local, pero casi nunca se demandaría esto de una persona influyente que explote a sus obreros o se distinga por su crueldad dentro de un cuerpo represivo. Es bastante difícil entender cómo puede hacerse lo uno y evitarse lo otro. Esa actitud no procede de un estudio profundo de las Escrituras, sino que tiene relación directa con mentalidades formadas en ciertos esquemas en los cuales se escoge aquello que debe condenarse y se rechaza cualquier asunto que pueda causar conmoción a los sistemas favoritos que se ha intentado sacralizar. Un pastor que ha cometido una falta moral puede ser sacado de su trabajo, aunque se le condene así a vivir en la miseria; pero una persona con grandes recursos financieros, que hace contribuciones a la iglesia, será difícilmente excomulgada aunque esta acción no le cause problema económico alguno. El pastor, si no tiene otras habilidades o recibido otro tipo de formación aparte de la religiosa, tendrá tal vez hasta que pasar hambre. Pero esos asuntos no son tomados en consideración. Una serie de cuestiones culturales y de prejuicios, de origen extranjero o autóctono, según sea el caso, se interponen en el camino de la equidad, la justicia, el amor y la correcta interpretación de las Escrituras. Una disciplina tan poco equilibrada impide una verdadera y generosa restauración. Ya se ha señalado que esa restauración debe ser siempre el objetivo principal de la iglesia al enfrentarse a los pecados de sus miembros.[42]

42 Muy interesante son los comentarios del teólogo Hans Küng sobre la iglesia real, a la que llama «iglesia pecadora». De acuerdo con él: «Ni los hombres del mundo ni los de la Iglesia son de suyo santos. No hacen ellos santa a la Iglesia; de por sí son más bien una *communio pecatorum* que necesita absolutamente de la justificación y santificación». Véase su obra *La Iglesia*, Herder, Barcelona, 1968, pp. 384-405. Tanto Küng como su colega Karl Rahner insisten en la necesidad de que la Iglesia sea santa. Para Rahner, existe una pecaminosidad de la Iglesia no sólo porque en la misma hay miembros pecadores, lo cual es obvio. Véase su obra *La Iglesia y los sacramentos*, Herder, Barcelona, 1964, pp. 11-20.

II

La oración y el ministerio

La importancia del culto público es evidente, pero también estamos conscientes de las controversias que pueden originarse por el estilo de adoración que adoptamos, y por los detalles. Este capítulo se inicia con el indispensable tema de la oración.

Después de resaltar la presencia de falsos maestros, la cual provocó la carta, Pablo da una serie de instrucciones bastante específicas en relación con el tipo de personas por quien debe orarse (1 Ti. 2.1-7) y acerca de cómo deben comportarse los que oran (1 Ti. 2.8-15). Puede darse por sentada alguna relación entre el capítulo primero y el contenido del segundo. En este se tratan ciertos problemas que requieren oración. El v. 2 pudiera estar indicando el deseo del Apóstol de conseguir una existencia tranquila o pacífica para la iglesia, lo cual puede lograrse en algunos aspectos si los gobernantes, por quienes se debe orar, realizan debidamente sus funciones. En cuanto al comportamiento de los que van a orar y ciertas instrucciones al respecto que encontramos en la segunda parte del capítulo, pueden entenderse mejor si se tiene en cuenta el contexto cultural y la posición de la mujer en aquel lugar y en aquella época, asuntos a los cuales volveremos más adelante. Está claro que hay referencias muy directas a la mujer e instrucciones que tienen relación con las mismas dentro del tema general de la oración.

En la iglesia latinoamericana la oración ha jugado un papel fundamental. Entre otras razones, porque las iglesias del continente fueron fundadas en muchos casos por órdenes religiosas católicas con una gran tradición de oración o por misiones de fe y grupos clasificados generalmente como «pietistas». El auge del movimiento carismático/pentecostal ha ayudado a que resurja el tema por todas partes. Se celebran cultos de oración, no solamente en el contexto de la congregación sino también en reuniones multitudinarias en las que se ora por la sanidad divina de los enfermos. De cualquier manera, una iglesia en la que la oración no juegue un papel fundamental difícilmente merece ser considerada como una verdadera asamblea cristiana. En este capítulo encontramos una oración bastante balanceada. No sucede como en ciertos cultos de oración en que los creyentes se limitan a pedir por personas con problemas, sobre todo por los enfermos y, si acaso, por la conversión de algún individuo en particular.

A. Orando por todos (2.1-4)

> Exhorto ante todo, a que se hagan rogativas, oraciones, peticiones y acciones de gracias, por todos los hombres; por los reyes y por todos los que están en eminencia para que vivamos quieta y reposadamente en toda piedad y honestidad. Porque esto es bueno y agradable delante de Dios nuestro Salvador, el cual quiere que todos los hombres sean salvos y vengan al conocimiento de la verdad.

V. 1. No es difícil comprender que esto es toda una exhortación al ejercicio continuo y amplio de la oración. En versiones católicas puede exhortarse a «que se pida, se rece...» (CI). Turrado apunta que «Hasta aquí Pablo se había mantenido en recomendaciones de carácter general sobre defensa de la verdadera doctrina contra los que la desfiguraban; ahora comienzan los avisos de tipo más particular. Y primeramente, con relación a la oración pública».[1]

N. Brox entiende que el hecho de que se haga énfasis en la oración «por todos los hombres» es una forma de enfrentarse a una tendencia de los gnósticos. Estos tenían tendencias esotéricas y por lo tanto reducían ciertos asuntos a un grupo muy reducido. Según los gnósticos, algunos no tenían posibilidad de salvación. Por tanto no había por qué orar por ellos. Esto de orar «por todos los hombres» pudiera ser una reacción a ese planteamiento. Nos parece más bien que ante tanta influencia judía, se estaría tratando de sacar el evangelio fuera de los límites culturales y no debe sorprender la selección de esas palabras.

Sería bastante difícil determinar exactamente el alcance de estas palabras: «rogativas» *(deësis)*, «oraciones» *(proseujë)* y «peticiones» *(enteuxis)*. Las rogativas pueden tener en el original un sentido de mayor urgencia que las oraciones que se le hacen a Dios. En varios comentarios consultados, las peticiones, que aparecen traducidas a veces como «intercesiones», son precisamente el acudir a un superior indirectamente, es decir, con la ayuda de un intercesor. La idea es de una persona o grupo que lleva la solicitud de otro ante alguien de importancia. A eso se le llama precisamente «intercesión». Se ha señalado reiteradamente que las acciones de gracias constituyen parte integral del concepto paulino de la oración. Si muchos les dan poca importancia o simplemente se olvidan de ellas están alejándose del centro mismo del mensaje del Apóstol sobre la oración.

1 *Op. cit.*, p. 389.

En el griego, la palabra que se usa para «acción de gracias» es la misma que muchos cristianos utilizan para la comunión: «eucaristía». Muchos ven en esto una referencia a la Santa Cena. Algunos objetan afirmando que para darle gracias a Dios en oración, no es necesario llevar a cabo un acto sacramental o ritual y que el uso de esa palabra no indica indefectiblemente un rito.

V. 2. Ya que se nos manda orar por «todos los hombres» no debe extrañar una referencia a los que posiblemente necesitan de nuestras preces con mayor intensidad. En 1 Pedro 2.17 leemos: «Honrad a todos. Amad a los hermanos. Temed a Dios. Honrad al rey». En ese texto lo que se nos dice es que debemos honrar al ocupante del cargo imperial de Roma en el momento mismo en que se escribía la epístola, y, por supuesto, esto incluiría a sus sucesores. Turrado señala que «Si Pablo habla de reyes en plural, ello no significa que suponga reinando entonces en Roma varios gobernadores asociados». Según ese comentarista, «más que de personas concretas, habla de categorías». Nos recuerda también que el término «reyes» puede también designar a «aquellos monarcas que, estando sujetos al emperador, ejercían un poder real en las provincias».[2]

Creemos que nos está pidiendo algo más amplio que lo que indicaría una alusión a un cargo gubernamental específico, es decir que podemos considerar esto como una referencia a la oración por los gobernantes incluso en nuestro propio contexto. En este caso, creemos nosotros, Pablo está pensando tal vez en reyes locales, gobernantes de naciones y pueblos. Se nos habla asimismo de orar «por todos los que están en eminencia». Esto último nos lleva a considerar a gente influyente, militares, líderes, magnates, etc. El teólogo Carl F. H. Henry afirma acerca de este versículo: «No solamente son el malvado Herodes y los emperadores blasfemos de Roma, con todas sus pretensiones, los que se convierten en objeto de nuestra oración, sino los reyes y la humanidad toda deben escuchar el evangelio».[3]

Oración y Política

Hay que tener cuidado aquí con un concepto generalizado en ciertos sectores. Se trata de la idea de simplemente orar porque se conviertan y sean buenos cristianos. Es mucho más que eso; es orar porque Dios les bendiga espiritual y materialmente, les conceda sabiduría y les ayude a realizar bien sus funciones. En algunos ambientes latinoamericanos y españoles se criticaría a una congregación local que tuviera oraciones especiales por un gobernante mencionándole por nombre. Se consideraría esto como una forma

2 *Op. cit.*, p. 389n.

3 *God, Revelation and Authority*, Tomo III, Word Books, Waco, 1979, p. 15.

de apoyar su gobierno. En círculos supuestamente «apolíticos» no se puede ni siquiera mencionar a un gobernante o dirigente. En este pasaje se deja la puerta abierta a la oración por ellos, lo cual no excluye necesariamente la mención de su nombre.

Es bueno tener en cuenta la parte final del v. 2: «...para que vivamos quieta y reposadamente en toda piedad y honestidad». La oración tiene que ver con el estilo de vida que debemos preferir y adoptar. Para ello son precisamente nuestras oraciones: para vivir así, con quietud y reposo, con piedad y siempre dentro de lo que es honesto. Si no oramos, no conseguimos. La norma bíblica es «Pedid y se os dará». Entre aquellas cosas que pedimos están la sabiduría y la buena conducta en los gobernantes, por citar el caso más cercano en el texto. Lo cual también tiene que ver con nosotros los creyentes ya que las acciones gubernamentales nos afectan necesariamente. El gobierno puede a veces conseguir cierto grado de paz y de seguridad para sus súbditos o ciudadanos.

Algunos piensan que no hay por qué pedirle a Dios por los dictadores o incluir en las oraciones a personas comprometidas con sistemas políticos, sociales y económicos con los que no coincidimos. La realidad es que, a pesar de su condición de opresores o explotadores, ellos ejercen un grado de autoridad y el principio de autoridad viene de Dios. Otros, a los cuales se les considera, o son, agitadores, no dejan de ser personas de influencia que necesitan también de la oración.

En Romanos 13:1-2 leemos: «Sométase toda persona a las autoridades superiores; porque no hay autoridad sino de parte de Dios, y las que hay, por Dios han sido establecidas. De modo que quien se opone a la autoridad, a lo establecido por Dios resiste; y los que resisten, acarrean condenación para sí mismos». Se nos habla en el mismo capítulo de «estarle sujetos».

Claro que pudiéramos utilizar interpretaciones literales y concluir con que la Biblia apoya a los dictadores y opresores y que debemos conformarnos con ellos. Lo anterior pudiera relacionarse en parte con el caso de personas que han llegado sinceramente a interpretaciones sobre otros pasajes que les convierten en pacifistas o en «objetores de conciencia» y no se opondrían por la fuerza a ningún régimen, por malo que este fuera. En cualquier caso, el principio de autoridad es una cosa y el mal uso del mismo es otra.

Sin llegar a ofrecerle el menor apoyo a un personaje como el «Tirano Banderas»[4] de Ramón Valle Inclán o el otoñal «patriarca»

[4] Recomendamos consultar la obra de Cecilio Arrastía *Teoría y Práctica de la Predicación*, la cual forma parte de la serie auxiliar de este *Comentario Bíblico Hispanoamericano* de Editorial Caribe. El capítulo XII, «La Novela y el Sermón» es sumamente útil para

de Gabriel García Márquez,[5] la necesidad de orar por los gobernantes es una realidad tan grande como aceptar su autoridad. Sería arbitrario utilizar los pasajes anteriores para convertirnos en sacralizadores o defensores del *status quo*. Se ha escrito mucho sobre prelados católicos orando por los ejércitos fascistas y sobre la Iglesia Ortodoxa Rusa orando por los zares o por José Stalin. Esos temas tienen que ser situados en perspectiva y analizados con mucha objetividad. Se puede llegar a diferentes conclusiones, pero no puede negarse el mandato paulino a orar por los gobernantes. El problema radica en la forma en que se ora y en las relaciones que se tenga con el régimen. No es lo mismo orar por Hitler que bendecir las armas fascistas. En todo caso se puede discutir la forma, el estilo, el contexto y todo lo demás, pero no la realidad de que el cristiano debe, en términos generales, orar por los «gobernantes».

Vv. 3-4. Orar por todos es un ejercicio necesariamente bueno y por lo tanto agrada a Dios. Un propósito fundamental del culto cristiano es precisamente agradar al Señor. Pero sería bueno evitar el pensamiento de que a Dios se le contenta y agrada simplemente con oraciones, «coritos» y actos masivos de evangelización. La vida cristiana, con la actitud de oración constante que la Biblia señala, contiene ángulos que son desatendidos por muchos. No podemos agradar a Dios orando en forma interesada, dejando de ocuparnos por el prójimo, o separándonos completamente de sus verdaderas necesidades.

Agradar a Dios no se limita a lo que vemos externamente en un solo pasaje de la Escritura. Pero hay razones más que suficientes por las que debemos orar por todos, incluyendo los gobernantes.

El v. 4 es ciertamente revelador. Nos descubre el gran propósito de Dios y su mayor deseo, la salvación del ser humano. Es solamente al alcanzar el conocimiento de la verdad que podemos ser salvos. La expresión «conocer al Señor» nos ayuda a entender esa relación entre salvación y conocimiento. Este deseo divino de salvación universal contrasta con los límites del judaísmo, interesado simplemente en el «pueblo escogido», y los del gnosticismo con su énfasis reservado a los «iniciados». E. Glenn Hinson señala que muchos

ayudarnos a utilizar la novela como recurso en la predicación.

5 La referencia es a la novela «El Otoño del Patriarca» de Gabriel García Márquez, una de las más recientes entre las llamadas «novelas del dictador latinoamericano». Otras son «Oficio de Difuntos» de Arturo Uslar Pietri, «Yo el Supremo» de Augusto Roa Bastos, «El recurso del método» de Alejo Carpentier, etc. Según algunos estudiosos, este tipo de novela tiene en cierta forma su origen en «Tirano Banderas» de Ramón Valle Inclán, mencionada en el comentario. Una novela del dictador que tiene gran importancia fue la publicada hace muchos años por el colombiano Jorge Zalamea Borda, «El Gran Burundún Burundá ha muerto».

autores cristianos han tratado de darle una vuelta a las posibilidades de universalismo (la salvación de todos) que se pudieran encontrar en estas palabras. Menciona, por ejemplo, una explicación ofrecida por Juan Crisóstomo según la cual Dios, en su voluntad antecedente, desea la salvación de todos, pero por su voluntad absoluta permite que algunos se pierdan porque así mismo ellos lo han escogido. Hinson parece compartir el criterio de J. N. D. Kelly acerca de que Pablo no contempló este problema sino que le hace frente aquí a la estrechez de los judaizantes.[6]

También podemos adentrarnos en otro tema interesante al recordar las controversias entre calvinistas y arminianos y su continuación en las de grupos como los «bautistas generales» y los «bautistas particulares» del siglo diecisiete. Para los «particulares», de teología calvinista, Cristo murió por los elegidos mientras que para los «generales», de teología arminiana, Jesús entregó su vida por todos.

Son muchos los intérpretes que prefieren dejar a un lado esa controversia cuando estudian este pasaje. J. H. Bernard considera que el verbo «querer» (*thelō*) indica el propósito general de Dios y no un acto de su voluntad. Es decir, Dios desea la salvación, ése es su propósito, pero aquí no nos dice algo acerca de lo que está haciendo en cuanto a esa salvación o sobre si su hijo moriría por todos o solamente por los elegidos o creyentes.[7]

Lo que creemos se expresa en el pasaje es el alcance ilimitado de la misericordia de Dios, la cual se extiende a todos, sin discriminación por motivos étnicos, raciales, condición social o de otro tipo. Se trata entonces de la compasión de Dios más que de una cuestión de teología dogmática. Esa compasión puede aclarar muchos conceptos. Al hacerlo, contradice las enseñanzas de gnósticos y judaizantes.

Dios está por encima de clases y partidos

En el contexto hispanoamericano, este pasaje nos puede recordar el interés de Dios que no se extiende solamente a ciertas clases sociales o razas sino a todos. Son grandes los abismos culturales que separan a los habitantes de las montañas o de las selvas de los pobladores de las ciudades más europeizadas o con influencia norteamericana. Es un continente en el cual hasta hace algún

6 *Op. cit.*, p. 313.

7 Un tratamiento muy adecuado de todos los problemas que presentan estos versículos se encuentra en «Universal Grace and Atonement in the Pastoral Epistles» de I. Howard Marshall publicado en *The Grace of God, The Will of Man*, Zondervan, Grand Rapids, 1989, (Clark H. Pinnock, editor general), pp. 51-69. Esta obra contiene otros trabajos relacionados con el tema.

tiempo vivían pueblos que no se comunicaban con otros. Todavía hay enormes regiones pobladas por millones de indios que no tienen mayor contacto con los que hablan español o portugués.

La iglesia católica estuvo tan ligada a las clases dominantes que algunos pensaron que su interés era solamente conseguir que la gente escuchara el catecismo, se bautizara y recibiera la primera comunión. Ese era el único interés de Dios (o por lo menos de la iglesia) que ellos podían constatar externamente. Sin embargo, varios sacerdotes católicos fueron pioneros de la lucha por los derechos de los indios.[8] Con la inmigración protestante procedente de los países anglosajones o germánicos, se produjo la formación de una casta de inmigrantes que vivían separados y tenían su propia religión las llamadas «iglesias del trasplante». No siempre estos se han ocupado de dar la impresión de que sirven a un Dios que «quiere que todos los hombres sean salvos y lleguen al conocimiento de la verdad».

Afortunadamente, una combinación de factores ha ayudado a cambiar la pobre opinión que muchos marginados han tenido de las iglesias organizadas y su mensaje. Se han producido algunos fenómenos positivos: un interés renovado en la población pobre por parte de sectores de la iglesia mayoritaria, la llegada de misioneros dedicados a la evangelización, y el surgimiento de una nueva conciencia social que incluye las necesidades totales del ser humano. De esa forma los pobres empiezan a darse cuenta que existe un verdadero interés en ellos por parte de los que afirman ser seguidores de Dios y de Cristo. Pero falta mucho todavía para que se pueda proyectar una imagen de verdadero y completo interés. Algunos insisten en una «opción por los pobres» y ofrecen una base bíblica. Otros creen más bien en «ocuparse de los pobres». De los ya lejanos días de la infancia y adolescencia recordamos que el único interés visible de tipo social de algunos católicos y protestantes consistía en recoger juguetes para repartirlos en las iglesias el «Día de los Reyes Magos»[9] o en limosnas ocasionales. Recordamos haber tenido como compañeros de estudio en una escuela religiosa a muy pocos alumnos verdaderamente pobres, los cuales eran sutilmente recordados de su pobreza por la referencia que se hacía a veces a su condición de «becados». Sin embargo aquella institución estaba abierta a distintas manifestaciones de la cultura y el pensamiento. Otros casos eran peores.

En una situación tan politizada como la que caracteriza la

8 El más conocido fue Fray Bartolomé Las Casas.

9 Celebración popular de la fiesta de la Epifanía el 6 de enero. Consiste en la distribución de juguetes que los niños encuentran esa mañana junto al árbol de Navidad.

realidad hispanoamericana debemos recordar que el interés de Dios incluye a personas de diferentes partidos políticos, o sin partido. Dios no está limitado por las preferencias capitalistas o socialistas que tengan los creyentes. No es el Dios del capitalismo ni el Dios del socialismo. No existe un Dios de izquierda o un Dios de derecha. Muchos misioneros[10] parecen creer en un Dios republicano, como el partido que lleva ese nombre en EE.UU. Algunos de sus colegas asocian la fe cristiana y hasta su propio trabajo como misioneros a una serie de causas liberales. Por su parte, varios teólogos parecen creer en un Dios socialista. Todos ellos, si sus creencias son sinceras y no se dedican a criticar y juzgar a hermanos con opiniones diferentes, deberían ser respetados pues no debe negarse el derecho que tienen como seres libres y pensantes de ser de izquierda, republicanos, liberales o cualquier cosa. El problema radicaría en asociar a Dios con un partido o una filosofía política hasta el punto de despreocuparnos de aquellos que rechazan sus esquemas favoritos o son indiferentes ante los mismos. Hemos sido enviados a trabajar con todos y a servir como agentes de reconciliación. Nuestro Dios es mucho más grande que un sistema o partido. Pero, como vivimos en un mundo imperfecto y tenemos derecho a tratar de mejorarlo, cualquier militancia política que tengan nuestros hermanos debe ser respetada, siempre que para ellos sea una forma de contribuir al progreso, la justicia y la paz entre los hombres. Metas que por supuesto sólo se alcanzarán en forma perfecta al culminar los planes de Dios para la humanidad.

Volviendo a la vieja controversia entre calvinistas y arminianos, no creemos que este pasaje tenga la solución o la clave de la misma. Resulta interesante que en nuestra época ambos grupos parecen haberse acercado grandemente. Hace tiempo que bautistas «particulares» y «generales» forman parte de una misma organización en Inglaterra. La mayoría de los otros cristianos de tradición arminiana o calvinista parecen haber reducido sus pasiones doctrinales. Las controversias entre agustinos y dominicos sobre la predestinación se han convertido hasta cierto punto en una curiosidad histórica. Aunque ciertos elementos doctrinales o prácticos de ambos sistemas se han podido conciliar, la controversia no ha muerto y este pasaje no es interpretado exactamente de la misma manera.

10 No es nuestra intención acusar a todo el movimiento misionero, al cual admiramos. Es necesario reconocer que muchos misioneros norteamericanos e ingleses han tenido una mentalidad muy equilibrada y positiva hacia los nacionales y sus problemas, como lo demuestran sus notables contribuciones a la formación de líderes que después dirigirían muchos países en regiones enteras como el Africa subsahariana, por citar un ejemplo.

Un aspecto que no debe desatenderse es el planteado por una traducción del v. 4 como la siguiente: «que quiere que todos los hombres lleguen al conocimiento pleno de la verdad» (BJ). Aunque la Escritura no nos ofrece el llegar a conocer «automáticamente» la verdad, como puede implicarse en la predicación de algunos sectores que todo lo que ofrecen es «automático» y parece conseguirse «en el acto» mediante alguna oración, «el conocimiento pleno de la verdad» debe ser una meta importante del cristiano. En cuanto a la salvación del alma, conocer la verdad puede interpretarse como conocer a Jesús que se presentó a sí mismo como la verdad (Jn. 14.6). Si hablamos de «verdad» en términos de conocimiento de toda la revelación divina y del gran plan de Dios para la humanidad, se trata de un asunto que en ciertos aspectos es diferente. Esto requiere estudio riguroso y búsqueda de la voluntad de Dios quien no solamente quiere que nos «salvemos» sino que «conozcamos». Por supuesto, esto echa abajo el generalizado concepto de «la fe del carbonero», el cual simplemente «cree» y eso es todo. La fe cristiana no debe estar en guerra con la búsqueda de la verdad plena.

En la historia del cristianismo, los grandes estudiosos han tratado de aproximarse, con sus limitaciones humanas, al conocimiento de la verdad. Muchos de ellos han sido fieles creyentes. La actitud hostil hacia las actividades del intelecto, en algunos sectores cristianos hispanoamericanos y del resto del mundo, no coincide con las enseñanzas bíblicas.

B. El único intermediario (2.5-8)

> Porque hay un solo Dios, y un solo mediador entre Dios y los hombres, Jesucristo hombre, el cual se dio a sí mismo en rescate por todos, de lo cual se dio testimonio a su debido tiempo. Para esto yo fui constituido predicador y apóstol (digo verdad en Cristo, no miento), y maestro de los gentiles en fe y verdad. Quiero, pues, que los hombres oren en todo lugar, levantando manos santas, sin ira ni contienda.

V. 5. El único y verdadero Dios extiende su misericordia hacia todos y por lo tanto todos pueden dirigirse a él. Pero antes de entrar en el tema de la intercesión, que aquí encontramos, es imprescindible dedicar alguna atención a la «expiación». Jesús «se dio a sí mismo en rescate por todos» y ese «rescate» ha sido interpretado en formas diferentes. Un buen número de intérpretes se detienen aquí por una serie de implicaciones. La palabra «expiación» significa el proceso por medio del cual Dios y el humano se unen después de la tragedia del pecado que les separó (Is. 59.2) y les convirtió en enemigos (Col. 1.21). Ha habido muchas formas de explicar la expiación. Gustav Aulén[11] ha

[11] Gustavo Aulén, nacido en 1879, se distinguió como uno de los principales teólogos suecos. Fue profesor en Lund y ocupó el obispado luterano de Strängnäs. Es el autor, entre otras, de la importante obra *Christus Victor* publicada en 1931 donde expone esta teoría. Fue un luchador

propuesto el punto de vista considerado como «clásico» o «dramático» y se basa sobre todo en pasajes como el que nos ocupa ahora por su referencia al «rescate». De acuerdo con él, los pecadores pertenecen a Satanás debido al pecado. En la muerte del Hijo de Dios, el Padre pagó el precio de su redención. Satanás aceptó a Jesús en lugar de los pecadores, pero no pudo retenerle. En este punto de vista se enseña que con la resurrección Satanás se quedó sin Cristo y sin los pecadores cautivos. Para Aulén, esa enorme victoria es lo más importante de todo y, por lo tanto, la expiación es un proceso de victoria sobre todas las fuerzas del pecado y la muerte. El problema con esta opinión consiste en que a pesar de la importancia de esa victoria, ésta no lo es todo, como parece ser el caso del énfasis de Aulén. Muchos consideran que esta interpretación concuerda con la prevaleciente en el pensamiento cristiano hasta la llegada de la Edad Media. Desde los días de Orígenes,[12] la idea de que Cristo murió para pagarle un rescate al diablo ha tenido un lugar mayor o menor en el pensamiento cristiano. Por su parte, Anselmo[13] vio en el pecado una deshonra a la majestad divina. Fue en la cruz que Dios borró esa deshonra. Cristo pagó la pena que los pecadores debían pagar. Ese pensamiento es, en líneas generales, el mismo de los reformadores evangélicos y de otros cristianos que insisten en la justificación por la fe. Otra interpretación, vinculada con el pensamiento de Abelardo,[14] ve la expiación en el efecto que hace en el humano lo que Cristo realizó en la cruz. Cuando contemplamos el amor de Dios manifestado en Cristo y su muerte, nos conmovemos, nos arrepentimos y le amamos como pago. Se trata de una transformación subjetiva. Se ha señalado reiteradamente que cada una de estas teorías es incompleta en sí misma y es necesario reunirlas a las tres para tener una idea más completa de la redención.

Una cosa es ofrecerle a Dios algún sacrificio propiciatorio, como en el Antiguo Testamento, para establecer así una relación favorable con la divinidad dentro de lo establecido por la ley mosaica, y otra, muy distinta, es resolver de una vez y por todas el problema planteado por el pecado. La intercesión de Jesús como el verdadero Sumo Sacerdote es enseñada en otras

contra el nazismo y ocupó después la vicepresidencia de la Conferencia de Fe y Orden.

12 Fines del siglo segundo y principios del tercero.

13 Anselmo de Canterbury (1033-1109) fue uno de los grandes filósofos y pensadores religiosos de la Edad Media. Nació en Italia pero fue escogido para el arzobispado de Canterbury en Inglaterra. Se le debe gran parte del desarrollo intelectual de los siglos once y doce en Europa. Escribió obras sistemáticas, oraciones, cartas y numerosos ensayos. La fe es, según él, absolutamente necesaria para la especulación filosófica: «no trato de comprender para creer, sino que creo para entender». Sus argumentos a favor de la existencia de Dios ocupan un lugar importante en la historia de la filosofía pues formuló la llamada «prueba ontológica» de la existencia de Dios. Para él la expiación era necesaria para satisfacer la majestad divina y se opuso a conceptos anteriormente defendidos, como los de Orígenes.

14 Pedro Abelardo (1079-1142) fue un notable filósofo y teólogo escolástico nacido en Bretaña, Francia. Sus amores con Eloísa han sido inmortalizados por la literatura universal. Trató de reconciliar la fe y la razón.

partes del Nuevo Testamento. La epístola a los Hebreos contiene mucha información al respecto. Pero en este pasaje hay algo que no deja lugar a dudas: no hay posibilidad de buscar otro intermediario efectivo.[15] El v. 5 pudiera ser entonces fundamental para la religión del Nuevo Testamento.

Se ha producido algún grado de controversia por el uso de la palabra *mesitês* o «mediador». Pablo la utilizó en Gálatas 3.19-20 para referirse a Moisés. La encontramos también en Hechos 8.6; 9.25 y 12.14, describiendo a Cristo como mediador del nuevo pacto en comparación con Moisés el del antiguo.

El origen del uso de la palabra *mesitês* en las Escrituras pudiera estar en Job 9.33 en la *Versión de los Setenta*: «No hay entre nosotros mediador, y un reprobador, y uno que escuche la causa que existe entre nosotros».[16] Notamos el intenso deseo de que existiera un mediador entre Dios y los humanos, como lo evidencian las conversaciones del patriarca. Hasta pudiera decirse que es una profecía del mediador que vendría. El cardenal Jean Daniélou[17] cita un pasaje del *Testamento de Dan* donde el ángel Miguel es presentado como mediador entre Dios y los seres humanos.[18]

La creencia cristiana en un solo mediador entre Dios y los humanos contrasta con las ideas de otras religiones. Pero únicamente así, con un mediador exclusivo, podrán los humanos llegar a ser hijos del mismo Dios y hermanos de los otros humanos que, sin importar las características personales o las diferencias nacionales y raciales, acuden al mismo camino para llegar al Padre.

V. 6. Hay una relación en el v. 6 con Marcos. 10.45: «Porque el Hijo del Hombre no vino para ser servido sino para servir, y para dar su vida en rescate por muchos». En este pasaje, Pablo menciona la palabra «rescate» (*antilutron*). Es necesario apropiarse de ese beneficio. El hecho mismo de que Dios ha hecho provisión por los pecados de los humanos indica su gran interés por todos. Pero eso no quiere decir que el problema se haya resuelto sin que nosotros participemos, apropiándonos de los beneficios de ese rescate. Nos impresionó el caso de un hombre que estaba totalmente apartado de Dios. De repente, su

15 Véase Terry L. Miethe, «The Universal Power of the Atonement» en *The Grace of God: The Will of Man*, Zondervan, Grand Rapids, 1989, (Clark H. Pinnock, editor general), pp. 71-96.

16 *The Septuagint with Apocrypha*, Hendrickson Publishers, Peabody, 1986, p. 672.

17 Jean Daniélou (1905-1974). Notable especialista en el cristianismo primitivo y en patrística. Doctor por la Sorbona y eminente sacerdote jesuita. Sus contribuciones a la interpretación de los símbolos, la tipología y el cristianismo judío fueron sobresalientes. En 1942 fundó con Henri de Lubac *Sources chrétiennes*, una serie de textos cristianos antiguos y de traducciones al francés. Fue elevado al cardenalato en 1959 y designado arzobispo de Taormina. Su obra *Historia de la doctrina cristiana antes del Concilio de Nicea*, publicada en inglés por Wesminster, Filadelfia, 1964, 1977, 3 vol., es fundamental en estos estudios. El cardenal Daniélou disfrutó de gran prestigio en la comunidad evangélica europea. La presente obra está dedicada a su memoria.

18 *Théologie du Judéo-Christianisme*, París, 1975, p. 175.

único hijo murió. Aquella pérdida fue devastadora. Pero en el duro proceso se encontró de nuevo con Dios. Mirando la tumba de su querido hijo pensó: «Tuviste que caer para que yo me levantara». Lo mismo nos sucede. Tuvo que caer el hijo amado de Dios para que nosotros fuéramos levantados.

Lo enseñado en la primera parte del v. 6 coincide con otros pasajes del Nuevo Testamento, pero la frase final: «de lo cual se dio testimonio a su debido tiempo», pudiera presentar algunos problemas de comprensión. Nosotros creemos que ese «testimonio a su debido tiempo» fue el hecho mismo de enviar Dios su hijo al mundo. En parte nos basamos en que esto pudiera tener relación con Gálatas 4.4-5: «Pero cuando vino el cumplimiento del tiempo, Dios envió a su Hijo, nacido de mujer y nacido bajo la ley para que redimiese a los que estaban bajo la ley, a fin de que recibiésemos la adopción de hijos».

V. 7. Para dar testimonio de lo hecho por Dios en la persona de Cristo, Pablo había realizado varias funciones. La Biblia de Jerusalén lo traduce así: «y de este testimonio —digo la verdad, no miento— yo he sido constituido heraldo y apóstol, maestro de los gentiles en la fe y en la verdad» (BJ). Barclay habla de cuatro cargos que Pablo reclama aquí: heraldo de la historia de Jesucristo, testigo de esa historia, enviado a llevar la historia a otros y maestro que proclama los hechos de esa historia.[19]

Pablo no se nombró a sí mismo sino que fue «constituido». Es difícil entender por qué tenía que ratificarle todo eso a Timoteo que le conocía, y añadir las palabras «digo verdad en Cristo, no miento». La mejor explicación que podemos ofrecer los que nos inclinamos a la autoría de Pablo pudiera ser que lo hacía porque Timoteo no sería el único lector de la carta. Esta tenía como propósito el llegar a otros cristianos.

Además, era importante darle más argumentos a Timoteo en la lucha para probar la condición de apóstol que tenía Pablo y que era continuamente puesta en duda por algunos. Pero es también probable que lo más importante que había que defender, en este caso, fuera lo de «maestro de los gentiles», lo cual va después de sus palabras asegurando que no mentía. Ahora bien, no es fácil separar su apostolado de su magisterio a los gentiles. Según Guthrie, las palabras «en fe y verdad» que vienen después abarcan el espíritu del maestro y el contenido de su mensaje, sobre todo esto último.[20]

V. 8. Aunque no aparezca así en la forma que se utiliza para dividir el texto en muchas versiones de la Biblia, nos parece que el v. 8 forma todavía parte del tema de la oración. Este versículo es como una forma que tiene el autor de regresar al tema después de haber acentuado el carácter intercesor de Cristo, lo cual es también fundamental en la oración.

Ahora bien, la palabra «querer» (*boulomai*), no es aquí exactamente la

19 *Op. cit.*, pp. 64-66.
20 *Op. cit.*, p. 73.

misma del v. 4. Notamos en ella cierta expresión de autoridad, tal vez con el propósito de lograr alguna uniformidad en el culto. Sin que el significado pueda utilizarse en contra de la presencia de alguna espontaneidad que parece haber sido también el deseo de Pablo.

Para C. Spicq el análisis de la expresión «en todo lugar» debe hacerse teniendo en cuenta Malaquías 1.11: «Porque desde donde el sol nace hasta donde se pone, es grande mi nombre entre las naciones; y en todo lugar se ofrece a mi nombre incienso y ofrenda limpia, porque grande es mi nombre entre las naciones, dice Jehová de los ejércitos». Ese pasaje es considerado como una profecía del sacramento u ordenanza de la Eucaristía o Cena del Señor según Justino Mártir. Por supuesto que esto es fácil de entender en autores católicos como Spicq que naturalmente pueden identificar esas palabras con la celebración universal de la misa.

En cuanto a «levantar las manos», esa práctica, así como el levantarse, eran propias de la oración en tiempos antiguos, como leemos, por ejemplo, en Exodo 9:29: «...extenderé mis manos a Jehová, y los truenos cesarán, y no habrá más granizo». El gesto se combinaba con el de arrodillarse como en el caso de la oración de Salomón: «Cuando acabó Salomón de hacer a Jehová toda esta oración y súplica, se levantó de estar de rodillas delante del altar de Jehová con sus manos extendidas al cielo». La práctica no era solamente de judíos sino también de los paganos. Hay también otro simbolismo. Levantar las manos puede muy bien indicar el deseo que siente la persona de recibir la bendición de Dios. No olvidemos que las manos son instrumentos y pueden representar la inocencia o culpabilidad de una persona. Pablo puede estar indicando la limpieza de las manos, o más bien de la vida. Notemos la segunda parte: «...levantando manos santas, sin ira ni contienda». La actitud judía de orar en pie con las manos levantadas fue adoptada por muchas comunidades cristianas. Tertuliano llegó a afirmar que representaba la actitud de Jesús en la cruz. En Primera de Clemente se encuentra también una referencia a «levantar manos santas».

De acuerdo con E. Schweizer esto indica que en los días en que se escribió esta carta cualquier cristiano del sexo masculino podía dirigir las oraciones en el culto público. Esa opinión no es aceptada por varios comentaristas cuyas objeciones son lingüísticas. La palabra «hombre» en ese contexto no indica necesariamente «varones».

Aparte de estas consideraciones, recordemos varios asuntos que no son difíciles de entender: no puede haber resentimiento o ira, no pueden tocarse las cosas prohibidas, no debe haber duda en la mente del que ora. Tal vez son estos detalles lo que se está señalando con mayor intensidad con el deseo de que se ore levantando «manos santas, sin ira ni contienda».

Es significativo que muchos grupos que aplican a sus situaciones particulares las palabras siguientes (1 Ti. 2.9-15) en torno a las mujeres no exijan a los creyentes que oren siempre con las manos levantadas, lo cual, como ciertas restricciones impuestas a la mujer, formaba parte del contexto cultural de la época. Es curiosa la opinión de Tertuliano quien afirmaba que mientras los paganos elevan los brazos verticalmente, los cristianos los extienden a lo ancho, a imagen del Cristo crucificado.[21] Algunos se han preocupado más por los detalles que por la sustancia. Otros aplican solamente un mandato que consideran pertinente, el de las limitaciones a la mujer, pero no tienen en cuenta otros, en lo cual hay inconsistencia. Por supuesto, son muchos los comentaristas que, ofreciendo razonamientos adecuados, señalan que lo de levantar las manos es una costumbre de origen oriental y rechazan la idea de que debe ser seguida hoy en forma literal o constante.

C. Posición y comportamiento de la mujer cristiana (2.9-15)

> Asimismo que las mujeres se atavíen de ropa decorosa, con pudor y modestia; no con peinado ostentoso, ni oro, ni perlas, ni vestidos costosos, sino con buenas obras, como corresponde a mujeres que profesan piedad. La mujer aprenda en silencio, con toda sujeción. Porque no permito a la mujer enseñar, ni ejercer dominio sobre el hombre, sino estar en silencio. Porque Adán fue formado primero, después Eva; y Adán no fue engañado, sino que la mujer, siendo engañada, incurrió en transgresión. Pero se salvará engendrando hijos, si permaneciere en fe, amor y santificación, con modestia.

Entramos, pues, en el polémico tema del papel de la mujer en la iglesia y resulta necesario tener en cuenta el contexto, prescindiendo de la interpretación particular a que nuestra propia herencia religiosa nos incline. Se ha señalado insistentemente que pocos pueblos le dieron en el pasado un sitio tan especial a la mujer como el judío. A pesar de eso no le correspondía realmente un lugar que pudiera considerarse elevado. Se trataba más de un objeto que de una persona ya que estaba casi totalmente a la disposición de su esposo o padre. No tomaba parte en los servicios de la sinagoga o del templo ni podía aprender oficialmente la ley, es decir, simplemente «oía» la ley mientras que los hombres la aprendían. Además, no podía sentarse en la misma parte de la sinagoga que los hombres, se le eximía de ciertas demandas hechas por la ley, no podía enseñar en la escuela, ni siquiera se esperaba que asistiera obligatoriamente a las fiestas religiosas. Los rabinos más conservadores no saludaban a las mujeres en la calle aunque fueran parte de su propia familia. Los hombres daban gracias a Dios por no ser «gentiles, esclavos o mujeres». De hecho, se situaban en una misma categoría —para ciertas funciones— a los esclavos, los niños pequeños y las mujeres.[22]

21 El arte cristiano antiguo atestigua la práctica de orar con las manos extendidas.

22 Véase C. M. Breufolge, «The Religious Status of Women in the Old Testament», *BibW*, #35,

No era muy diferente la situación entre los griegos. En el templo de Afrodita en Corinto había mil sacerdotisas que oficiaban como «prostitutas sagradas» y que debían buscarse la vida en las calles de la ciudad. Un caso parecido, muy citado por cierto, era el de las sacerdotisas de Diana en Efeso. El lugar que le correspondía a la mujer era bastante bajo. La mujer de cierta categoría social, que disfrutaba de respeto, tenía precisamente que vivir en habitaciones propias a las que solamente su esposo podía acudir a visitarle. No iba a las comidas públicas ni a las asambleas. No se le veía sola por las calles.

Estos antecedentes pueden darnos una idea de lo que hubiera acontecido si las primitivas congregaciones a las que Pablo escribía hubieran tenido libertad de permitir abiertamente a las mujeres predicar, dar clases a los hombres o tomar parte en la administración. El descrédito del cristianismo hubiera sido casi total en muchos círculos, y hasta en pueblos a los que se quería precisamente alcanzar con el evangelio.

El comentarista Gordon D. Fee, cuyas credenciales académicas y filiación denominacional lo alejan de cualquier clasificación de «liberal» o «modernista»,[23] utiliza pasajes posteriores (5.3-16 y 2 Timoteo 3.5-9) como una posible clave de interpretación de estos versículos. De acuerdo con él, 2 Timoteo 3.5-9 aclara que los falsos maestros estaban consiguiendo muchos seguidores entre las mujeres «cargadas de pecados, arrastradas por diversas concupiscencias» que «están siempre aprendiendo», etc. No se refiere a todas las mujeres sino especialmente a viudas chismosas entregadas a los placeres. Es así como el comentarista afirma que el tiempo que el autor dedica a las mujeres debe entenderse dentro del marco de referencia de la actividad de los falsos maestros que trabajaban con ellas para confundirlas. De ahí «las instrucciones sobre vestir con modestia y en prohibir la enseñanza o la autoridad ejercida sobre hombres, así como la ilustración de Eva, que fue igualmente engañada por Satanás, más la instrucción final en el v. 15 sobre criar niños».[24] Fee reconoce que las dificultades hermeneúticas continúan vigentes. Unos creen que estas prohibiciones se aplican a todas las situaciones; otros piensan lo contrario.[25]

1910, pp. 405-419.

23 Gordon D. Fee, uno de los más prestigiosos eruditos del Nuevo Testamento entre los «evangelicals» de EE.UU. y Canadá. Es ministro de las Asambleas de Dios, pero trabaja en un nivel interdenominacional y ocupa la Cátedra de Nuevo Testamento en el Regent College, además de ser autor de varios libros, incluyendo un comentario importante sobre Primera de Corintios y una obra muy apreciada sobre las Pastorales.

24 *Op. cit.* p. 70. En una nota (véase p. 77n), el mismo autor señala que «aquellos que creen que estos versículos son aplicables universalmente, aún cuando el Nuevo Testamento sugiera otra cosa, no sienten la misma urgencia acerca de las viudas jóvenes y su recasamiento en 5.14, que comienza de la misma manera que este párrafo (2. 8-15) ('quiero')».

25 Un importante estudio sobre este pasaje y las dificultades es «1 Timothy 2.9-15 & The Place of Women in the Church's Ministry», *Women, Authority & Bible*, InterVarsity Press, Downers Grove, 1986, pp. 192-224.

La mujer en el mundo religioso hispanoamericano

Las interpretaciones tradicionales han sido rebatidas o criticadas en obras que se han publicado en distintas regiones del mundo, sobre todo en Norteamérica y Europa Occidental. En el Tercer Mundo se han expresado puntos de vista interesantes.[26] Esa situación se nota ya en la América Latina y entre los hispanos en Norteamérica. En esos ambientes se han publicado también obras que pueden ser tomadas en consideración en círculos académicos. Delores S. Williams, de la Escuela de Teología de la Universidad Drew, en New Jersey, afirma en el prólogo de un libro editado por la teóloga mexicana Elsa Tamez: «...los teólogos latinoamericanos han empezado a levantar sus voces a favor de los derechos de la mujer... declarando que las mujeres alcanzarán poder en la iglesia y la sociedad».[27] Los autores y autoras de las mismas utilizan no sólo materiales bíblicos, sino también otros argumentos de tipo sociológico o histórico en defensa de la igualdad entre el hombre y la mujer en la iglesia y el ministerio.[28] Será necesario tratar las posiciones divergentes según continuamos comentando el texto de Primera de Timoteo.

Independientemente de lo anterior, no deseamos utilizar los recursos de la imaginación o un criterio de selección bastante limitado para concluir entonces que los cristianos han tomado una

26 Una recopilación de esos materiales se encuentra en la obra editada por John S. Pobee y Bärbel Von Wartenberg-Potter, *New Eyes for Reading: Biblical and Theological Reflections by Women from the Third World*, Meyer Stone Books, Oak Park Illinois, 1987, 108 pp. El libro fue publicado originalmente por el Consejo Mundial de Iglesias.

27 Véase *Through Her Eyes: Women's Theology from Latin America*, Orbis Book, Maryknoll, New York, 1989, p. viii.

28 Véanse Jorge Pixley, *La mujer en la construcción de la iglesia*, Departamento Ecuménico de Investigaciones, San José, 1986, 126 pp.; Ada María Isasi-Díaz y Yolanda Tarango, *Hispanic Women: Prophetic Voice in the Church*, Harper & Row, New York, 1988, 124 pp; Ana Sojo, *Mujer y política*, DEI, San José, 1985, 108 pp.; e Irene Foulkes (editora), *Teología desde la mujer en Centroamérica*, SEBILA, San José, 192 pp. Como resultado del trabajo de varios autores se han publicado también *El rostro femenino de la teología*, DEI, 1986, 212 pp.; y *Comunidad de mujeres y hombres en la iglesia*, SEBILA, San José, 1981, 96 pp. Estas obras al tratar el asunto tienen en cuenta el texto bíblico y lo examinan a la luz de ciertos problemas que tienen relación con realidades y prejuicios arraigados en América Latina y las comunidades hispanas de Norteamérica. Una obra en la que se repasa y analiza la participación de la mujer en la Biblia, es la de Catherine Gunsalus González y Justo Luis González, *Sus almas engrandecieron al Señor*, Editorial Caribe, San José, 112 pp.

u otra dirección en el tema del papel de la mujer en Hispanoamérica y España. La realidad es que existe una variedad enorme. Entre los católicos y los evangélicos más o menos fundamentalistas, dos sectores que incluyen a la casi totalidad de los que afirman ser cristianos en la región, prevalecen actitudes tradicionales de distinto grado. La iglesia católica ha hecho concesiones importantes a las mujeres, pero no les permite el acceso a las órdenes sagradas. En los grupos evangélicos que trabajan en el continente y España prevalecen aquellos que limitan, basándose en sus convicciones religiosas, la actividad que la mujer puede desplegar en la iglesia. A pesar de eso, muchas denominaciones que no ordenan mujeres al ministerio les permiten realizar importantes actividades. En nuestro propio país de origen conocemos denominaciones o iglesias como la de los bautistas del libre albedrío y la Convención Evangélica Los Pinos Nuevos, un grupo fundamentalista fundado en Cuba, que utilizan extensamente a la mujer en la predicación y la enseñanza, encargándoles incluso de atender iglesias, pero sin ordenación. Ese fenómeno se repite en todas partes.

El avance femenino en cuestiones políticas y sociales se ha dejado sentir en estos países. Esto ha repercutido en la iglesia aunque con menor intensidad. Un análisis superficial nos llevaría a conclusiones parcialmente correctas. Debe tenerse en cuenta que las mujeres ejercen gran influencia en las congregaciones locales aún en denominaciones que no permiten la ordenación de mujeres.

Será necesario, más adelante, volver al tema. Por el momento, debemos tener en cuenta que entre los evangélicos conservadores hay grupos que exigen de las cristianas una conducta intachable y una moralidad muy estricta. Esto puede traducirse también en regulaciones en cuanto a la vestimenta. En algunos casos se sigue literalmente el texto bíblico que nos ocupa en cuestiones como el uso de joyas. Hay grupos que impiden a las damas pintarse los labios. Estas normas no son uniformes y dependen de la región, la iglesia local, el pastor, etc. Con frecuencia se producen exageraciones.

Pudiera considerarse un elemento adicional. El mejoramiento constante de la mujer y el reconocimiento de sus innegables derechos, no debe confundirse con el libertinaje moral. Existe en realidad una inmoralidad rampante por todas partes. Las playas de muchos de nuestros países se han convertido en una invitación al nudismo. El uso de malas palabras, las confrontaciones matrimoniales, la disolución del matrimonio por causas triviales o caprichosas, la homosexualidad, el consumo de tabaco, bebidas alcohólicas, etc., no deben ser identificados como «derechos de la mujer» o «derechos del hombre». Son cuestiones totalmente diferentes. Mezclar el derecho a la igualdad con el derecho a un estilo de vida diferente al que han promovido tradicionalmente los cristianos llevará a que los creyentes más piadosos perciban los derechos de la mujer en una forma equivocada. Claro que en esto obrarán prejuicios que no son aceptables. Pero los mejores voceros de los derechos de la mujer, al igual que los más eficaces promotores de otros derechos humanos, deberán mostrar una conducta intachable y no confundir a las masas con una vida ostentosamente diferente a la del resto del pueblo cristiano. En un proceso de moderación y sensatez que se apoye en el Espíritu, será posible identificar aquellas normas que en realidad no son exigidas por las Escrituras o por la vida cristiana.

V. 9. En este versículo nos encontramos con los deseos del autor en cuanto al atavío y conducta de las mujeres. A pesar de que no hay necesariamente una relación apreciable entre los vv. 8 y 9 (como lo evidencian las divisiones que se hacen en las distintas versiones bíblicas) se ha producido un movimiento hacia otra dirección. La palabra «atavío» (*katastolê*) parece indicar no solamente la vestimenta sino también el porte. Cuestiones como «ropa decorosa» y «pudor» no deben preocupar mucho al intérprete porque quieren decir precisamente eso. En cuanto a «modestia» debe recordarse que conllevaba también el significado de decencia. Se trata, contextualmente, de personas muy ordenadas que hacen honor a su sexo, y manifiestan una conducta aceptable en cuestiones como ésta. Hay claras indicaciones que nos recuerdan que el Apóstol se oponía a la ostentación como estilo de vida. Tal vez lo importante aquí no sean los detalles sino la actitud correcta que debe existir en la mente de una mujer cristiana. La idea principal que al menos nosotros encontramos es la siguiente: cualquier detalle, en la vestimenta o el porte, que indique ostentación, o más bien, que se haga con el propósito expreso de ostentar, debe rechazarse.

Turrado resume estas cuestiones de los vv. 9 al 15 y entiende que las mujeres no deben ir a la oración como a una exhibición de modas, que el Apóstol se preocupaba porque esa actitud existiera en las «asambleas litúrgicas», que las mujeres no debían dar instrucciones a los hombres ni dirigirlos, que las mujeres deben mostrar sus propias virtudes femeninas (como la maternidad). Pero ese mismo comentarista advierte: «A estas argumentaciones sacadas de la Biblia, muy en uso entre los judíos, no siempre se les pretendía dar carácter de estricta demostración, sino más bien de ilustración (cf. Gá. 3.26), como quizás sea también en el caso presente» [29]

Es importante recordar que entre las griegas había algunas que dedicaban

[29] *Op. cit.* p. 391.

su vida entera a vestirse en forma muy elaborada y a trenzarse los cabellos. Entre las judías, eso último era también bastante popular y se sujetaban las trenzas con cintas y lazos. Mientras que las religiones tradicionales de griegos y romanos no se oponían demasiado a estas cuestiones, las llamadas «religiones de misterio» se oponían a los excesos en la vestimenta y la ostentación. Enormes cantidades de dinero se invertían en la antigua Roma, y en algunas colonias romanas, para las bodas y ocasiones sociales. Todo esto parecía reñido con la vida cristiana que Pablo estaba promoviendo entre las mujeres creyentes.

En algunos ambientes de la antigüedad, vestirse elegantemente y de forma muy atractiva, podía ser equivalente a algún tipo de infidelidad matrimonial si la dama en cuestión se exhibía en público de esa manera. Entre judíos y griegos eso era a veces un problema. La influencia cultural es evidente. Pero la mujer cristiana será necesariamente una dama modesta, ajena a todo tipo de exageraciones en cuestiones de moda. Quitémosle el elemento cultural que pueda estar implícito. Pero no olvidemos el mensaje divino que contiene el pasaje.[30] El Señor nos ayudará a cumplir con el espíritu de estas palabras, que es lo importante, los juicios se deben dejar a él.

V. 10. Pero Pablo no está sugiriendo que las mujeres cristianas deben ser descuidadas. La cuestión, como ya hemos dado a entender, no radica en detalles específicos sino más bien en una actitud que se relaciona con una prohibición principal, la ostentación. El v. 10 contiene la demostración de que el atractivo más importante para una mujer es su buena conducta. El distanciamiento o separación entre doctrina y práctica no es permitido por Pablo. Es importante que la mujer entienda que la frivolidad debe ser reemplazada por la piedad. Las «mujeres que profesan piedad» deben tener normas más altas y vivir de acuerdo con un código más estricto que las de carácter frívolo que les rodeaban. El hecho de vivir para Dios y el prójimo es en sí un atractivo especial que adorna la vida de las cristianas, en contraste con el egoísmo prevaleciente entre quienes prefieren preocuparse de su apariencia antes que sacrificarse por los demás. Este pudiera llegar a ser un mensaje para el materialismo de las sociedades de consumo.

Debe señalarse, en relación con lo de «mujeres que profesan piedad», que esa última palabra, que en algunas versiones en lengua inglesa es traducida

30 En todo esto pudiera haber grandes contradicciones. Conocimos a una señora, miembro de una secta muy extremista, que no se vestía con oro ni con perlas, pero se trasladaba en un lujoso Rolls Royce y su casa era casi comparable a las de los potentados y altos funcionarios de imperios caracterizados por el boato, la ostentación y el lujo como los sátrapas persas, los baiwodas de Transilvania y los tiranos de Trebisonda. También conocimos otra dama, de ideas políticas radicales, que se oponía a la interpretación literal de estos pasajes, pero atacaba los abusos de los ricos. Sus conferencias las pronunciaba elegantemente vestida y con joyas que llamaban la atención a su auditorio, compuesto de damas que sólo podían utilizar modestísimos adornos.

como «religión», viene de *theosebeia*, palabra griega que no es utilizada por Pablo en otros pasajes, pero que hubiera sido entendida perfectamente por personas de otras religiones aparte del cristianismo. Hasta los no cristianos podían entender lo que Pablo estaba indicando en este versículo.

V. 11. Es necesario tener en cuenta la enseñanza de Pablo en Primera de Corintios antes de enfrentarnos con este tema. El que la mujer aprenda en silencio parece coincidir con 1 Corintios 14. 34-35: «Y vuestras mujeres callen en las congregaciones; porque no les es permitido hablar, sino que estén sujetas, como también la ley lo dice. Y si quieren aprender algo, pregunten en casa a sus maridos; porque es indecoroso que una mujer hable en la congregación».[31]

Si tenemos en cuenta el contexto de 1 Timoteo 2 nos damos cuenta que en Efeso había problemas no muy diferentes a algunos existentes en Corinto. En esa última ciudad parece que se habían producido excesos, entre ellos el de mujeres que se encontraban con un mejor trato en la iglesia y empezaron a usar su libertad con poca discreción. Incluso algunas llegaron al extremo de manifestar públicamente el dominio que ejercían sobre sus esposos, como tal vez lo evidencian ciertas insistencias paulinas en respuesta a situaciones específicas. El autor estaría tratando entonces de mantener el principio de que la mujer debe estar sujeta a su esposo. Claro que debemos recordar que pudiera considerarse también, más que principio, una maldición, si acudimos a Génesis 3.16 y su contexto. Es curioso que en Primera de Corintios se dé por sentado que la mujer «profetiza», es decir, que predica, pero que al hacerlo no puede tener la cabeza descubierta. A esa conclusión se llega mediante la lectura de 1 Corintios 11.5.[32]

En cualquier caso, Pablo había elevado las relaciones matrimoniales a un plano en el cual el hombre debía «amar a la mujer», con todo lo que esto significaba dentro de aquel marco de referencia en el cual la mujer estaba reducida a la mínima expresión en cuanto a sus derechos.

A pesar de esas conclusiones y de un estudio amplio del tema sólo nos parecen bastante factibles dos posibilidades. La primera es que el autor se refiere a actividades públicas de la iglesia. La segunda pudiera ser discutible:

31 Se ha señalado reiteradamente la posibilidad, a base de los manuscritos existentes, de que estas líneas no sean parte del original de 1 Corintios, sino que algún copista los haya tomado de Timoteo. Esa es una cuestión demasiado compleja para entrar a considerarla en un comentario que no es sobre ese libro. Véase la obra de Irene Foulkes, *Comentario de Primera de Corintios*, en esta misma serie del *Comentario Bíblico Hispanoamericano* de Editorial Caribe. Puede acudirse también al anteriormente citado libro de Catherine Gunsalus González y Justo L. González, *Sus almas engrandecieron al Señor*, pp. 96-100.

32 Para un mayor abundamiento en la exégesis de los pasajes de Primera de Corintios relacionados con estos temas, véase «Women, Submission and Ministry in 1 Corinthians», *Women, Authority and the Bible*, InterVarsity Press, Downers Grove, 1986, pp. 134-160.

se trata de una situación particular en el mundo en el que Pablo ministraba. El hecho de que sea discutible no debe hacernos pasar por alto esa probabilidad.

No olvidemos que la palabra «silencio» (*êsyjia*) no es solamente un silencio como el que existe por la ausencia de ruido. Lo que sucede es que refleja el propósito paulino expresado en el v. 2: vivir «quieta y reposadamente», evitando disturbios, controversias y peleas. La mujer debe estar dispuesta a ser enseñada. Ese principio trasciende una situación particular. Pero no olvidemos que el hombre está en la misma situación. Aceptar lo contrario sería una contradicción en el uso de los materiales bíblicos.

V. 12. Lo que muchos consideran claras restricciones a la mujer en la iglesia resalta en este versículo.[33] Se está invitando a la mujer a aprender. Se le prohíbe enseñar.[34] De nuevo volvemos a razones de carácter local, aunque se señala reiteradamente que pudiera existir un principio aplicable universalmente aparte de la prohibición más categórica que parece desprenderse del lenguaje del autor. Claro que si aceptamos esa posición, sin ofrecer mayores explicaciones, pudiéramos vernos obligados a enseñar que, entre otras cosas, «oro y perlas» (2.9) no pueden formar parte hoy en día del adorno femenino. Ahora bien, en círculos rabínicos no se le permitía a la mujer enseñar ni siquiera a niños pequeños. Es cierto que se le permitía leer la Tora en público, lo cual no significa que esa práctica fuera popular en muchos sectores o que estuviera muy difundida.

A pesar de todo eso, ¿cómo conciliar estas palabras de Pablo con una serie de situaciones muy diferentes? Por ejemplo, en 1 Corintios 11.5, Pablo habla de «mujer que ora o profetiza» y se le impone solamente esta limitación: que no lo haga con la cabeza descubierta. Priscila, la mujer de Aquila, había expuesto a Apolos el camino del Señor (Hch. 18.26). No se hace condenación alguna en el caso de cuatro doncellas que profetizaban (Hch. 21.9).[35] Pablo

33 Véase J. I. Packer, «Let's Stop Making Women Presbyters», *CT*, February 11, 1991, Vol. 35, No. 2, pp. 18-21.

34 Catherine Clark Kroeger cree que esta prohibición se aplica más bien al mensaje y no al acto mismo de enseñar. Véase «1 Timothy 2.12. A Classicist's View», *Women, Authority & The Bible*, InterVarsity Press, Downers Grove, Illinois, 1986, pp. 224-244.

35 Orígenes, por citar un escritor antiguo, aceptaba el hecho de que había habido mujeres profetisas en la iglesia, pero señala que no hablaban públicamente o en la asamblea de la iglesia. Una explicación curiosa es la que hace Crisóstomo confirmándolo, pero señalando que al principio de la predicación cristiana las mujeres viajaban predicando como misioneras, ya que una «condición angélica» lo permitía en ese caso especial. Lo que sí es cierto es que en los siglos segundo y tercero se discutía el asunto de si las mujeres debían o no ocupar cargos eclesiásticos de este tipo. Muchos de los materiales antiguos deben ser interpretados teniendo en cuenta la polémica que existía, con los naturales apasionamientos de las diferentes partes. Por ejemplo, si se acepta una fecha posterior al siglo primero, digamos, que el ambiente es el del siglo segundo, entonces el ambiente antifemenino del momento hubiera explicado estas reacciones. Para un más amplio estudio del asunto véase *In memory of Her*, Crossroad, Nueva York, pp. 53-56. La autora de ese libro, Elizabeth Schüssler Fiorenza, propone una «reconstrucción teológica feminista de los orígenes cristianos». Lo cual para muchos será discutible. Aún en

hizo varios reconocimientos a sus colaboradoras en el evangelio en otros pasajes, dándoles así un lugar de honor en la historia del cristianismo primitivo. Por supuesto no hay datos específicos acerca de sus actividades que nos permitan llegar a conclusiones más definitivas.

En el Antiguo Testamento resaltaba el caso de Débora (Jue. 4 y 5), el cual es considerado generalmente como excepcional por los más contrarios al papel de la mujer como dirigente. Sin embargo, el hacer esa concesión permite dejar una puerta abierta. Minerva Garza Carcaño, superintendente de distrito en la Conferencia de Río Grande de la Iglesia Metodista Unida aborda ese tema en un artículo: «Y ¿qué de Sara, Rebeca, Rut, Ana, Julda, Tamar, María, Marta, Lydia, Dorcas? La lista no termina aquí, incluye a todas las mujeres de fe que por palabra y acción han dado testimonio de la grandeza y poder de nuestro Dios y que han sido llamadas y han recibido poder para servir en el ministerio del Reino de Dios. ¿Cuándo fue la última vez que en nuestras iglesias se predicó un sermón o se tuvo un estudio bíblico en el cual se hizo mención de una mujer de fe? Si no nos acordamos o si hace mucho tiempo, nosotros y la iglesia estamos recibiendo sólo parte de la historia de fe?».[36]

Limitémonos por ahora al Nuevo Testamento. La mención de los hijos y otras implicaciones pudieran también hacernos concluir que Pablo se refiere a mujeres casadas que públicamente contradecían a sus esposos o daban la impresión de haber usurpado autoridad sobre ellos. Las palabras «ni ejercer dominio sobre el hombre» parecen estar en total acuerdo con otras enseñanzas de Pablo sobre las relaciones entre esposas y esposos. En el original «ejercer dominio sobre alguien» indica tener señorío, controlar o «estar por encima de».[37]

Si en algunas iglesias surgió una situación en la que ciertas mujeres alborotadoras causaban problemas al orden, puede entenderse mejor una prohibición particular llevada a cabo por alguien que poseía la autoridad de

caso de que no coincidamos con importantes aspectos de su obra, la autora ha realizado evidentemente una cuidadosa investigación histórica. Una obra bastante opuesta a la anterior es la de Samuele Bacchiocchi, *Women in the Church*, Biblical Perspective, Berrien Springs, 1987. Bacchiocchi adopta a veces una posición moderada, pero insiste en que las limitaciones impuestas a las mujeres en la iglesia tienen una base bíblica y no son necesariamente de carácter particular sino universal.

36 «Una perspectiva bíblico-teológica sobre la mujer en el ministerio ordenado», *Ap*, Perkins School of Theology, Dallas, año 10, # 2, Verano, 1990, pp. 28.

37 Algunos estudiosos conservadores aceptarían a una mujer ministra en caso que no estuviera casada. Su mayor preocupación radica en que no estén en una posición de autoridad sobre sus esposos. Esa es su explicación a que algunas mujeres ejercieran labores de profetisas y fueran identificadas como tales. Comprenden que un profeta es un ministro y por lo tanto dejan abierta la posibilidad de que las mujeres no casadas puedan realizar esa función. En caso de contraer matrimonio deberían hacer el trabajo en combinación con su esposo, de ser este un pastor. Véase C. E. Serling Jr., «Women Ministers in the New Testament Church?», *JETS*, Vol 19, #3, Summer 1976, pp. 209-215.

un apóstol y que quería auxiliar a un pastor joven como Timoteo.[38] Recordemos, volviendo a 1 Corintios 14. 34-35, las palabras del v. 34: «pues Dios no es Dios de confusión, sino de paz. Como en todas las iglesias de los santos». ¿Habría algo con mayor propensión a confundir que contemplar a una mujer contradiciendo a su esposo, el pastor o maestro, en una congregación? Claro que todo lo anterior es discutible según la forma en que se vean las relaciones entre el hombre y la mujer.

Spiros Zodhiates, un expositor y comentarista bíblico nacido en Chipre y muy conocido en círculos conservadores, afirma: «La pregunta es si Pablo hablaba de esposas en particular o de mujeres en general. Pablo habla de la oración como un privilegio común a hombres y mujeres y que puede ser practicado en cualquier lugar... En lo que se concierne a 1 Timoteo 2.12, el pasaje no debería ser interpretado como una prohibición de Pablo a que una mujer enseñe, sino que se refiere a una mujer que al hacerlo dé la impresión de que tiene el control en la relación entre ella y el esposo».[39]

El significado más aceptado entre los cristianos conservadores es que la mujer no puede tomar control sobre el hombre, y mucho menos sobre su esposo. Esa actitud estaría en contraposición a las enseñanzas de las Escrituras.[40] Aun así, no olvidemos que muchos cristianos conservadores permiten mujeres en el ministerio a pesar de aceptar el control del esposo sobre la mujer, lo cual otros entienden como una contradicción.

Pudiéramos estar enfrentándonos entonces al mismo propósito paulino de paz y orden. Una iglesia local o un grupo de iglesias, basándose en su interpretación particular de estos pasajes o en alguna situación determinada, pudiera limitar, como parece haberlo hecho Pablo, la participación de las mujeres, o de las esposas, en ciertas actividades. Eso pudiera caer dentro del campo de la eclesiología o ser simplemente el resultado de condiciones determinadas. Para algunos es digno de estudiarse dentro de la sociología de la religión. Consecuentemente, una interpretación específica de la eclesiología o de las condiciones particulares pudiera conducir a una posición diferente. Nos parece interesante y lógico el agudo comentario que hace Elsa Tamez: «Para leer la Biblia desde la perspectiva de la mujer hay que leerla con ojos de mujer».[41] Pero conocemos muchas mujeres de origen y formación conservadora en cuestiones bíblicas y teológicas que no llegan a las mismas conclusiones que otras hermanas suyas. Por otro lado, autores que no pueden ser

[38] Debemos tener en cuenta que todo esto sería visto de manera diferente en caso de que el autor no fuera Pablo y estuviera rodeado de un ambiente anti-femenino como afirman otros comentaristas.

[39] *New Testament Word Studies on Women in the Home and Church*, Nashville, 1990, pp. 19-21.

[40] De nuevo es importante considerar la posible contradicción que se nos plantea en caso de que este principio se aplique literalmente en este contexto, pero se admita, en contra de lo que parece enseñarse en esta epístola, que la mujer pueda llevar, por ejemplo, un anillo de bodas (2.9).

[41] «Leer la Biblia como mujer Latinoamericana», *VP*, SEBILA, San José, julio-diciembre, 1986, vol. 6, No. 2.

ubicados en una escuela de pensamiento estrictamente conservadora, como es el caso del teólogo suizo Karl Barth, han visto estos asuntos a la luz de principios que pudieran ser considerados por muchos como «conservadores»,[42] pero que no son simplemente el resultado de prejuicios, los cuales juegan casi siempre un papel en las opiniones.

El autor del presente comentario pertenece a una tradición conservadora, pero no cree que la existencia de una variedad de actitudes debe llevar a los cristianos a constituirse en jueces implacables de iglesias hermanas o de personas piadosas que han llegado a conclusiones diferentes a la nuestra al analizar los materiales bíblicos. Pudiera pensarse que los que juzgan son solamente los más conservadores, pero debe tenerse en cuenta que algunos han tratado de que éstos pasen por encima de sus convicciones personales y, por lo tanto, les están poniendo en una situación muy difícil en un asunto sumamente complicado. No creemos sensato que a un cristiano se le obligue a cambiar sus convicciones si estas son sinceras y basadas en una interpretación respetuosa de la palabra de Dios. Esto se aplicaría, necesariamente, a todos los sectores.[43]

Vv. 13-15. La doctrina del autor acerca de Adán y Eva también está sujeta a diversas interpretaciones. Para alcanzar un mínimo de comprensión es necesario estudiar estos tres versículos sin separarlos mucho. No debe obviarse la relación entre estas palabras y los pasajes anteriores.

Este texto parece decirnos que, en cierta ocasión histórica, la mujer enseñó al hombre y los resultados fueron tan negativos que con aquella vez basta. Llevar eso hasta sus últimas consecuencias pondría punto final al ministerio educativo de la mujer y ciertamente produciría una revolución en el mundo de la educación cristiana de nuestro tiempo ya que es hacia esa actividad precisamente que han querido muchos líderes eclesiásticos canalizar las inquietudes de la mujer que desea dedicarse de tiempo completo a la obra religiosa.

Por otro lado, parece señalarse la prioridad del hombre en la creación. Algunos entienden que con esto se enseña la superioridad del mismo en cuanto al orden establecido por el Creador. Nos referimos al versículo 13: «Porque Adán fue formado primero, después Eva». Adán, nos dice el siguiente versículo (el 14) «no fue engañado» y parece hasta que se le absuelve por la transgresión original. Para evitar más confusiones debemos entonces leer

42 Nos estamos refiriendo a las ideas sobre la mujer expresadas en su comentario del libro de Génesis, pero no a una posición específica acerca del asunto de la ordenación femenina.

43 Para un estudio más exhaustivo de estas cuestiones véase Katharine Doob Sakenfield, «Feminist Biblical Interpretation» en *ThT*, Princeton, vol. XLVI, # 2, julio de 1989, pp. 154-168. Una posición diferente a la de Sakenfield, pero igualmente erudita, es la expresada por George W. Knight, III, «The New Testament Teaching on the Role Relationship of Male and Female with Special Reference to the Teaching/Rule Functions in the Church», *JETS*, Vol. 18, #2, Spring 1975, pp. 81-91. Para un marco de referencia que incluye el problema de una probable orden de viudas en la iglesia primitiva véase Bonnie Bowman Thurston, op cit.

cuidadosamente Romanos 5.12: «el pecado entró en el mundo por un hombre, y por el pecado la muerte, así la muerte pasó a todos los hombres, por cuanto todos pecaron». La mujer incurrió en transgresión, pero Pablo no puede negar que el hombre también. Adán pecó conscientemente. En caso contrario, todo lo que le ha pasado a la raza humana después de su supuesta transgresión es una injusticia.

Sería pertinente tener en cuenta 1 Corintios 11.8-12, donde Pablo dice que la mujer procede del hombre y luego afirma que el hombre nace de la mujer y que en definitiva todo procede de Dios.

Hay necesidad de considerar los versículos anteriores y la intención del autor de refrenar las actividades de ciertas mujeres o esposas. También se debe ejercer cierta cautela y no llegar rápidamente a la conclusión, por la lectura del v. 15, de que hay una relación directa e inescapable entre la salvación del alma y la crianza de los hijos. Esta afirmación: «...se salvará engendrando hijos» y que en otra versión es presentada como «...se salvará por su maternidad» (BJ) presenta varios problemas y sería bueno repasar algunas opiniones. Sir W. M. Ramsay sugiere que esas palabras no deben interpretarse como el dolor del parto, mencionado en Génesis 3.16, sino el papel natural que le corresponde llenar a la maternidad. Por otro lado, E. F. Scott la traduce de la siguiente manera: «será salva a pesar de que tiene que dar a luz hijos» (recordemos la maldición después de la caída según el relato del Génesis). Para J. Moffat, el significado es «la mujer saldrá bien del parto». Es decir, si Eva cayó bajo la maldición y experimentó los dolores del parto se le da ahora la seguridad de que si se llenan las condiciones todo saldrá bien. Algunos ven en este versículo una referencia al nacimiento de Jesús por intermedio de una mujer. No olvidemos que algunos escritores antiguos, Ireneo entre ellos, elaboraron una interpretación en la que si Cristo contrasta con Adán, la virgen María contrasta con Eva. En otras palabras, en este versículo se nos diría «será salva por medio del Mesías» que nacería precisamente de una mujer. Una interpretación más sencilla, a la que algunos pudieran llegar, sería esta: las mujeres son débiles y fáciles de confundir, como lo fue Eva, por lo tanto le corresponde una vida de labores domésticas en subordinación al esposo.

No nos precipitemos, pues, a aceptar a la ligera una de estas interpretaciones ya que son muchas las que pudieran citarse. Ahora bien, ciertos elementos sobresalen y pueden tomarse tal vez como bastante probables. La mujer, al criar sus hijos y vivir una vida modesta y sencilla hace bien, siendo salva, independientemente del papel que le corresponde en este caso. Claro que el hombre también puede hacerlo a pesar del suyo. Dios bendice en medio de las imperfecciones o de las características de la condición humana. Por alguna razón justificada, se señalan aquí problemas relacionados con la mujer y pudiera hacerse algo parecido con los relacionados con el hombre. Lo que sucede es que el contexto justifica de alguna forma al autor a inclinarse a considerar lo relacionado con la mujer.

En cuanto a «fe, amor y santificación», son elementos que están presentes cuando una persona es salva y trata de vivir una vida agradable delante de Dios. Entonces lo que probablemente se nos dice es que ese estilo de vida es más importante que cualquier otra cosa que pueda alcanzar la mujer, sin necesariamente excluir las otras cuando no aparten del propósito principal.

C. Spicq entiende que la referencia a la santidad que se encuentra en estas palabras hace resaltar el hecho de que el matrimonio es compatible con una vida de santidad cristiana. Asunto que parece no formaba parte del pensamiento de algunos cristianos primitivos y que ocasionó controversias en la iglesia antigua. No podemos olvidar que los gnósticos, y algunos grupos de judíos con tendencias al ascetismo, le ponían objeciones al matrimonio y algunos grupos gnósticos llegaban hasta a atribuirlo a Satanás.

En cualquier caso, aún si alguien aceptara la interpretación que parece ser la más literal, se enfrentaría con la gran realidad de que en estas palabras se nota el deseo del autor de estimular a la mujer y encaminarla hacia su papel especial en el hogar mientras le recordaba o aclaraba que ella también podía ser salva.[44]

En relación a todo lo anterior, nos parece necesario aclarar algunos asuntos, exponiendo en forma resumida nuestro propio pensamiento. El texto no trata sobre la «maternidad» en el sentido de crianza y educación de los hijos. El texto habla del hecho de parir. Posiblemente es un ataque de soslayo a la gente que prohibía casarse. Si nos atreviéramos a decir que la mujer se salva pariendo, el único problema no sería la crudeza de esa afirmación, sino que estaríamos enseñando salvación por obras y contradiciendo la enseñanza del Nuevo Testamento y especialmente de Pablo. Ante nosotros se abren dos posibilidades: o el texto quiere decir que la mujer alcanza la vida eterna «engendrando» (lo cual es inaceptable) o significa que Dios acompañará a la mujer en el parto, de modo que su maldición —por usar el lenguaje del Génesis— queda atenuada. Esto quiere decir que se salvará «a través del parto» (no «gracias al parto» o algo parecido). La Escritura nos dice que Noé y los suyos se salvaron «a través del agua» (1 P. 3.20), pero no fue salvado por el agua sino por Dios. Nos quedamos, pues, con la segunda interpretación. De la misma manera que Noé no se salvó gracias al diluvio sino en medio del diluvio, la mujer no se salva por el parto sino en medio del parto, en medio de los dolores de la vida, como todos, hombres y mujeres. Para terminar nuestro comentario sobre el tema aclaramos que no creemos que la mujer sea salva por medio del parto, en el parto o gracias al parto.

44 Morgan P. Moyers, *op. cit.*, pp. 406-407.

Las mujeres en primera fila

Las mujeres han jugado un papel fundamental en la obra cristiana y en todo lo relacionado con la historia de la humanidad. En medio de graves restricciones que les han sido impuestas, generalmente en forma arbitraria, sufriendo graves formas de discriminación y enfrentándose a todas las dificultades implicadas en la condición humana, las mujeres han servido a Dios y al prójimo. La iglesia hispanoamericana se ha visto beneficiada de las labores de las mujeres. Además de todo lo que pudiera decirse de las religiosas que sirvieron en órdenes femeninas en la época de la colonización española y en la era republicana, su contribución a la evangelización, la educación y la asistencia social es notable.

A pesar de las limitaciones del período de gestación y el alumbramiento, mencionado en estos pasajes, las mujeres han estado en la primera fila del cristianismo. Son muchas las damas que han utilizado sus hogares como centros de predicación, al estilo de las mujeres del Nuevo Testamento. Recordamos también a las misioneras que decidieron continuar la obra cristiana cuando sus esposos fueron asesinados por los aucas en Ecuador, pensando que las mujeres tendrían mejor acogida que los hombres, pero conociendo las infinitas dificultades a las que se estaban sometiendo. Es bueno que se señale que son millones las que, sin renunciar a ser esposas y madres, han servido a Dios. En medio de las responsabilidades y los rigores del matrimonio y la maternidad, esas mujeres han vivido la vida cristiana y con su existencia digna y ejemplar han exaltado el nombre del Señor en Latinoamérica, y España. No hay congregación, por pequeña que sea, que no recuerde a alguna mujer ejemplar que jugó un papel fundamental en su origen y desarrollo. Por otra parte, esposas de pastores se cuentan entre las principales figuras de la evangelización, aunque generalmente sus labores no han recibido la atención dedicada a la de sus maridos. Una de las grandes injusticias cometidas en la historiografía cristiana de América, sobre todo en círculos evangélicos, es olvidar las labores y los dolores de las mujeres cristianas que han vivido su experiencia de salvación y vida cristiana en el contexto latinoamericano.[45]

[45] En la introducción de nuestra obra *Panorama del Protestantismo en Cuba*, confesamos una limitación fundamental que podemos extender a casi todos los historiadores cristianos: «...lamentamos sinceramente que no se haya hecho justicia a las mujeres, que por lo general llevan la mayor parte del peso en las congregaciones locales de todas las denominaciones y que

En este capítulo 2, en el cual se ofrecen instrucciones específicas en cuanto a quiénes deben ser objeto particular de nuestra oración, se han tratado también importantes asuntos que afectan a la mujer en relación con un caso particular. No importa cuál sea la interpretación a que hayamos llegado, recomendamos ejercer mucho cuidado al extender ciertas conclusiones a otros casos.

merecen un reconocimiento mucho mayor del que hasta ahora se les ha concedido por parte de los organismos denominacionales...» Véase *op. cit.*, pp. 16-17.

III

Los ministros

Después de dirigirse a problemas relacionados con la adoración, el Apóstol se refiere a los requisitos que se deben exigir a los líderes. De acuerdo con el obispo Joseph Reuss: «La primera parte de las instrucciones sobre disciplina eclesiástica se centró en el culto (2.1-15). La segunda parte trata de los ministros de la comunidad cristiana... Las dotes requeridas no se refieren solamente a las obligaciones estrictas de estos ministros, sino a los requisitos necesarios para la actitud personal para el cargo.»[1] Todo pastor tiene necesariamente que preocuparse por cuestiones de organización de la iglesia. Como apunta Erdman, esto trasciende cualquier teoría en cuanto a gobierno eclesiástico. Pero el tema que Pablo trata ahora tiene mucho que ver con la organización de la iglesia.

A. Obispos en la iglesia de Dios (3.1-7)

Palabra fiel: Si alguno anhela obispado, buena obra desea. Pero es necesario que el obispo sea irreprensible, marido de una sola mujer, sobrio, prudente, decoroso, hospedador, apto para enseñar; no dado al vino, no pendenciero, no codicioso de ganancias deshonestas, sino amable, apacible, no avaro; que gobierne bien su casa, que tenga a sus hijos en sujeción con toda honestidad (pues el que no sabe gobernar su propia casa, ¿cómo cuidará de la iglesia de Dios?); no un neófito, no sea que envaneciéndose caiga en la condenación del diablo. También es necesario que tenga buen testimonio de los de afuera, para que no caiga en descrédito y en lazo del diablo.

V. 1. Estas palabras demuestran no sólo que el obispado es «buena obra» sino el alto concepto que el Apóstol tenía del ministerio cristiano. No se

1 Joseph Reuss, *Primera carta a Timoteo*, Editorial Herder, Barcelona, 1967, p. 47.

presentan obstáculos al que desee servir en el ministerio sino todo lo contrario. Pero ciertos cargos requieren una preparación especial y para ocuparlos es necesario llenar ciertas condiciones.

Esta es la segunda de las «palabras» que son presentadas como «fieles» en las Pastorales. Pudiera preferirse la palabra *anthrôpinos* o «humano» a *pistos* o «algo seguro». Si aceptamos la primera forma de leer esto en el idioma original, lo que se nos dice es lo siguiente: «Hay un dicho o afirmación popular, que si alguno anhela obispado, buena obra desea».[2] Sin embargo, otros creen que en vez de ser una afirmación «popular» es más bien «de uso general». En cualquier caso, la «palabra fiel» sirve de introducción a cuestiones bien definidas como lo son los requisitos de los obispos.

> Se decía que en ciertas provincias de España la única manera de salir de una aldea era «hacerse cura». En algunos ambientes evangélicos se invita a todos los jóvenes a «asistir al instituto bíblico», lo cual no parece ser una tentación para la clase media, pero en la cultura de la pobreza latinoamericana pudiera constituir una forma de salir de un barrio lleno de pulgas y caracterizado por la falta de vivienda, salud, educación y sobre todo de alimentos adecuados. Pero el servir a Dios sigue siendo una «buena obra» en cualquier contexto, incluyendo en el nuestro. La cuestión de las normas y los requisitos sigue mereciendo consideración adecuada.

V. 2. Si el pastor no es irreprensible lo demás no sería suficiente en cuanto a requisitos para el cargo. Pero, si lo es, casi todo lo demás viene «por añadidura», independientemente de dificultades o detalles.

Si vamos a ser fieles al original, la palabra *episkopos* simplemente indicaría algo así como el servir de supervisor. Es muy probable que por mucho tiempo simplemente designaba la persona que supervisaba la obra de la iglesia local, el pastor. El uso que se da a una palabra puede cambiar con el tiempo y las responsabilidades o privilegios de un cargo sufren alguna modificación con el transcurrir de los años.

Nos limitamos al significado original que nos parece más seguro sin negar que puede haber discusión al respecto. Pero no deseamos ocultar el peso que las circunstancias y los acontecimientos ejerce sobre las decisiones que la iglesia toma en relación con los cargos.

La palabra *anepilêmptos* quiere decir algo más que «irreprensible». Indica a alguien que haya merecido ese reconocimiento en forma marcada pero sin una implicación clara de que se esperara de él la condición de perfecto (como entendemos esa palabra) o que no tuviera mancha alguna en su historial o antecedentes. Para los griegos, la palabra quiere decir «sin darse el lujo de nada

2 Véase a Bruce Metzger en *A Textual Commentary on the Greek New Testament*, United Bible Societies, 1971, p. 640.

que un adversario pueda aprovechar».[3] Sería mucho más realista entenderla de acuerdo con su contexto inmediato, sobre todo en el sentido de que su testimonio en el momento de su designación o durante el ejercicio del cargo debe ser irreprensible.

La segunda condición es que sea «marido de una sola mujer». Algunas versiones ofrecen, más bien como una posibilidad, la de que pueda leerse «casado una sola vez» (VP). Pero la frase utilizada por Pablo es *mias gynaikos andra*, que debe traducirse «hombre de una sola mujer».[4]

Las interpretaciones sobre estas palabras han sido abundantes. Una antigua tradición procedente de los primeros siglos ha sido la de que los viudos vueltos a casar no deben ser ordenados como ministros. Más adelante llegó a pensarse que estas palabras impedían la ordenación de divorciados o les prohibía a estos ocupar el cargo pastoral. Se requiere bastante imaginación para llegar a una conclusión tan definitiva. Muchos intérpretes, como Calvino, han visto aquí una referencia a la poligamia. Nos ha parecido como respetable cualquier interpretación que contemple los casos de personas que practiquen abiertamente la poligamia o que sean conocidos como individuos con tendencias a tener relaciones sexuales con más de una mujer. Consideramos como opiniones precipitadas algunas afirmaciones hechas en ciertos textos de consumo interno en el mundo religioso o en alguna enciclopedia de tipo popular sugiriendo o tratando de probar que la poligamia no se practicaba en el primer siglo.[5] El peso de la erudición nos lleva en dirección contraria a esa premisa. Por citar un solo dato, en el año 212 tuvo que ser proclamada la *lex Antoniana de civitate* estableciendo firmemente la monogamia para los romanos, pero, de manera muy significativa, se hacía una excepción en la misma para los judíos. En 393 Teodosio tuvo que hacer proclamar una disposición suya incluyéndoles en la prohibición. De alguna manera la práctica continuaba en ciertos grupos.

Si el autor hubiera usado la palabra *gameô* que indicaría específicamente el acto de casarse, sería posible traducir estas palabras como «casado una sola vez», como algunos traductores lo han hecho, confundiendo tal vez su propia interpretación del asunto con una traducción que debía ser más aproximada al original.[6] Pablo no parece referirse al número de veces que se ha casado una

3 William Barclay, *op. cit.*, p. 75.

4 Stanley A. Ellisen, *Divorce and Remarriage in the Church*, Zondervan, Grand Rapids, 1980. p. 81. Véase también Marcos Antonio Ramos *La pastoral del divorcio en la historia de la iglesia*, Editorial Caribe, San José, 1988, pp. 142-149.

5 La obra de Stanley A. Ellisen que hemos citado es un ejemplo. El libro ofrece una excelente exégesis, pero trata demasiado ligeramente el tema de la poligamia en el primer siglo. A pesar de eso recomendamos el tratamiento del tema del divorcio y el nuevo matrimonio en esa obra.

6 Jay E. Adams, el notable especialista en consejería cristiana y erudito bíblico, es uno de los que aclara en sus obras que este pasaje no se refiere a estar «casado una sola vez». Ver *Marriage, Divorce and Remarriage*, Phillipsburg, Presbyterian and Reformed Publishing Company, 1980, p. 83.

persona sino al hecho de tener una sola esposa o ajustarse a la monogamia como práctica.

Una traducción aceptable pudiera ser tal vez «casado con una sola a la vez».[7] Por lo tanto, no es fácil ver una referencia directa a asuntos como el divorcio, la viudez o el nuevo matrimonio, sino más bien al carácter de la persona. En otras palabras, si alguno practica una forma de poligamia aunque ésta sea disfrazada quedaría necesariamente descalificado. Ningún cristiano puede hacerlo, pero mucho menos el pastor.

Divorcio y Ministerio

Muchos problemas se pueden evitar con acudir a la palabra «irreprensible». Una persona, independientemente de que haya pasado o no por un divorcio, el estado de viudez o por un nuevo matrimonio, necesitará de buenos antecedentes para llegar a ser un pastor respetado. Es imprescindible que en el momento de su ordenación, o de su llamamiento a un cargo pastoral, sea considerado por los que le rodean como «irreprensible», lo cual no quiere decir «sin pecado». Puede presentarse la siguiente situación. Es posible que un hombre que haya sido abandonado por una esposa adúltera, pero cuya conducta personal sea intachable, disfrute de un excelente testimonio personal y del respeto de la iglesia. En ese caso aquellos a los cuales deberá ministrar como pastor tendrían la última palabra y no el intérprete.

En un asesinato hay por lo menos dos personas involucradas, el asesino y la víctima. A nadie se le ha ocurrido acusar del crimen a la víctima sino al asesino. Lo complejo de la situación matrimonial puede llevarnos a muchas conclusiones, incluso a considerar culpables a los dos, en muchos casos, pero no existe una licencia bíblica que nos permita convertirnos en jueces de situaciones que desconocemos. De paso, rechazamos la práctica de ciertos métodos de consejería fabricados al por mayor en Norteamérica o en algún otro lugar, y publicados en forma de folletito o manual. La razón es que las conclusiones de los psicólogos o de los practicantes de ciertas formas de psicología popular, aunque afirmen ser cristianos, no tienen necesariamente algún tipo de autoridad escrituraria.[8]

7 Ver el comentario que sobre esto hace A. T. Robertson, un erudito bautista, en su obra, ya considerada como clásica, *Word Pictures of the New Testament*, vol. IV, New York, 1931, p. 572.

8 Algunos han llegado al extremo de afirmar que siempre que se produce un adulterio, ambos cónyuges son culpables. Esa afirmación se viene abajo fácilmente. Si alguien se casa con una

Si se hubiera prohibido el acceso al pastorado a los antiguos asesinos, borrachos y derramadores de sangre, e incluso a los que como Pablo persiguieron encarnizadamente a la iglesia, pudiera tal vez hasta aceptarse a primera vista una prohibición absoluta del ministerio a los que han pasado por la experiencia del divorcio, sin importar la situación específica.

Ahora bien, resulta razonable considerar que el divorcio tiene relación, como otros casos mencionados, con el pasado de la persona. Por lo tanto, se trata de un importante elemento que puede o debe ser considerado, pero no creemos que sea el único o el más importante criterio de selección.

La dificultad fundamental radica, pues, en señalar un solo elemento del pasado como obstáculo insalvable basándonos en un pasaje tan oscuro. Esto conduciría a contradicciones. Sería mejor hacer un análisis lo más completo posible acerca de la forma en la que Dios trata con las personas y los problemas con los que se enfrentan en la vida.

Es cierto que algunos prohíben el nuevo matrimonio incluso de divorciados por causa de inmoralidad sexual (Mt. 19.9) o de abandono (1 Co. 7.15). Cuando existe esa interpretación sería hasta cierto punto lógico echar de nuevo una mirada a lo de «marido de una sola mujer» en el caso de un divorciado vuelto a casar. Pero, si se aceptan las cláusulas de excepción de los versículos mencionados, el problema se complica nuevamente.

Un sector entiende que incluso si la persona rompió ella misma su vínculo matrimonial y cometió un pecado, pero ha rectificado su estilo de vida y demostrado su arrepentimiento, se le puede admitir en las labores pastorales. Eso sería discutible para muchos y puede comprenderse la razón. Pero para otros parece coincidir con otras enseñanzas bíblicas como la de la «nueva criatura» para quien «todas las cosas son hechas nuevas» (2 Co. 5.17).

Nos parece que, independientemente de interpretaciones, tendríamos que regresar a la palabra «irreprensible» para que ella nos dé la clave. Pero es lógico que la iglesia tenga cuidado con los antecedentes de la persona que va a escoger como pastor. La decisión final sobre cualquier caso le corresponde a ella. Resulta curioso que se acepten explicaciones y causas atenuantes en los

persona promiscua que ha mentido sobre sus antecedentes, no puede ser culpado de que esta última continúe practicando la promiscuidad, tal vez muy arraigada en su personalidad. Nadie puede tener, al casarse con una persona, ni siquiera la absoluta seguridad de que su cónyuge es un verdadero creyente cristiano. Las generalizaciones que se hacen en la psicología popular, utilizada a veces dentro de los círculos cristianos, ha llegado en ocasiones a bordear en pura charlatanería. Afortunadamente existen meritorias excepciones.

casos de personas que han pasado por situaciones incluso más comprometedoras para su testimonio.

Otra posible interpretación del pasaje es la de que el ministro sea esposo de una mujer en el sentido de ser simplemente una persona casada, eliminándoles a los solteros la posibilidad de ocupar el cargo pastoral. También esta interpretación tiene algún sentido. Si bien es cierto que la soltería es buena para un evangelista o predicador itinerante como Pablo, resulta muy difícil que una persona soltera pueda realizar la labor pastoral sin la ayuda de su mujer. A un pastor soltero le resulta difícil realizar ciertas visitas pastorales o misioneras. El aconsejar a ciertas damas, sin la presencia y la compañía de una esposa, presenta posibles peligros.

Un pastor relativamente joven comprenderá cuán difícil es mantener su pureza en medio de las tentaciones representadas por la soltería. Si continuamos estudiando todos los posibles pormenores de la soltería en el ministerio nos encontraríamos con argumentos a favor del celibato. De la misma manera que un matrimonio puede ser de gran utilidad, pudiera limitar la efectividad de un pastor en otros aspectos.[9]

No creemos que el asunto pueda ser considerado en forma legalista. Es probable que lo ideal sea un pastor casado, con éxito matrimonial. Esto sería sumamente discutible en círculos católicos. En un tema tan complicado se puede llegar al menos a unas conclusiones definitivas. Sería imposible aceptar a una persona inmoral, en cuestiones sexuales, o que estuviera viviendo con más de una mujer. Como en tantos otros asuntos, estamos rodeados de interpretaciones particulares.

Una forma bastante aceptable de enfrentarse con el tema de una sola mujer es tener en cuenta las enseñanzas bíblicas acerca de una verdadera relación matrimonial como la descrita en Efesios 5.25-33. Cuando un esposo ama y respeta a su mujer y ella lo ama y respeta a él, encontramos de veras un matrimonio aceptable y de buen testimonio en el cual el marido y la esposa han llegado a ser verdaderamente, de acuerdo con el ideal bíblico «una sola carne». Cuando llega el momento de ordenar un pastor o instalarlo en una congregación puede esperarse esta pregunta: ¿Son el candidato y su esposa o la candidata y su esposo personas que han llegado a ser una sola carne en el sentido bíblico más estricto? Si lo son, y el candidato a la ordenación o al cargo no tiene tendencias a una vida

9 Véase Charles A. Frazee, «The Origins of Clerical Celibacy in the Western Church», *CH*, Vol. 57, 1988, pp. 108-126.

promiscua, se ha llenado tal vez la condición de que sea «marido de una sola mujer».

Ante una variedad tan grande de interpretaciones, que ni siquiera hemos podido describir a grandes rasgos, será necesario que cada iglesia adopte su propia política. Basándose en este pasaje es posible que algunas personas divorciadas (o todas) sean descalificadas de acuerdo con una línea de interpretación que de ser sincera debe ser respetada.

El Antiguo Testamento no ofrece precedente alguno para este tipo de actitud o prohibición a pesar de que entonces se vivía bajo la ley y no bajo la gracia. Moisés no pudo entrar a la tierra prometida por defectos de carácter, pero no se le retiró la condición de líder del pueblo de Dios y murió como tal. David, que ejerció funciones de rey y profeta, le ofreció sacrificios a Dios y sirvió hasta para tipificar al mesías que había de venir, fue divorciado de su esposa Milcal por su suegro Saúl, que la entregó a otro hombre. David no fue sacado de su misión altamente espiritual. Tampoco se tomó esa acción después de su adulterio con Betsabé, pues fue perdonado y enmendó sus errores y faltas. A los sacerdotes se les prohibía casarse con una mujer repudiada (divorciada), pero no se les exigía expresamente a ellos el no tener un historial personal de divorcio.

Para terminar, ni siquiera con ese marco de referencia es posible ofrecer una interpretación definitiva de las palabras del autor de esta epístola: «marido de una sola mujer».[10]

En la América Latina tenemos una situación que no es exclusiva de la región pero que tiene que ser considerada. Muchos de los nuevos convertidos han vivido con tres y cuatro mujeres, sin que ello sorprenda a muchos. Se hace una diferencia entre el concubinato y el matrimonio. En los primeros tiempos del cristianismo ni siquiera existían ceremonias propias para casamiento en las iglesias. ¿Consideraremos como divorciado a un hombre que antes de convertirse vivió veinte años con la misma mujer y tuvo hijos de ella? En estas situaciones encontrarán un verdadero paraíso los legalistas que concluirán inmediatamente que son casos diferentes. Otros entenderán que se trata en realidad de personas «divorciadas en la práctica».

Una situación contradictoria es la de organizaciones religiosas que no aceptan como empleados a divorciados en un país, pero los admiten en otro. Tal actitud tiene por supuesto sus explicaciones

10 Véase Marcos Antonio Ramos, *La pastoral del divorcio en la historia de la iglesia, op. cit.*, pp. 142-149.

de tipo cultural que comprendemos. Pero esto dificulta una política uniforme y justa.

Lo que resulta sumamente difícil de entender es la ignorancia de este tema en nuestros países. En gran parte puede atribuirse a un criterio de selección bastante pobre. Estos asuntos no son estudiados minuciosamente en seminarios, escuelas bíblicas e iglesias locales. La mayoría confunde la interpretación de un misionero o pastor con el texto sagrado. Por ejemplo, si éste explica de una manera especial lo de «marido de una mujer», existe la posibilidad de que sus alumnos o miembros crean, en la práctica, que la interpretación fuera el texto mismo, a pesar de ser tan enormemente difícil de interpretar. A esa situación contribuyen ciertas versiones bíblicas que ofrecen como lectura alterna la de «casado dos veces». Esa lectura alterna no puede ser ofrecida como tal sino como una más entre muchas interpretaciones. Es curioso que no se haga lo mismo con otros pasajes.

El tema del divorcio es de gran importancia para nuestros países. En Cuba alrededor de la mitad de los matrimonios terminan en una disolución definitiva del vínculo. El tratar de preservar la unidad familiar, ofrecer las diferentes interpretaciones del tema de la disolución del vínculo que tengan base bíblica y la condenación del divorcio como pecado en la mayoría de los casos, son énfasis que no sufrirán porque los cristianos tomen en serio, y con honestidad intelectual, un asunto tan sujeto a manipulaciones de todo tipo.

Aquellos que se llevan por una serie de conceptos e interpretaciones inflexibles sólo pueden encontrar una posibilidad de refugio en las enseñanzas bíblicas acerca de que «la sangre de Jesucristo su Hijo nos limpia de todo pecado» (1 Jn. 1.7) y «...si alguno está en Cristo, nueva criatura es; las cosas viejas pasaron; he aquí todas son hechas nuevas» (2 Co. 5.17).

Volviendo a lo de «marido de una mujer», este pasaje es frecuentemente utilizado para rechazar la participación de las mujeres en el ministerio pastoral ya que de interpretarse literalmente no contempla el caso de una mujer en el ministerio. Pero, en caso de aceptarse que éstas puedan ser ministros o pastores sería necesario requerir de ella, como de los hombres, una vida matrimonial limpia. Independientemente de la posición que se tenga sobre este asunto del ministerio de la mujer, existen actualmente numerosos grupos en América Latina que ordenan o utilizan mujeres como pastores. Evadir esa realidad sería inconsecuente en un comentario que se propone ser útil a todos los cristianos y no a un solo sector.

Si es difícil llegar a conclusiones en caso del historial de tipo matrimonial del pastor, no lo es en cuanto a otros requisitos como «sobrio», «prudente», «decoroso», «hospedador» y sobre todo «apto para enseñar». Si no llena esas condiciones, difícilmente podrá estar a la altura de su cargo y desempeñarlo con efectividad.

En cuanto a la necesidad de ser «apto para enseñar», esta tiene relación directa con la capacidad del pastor. Si no puede enseñar, lo cual debe incluir la predicación, simplemente no puede ser pastor. En una ocasión, nos presentaron a un joven que quería ser pastor de una iglesia y poseía un grado académico en estudios religiosos. Le invitamos a predicar pues buscaba nuestra recomendación. Nadie, en aquella congregación, supo ni siquiera de qué tema estaba hablando porque habló de infinidad de pequeños temas sin hacer énfasis alguno. Cometió, de paso, varios errores doctrinales menores (pero apreciables). Conclusión: quizá era la mejor persona del mundo, incluso un buen cristiano, muy útil para otras cosas, pero no era «apto para enseñar».

Hospedadores en un mundo pobre

Lo de «hospedador» necesita alguna aclaración especial. No debe sorprendernos que en aquella época, sin las facilidades de que disponemos ahora para hospedar personas en hoteles, moteles, posadas y otros lugares adecuados, un pastor tuviera necesidad de ocuparse de predicadores, visitantes especiales y otros hermanos. Aún así, la condición de «hospedador», como indicación del carácter debe seguir teniendo alguna vigencia.

Ahora bien, no olvidemos que la hospitalidad no parece quiere decir solamente lo anterior. Es más, indica, en este contexto y en el original, una persona acogedora, abierta a otras, etc. La misantropía no es una de las condiciones ideales del ministro. El estar cerrado a opiniones contrarias tampoco coincide con el carácter hospitalario.

Lo anterior se aplica también, en cierta forma, a cualquier cristiano. En cuanto a la acción de hospedar, no debe limitarse sólo a los predicadores y misioneros sino a los viajeros en general. El carácter de hospedador y las condiciones del hospedaje no deben ser interpretadas estrechamente.

En Hispanoamérica y España las iglesias generalmente no tienen los recursos para pagar hoteles, moteles, etc. En muchas ocasiones hasta los predicadores procedentes de países con cierto desarrollo son hospedados por los pastores y otros líderes en sus hogares, lo cual permite a los invitados comprobar la diferencia en estilo de vida entre sus respectivos países y entender las deprimentes situaciones económicas en que se encuentran los países del mundo subdesarrollado. Es interesante que los ejecutivos de las juntas misioneras son pocas veces invitados a los hogares de los «pastores nacionales». No se trata necesariamente de que éstos no deseen hospedarlos, sino que a veces hasta se desalienta a los que proponen hacer tal cosa. Muchos funcionarios eclesiásticos han sido aislados de las realidades existenciales en América Latina. Incluso cuando las conocen teóricamente no quieren vivirlas.

La hospitalidad bien entendida nos relaciona con las demás personas, nos permite conocer sus condiciones y problemas. La hospitalidad burocrática y mecanicista que algunos practican impide que exista el tipo de relaciones promovidas en este pasaje. Las diferencias en estilo de hospitalidad sirven, sin embargo, para dividir más al cuerpo de Cristo. El aislamiento que hemos mencionado ha provocado más de un incidente desagradable.

Un aspecto importante que debe ser tenido en cuenta es el de la hospitalidad a los refugiados. Los hispanos tienen en Norteamérica el privilegio de poder hospedar a multitud de refugiados políticos y económicos que acuden en busca de asilo y protección. Un grupo formado por creyentes cristianos y conocido como «Santuario»[11] ha llegado incluso a ofrecer asilo, en los templos, a los centroamericanos que son perseguidos por no contar con autorización legal para permanecer en Estados Unidos. Esa actitud puede discutirse y presenta aspectos sumamente controversiales, pero no deja de coincidir con una vieja tradición que procede de la más remota antigüedad en círculos cristianos y que se desarrolló bastante en la Edad Media, cuando los templos se convirtieron en verdaderos santuarios, en el sentido al que nos referimos aquí.

V. 3. La idea detrás de estas palabras del v. 3., parece ser exigir una vida ordenada. Para ser «irreprensible», se necesita no solamente una gran moralidad en cuestiones de sexo (no andar de mujer en mujer o de hombre en hombre) sino también un carácter que se traduzca en orden y respeto. También se requieren ciertas virtudes, como la amabilidad. Estas cualificaciones pastorales son también claras, pero es necesario abundar al menos en problemas representados por ser alguien «pendenciero» o exigírsele el no ser «codicioso de ganancias deshonestas». Si nos detuvimos en cuanto a «esposo de una mujer», por lo que pudiera sugerir de inmoralidad, tenemos que hacer lo mismo en este caso.

11 En inglés se conoce como «sanctuary movement».

Sexo, Poder y Dinero

El famoso evangelista estadounidense Billy Graham indicó una vez que los grandes peligros para un pastor o ministro eran «el sexo, el poder y el dinero» (no necesariamente en ese mismo orden). Un ministro deseoso de poder, dispuesto a alcanzarlo mediante rencillas, evidencias visibles de un carácter «pendenciero», sería un ejemplo terrible. Algunos de los más famosos líderes cristianos en la América Latina parecen dispuestos a imitar a ciertos religiosos de los países desarrollados, sobre todo de Estados Unidos, que para levantar sus imperios personales han pasado por encima de cuanto obstáculo se presente. Siempre hay hombres y mujeres ansiosos por situarse por encima de los demás y que están dispuestos a arruinar reputaciones, entrar en polémicas, crear controversias. Al escuchar ciertos programas de radio y televisión, y a los predicadores que dirigen esas horas de programación, nos preguntamos frecuentemente si se creen de veras autorizados a juzgar la vida de otros siervos de Dios. Algunos hasta parece que creen ser reencarnaciones contemporáneas de Juan el Bautista (sin tener las condiciones de éste practican el sobrio estilo de vida del mismo). Hablan de unas exigencias morales que ellos están lejos de practicar. Llegan al colmo del ridículo al juzgar la conducta de personas que les superan a ellos en muchísimos aspectos de moralidad y comportamiento. Para alcanzar poder e influencia, están dispuestos a promover rencillas. Resulta evidente que pueden llenar algunas de las condiciones que se requieren en el mundo del entretenimiento y del espectáculo. Pero distan mucho de reunir las requeridas para el ministerio cristiano.

Lo de las «ganancias deshonestas» es igualmente peligroso. A muchos no les es ni siquiera necesario llegar a controlar un «imperio religioso», puesto que se las ingenian para vender indebidamente ciertos productos «religiosos». Ofrecen milagros y «prosperidad» a cambio de ofrendas de dinero. Crean proyectos y esquemas para obtener donaciones. Son más efectivos como recaudadores de fondos y como agentes de relaciones públicas que como siervos de Dios.

Debemos aclarar nuestra creencia en diezmos y ofrendas, así como nuestra convicción personal acerca de que Dios puede hacer milagros y sanar enfermedades. Esos aspectos no están a discusión. Pero debe señalarse que el obispo, pastor o siervo de Dios no puede ser «codicioso de ganancias deshonestas», aunque éstas se consigan por medios que puedan ser considerados por los ingenuos como piadosos.

El pastor debe ser sostenido por la iglesia, de ser posible. Su salario debe ser digno. Pero cuando Dios llama a alguien a servirle, ese llamamiento no es una convocatoria a convertirse en millonario, retratarse ostentosamente con dictadores y potentados o viajar en aviones privados acompañados de guardaespaldas, edecanes, alabarderos y turiferarios.

Cuando una iglesia asume de alguna manera la forma o el aspecto de un negocio secular, aunque parte del dinero obtenido de esa manera se use para la obra misionera, hay un problema fundamental. Se ha desviado del propósito divino. Sus líderes pueden caer entonces, con mayor facilidad, en lo de las ganancias deshonestas y en un estilo de vida contrario a la sobriedad que es mencionada en este pasaje. El siervo o la sierva de Dios debe ser sobrio en todo el sentido de la palabra.

Vv. 4-5. Pablo se enfrenta a partir de estos versículos a varias preocupaciones adicionales. En los vv. 4-5 se refiere a que el líder en la iglesia debe presidir una familia ejemplar. Una persona que pueda ser considerada un fracaso como jefe de familia quedaría prácticamente descalificado. Además, como estamos tratando aquí de iglesias que se reunían en casas de familia debe tenerse en cuenta de la probabilidad de que los líderes de la iglesia fueran las personas a cargo de las «casas» donde se reunían los creyentes. De cualquier manera, «casa» aquí indica familia. Hay una relación entre la familia de cada persona y la familia de Dios, o la iglesia. Es necesario tener el mayor éxito posible tanto como jefe de una familia, en el primer sentido, y como líder de la iglesia, en el otro sentido.

Formas de arruinar la vida familiar del pastor

La necesidad de una vida familiar ordenada ha sido pasada por alto con mucha frecuencia. Algunas iglesias se preocupan porque el ministro sea graduado de un instituto bíblico o seminario, lo cual es importante en muchos contextos. También se ocupan de problemas como el del divorcio, pero descuidan el peligro de introducir un mal ejemplo familiar de otro tipo. Ese último caso de ejemplo familiar es el que encontramos en el contexto mismo del pasaje.

Existía en tiempos del Nuevo Testamento un posible extremo que también encontramos en el día de hoy: esperar un hogar perfecto en la familia pastoral. El pastor es una persona como cualquier otra, sujeta a los mismos problemas y una probable víctima de situaciones que no puede controlar, lo mismo en su vínculo matrimonial que en sus relaciones con los hijos. Pero debe existir un mínimo de control. Una persona que no disfruta del respeto de sus hijos, que no tiene autoridad en su casa, no puede administrar debidamente la iglesia de Dios. Eso es evidente.

A pesar de que el texto es claro, evítese el buscar situaciones específicas. Cualquier padre que cumple sus obligaciones y ejerce su autoridad puede enfrentarse a una oveja negra entre sus hijos. Ahora bien, mientras vive en casa y forma parte del hogar, debe estar bajo sujeción.

Pero ahí no termina el asunto. Existe la posibilidad de que se esté fomentando el problema. Un pastor que no recibe un salario adecuado para mantener a sus hijos con dignidad o al que no se le permite trabajar en otra ocupación en caso que la iglesia o agencia misionera que le emplea no pueda sostenerle debidamente, es una persona a la que se le está empujando prácticamente a una situación extremadamente difícil y que es potencialmente peligrosa para sus relaciones con su esposa y sus hijos.

Por otra parte, muchas crisis con los hijos, así como un creciente número de divorcios en el ambiente ministerial, tienen su origen en iglesias y cristianos que exigen demasiado de la esposa y los hijos del pastor. Surgen frecuentemente ciertos jueces implacables de la conducta que se entremeten en asuntos familiares. Otros, con disimulada crueldad, se resisten a la realidad de que el salario pastoral debe guardar una relación mínima con las realidades del mundo moderno. En la América Latina y las comunidades hispanas de Norteamérica esta situación forma casi siempre parte del escenario.

El lograr sujetar a los hijos es sumamente importante. El pastor no puede ser «luz de la calle y oscuridad de su casa». Su honestidad debe extenderse a la forma en que cría y controla a su prole, de acuerdo a las más elevadas normas. Sin que esto deba leerse como una expectativa de perfección y de éxito absoluto.

Por supuesto que muchas de las situaciones que nos rodean y que pueden afectar al ministerio en nuestros países tienen que ver con la promiscuidad, la cual afecta a la familia en Hispanoamérica y entre los hispanos en EE.UU. No es posible para una familia ni siquiera tener una casa con tres cuartos, uno para el matrimonio, otro para los hijos varones y otro para las hijas hembras. Es decir, no existen condiciones favorables para evitar la promiscuidad. Además, la cultura de la pobreza tiene relación directa con el consumo de bebidas alcohólicas y drogas mediante las cuales las personas tratan de olvidar sus limitaciones económicas y sanitarias. El pastor se enfrenta a esas situaciones en su congregación, en las cuales muchos hombres han estado acostumbrados a tener dos y tres esposas. Sus hijos están afectados por esas prácticas en la escuela y en el trabajo. Viven en países en los cuales algunos roban para comer o para comprar aquellos productos que un consumismo sin freno va convirtiendo en absolutamente necesarios. ¿Cómo va a poder estar exento de problemas un pastor que trabaja en ese ambiente? ¿Cómo podrá preservar a su familia? Tengamos todo eso en cuenta.

V. 6. Por otro lado, un neófito (*neofytos*) pudiera causar problemas tan grandes como los de una persona con dificultades familiares. En ciertos ambientes la expresión «un recién convertido» es la más adecuada, y algunos comentaristas la consideran la traducción más aproximada al original.[12] Pero es necesario tener en cuenta el contexto de este pasaje para entender con precisión el significado de *neofytos*. No se les podía exigir a los nuevos obispos o pastores un largo historial cristiano ya que en aquellos tiempos no abundaba ese tipo de personas. Se les requería al menos un mínimo de tiempo en las lides del evangelio, lo suficiente como para determinar su madurez y consagración. Este requisito no se menciona en el caso de la iglesia de Creta donde ministraba Tito ya que allí ni siquiera era posible tener personas con un tiempo apreciable de conversión.

El problema del envanecimiento (*tyfoô*), que quiere decir «inflándose», se experimenta constantemente en las iglesias. Si encontramos a personas que a pesar del mucho tiempo de convertidas se envanecen, ¿cuán grande no será el peligro para los neófitos que de repente son designados obispos, pastores, diáconos?

El tiempo requerido para el llamamiento o la ordenación de un pastor u obispo no se especifica, lo cual constituye una negación del legalismo más estricto. Por citar un caso, dos años ya era un tiempo apreciable en Cartago en 248 cuando se designó a Cipriano como obispo de la iglesia de esa ciudad. Situaciones como ésa deben ser consideradas, sin embargo, más como excepción que como regla. En ambientes católicos, la historia registra la práctica de designar como obispos y arzobispos, y hasta como cardenales, a familiares de reyes o potentados. Muchos de ellos eran adolescentes. Pero la costumbre terminó por la reforma realizada en el Concilio de Trento en el siglo dieciséis.

12 A. T. Hanson, *op. cit*, p. 76.

Ministerio y Experiencia

Hemos tenido información acerca de muchas personas que disfrutan de facilidad de palabra o que dominan el arte de la comunicación. Nos referimos a individuos con una personalidad que puede calificarse de «carismática»,[13] que han logrado rápidamente alcanzar posiciones eclesiásticas, o como «evangelistas internacionales», y se han envanecido en el ejercicio de sus funciones. Muchas veces esta aceleración del proceso de formación ministerial se hace porque el converso es «licenciado» o maestro. Debe aprovecharse la ocasión para aclarar que los títulos académicos seculares son de gran ayuda, pero la experiencia y el conocimiento bíblico no son necesariamente adquiridos en las escuelas o mediante el grado de prestigio que se disfruta. El estudio en universidades y seminarios no es la única formación que el ministro necesita; es simplemente parte de ella.

La formación ministerial debe incluir la experiencia en el trabajo de la iglesia local y en las labores que se realizan con personas de todo tipo. Considerar como persona indicada para el ministerio a un individuo simplemente porque tenga facilidad de palabra o una personalidad atractiva sería tan poco adecuado como entender que por haber ejercido como abogado, maestro o militar una persona tiene ya los elementos necesarios para ejercer el ministerio sagrado.

Las palabras «condenación del diablo» nos recuerdan que éste cayó precisamente por envanecerse debido a su estado exaltado como ángel. Aquí se puede estar haciendo una referencia a recibir la misma condenación que le correspondió a Satanás o al castigo que el diablo puede infligir a una persona. Puede también tratarse del juicio que el diablo está tratando de atraer para la misma. Además, se pudiera estar utilizando la palabra diablo como «calumniador» y entonces lo que recibiría el tal sería la clase de condenación de que nos hace víctima un calumniador. Pensemos en esto: su propia vanidad le hará víctima de una serie de ataques, a veces exagerados, que se constituirán, por sí mismos, en tremendo castigo.

Lo anteriormente expuesto nos permite concluir de la siguiente

13 Esta no es una referencia al movimiento religioso integrado por cristianos carismáticos sino a una característica de la personalidad.

manera: sin madurez no es posible ejercer el ministerio. En algunos casos, el alcanzarla puede demorar más que unos pocos años.

V. 7. Las palabras «los de afuera» constituyen una expresión bastante judía. En este contexto se refieren a los que no son cristianos. Muy explícita es la traducción siguiente: «y ha de tener buenos informes de parte de los de fuera, no acabe en objeto de insulto y en la trampa del diablo» (CI). Sigue siendo necesario proteger a la iglesia de los exagerados ataques de los incrédulos.

Una precaución lógica sería precisamente que los líderes fueran, hasta donde fuera posible, irreprensibles. Aunque esto no ha perdido su vigencia, debía ser más evidente en un mundo donde el cristianismo era totalmente rechazado.

Las palabras «lazo del diablo» son algo confusas. Pueden referirse al pecado del orgullo, que se origina precisamente en la actitud de Satanás al pretender ser como Dios, o a caer fácilmente como víctima de la oposición contra el cristianismo fomentada precisamente por el demonio. No era difícil para un cristiano del primero o del segundo siglo caer en el lazo tendido por los enemigos del evangelio, probablemente inspirados por Satanás. De acuerdo con Ward: «El lazo del diablo atrapará al hombre cuyo carácter no es un libro abierto y que no sea capaz de permitir la luz de la investigación de los incrédulos. Se verá forzado a defenderse y justificarse a sí mismo.»[14] Hendriksen contribuye con un aspecto que debe necesariamente tenerse en cuenta. Una persona elegida para presidir la iglesia puede fácilmente «caer en descrédito», pero, además, pudiera llegar a pensar que ha logrado el cargo a pesar de su mala conducta o su inexperiencia. Esto puede conducir a cierto grado de osadía y a caer en la «trampa del diablo».[15]

Ese era precisamente el caso de los evangélicos en regiones enteras de la América Latina hasta bien entrada la década de los años sesenta, y en la España gobernada por Francisco Franco y Bahamonde, «caudillo por la gracia de Dios y generalísimo de todos los ejércitos». En realidad, aún después de la política mucho más moderada, posterior al Concilio Vaticano II, elementos católicos tradicionalistas dificultan con sus continuos ataques la labor evangélica en ciertos lugares del continente americano y en España. Los católicos pudieran decir algo parecido del trato recibido en otras regiones por parte de protestantes o de personas con otras creencias. Irlanda del Norte sería un caso clásico.

14 *Op. cit.*, p. 58.
15 *Op. cit.*, p. 149

En los años posteriores al triunfo, en 1949, de la Revolución China dirigida por Mao Tse-tung, agitadores y elementos extremistas acusaban de crímenes diversos a los misioneros protestantes y católicos. Muchas de esas acusaciones carecían hasta de sentido.

B. El Diaconado (3.8-13)

Los diáconos asimismo deben ser honestos, sin doblez, no dados a mucho vino, no codiciosos de ganancias deshonestas; que guarden el misterio de la fe con limpia conciencia. Y éstos también sean sometidos a prueba primero, y entonces ejerzan el diaconado, si son irreprensibles. Las mujeres asimismo sean honestas, no calumniadoras, sino sobrias, fieles en todo. Los diáconos sean maridos de una sola mujer, y que gobiernen bien sus hijos y sus casas. Porque los que ejerzan bien el diaconado, ganan para sí un grado honroso, y mucha confianza en la fe que es en Cristo Jesús.

Las exigencias que se hacen a aquéllos que aspiran al diaconado son tan elevadas como las que se le piden al obispo o pastor. El diácono, cualquiera que sea la interpretación que se le de a su cargo, no recibe como consecuencia directa del mismo la responsabilidad de la supervisión de tipo pastoral como el obispo.

Muchas denominaciones, sin embargo, les consideran ahora como ministros o entienden que se trata de un paso en el camino hacia el presbiterado.[16] Aun los que, como los bautistas y los presbiterianos, les consideran «laicos» admiten que el diaconado es una forma de ministrar, por lo tanto puede hablarse siempre de un ministerio del diaconado.

De acuerdo con la lectura que generalmente se hace del cargo mencionado en Hechos 6, éste es el de diácono y pudo haber pasado después por un proceso de desarrollo en cuanto a alcance o funciones. Un diácono es un siervo. La palabra *diakonia* se refiere más bien al servicio humilde y no al servicio prestado, por ejemplo, por un alto funcionario del gobierno.

En las epístolas se asocia mucho el cargo de diácono con el de obispo, que como ya hemos señalado puede también ser el pastor, o anciano (presbítero) principal que preside en una congregación. Parecería entonces que el diácono es una persona que ayuda al obispo o presbítero principal de la iglesia.[17]

V. 8. Son pocas las diferencias que encontramos aquí con los requisitos que se le exigen al obispo o pastor. Es interesante la ausencia de referencias a su aptitud para enseñar (o predicar), lo cual indica que no era necesario que

16 Pueden también combinar ambos aspectos, es decir, entienden que el diácono es un ministro de la iglesia, con funciones limitadas, y que se trata de un rango previo al de presbítero.

17 Véase, Ernest J. Fiedler, «The Church in the World: The Permanent Diaconate», *ThT*, vol. XXXVI, #33, October, 1979, pp. 401-411.

un diácono fuera predicador o maestro, como se espera del pastor. Pero tampoco se excluye explícitamente que lo sea. Algunos diáconos parecen haber tenido esos dones, aparte de su condición de diáconos, la cual no lo exigía.

En vez de «no dados al vino» dice «no dados a mucho vino». Esto pudiera implicar que no se les prohibe explícitamente el tomar algún vino. Pero está claro que se les advierte sobre el peligro de la borrachera y se les prohíbe tal exceso. En el v. 3 leemos acerca del obispo lo de «no dado al vino» como algo que se espera de él. Esto no quiere decir que podamos asegurar que se implique una exigencia de que sea totalmente abstemio. Lo que indicamos aquí es que la afirmación nos parece menos categórica en relación con el diácono. Pero, en cualquiera de los dos casos, la borrachera queda absolutamente excluida en ambas situaciones.

Una adición interesante es la representada por el uso de las palabras «sin doblez». Existe tal vez un peligro especial en el diaconado. Nos referimos a la tendencia a hablar con unos de un asunto mientras que se evita en la conversación con otros. Digamos, más bien, que se trata del siguiente caso: reservar ciertos comentarios para un sector mientras que se hacen comentarios diferentes o se defiende otra opinión al conversar con un grupo diferente u opuesto. Esto puede tal vez tener relación directa con el trabajo de visitación. Ciertas personas a las que se les encomienda visitar a otras, incluso para ayudarles materialmente, son muy susceptibles de caer en esta contradicción y llegar a practicar cierta doblez. Esto es aplicable al ministerio en general y a la vida cristiana toda. Las referencias a la honradez y la ausencia de ganancias deshonestas son especialmente significativas si el diácono tiene una relación directa con cuestiones materiales que afectan al ministerio de la palabra y por lo tanto a la iglesia. Todo depende de cómo interpretemos Hechos 6 y los «siete varones de buen testimonio» a los que tradicionalmente se les ha considerado como «diáconos».[18]

V. 9. La Biblia de Jerusalén traduce así este versículo: «que guarden el Misterio de la fe con una conciencia pura» (BJ). La palabra *mystêrion* (misterio) aparece con frecuencia en los escritos de Pablo y denota algo que había estado oculto pero que ahora se revela a aquellos con suficiente madurez o discernimiento para entenderlo y apreciarlo. De ese misterio podemos apropiarnos mediante la fe y es la sustancia misma de la fe cristiana. Por lo tanto debe ser guardado. Es necesario, pues, tener convicciones espirituales. No es cuestión de simplemente recibir la verdad, aceptarla, sino conservarla como algo precioso, defenderla. Aquí se refiere el autor a la verdad cristiana referente a la persona de Cristo, como se verá más adelante en este mismo capítulo.

Un diácono no debe ser solamente un creyente, sino también un discípulo,

18 Un punto de vista algo diferente y muy interesante es el de Justo L. González. Véase *Comentario de Hechos*, en esta misma serie.

un defensor y un practicante. Por lo tanto, debe servir de ejemplo y tener «una limpia conciencia». Su relación con el misterio de la fe implica una limpia conciencia acerca de ella.

V. 10. Vemos aquí una indicación de la importancia del diaconado, pues «éstos también sean sometidos a prueba primero». La presencia de «también» indica que el obispo, pastor o presbítero presidente debe ser sometido a prueba, pero el hecho de que el diácono pase por ese proceso revela que el papel que le toca jugar no le sitúa necesariamente en condición de inferioridad en relación con otros cargos.

El uso de la palabra «irreprensible» (*anegklêtos*) les pone en condiciones similares a las del obispo. El diácono tiene también que ser irreprensible. El período de prueba es considerado como necesario. El verbo *dokimazô* se refiere a esa realidad de ser probado pero implica, además, esperanzas reales de éxito. En otras palabras, que se debe escoger como candidatos al diaconado a personas que tengan promesa de ser buenos siervos. No es cuestión de hacer desfilar por el cargo a toda la congregación, a los amigos y partidarios del pastor, o a cualquiera que pueda hacer el trabajo aunque sea pobremente. No se trata de salir del paso o de hacer alarde de que tenemos muchos diáconos.

V. 11. Con la lectura de este versículo pudiera venir a la mente Febe (Ro. 16.1) la diaconisa de Cencrea, pero aquí no encontramos referencias claras a las diaconisas. Por otro lado, para estar seguros de que se trata, en este caso, de esposas de diáconos habría también que especular un poco. La palabra *diakonisa* no había sido acuñada todavía, y *diakonos* no tiene equivalente femenino. La labor de los traductores es difícil, mucho más la del intérprete. Citemos algunas opiniones. H. Burki, C. Spicq, N. Brox, J. H. Bernard, J. N. D. Kelly, P. Dornier y otros especialistas en las Epístolas Pastorales creen que se trata de diaconisas y de una orden aparte, de un cargo en manos de mujeres. Según ellos, si el autor se hubiera referido a las esposas de los diáconos hubiera tenido que decir algo de sus familias. Por otro lado, al hablarse de los obispos no se dice nada parecido acerca de sus esposas, lo cual en sí ya es un argumento bastante fuerte.

Hendriksen expresa la siguiente opinión: «La sintaxis muestra claramente que estas mujeres no son las esposas de los diáconos ni todas las mujeres adultas de la iglesia». Además, «uno y el mismo verbo coordina los tres: obispos, diáconos y mujeres. Por eso se considera que estas mujeres rinden un servicio especial en la iglesia, como los ancianos y los diáconos. Ellas son un grupo en sí, no las esposas de los diáconos, ni todas las mujeres que pertenecen a la iglesia».[19]

Pero un grupo apreciable de eruditos como J. Jeremias, B. S. Easton, A. J. B. Higgins, A. T. Hanson y J. L. Houlden creen que se trata de esposas de

19 *Op. cit.*, p. 152.

diáconos. Este sector afirma que las esposas de los obispos no se mencionan porque serían tal vez mayores en cuanto a edad y más conocidas y era probable que las de los diáconos fueran menos prominentes y, por lo tanto, era más probable que se desviaran.

Lo anterior es cuestionable, pero nadie ha ofrecido una interpretación definitiva. De acuerdo con F. F. Bruce el que fueran o no llamadas diaconisas no es importante. Para él existe una realidad inescapable, la de que tanto hombres como mujeres podían servir como diáconos en las iglesias. El popular erudito del Nuevo Testamento entiende que esa es la enseñanza que se desprende de 3.8-13. Para él, las mujeres del versículo 11 son mujeres que realizaban ese trabajo y no «esposas de diáconos» como otros afirman. También cree que Febe era una sierva o *diakonos* de la iglesia de Cencrea (Ro. 16.1).[20]

En el año 112, el historiador Plinio, escribiéndole al emperador Trajano, se refirió a muchachas esclavas con una palabra que debe ser traducida literalmente como «ministra».[21]

Estas mujeres diáconos, esposas de diáconos o diaconisas, cualquiera que sea la interpretación favorita, debían llenar algunas condiciones comparables a las exigidas a los obispos y diáconos: honestidad, sobriedad, fidelidad total y ausencia de tendencias a calumniar.

Acusar o difamar a las personas es una cosa seria y estas mujeres tienen que evitarlo. Muy poco ayudarían a la iglesia aquellas mujeres que se dedicaran a una actividad tan poco edificante, sobre todo las esposas de los siervos de Dios o las mujeres con responsabilidades eclesiásticas definidas como consecuencia de su cargo (como las tendrían las diaconisas o las mujeres diáconos).

Vv. 12-13. Aquí encontramos un resumen de lo exigido en otros versículos a los obispos y aplicado ahora al diaconado. Una buena vida matrimonial y familiar parece ser igualmente importante en ambos cargos. Se le ofrece además un estímulo al diácono, que no ocupa un cargo con la misma autoridad que posee el obispo o pastor.[22] No olvidemos que la autoridad es en sí un estímulo para muchos.

La palabra «grado» (*bathmos*) quiere decir literalmente «un paso», por lo cual muchos entienden que se refiere al diaconado como un paso hacia otro cargo más elevado (presbiterado o episcopado). Otros ven en esto una ventaja que se consigue: más influencia en la congregación cristiana. También pudiera referirse a una recompensa por parte de Dios.

El uso de la palabra confianza *(parrêsia)* implica el hablar libremente, con

20 *Answers to Questions*, Grand Rapids, Zondervan, 1973, p. 184

21 *Ministrae* en latín, según muchos, puede ser equivalente de diaconisa.

22 Aclaramos que muchas denominaciones utilizan «diáconos» con un rango ministerial que les permite ser pastores de iglesias.

confianza. Pablo la utiliza en otros pasajes queriendo decir entonces una actitud de confianza que se expresa sin duda en la forma de hablar, de comunicarse. Este tipo de «confianza», la del pasaje que nos ocupa, puede tener relación con el trato diario con los paganos, a los que se trata de ganar para el evangelio.

En cuanto a la «fe que es en Cristo Jesús», un buen número de eruditos parece dudar que proceda de Pablo, quien utilizaba la frase «en Cristo Jesús», pero no la «fe que es en Cristo Jesús». El comentarista Guthrie insiste en que, aunque no la hubiera utilizado generalmente de esa forma, no había nada que le impidiera al Apóstol hacerlo en este caso o en cualquier otro. B. S. Easton cree que esta frase pudiera substituirse con la palabra «cristiano», es decir, que se habla de la fe cristiana.

Ministros cristianos en la América hispana

Los primeros sacerdotes católicos que trabajaron en América procedían de España. Fueron los acompañantes lógicos de los conquistadores y colonizadores. España, bajo los Reyes Católicos, era una nación consagrada al catolicismo. Después de un período arriano durante el predominio de los visigodos, de una larga lucha contra los moros y de la expulsión de la poderosa comunidad judía sefardita, se había consolidado en España la Iglesia de Roma como la única institución religiosa del país y se la asociaba con el ideal de la unidad nacional. Un pasado pluralista daba paso a una nación monolíticamente católica. La conquista y colonización del continente americano se hicieron en nombre del Rey y de la religión cristiana en su interpretación católica. Los fondos que fueron aprobados para el descubrimiento tenían entre su justificación la de hacer posible que se predicara el evangelio en el Nuevo Mundo.

Aquellos primeros clérigos cristianos se dividieron en dos grupos principales: los que se ocupaban de su labor misionera y los que se dedicaron a complacer a los gobernantes coloniales. Las deficiencias de la evangelización se han mencionado reiteradamente. Muchos indios fueron bautizados, pero pocos entre ellos conocieron realmente las doctrinas de Cristo. Se toleraron prácticas indígenas.

Es lógico que no se pudiera hacer una labor mayor. Eran pocos los misioneros y demasiados los catecúmenos. En medio de ese cuadro se realizó una labor pastoral. De las filas de la nueva iglesia latinoamericana, que por mucho tiempo fue un apéndice de la española, fueron surgiendo sacerdotes, religiosos, hombres y mujeres, santos, místicos y hasta algunos misioneros al extranjero. Algunos de los asuntos planteados en los pasajes que estamos comentando no se aplican a ellos. Los problemas del matrimonio, por ejemplo, no afectan al clero católico.

El inicio de la obra evangélica en Latinoamérica y España tiene relación directa con una serie de organizaciones misioneras que decidieron evangelizar en la región. A esa actividad otros le han llamado proselitismo. Como en el caso de las iglesias de las epístolas Pastorales, existían muchos neófitos. Fue difícil formar un ministerio capacitado. Todavía existen graves limitaciones. El movimiento evangélico es muy numeroso en el siglo veinte, pero falta mucho para que se pueda decir que se han resuelto problemas esenciales en el ministerio cristiano: buena formación, recursos adecuados, etc. Existen excepciones como las de denominaciones fuertes con apoyo extranjero o iglesias autóctonas que se han adelantado en muchos aspectos. Con anterioridad hemos señalado los problemas que, como la promiscuidad y la cultura de la pobreza, han afectado no solamente a los creyentes sino también al ministerio. El pastor evangélico generalmente procede de las capas populares, ha recibido educación a nivel de instituto bíblico[23] y recibe un salario muy pequeño[24] hasta el punto que a veces tiene que realizar trabajos seculares.

Si de ciertas exigencias como la de ser «irreprensible» o «marido de una mujer» se tiene una interpretación basada en condiciones extranjeras extra-bíblicas, como las existentes en el sur de EE.UU., en el llamado «oeste medio» de ese país o en Canadá e Inglaterra, pudieran surgir serios problemas. En América Latina lo que parece sensato es apegarnos al texto bíblico. En otras palabras, no debemos leer en esas exigencias el punto de vista de una cultura determinada. Si una persona es considerada irreprensible por las personas maduras que le rodean, se ha cumplido la exigencia. Cuestiones como la moralidad son universales, pero pueden plantearse algunas variantes. Los evangélicos latinoamericanos son generalmente más exigentes que los norteamericanos, aunque los misioneros enviados a la región se encuentren entre los más conservadores de sus países de origen. Si vamos a acercarnos a los ideales bíblicos estamos más cerca de algunas normas originales que los de los países desarrollados. Nuestros pastores no codician tanto el dinero, ni siquiera pueden codiciarlo. Sencillamente, no hay manera de conseguirlo.

23 Esa situación empieza a cambiar y hay un buen número de pastores con estudios superiores.

24 Las excepciones ocurren sobre todo en las iglesias históricas. También algunos pastores de congregaciones grandes, aún en las iglesias autóctonas, han mejorado su situación económica.

La necesidad de ser cuidadosos en la selección de los pastores del rebaño y de los diáconos continúa siendo una gran realidad. Muchas veces se escogen verdaderos neófitos. En aras de un «ministerio humilde y consagrado» se ha echado a un lado la necesidad de una buena formación, ya sea formal o autodidacta. Los latinoamericanos y españoles debemos tratar de elevar los niveles en todo sentido, en aspectos espirituales, morales e intelectuales. Situaciones como el paternalismo misionero no son contempladas abiertamente en estos pasajes, pero no dejan de ser reales. Estos pasajes del capítulo 3 nos presentan un ministerio que necesita de madurez. Para llegar a alcanzarla es necesario evitar problemas como los que el paternalismo plantea. Un ministro maduro y serio, que agrada a Dios, es una persona que toma decisiones, que consulta con los demás, que tiene en cuenta la limpieza de vida y la importancia del testimonio. No puede estar dependiendo siempre de recursos externos, ni acostumbrarse a simplemente obedecer órdenes.

En las comunidades hispanas de Norteamérica contemplamos también la existencia de ese tipo de problemas que impiden un verdadero desarrollo integral del ministerio. En ocasiones, se trata a los ministros hispanos como simples auxiliares del pastor o párroco anglosajón o irlandés. Se fomenta una dependencia que cada vez es menos necesaria. Por otra parte, se desalienta a los pastores con mejor formación y se les trata de inclinar a la cátedra o a trabajos administrativos, como si el pastorado fuera un asunto secundario, temporal, o una especie de trampolín para llegar a otras alturas. Es también necesario evitar contentarnos con un ministerio compuesto por personas que no pueden hacer otra cosa. Debemos atraer a nuestros jóvenes más brillantes, capaces y, por supuesto, consagrados.

Un peligro grave entre nosotros es la imitación del sistema de selección de diáconos en muchas iglesias protestantes norteamericanas. Se recompensa la posesión de recursos financieros y prestigio con un cargo de «anciano» o «diácono», pasando por alto las condiciones que exige la palabra de Dios. No se busca la persona «idónea» sino aquella que puede dar más ofrendas u ofrecer mejores relaciones públicas a la congregación. Un mal que se nota mucho en nuestro ambiente es el de seleccionar amigos y «personas de confianza» para el diaconado, es decir, buscar una especie de apoyo personal que no es propio del trabajo ministerial. Entre los católicos existe el problema de que el diaconado no ha recibido todavía la importancia que la Escritura le da. Escasean los diáconos. Eso parece estar en camino de solución en algunos lugares. En Estados Unidos faltan las vocaciones para el sacerdocio y se intensifica la búsqueda de diáconos y otros obreros religiosos, incluyendo mujeres, para poder atender a las necesidades existentes.

Lo mismo en España que en Latinoamérica o entre los hispanos de Norteamérica, el papel del ministerio debe ser acentuado y sus necesidades tenidas en cuenta. El propósito de un ministro de Dios no es enriquecerse. Pero «el obrero es digno de su salario». El ministro cristiano de nuestro tiempo no puede vivir en la misma forma que el de los días de Pablo y los primeros cristianos. Desatender ese aspecto puede ser una forma de promover los problemas familiares en las familias pastorales y desalentar necesariamente a algunos de los mejores candidatos.

C. La conducta de Timoteo (3.14-15)

Esto te escribo, aunque tengo la esperanza de ir pronto a verte, para que si tardo, sepas cómo debes conducirte en la casa de Dios, que es la iglesia del Dios viviente, columna y baluarte de la verdad.

Vv. 14-15. Barclay encuentra un resumen del propósito de las Epístolas Pastorales en estas palabras. La Versión Popular las traduce así: «Te escribo esto, esperando ir a verte pronto, para que si me tardo, sepas cómo te conviene conducirte en la casa de Dios, que es la iglesia del Dios vivo, columna y fundamento de la verdad». Para Barclay «fueron escritas para decirles a los hombres cómo comportarse dentro de la iglesia».[25]

También hay que tener en cuenta que el autor de esta epístola pone en perspectiva las instrucciones que ha dado acerca de la vida interna de las iglesias, y en el v. 16 vemos cómo las relaciona con los aspectos grandemente inspiracionales de la piedad cristiana, la cual no puede ser vista como algo aislado de las cuestiones eminentemente prácticas que se han discutido. Se trata, pues, de una especie de pausa, como acertadamente lo señala Guthrie.

En cuanto al v. 14 y la «esperanza de ir pronto a verte», Hanson lo considera un «cliché epistolar».[26] Al mismo tiempo cita a Spicq que entiende que «esto te escribo» se refiere a los contenidos de la epístola entera. Aquí encontramos también un sentido de expectativa, la de poder discutir más estos temas, ayudando así a Timoteo, y un estímulo como el de una buena visita. Una demora, como queda implicado en la «esperanza de ir pronto a verte», no hubiera estado fuera del control de Dios.

Pero hay que trabajar algo más con el concepto de «conducta» que aquí encontramos. No es un asunto que se refiera únicamente a Timoteo. Debe ser

25 *Op. cit.*, p. 88.
26 *Op. cit.*, p. 82

una norma para iglesias y creyentes. Debe tenerse en cuenta el asunto de la santidad divina. En el original griego, «conducirte» pudiera referirse al desempeño de deberes oficiales. Ahora bien, en cuanto a lo de «conducirte en la casa de Dios, que es la iglesia del Dios viviente», E. Glenn Hinson cree que Pablo concibe la iglesia local como una familia, mientras que comentaristas como Hanson no están seguros de si se trata del templo de Dios o de la familia de Dios. Pudiera significar la familia de Dios y no necesariamente un edificio. Debe recordarse que en las epístolas de Pablo, el cuerpo es el templo de Dios (1 Co. 6.19). También ha quedado implicado en Juan 2. 13-22 y en Hechos 7.49 que el verdadero templo es Jesucristo mismo.

Una congregación cristiana es un cuerpo compuesto por gente que pertenece a Dios pues son sus hijos y sus amigos, comparten una misma experiencia. Es también una familia, una asamblea y, como veremos pronto, «columna y baluarte de la verdad». En ese contexto es que Timoteo debe comportarse, en relación directa a los deberes y los privilegios que le corresponden.

No es simplemente comportarse bien en el sentido más generalizado como una persona más o menos respetable o intachable, digna de reconocimiento público. Hay que dar un paso más allá de estos conceptos tradicionales. Se trata de un comportamiento muy especial dentro del ambiente propio del pueblo de Dios.

La iglesia es «columna» (*stylos*) de la verdad. La palabra tenía su significado específico en Efeso, donde se levantaba el fabuloso templo de Diana de los Efesios (Hch. 19.28), una de las siete maravillas del mundo antiguo. Ciento veintisiete columnas habían sido donadas por reyes y potentados. El pueblo de Dios, en Efeso y en cualquier lugar, constituía algo mucho más precioso que una columna de mármol en un templo antiguo.

La iglesia es también el «baluarte» o *hedraiôma* de la verdad. Así lo traducen algunos comentaristas. Para Barclay, la idea contenida aquí pudiera ser la de que el deber de la iglesia es levantar la verdad, sostenerla como se hace con un edificio, incluso con un templo monumental.

Hanson afirma que la palabra *hedraiôma* no se encuentra en la literatura griega. Acude a la palabra *hedrasma* que quiere decir «base» o «fundamento». Es la palabra utilizada en la Septuaginta en 1 Reyes 8.13 (versículo 53 en esa versión) en referencia al templo de Salomón.[27] También señala que V. Hasler, es el único autor moderno que entiende que se refiere a un verdadero «baluarte» y no a una «base» o «fundamento» y que «baluarte» aquí debe leerse como una palabra literaria o litúrgica.[28]

Es la opinión de Hanson y de muchos otros que la palabra «columna» debe ser leída como la «columna» de nube o manifestación visible de Dios en el desierto y no tanto como las «columnas» representadas por Santiago, Pedro y

27 *Op. cit.*, p. 82.

28 *Die Briefe an Timotheus und Titus, Zurich, 1978.*

Juan en la descripción de Pablo. Hendriksen utiliza la siguiente ilustración: «la columna sostiene el techo como el fundamento sostiene toda la superestructura»; y en una nota aclara lo siguiente: «la omisión del artículo no hace que los sustantivos columna y fundamento sean indefinidos, sino enfatiza su fuerza cualitativa». Para este autor, de confesión reformada, «la iglesia es nada menos que columna de la verdad: mejor aún, es el fundamento mismo de la verdad».[29]

A pesar de la variedad de interpretaciones, con estas palabras se señala la enorme importancia de la iglesia en los planes de Dios. La verdad de Dios le ha sido encomendada, debe defenderla, sostenerla, ponerla en alto. A ninguna de estas cuestiones es ajena la conducta que se espera de Timoteo, y de otros, en relación con las instrucciones dadas a la iglesia para su orden interno.

Ch. Un himno cristiano de los primeros siglos (3.16)

E indiscutiblemente, grande es el misterio
de la piedad:
Dios fue manifestado en carne,
Justificado en el Espíritu,
Visto de los ángeles,
Predicado a los gentiles,
Creído en el mundo,
Recibido arriba en gloria.

A un investigador histórico, que por lo general se deleita en la búsqueda de viejos documentos y escritos de todo tipo, este fragmento de un himno de la iglesia primitiva le debe resultar sumamente interesante. Se trata de la forma en que los creyentes recitaban musicalmente una especie de credo.

La calidad lírica de este himno no es tan evidente en la traducción al español como lo es en el original griego. Pero no deja de ser imponente a los ojos del lector en idioma castellano. La palabra «indiscutiblemente» quiere decir «por consentimiento general», pero la frase «misterio de la piedad» necesita de alguna explicación adicional. De la palabra griega *mystêrion* nos ocupamos al considerar el v. 9 de este mismo capítulo. Aparece ahora acompañada de la palabra «piedad» que parece referirse a la religión en general y en este caso particular a la religión de Cristo. Quiere decir lo mismo que «el misterio de la fe».

La *Epístola a Diogneto*, documento del siglo segundo o del siglo tercero, hace una descripción de la religión del pueblo judío presentándola como «el misterio de su propio culto». Además, según Hanson, se debe tener en cuenta la presencia de este «impresionante vocabulario cuasifilosófico» como una

[29] *Op. cit.*, p. 157.

probable y adecuada forma de introducir el himno al que nos estamos refiriendo.[30] Sería demasiado complicado referirse a todas las dificultades que presenta el texto que encontramos aquí. Nos limitaremos a tener en cuenta algunos posibles significados.

Se está haciendo énfasis en la humanidad de Jesús. Se exhibe, pues, con la palabra «carne», su personalidad humana. Esta expresión en el Nuevo Testamento es de origen griego pero sin dejar de ser en realidad un concepto hebreo. Es «carne» en el sentido que se le da diariamente a esa palabra, pero puede referirse al hombre como tal, o simplemente a su cuerpo.

Como el salvador se manifestó en carne y fue reconocido como hombre, también fue crucificado, lo cual indica el ser rechazado. Por lo tanto, tuvo que ser «justificado en el Espíritu». La palabra «justificar» se refiere generalmente, en el lenguaje del Nuevo Testamento, a la justificación de los pecadores; pero significa «ser considerado como justo» o «como teniendo la razón». Aquí vemos de nuevo el contraste entre la carne y el espíritu. Si fue manifestado en la carne, fue también justificado en el espíritu.[31]

Habría que discutir si hay una referencia al espíritu humano de Jesús o al Espíritu Santo. Algunos comentaristas entienden que en ella caben ambas interpretaciones que pudieran ser aceptables hasta el punto que ambas sean correctas. Fue justificado entonces en el espíritu humano y en el divino. Por lo menos la estructura del himno lo sugiere.

El verbo griego sencillo «visto», aparece (en cuanto al significado de la acción de ser visto) en la *Versión de los Setenta*. En ese caso Dios es el sujeto dentro del contexto de la adoración. Es el equivalente exacto de la palabra que se utiliza en la descripción de ciertas apariciones de Dios a Abraham en el libro del Génesis.

Hay un problema en lo que se quiere decir con la palabra «ángeles». Si se trata de una referencia a los «principados y potestades» que rigen el mundo invisible, la imagen es de un Cristo victorioso sobre ellos, que le verían en su gloria y triunfo. Si se trata de los ángeles que no cayeron, éstos estarían deseosos de adorar a Jesús, lo cual coincide con antiguos temas cristianos de adoración angélica y con el libro bíblico de Apocalipsis.

En cuanto a «Predicado a los gentiles», esto sirve muy bien al propósito de hacer énfasis en el alcance universal, ecuménico si se quiere usar la palabra, de un evangelio que no se limita a los judíos sino que incluye a los gentiles. Al hablarse de estos se habla en realidad de las «naciones».

J. H. Bernard considera que «una antítesis enfática existe entre la tercera y la cuarta frase, entre la revelación a los ángeles y a los gentiles, las cuales, juntas, indican la extensión de la manifestación del Mesías».[32]

Al usarse «Recibido arriba en gloria» se pudiera estar estableciendo un

30 *Op. cit.*, p. 84.

31 Véase a Bruce Metzger, *op. cit.*, p. 641.

32 Citado por Donald Guthrie en *op. cit.*, p. 90.

contraste en relación con ser «visto de los ángeles» si por estos se entienden los ángeles rebeldes. La culminación del himno sería una referencia a la Ascensión. En caso de tratarse de los ángeles no caídos puede establecer un paralelo con «visto de los ángeles». Se trata, de todas maneras, del triunfo glorioso del Cristo crucificado, resucitado y ascendido. Claro está que la muerte y la resurrección no se mencionan en el himno en forma específica o directa. Sin embargo, un himno que como éste tiene cierto carácter de credo lírico pudiera contener todas esas grandes verdades. Sería entonces un hermoso fragmento citado para añadir una nota de inspiración a esta parte de la epístola. Esa es una opinión muy generalizada entre los eruditos bíblicos.

Es notable que en este himno sólo se menciona lo positivo. Ni el rechazo de los judíos ni el sufrimiento de la cruz. No que se nieguen, sino que es en realidad un himno de victoria.

La importancia de nuestro mensaje

La América Latina está llena de mensajes. Existen algunos que merecen más crédito que otros. Hemos hecho referencia a una invasión de sectas. Estamos conscientes de los graves problemas estructurales que afectan el desarrollo de la región. Sobre todo, entendemos que la situación del pueblo es muy difícil. Cada asunto merece atención y solución. Ratificamos nuestra posición favorable a que el cristianismo no se viva en forma aislada, apartados de lo que está sucediendo.

Ahora bien, el mensaje de Jesucristo sigue siendo lo más importante que podemos ofrecer. Creemos que el cristianismo puede ofrecer muchas soluciones y abrir muchas puertas. El verdadero cristiano se opone a todos los males y defiende todas las buenas causas. Por lo menos, así debe ser. Pero no podemos apartarnos de la divina comisión: poner en alto a Jesucristo, verdadero Dios y verdadero hombre.

En esta hermosa conclusión del capítulo, se presenta a un Dios encarnado y, por lo tanto, interesado en todo lo que afecta a los humanos. Por otra parte, se ensalza a un Jesús divino, que no queda limitado por la historia o reducido a la comida y la bebida, es decir, a las cuestiones materiales. Un mensaje equilibrado, que tenga en cuenta todos los aspectos, y que insista en la gran salvación que Dios ofrece a los humanos, debe ser predicado a todas las naciones, incluyendo a cada aldea, tribu y sector en la América Latina. No es un Cristo limitado a la clase media. Recordemos que no se quedó con su propio pueblo, los judíos, sino que fue a los despreciados samaritanos y se acercó a los gentiles. Su muerte fue la fórmula divina para echar abajo la pared intermedia de separación. El vino a «dar buenas nuevas a los pobres». Su glorificación nos quita todo complejo. No importa que seamos un pueblo marginado o que constituyamos una minoría. Los verdaderos creyentes que siguen a Jesús son siempre minoría, pero nuestro Señor fue «recibido arriba en gloria».

Estas palabras ofrecen gran aliento. El cristianismo ha sufrido de triunfalismo, de delirio de grandeza. Pero el mensaje del Señor incluye un elemento de victoria que no puede ser pasado por alto. En cualquier hora de nuestra región, el Jesús victorioso debe ser proclamado, ensalzado, compartido y encarnado. En otras palabras, hay que sacar a Jesús de la capilla, del grupito, de la insignificancia y proclamarlo por todas partes. Sin él, lo demás carece de importancia. Nada puede compararse al mensaje que tenemos. Las palabras finales del capítulo 3, aplicadas a nuestro contexto, pueden ser una invitación a abandonar los complejos que nos impiden realizar una labor más efectiva e imponente.

IV

El ministro como ejemplo

El capítulo anterior termina con palabras muy inspiradas, una exaltación victoriosa de la persona y obra de Cristo. En medio de ese cuadro se puede distinguir la expectativa acerca del papel de la iglesia de Dios. Tratándose de un ambiente pastoral, las advertencias son frecuentes. En el contexto de estas epístolas se notan también las constantes presiones ejercidas por una oposición que iría creciendo en el futuro y cuyo poder de penetración se caracterizaría por su capacidad de introducir enseñanzas falsas. En la historia del cristianismo, desde los días apostólicos, la prédica de la verdad ha tenido que hacerse en medio de los renovados ataques del error, los cuales serán más intensos según prospere el evangelio y se vaya extendiendo hasta los fines de la tierra como testimonio a todas las naciones.

A. Enseñanzas falsas de los postreros días (4.1-5)

> Pero el Espíritu dice claramente que en los postreros tiempos algunos apostarán de la fe, escuchando a espíritus engañadores y a doctrinas de demonios; por la hipocresía de mentirosos que, teniendo cauterizada la conciencia, prohibirán casarse, y mandarán abstenerse de alimentos que Dios creó para que con acción de gracias participasen de ellos los creyentes y los que han conocido la verdad. Porque todo lo que Dios creó es bueno y nada es de desecharse, si se toma con acción de gracias; porque por la palabra de Dios y por la oración es santificado.

Vv. 1-2. Estas palabras se presentan como obra de la pluma de Pablo, un hombre que afirmó reiteradamente hablar en nombre de Dios con autoridad apostólica, aunque muchos entienden que otro las escribió en su nombre. En base a eso último, muchos comentaristas consideran que el autor, años después de la partida de Pablo, estaba escribiendo acerca de acontecimientos que sucedían en su propio tiempo y que el podía describir con precisión. Para algunos esto pudiera quitarle fuerza al mensaje, aunque le sea atribuido al Espíritu Santo.

Ahora bien, lo que el Espíritu dice, lo dice «claramente» (*rêtôs*). Esa palabra puede traducirse como «específicamente» o «de manera expresa». Según Ward, se trata de «La precisión divina del realismo en vez de la vaguedad del pesimismo humano».[1] Como en otros pasajes, se está invocando la autoridad del Espíritu Santo. Rechazar la inspiración de este pasaje, en particular, sería atribuirle falsedad al autor, porque éste no está expresando una simple opinión suya.

De acuerdo con E. Glenn Hinson, «Es por vez primera que Pablo se dirige en forma bien específica al problema efesio y lanza su rechazo en forma de profecía... Los esenios, que pueden haber sido un canal para el error de los efesios, regularmente usaron este estilo de comentar acontecimientos contemporáneos».[2] El mismo autor se basa en Dibelius y Conzelmann cuando señala que Pablo tiene un problema en mente que es inmediato, no futuro, como se ve en la forma que lo demuestra.

Para Guthrie, el uso de «los postreros tiempos» pudiera sugerir un futuro mucho más inminente que el reflejado en las palabras «en los postreros días» como son utilizadas en 2 Timoteo 3.1. De acuerdo con ese autor: «Aquí el Apóstol está pensando en tiempos subsiguientes al suyo propio, pero prevee que Timoteo necesita estar consciente de ellos».[3] También apunta que debe tenerse en cuenta que es frecuente en los materiales proféticos de la Biblia predecir un futuro que ya está teniendo lugar en alguna forma.[4] La apostasía anunciada en cuanto a su manifestación más dramática e importante que sucedería en los últimos días o «tiempo del fin», podía estar iniciándose ya, sin importar los siglos que separen una fecha de la otra.[5] Según Fee, aquí la

1 *Op. cit.*, p. 67.

2 *Op. cit.*, p. 322.

3 *Op. cit.*, p. 91.

4 Este es solamente uno de los muchos problemas a los que se enfrenta el estudiante de los escritos proféticos. Las cuestiones relacionadas con el estilo literario abundan en los estudios avanzados acerca de las Escrituras. Véase Norman K. Gottwald, *The Hebrew Bible: A Socio-Literary Introduction*, Fortress, Philadelphia, 1987, pp. 506-514.

5 No pretendemos haber dicho la última palabra, ni mucho menos, acerca de este asunto. En otras partes del comentario nos hemos referido al problema representado por las interpretaciones del posible significado de «últimos tiempos» y «últimos días». Pudieran indicar los últimos días de la humanidad, lo cual está relacionado con el regreso de Jesús, o la era de la gracia inaugurada el Día de Pentecostés. Véase Hch 2.16-17. Algunos indican que si es lo primero, Pablo se equivocó. Y de paso debería señalarse que también ese fue el caso de Pedro el Día de Pentecostés. También pudiera llegarse a la conclusión que 1 Timoteo 4 no tiene que ver con nosotros en ese caso. Pero muchos maestros bíblicos como Guthrie, Fee y muchísimos otros, no ven contradicción o equivocación de Pablo con lo de «postreros tiempos». La explicación que dan es en cuanto a diferentes significados y a que los males de los últimos días de la humanidad estarían manifestándose desde principios de la nueva era, dispensación o época

palabra «apostasía» es la forma verbal que indica «rebelión, caída».[6] En contraste con el mensaje del Espíritu Santo, el cual es puro y cierto, se habla de «espíritus engañadores» y «doctrinas de demonios». Según Fee, el autor se refiere «a la misma realidad— la naturaleza demoníaca de las enseñanzas que se oponen al evangelio».[7] Los apóstatas les prestan atención a estos espíritus que engañan. La referencia es clara. Aquí no encontramos una referencia a escuchar a simples charlatanes. Hay una afirmación concreta acerca de espíritus malvados sobrenaturales que contrastan con el espíritu de verdad. No olvidemos que Pablo en Efesios 6.11 nos habla de las «asechanzas del diablo». Las doctrinas de demonios no son enseñadas por ellos mismos sino por sus instrumentos. Aún así, se trata de «enseñanzas de demonios». El origen es indudablemente satánico, pero los portavoces son seres humanos que se dejan controlar por tales influencias, es decir, que han caído en la esfera de influencia de los «espíritus engañadores», se han dejado engañar.

Aparece entonces un nuevo elemento, el de la «hipocresía de los mentirosos». El factor humano está claro a pesar de las connotaciones y de las evidentes labores de elementos sobrenaturales. Se trata de gentes que tienen pretensiones falsas, que son insensibles y que pueden ser calificados abiertamente de «mentirosos». Es decir, no son personas sinceras y equivocadas al mismo tiempo, sino individuos que quieren engañar, y por lo tanto no enseñan principios basados en firmes convicciones, por raras que sean, sino mentiras que comparten para engañar.

Además, esa insensibilidad se desprende de tener «cauterizada la conciencia». La palabra griega es *kaustêriazô* y, por lo tanto, la implicación que encuentran muchos comentaristas, entre ellos Guthrie, es que se está diciendo que las conciencias están «marcadas con hierro caliente para mostrar que su verdadero dueño es Satanás».[8] Según Hendriksen «...por medio de su propia rebelión y obstinación, la conciencia habrá sido cauterizada (y esto será permanentemente). Se les ha endurecido. Un buen ejemplo es Balaam (Nm. 22.12,19,21,32; 25.1-3; 2 P. 2.15, Ap. 2.14)».[9]

Vv. 3-4. Notamos dos enseñanzas falsas como lo son, sin duda, las prohibiciones a contraer matrimonio y a comer ciertos alimentos. Hemos hecho referencia a que el gnosticismo del siglo segundo tiene sus antecedentes en el primer siglo. Independientemente de nuestra satisfacción con una serie de conclusiones a las que llega Spicq, coincidimos con Guthrie en que si aquí hay una referencia al gnosticismo se trata de una «forma incipiente de gnos-

inaugurada en días de Pablo y Pedro, como hemos mencionado en el texto. Claro que la discusión del asunto sería, en cualquier caso, interminable y muchos lo enfocarían de la siguiente manera: ¿Se equivocó Pablo?

6 *Op. cit.*, p. 98.

7 *Op. cit*, p. 98. Véase también 2 Co. 4.4; 11.3; 13-14.

8 *Op. cit.*, p. 92.

9 *Op. êit.*, p. 166.

ticismo» y aceptamos las opiniones de Charles Pfeiffer y Everett F. Harrison, que al tratar este versículo en su comentario insisten en que «el gnosticismo que inundó la iglesia en el siglo segundo, sin duda ya era evidente en la época en que Pablo escribió».[10]

Las prohibiciones al matrimonio o a consumir ciertos alimentos no coinciden con las enseñanzas del Nuevo Testamento. Pero los gnósticos y sus predecesores, incluso dentro del judaísmo de la época, insistían en el dualismo: la materia en contra del espíritu. Por supuesto, en forma diferente a la enseñanza de la lucha entre la carne y el espíritu explicada por Pablo en otros libros. El matrimonio y los alimentos fueron creados para todos, pero de una manera especial para el pueblo de Dios, para los «creyentes» y «los que han conocido la verdad» porque ellos pueden santificar tanto el matrimonio como la comida. Es por eso que se habla de «acción de gracias», una expresión que debe considerarse absolutamente paulina y que ha sido incorporada, como práctica, al estilo de vida de los cristianos, incluyendo sus oraciones. E. Glenn Hinson estima que «Dios mismo consagra la comida nuevamente, como si se tratara de un acto de su actividad creadora. De hecho, continúa siempre esa actividad creadora; en oración participamos de ella y disfrutamos sus beneficios».[11]

Los promotores del tipo de prohibiciones que el autor asocia con los demonios adulteran la realidad de que lo creado por Dios es necesariamente bueno y que, cuando ha existido alguna limitación especial, como las leyes dietéticas del Antiguo Testamento, ésta ha tenido una relación directa con un propósito especial, generalmente temporal, o representa una conveniencia para el humano mismo, no el carácter pecaminoso de algo creado por Dios. Los falsos maestros insistían en lo «malo» de ciertos alimentos y del matrimonio.

En la Biblia de Jerusalén se traduce «...para que fueran comidos con acción de gracias» (BJ). Lo que se «come (o toma) con acción de gracias» es necesariamente «santificado». Es decir, se convierte en «santo» para el que lo toma. Aunque en cierta forma hemos tratado algo acerca de estos asuntos ya es necesario refrescar algunos conceptos y acudir a nuevas fuentes. Guthrie hace muy bien en señalar que «el concepto cristiano de santidad abarca cosas tan mundanas como la comida, el sujeto considerado menos indicado para la santificación».[12] La palabra griega para acción de gracias es *eujaristia.* Hanson les recuerda a los estudiosos de estas materias que «pocos años después de que se escribieron las Pastorales encontramos a Ignacio de Antioquía usando la palabra *eujaristia* para referirse a la Cena del Señor», indicando

10 Charles Pfeiffer y Everett F. Harrison, *The Wycliffe Bible Commentary*, Moody Press, Chicago, 1962, p. 1376.

11 *Op. cit.*, p. 323.

12 *Ibid.*, p. 93.

después su creencia de que estos versículos tienen alguna relación con la Cena del Señor y la ofrenda con acción de gracias del pan y el vino en ese rito.[13]

V. 5. Independientemente de este tipo de interpretaciones, muy explicable en comentaristas que pertenecen a las tradiciones que conceden un papel central o sacramental a ritos como el bautismo y la Cena, lo que nos parece más importante en este caso es aquello que todos pueden aceptar a primera vista y que es significativo: el poder de la palabra de Dios y de la oración para santificar. Estos factores no invalidan necesariamente la relación de estos dos elementos con importantes y significativos actos de la liturgia cristiana. J. H. Bernard hace hincapié en que estas palabras deben necesariamente tener relación con actos tan sencillos e importantes como el uso que se hace de la lectura de las Sagradas Escrituras en el acto de dar gracias por los alimentos antes de consumirlos.

Otro comentarista, Guthrie, al citar la misma interpretación, entiende que ésta llama la atención a la «práctica de orar antes de tomar los alimentos, y sirve de recordatorio oportuno a los cristianos modernos que tienen la tendencia a pasar completamente por alto el dar gracias o, al contrario, minimizan su significado».[14]

Recordemos que la Biblia enseña que es hasta posible que el marido incrédulo sea santificado simplemente por estar casado con una cristiana (1 Co. 7.14). Esto no quiere decir que tal persona sea salva por la fe de su esposa, sino que el esposo incrédulo no puede ser considerado impuro con el propósito de darle excusas a su mujer para dejarlo sin razones válidas. Considerar algo como impuro en forma precipitada e irresponsable es peligroso.

Las manos inmundas

A pesar de enseñanzas bíblicas tan claras como estas suceden casos en los cuales el extremismo es manifiesto, sin que necesariamente pretendamos encasillarlos en la misma categoría. Un grupo religioso fundado en Cuba por un piadoso comerciante estadounidense radicado en el país, y que llegó a ser relativamente fuerte en algunas regiones de la isla, prohíbe ingerir ciertos alimentos. Hay evidencias de que en una época de su desarrollo doctrinal muchos de sus fieles más estrictos no consumían alimentos preparados por personas incrédulas. Palabra esta última que para los más rigurosos podía utilizarse en referencia a todo el que no perteneciera a su movimiento. En una ocasión, llegaron dos de sus misioneros

[13] *Op. cit.*, p. 88.
[14] *Op. cit.*, p. 94.

ambulantes a un bohío[15] y se encontraron con una familia cristiana, la cual, al oírles hablar de la Biblia, les ofreció hospedaje y comida. Los hambrientos miembros de la secta comieron todo lo que les dieron. Sin embargo, al llegar la noche y hacer sus oraciones, los hospitalarios campesinos les escucharon mientras oraban en una habitación contigua: «Señor, perdónanos por haber comido alimentos preparados por manos inmundas».

El concepto de lo «inmundo», al igual que el de lo «santo», puede asumir diversas formas. Algunas pueden ser más peligrosas que las otras. Pero aun aquello que posea las características más evidentes de inmundicia no resiste el poder de la palabra de Dios y de la oración.

B. El ministro, su enseñanza y su piedad (4.6-8)

Si esto enseñas a los hermanos, serás buen ministro de Jesucristo, nutrido con las palabras de la fe y de la buena doctrina que has seguido. Desecha las fábulas profanas y de viejas. Ejercítate para la piedad; porque el ejercicio corporal para poco es provechoso, pero la piedad para todo aprovecha, pues tiene promesa de esta vida presente, y de la venidera.

V. 6. Le corresponde a un ministro de Dios el instruir al pueblo en la doctrina sana de la que él mismo se alimenta. Esa era la enorme responsabilidad que se le entregaba a Timoteo a pesar de su juventud. Todo tenía por supuesto una relación directa con el tipo de vida cristiana que se vivía. Por otra parte, el pastor debe ser un enemigo jurado de la superstición y el error.

Se nota fácilmente el aspecto personal de lo que se le pide a Timoteo, que debe ser un «buen ministro[16] de Jesucristo». Para llegar a serlo tiene necesariamente que enfrentarse a este tipo de situaciones. Un poco más complicada es la referencia a «las palabras de la fe y de la buena doctrina que has seguido».

Debemos recordar la frase final sobre «la doctrina que has seguido». El verbo *parakoloutheô* nos está sugiriendo la idea de algo que se ha investigado o que se ha seguido como una norma. Hay cierta profundidad en el acto de seguir algo con lo cual uno se ha compenetrado al conocerlo hasta sus últimas implicaciones. No se ha cumplido formalmente con los requisitos de un curso o asignatura más, sino que se le ha tratado como un conocimiento que debe incorporarse a la práctica, y sobre todo a la vida diaria.

Vv. 7-8. Nótese el contraste entre la «buena doctrina» y las «fábulas profanas y de viejas». En otra versión, esto último se traduce como «cuentos

15 Choza típica de los campesinos del interior de Cuba. Se construye con madera y hojas de palma.

16 En el original griego aparece la palabra *diakonos*.

de viejas» (BJ). Las enseñanzas falsas son necesariamente «profanas». La palabra griega *bebêlos* es la misma que se utiliza en 1 Timoteo 1.9 cuando se hace una larga lista de violaciones de la ley divina, y es utilizada para describir a gente que pretende ser religiosa pero que ha fracasado en su experiencia espiritual.

Resulta interesante que se añada inmediatamente «y de viejas». Esas fábulas o «cuentos» de viejas son antiguas en su uso en la literatura universal. No se trata de un insulto a las mujeres de edad avanzada. Será mejor que pensemos en el carácter eminentemente literario del uso de la palabra, la cual, en este contexto, indica frivolidad y superficialidad por parte de los maestros falsos, comparados con mujeres que por su edad tienen poco que hacer y se dedican a hacer cuentos elaborados dentro de los parámetros de lo frívolo y lo superficial.

Hay también una referencia a los ejercicios atléticos, los cuales pueden servir para establecer una relación entre formas de disciplina física y espiritual. La piedad no es asunto ligero o frívolo. No es comparable a las viejas leyendas judías acerca de las genealogías de Abraham[17] o la insistencia de los gnósticos y sus precursores del primer siglo en asuntos misteriosos, reservados a unos pocos y que son presentados como una sabiduría especial y oculta. La piedad requiere que el creyente se ejercite constantemente en ella, por encima de cualquier otra cosa, incluso del ejercicio físico.

Este último asunto no deja de tener su lugar, pero comparado con la eficacia de la vida espiritual sale perdiendo, hasta el punto que se pueda decir, en un contexto determinado, que «es poco provechoso». El v. 8 nos pudiera sorprender un poco con esa aparente subestimación del ejercicio físico, pero la comparación puede darnos el secreto. Lo que sí es cierto es que «la piedad para todo aprovecha». En cuanto a que tiene «promesa de esta vida presente, y de la venidera», no es difícil de entender. No se podrá disfrutar de los resultados del atletismo practicado en nuestra vida actual cuando lleguemos al siglo venidero, mientras que la piedad nos bendice siempre. Si el ministro no está consciente de todo esto o no lo enseña debidamente, tiene problemas. No es un «buen ministro de Jesucristo».

Folletos y Fábulas

Es importante que el pastor hispanoamericano tenga una comprensión amplia y generosa de su misión como orientador. Debe ejercitarse no solamente en la piedad sino en actividades intelectuales que le permitan discernir en medio de una invasión de influencias ajenas, extrañas a los intereses de su congregación. A

17 No nos referimos a las que se encuentran tanto en el Antiguo como en el Nuevo Testamento.

esta se le bombardea constantemente con sectas extravagantes, telenovelas que son nocivas a la inteligencia, «futurólogos» y cartománticos, así como escritores de horóscopos que nada tienen que envidiarles a los engañadores de los primeros siglos. Si su formación es a base de folletitos, esquemas escatológicos arbitrarios y tradiciones denominacionales, el ministro se encontrará en desventaja en el mundo de hoy. Es probable que no preste atención a «fábulas» como las de los primeros siglos del cristianismo, pero sí a alguna moda pasajera en la iglesia, basada en simples especulaciones o en influencias extrañas con las cuales se manipula la mente de aquellos a los cuales va a ministrar. Más adelante en el comentario tendremos que enfrentarnos a una serie de movimientos nuevos que causan divisiones y confusión.

C. Otra «palabra fiel» (4.9-10)

Palabra fiel es esta, y digna de ser recibida por todos. Que por esto mismo trabajamos y sufrimos oprobios, porque esperamos en el Dios viviente, que es el Salvador de todos los hombres, mayormente de los que creen.

Vv. 9-10. Aquí se está reafirmando el versículo anterior. Eso es lo que algunos piensan y entienden. Pero se desconoce en realidad si esto ha sido escrito en referencia a lo anterior o a lo que está delante. La «palabra fiel» que nos ocupa ahora en el v. 9 pudiera indicar hacia adelante como en 1 Timoteo 1.15 o hacia atrás como en Tito 3.8. Nos parece que la mayoría entiende que es una reafirmación de la piedad de la que se ha hablado.

Pero el v. 10 parece contener también un sentido de ratificación de la esperanza en el Dios viviente, que es el Salvador (*Sôtêr*) por el cual trabajamos. De acuerdo con Hendriksen, «...según Pablo, detrás de toda verdadera salvación está Dios, el Viviente. El más glorioso bienestar de todos».[18] También insiste en que mientras más cercano estuvo Pablo al mundo romano, donde el epíteto *Sôtêr* aplicado a dioses y héroes, más comenzó (él y también los demás creyentes) a usar la palabra *Sôtêr* como designación para el Dios vivo y verdadero, basando el contenido de esa convicción no en algo que el mundo que les rodeaba les ofrecía, sino en la revelación especial dada en el Antiguo Testamento y en la enseñanza del Señor.[19]

La palabra «trabajamos» (*kopiaô*) está indicando un esfuerzo tan arduo y estenuador que nos viene a la mente el trabajo forzado en las prisiones de aquella época. Pero no es esa la situación. En otra versión es traducido como «nos fatigamos y luchamos». En realidad lo que indica es lo mismo de

18 *Op. cit.*, p. 178.
19 *Ibid.*

Filipenses 2.16, es decir, la fatiga de un atleta; y se relaciona con el v. 8a. Pero no solamente trabajamos sino que «sufrimos oprobios». En el original la palabra implica más bien «esforzarse».

Todo esto hay que entenderlo dentro del marco de referencia de una esperanza que tenemos, la cual nos inspira y nos permite seguir hacia adelante. Solo el Dios viviente, al que ya nos hemos referido, puede bendecir un ministerio realizado en medio de esas circunstancias. Un poco más complicada pudiera ser la interpretación de «Salvador de todos los hombres,[20] mayormente de los que creen». No se trata de universalismo, la creencia de que Dios salvará, a la postre, sin excepción. El título de Salvador que le pertenece a Dios debe ser reconocido por todos. Además, él es potencialmente el salvador de todos, de ahí que lo sea mayormente de los que lleguen a creer en esa salvación que él ofrece. El uso de la palabra «mayormente», en este caso, divide a la humanidad en dos categorías: los que creen y todos los demás.

El oprobio y la mentalidad de Hollywood

Debemos detenernos en lo de «sufrir oprobios» pues hay una aplicación inmediata a nuestro contexto. Como señalaremos más adelante existe una mentalidad del tipo de las películas de Hollywood. Es probable que para muchos el sufrir oprobios sea algo parecido a ser lanzado a los leones como en cintas cinematográficas al estilo de «El Manto Sagrado», «Quo Vadis», «Demetrio el gladiador», etc. El siervo de Dios en Hispanoamérica generalmente sufre oprobios cuando tiene que trabajar en una aldea poco atrayente o en una comunidad pobre. Es acusado de agitador por simplemente predicar las buenas nuevas o por tratar de ayudar a los necesitados. Los casos de los que «sufren oprobio» en Latinoamérica se parecen más a los de los hugonotes franceses o a la situación específica de Bartolomé de Las Casas. Es decir, sufren por predicar y vivir su interpretación del evangelio o por llevar a cabo un ministerio profético. Los hugonotes fueron perseguidos porque su interpretación teológica era diferente. En América Latina y España, los evangélicos han sufrido una persecución real que se ha ido reduciendo, pero que ahora está volviendo a aumentar en algunos países sobre todo en aspectos de subestimación, ataques sutiles y algún grado de discriminación. No es demasiado diferente a la que

20 Téngase en cuenta que en el original se habla de «todos los humanos» y no solamente de los «hombres varones» como pudiera indicar una lectura rápida de estas traducciones, por demás correctas.

sufrieron los católicos en el Japón en época de misioneros como Francisco Javier. Por su parte, Bartolomé de Las Casas, que merecidamente es llamado «el benefactor de los indios», se enfrentó a todo el andamiaje colonial y a estructuras crueles. Su propósito era recordarles a sus contemporáneos la condición de seres humanos y de posibles creyentes cristianos de multitudes de indios esclavizados y sometidos a los caprichos de encomenderos, eclesiásticos rapaces y gobernantes de horca y cuchillo.

Ch. Timoteo como ejemplo (4.11-12)

Esto manda y enseña. Ninguno tenga en poco tu juventud, sino sé ejemplo de los creyentes en palabra, conducta, amor, espíritu, fe y pureza.

Vv. 11-12. Timoteo fue situado en una posición enormemente importante a pesar de su juventud. Le correspondió presidir una iglesia y representar la autoridad apostólica de un hombre como Pablo. Es sumamente probable que en ciertas ocasiones Timoteo se sintiera incapaz, inadecuado, hasta impotente, para ejercer un grado tan alto de autoridad como era necesario dentro de los cauces normales de su ministerio. Las circunstancias eran muy difíciles y abundaban los enemigos. Las falsas enseñanzas, en el contexto en que le tocó desarrollar su ministerio, eran realmente inspiradas por los mismos demonios y no siempre el resultado de simples errores humanos. Por lo menos ese pudiera ser el cuadro que se desprende de la lectura de estas epístolas.

No todos tienen la misma capacidad para hacerle frente, en forma confiada y autoritativa, a condiciones de esa naturaleza. Es muy probable que se sintiera incapaz de enseñar asuntos tan profundos. La respuesta de Pablo a la necesidad de Timoteo es: «Esto manda y enseña», es decir, le indica el material que debe comunicar y le recuerda la autoridad que debe ejercer. Según Fee, «esto» indica lo contenido al menos en los vv. 8-10 y tal vez todo a partir de 2.1.[21] La palabra «manda», en el original *parangelle*, implica más bien «proclama», pero implica cierta autoridad. No podemos separar este acto de «mandar» de la labor de predicación. En otra versión la oración es traducida como «predica y enseña estas cosas» (BJ).

Muchos hombres notables han servido a Dios desde su juventud. Otros han llegado a importantes posiciones siendo todavía muy jóvenes. Ni siquiera Pablo era un hombre viejo cuando aparece mencionado por vez primera en el libro de los Hechos de los Apóstoles. David derrotó a Goliat siendo un mozalbete. Por lo tanto, nadie debía tener en poco la juventud de un siervo llamado por Dios, en este caso mediante profecía o proclamación, que mereció la confianza de Pablo y disfrutaba de un buen testimonio conocido por todas

21 Véase *op. cit.*, p. 106.

partes y que había bebido la fe en su hogar consagrado y piadoso. En cuanto a la juventud específica de Timoteo, la palabra *neotês* puede referirse a cualquier edad por debajo de cuarenta años.

Lo más significativo sigue siendo el servir como ejemplo. No se trataba simplemente de poder llegar a un pastorado en la más temprana juventud sino de asuntos más específicos. Timoteo debía ser ejemplo en cuestiones muy concretas: «palabra, conducta, amor, espíritu, fe y pureza». ¡Tremenda tarea!

Palabras y Ejemplos

La palabra es una parte central del ministerio. Una palabra mal dicha es un problema. Predicar la palabra de Dios, adecuadamente y en verdad, sin mezcla de error alguno, es su responsabilidad. Decir la buena palabra, que alienta, edifica o corrige, es la tarea del pastor. La conducta o comportamiento es algo inclusivo. Sin una conducta elevada, la labor del ministro pierde eficacia. El mismo deja de merecer el respeto del pueblo, creyente o infiel.

El amor es especialmente importante, pues permanecerá cuando la fe haya dejado de ser necesaria y la esperanza no juegue ningún papel. Si no amamos a los que servimos, y sobre todo al Dios al cual servimos, no podemos esperar mucho. El espíritu con el que se realiza una labor tiene una importancia fundamental. Hablamos de «gente sin espíritu». Un pastor no puede prescindir del espíritu correcto. Por supuesto que puede pensarse inmediatamente, con razón, en el papel del Espíritu de Dios. Sin su presencia y auxilio no hay un verdadero ministerio y sin su plenitud no hay bendición completa.

En cuanto a la fe, sabemos que por ella se alcanzan las promesas de Dios. Un hombre o mujer de Dios debe ser necesariamente un hombre o mujer de fe.

La palabra «Pureza» en griego es *agneia*, que en uso profano tenía dos significados, uno de pureza sexual y otro de pureza ritual. Aquí se debe tener en cuenta el primero. Todo lo que se diga acerca de la pureza sexual en un ministro es poco. Se trata de un aspecto en el cual es necesario cuidarse para dar un ejemplo a los creyentes. De otra manera, ¿dónde van a encontrar un modelo los nuevos creyentes?

Hay siempre el peligro de buscar solamente ejemplos dramáticos y exóticos. La cinematografía al estilo de Hollywood ha penetrado nuestra cultura. Buscamos ejemplos al estilo de Peter Marshall, el piadoso capellán del Senado norteamericano, un hombre magnífico, pero que trabajó en condiciones sumamente diferentes a las nuestras. Vivimos en países donde los ministros ejemplares no hacen un gran impacto sirviendo como capellanes de las asambleas nacionales o cámaras legislativas sino que deben más bien ocuparse de ministrar a multitudes compuestas por incrédulos que jamás se sentarán en una asamblea legislativa. Ciertamente fieles hombres de Dios sirvieron en la «frontera» norteamericana o en el «oeste salvaje» de las películas que exhiben por televisión; pero el ejemplo que necesitamos más, en nuestro contexto, es el de jóvenes que salgan de las aulas de los seminarios o los institutos bíblicos y se entreguen como verdaderos «ejemplos». No para hacer dinero y conseguir muchos programas de televisión y entrevistas con presidentes y funcionarios públicos, sino para rescatar almas perdidas y hacer un verdadero impacto sobre nuestras comunidades llenas de pobreza y dificultades de todo tipo, en las cuales la marginación prevalece. Si servir de ejemplo es lograr aparecer por televisión o hacernos amigos de un poderoso evangelista electrónico a quien estamos imitando, el texto bíblico que nos ocupa pierde gran parte de su significado y casi toda la aplicación que pueda tener a nuestras circunstancias particulares.

D. El ministerio pastoral de Timoteo (4.13-16)

Entre tanto que voy, ocúpate en la lectura, la exhortación y la enseñanza». No descuides el don que hay en ti, que te fue dado mediante profecía con la imposición de manos del presbiterio. Practica estas cosas. Ocúpate en ellas, para que tu aprovechamiento sea manifiesto a todos. Ten cuidado de ti mismo y de la doctrina; persiste en ello, pues haciendo esto, te salvarás a ti mismo y a los que te oyeren.

V. 13. Le correspondía a Timoteo, en espera de la llegada del Apóstol, ocuparse de aspectos muy espirituales de su ministerio sagrado. Debía adelantar en la carrera de la fe y en el ejercicio del don que le había sido dado. Además, tenía que preocuparse no solamente de la vida espiritual de los otros sino de su propia comunión con Dios.

Tres asuntos le preocupan al autor en cuanto a Timoteo en el versículo 13: «lectura», «exhortación» y «enseñanza». El verbo «ocuparse» *(prosejô)* conlleva una preparación que debe hacerse en privado aunque las labores sean mayormente públicas. Por ejemplo, se habla de lectura y parece indicarse la lectura de las Escrituras en público.

La cultura del maestro

El ministro debe leer bien. De otra manera no se le hubiera dicho «ocúpate» de la lectura. Para leer bien, entendiendo lo que se lee, hay necesidad de leer otros libros. Un ministro que no lee está faltando a algo que el Apóstol parece haber tenido en mente y que no era solamente la lectura pública. Para el siguiente paso había que estar preparado y esto era imposible sin lectura. Había que prepararse para poder ocuparse debidamente de la fundamental tarea ministerial representada por la palabra «exhortación». La palabra griega para esto es *paraklêsis*. El ministro basa su exhortación en lo que ha leído a los fieles. La iglesia no es el lugar para leer recortes de periódicos, sino las Escrituras. Lo que puede suceder, sin embargo, es que se puede relacionar las Escrituras con lo que dicen los periódicos, lo cual es útil. Los testimonios más antiguos revelan que la exhortación seguía, en las primitivas iglesias, a la lectura de las Escrituras. El pastor es un exhortador. Sin enseñanza el ministerio pastoral está incompleto. La doctrina (*didaskalia*) debe ser enseñada.

Un problema que hemos visto en las comunidades hispanas de Norteamérica, pero que también es real en España y América Latina (donde lo hemos experimentado también) es la deficiencia educativa de muchas iglesias. A veces hay buenos exhortadores, pero pobres maestros. El pastor debe ser siempre un maestro. No solamente enseña directamente, sino prepara a otros para enseñar, lo cual constituye un ministerio especializado.

V. 14. El don o carisma sobre el cual hemos hablado en la introducción al ofrecer información de carácter personal o biográfico sobre Timoteo no puede olvidarse. Se le habían impuesto las manos, lo cual indica que se le había separado en público reconociendo el don que había recibido. Recordemos que ese acto simboliza el ser «separado» para una labor específica, la cual solamente puede realizarse con la ayuda de Dios y mediante el «don» que Dios concede.

En 2 Timoteo 1.6 notamos cómo Pablo participó en la ceremonia de ordenación o imposición de manos de Timoteo, probablemente junto a otros «ancianos» o siervos de Dios con funciones específicas.

En 2 Timoteo 4.14 se habla también del «presbiterio» o grupo de presbíteros. Ese es el texto en que se basan muchas denominaciones y grupos para ordenar a los ministros. Para ellos la ordenación se recibe de un grupo de pastores o ancianos y no mediante un obispo que ha recibido facultades especiales. En otra versión, el presbiterio se traduce como «colegio de presbíteros» (BJ). Este don no puede ser descuidado. Es bueno notar cómo en este énfasis en los temas espirituales del ministerio, el autor continúa exhortando a Timoteo.

Finalmente, encontramos en Hechos de los Apóstoles una relación frecuente entre imponer las manos y el don del Espíritu Santo.

Vv. 15-16. Encontramos aquí nuevas exhortaciones a practicar, a ocuparse, a mostrar aprovechamiento y a continuar siendo un ejemplo. Todo esto tenía que incorporarse totalmente a la vida y pensamiento de Timoteo. Lo que puede ser considerado a primera vista como repetición o redundancia no es sino la forma de hacer énfasis en algo imprescindible.

En el v. 16 notamos como Timoteo debe realizar una doble labor en su vida, como todo buen pastor. Por un lado le corresponde vivir su vida cristiana, lo cual puede ser expresado como «ocuparse de su propia salvación», mientras, por otra parte, debe buscar la de otros.

Nada de lo anterior implica salvación por obras. La salvación produce obras y hay que ocuparse en ese precioso resultado. Un pastor no puede pensar solamente en los demás sino también en su propio crecimiento espiritual.

El ministro y su entrega

El orden está claramente establecido. Si tiene cuidado de su propia vida devocional y cuida la doctrina (notamos cómo son temas reiterados en esta carta), y persiste en hacerlo, verá resultados en su vida y en las de los demás. Pero es igualmente importante tener en cuenta que «el buen pastor su vida da por sus ovejas» (Jn. 10.11). Un pastor no solamente «salva» en el sentido de predicar el mensaje de salvación, sino que entrega su vida por su rebaño. Lo hace mediante el consejo pastoral, el ministerio de la misericordia, la atención a sus necesidades espirituales y materiales, el compañerismo. También lo hace al infundir u ofrecer aliento y ánimo.

Algunos han entregado su vida en un sentido literal. El cristianismo tiene una larga lista de mártires. En la historia antigua de la iglesia encontramos a miles entregando su vida por la de los demás fieles. En nuestro tiempo también hemos visto a siervos de Dios entregándose así por los demás. En América Latina hemos tenido infinidad de ejemplos. Muchos líderes evangélicos han perdido su vida en Colombia y México por predicar el evangelio. El caso de los misioneros asesinados por los indios aucas de Ecuador y cuyas esposas permanecieron trabajando entre ellos con gran dedicación, atrajo la atención de la prensa internacional. En el ambiente católico, y fuera de él, se ha mencionado frecuentemente a los jesuitas asesinados en el Salvador, entre ellos el teólogo Ignacio Ellacuría, por servir como elementos de reconciliación y ejercer un ministerio profético. Pero estos ejemplos son unos pocos entre cientos de cristianos en nuestros países que han entregado sus vidas sin haber recibido la más mínima atención por parte de los medios de prensa.

La «enseñanza» no incluye solamente una serie de versículos bíblicos. Tiene relación directa con la conducta y la condición humanas. Quien entrega su vida por una causa justa, relacionada con el ejercicio de la vida cristiana, trata de «salvar». Ya sabemos que, de acuerdo con el Nuevo Testamento, la salvación del alma solamente se obtiene por la fe en Cristo. Pero aquí hay implicaciones sumamente profundas que merecen explorarse dentro del tipo de discipulado que el Señor espera de nosotros.

V

Consejos al ministro

En este capítulo encontramos una serie de normas y recomendaciones que tienen relación directa con el trabajo pastoral. De acuerdo con una difundida versión: «No reprendas con aspereza al anciano, sino exhórtale como a padre; a los mozos, como a hermanos; a las ancianas, como a madres; y a las jovencitas como a hermanas, con todo recato» (TA). Algunos comentaristas entienden que los primeros dos versículos son de transición. Según Fee, «Por un lado, fluye naturalmente de 4.11-16, dos imperativos adicionales para Timoteo (en la segunda persona), y el contenido sigue reflejando preocupación acerca de la relación de Timoteo con la comunidad de la iglesia en formas muy específicas relacionadas con su propia juventud».[1]

A. Un pastor para todos (5.1-2)

> No reprendas al anciano, sino exhórtale como a padre; a los más jóvenes, como a hermanos; a las ancianas, como a madres; a las jovencitas, como a hermanas, con toda pureza.

Vv. 1-2. El autor le explica a Timoteo la forma de tratar a personas de distinto sexo o edad. Se esperaba de él que fuese un pastor para todos. Muy difícil puede ser la situación de un joven pastor, recién estrenado, que tiene que llamarle la atención a un hombre mucho mayor que él. Un anciano no se encontraría muy cómodo en caso de ser amonestado por un joven.

La palabra anciano *(presbyteros)* nos recuerda inmediatamente el cargo de «anciano» o «presbítero», pero aquí es probable que no se está haciendo referencia a un pastor sino a un creyente de bastante edad.[2] Un tratamiento

1 *Op. cit.,* p. 112.

2 Algunos piensan que pudiera referirse a los presbíteros. Si se acepta ese punto de vista, la enseñanza sería que Timoteo debía cuidarse de la forma de tratar a los líderes de la iglesia.

rudo no puede ser contemplado, mientras que una exhortación amorosa y con un respeto especial se impone en este caso.

Desde el principio notamos que se está utilizando a la familia como un recurso. Los cristianos son la familia de Dios. Por lo tanto, el pastor utilizaría un trato parecido al que tiene lugar dentro de una familia respetuosa. Esto puede tener relación con la siguiente norma: «a los más jóvenes como hermanos». Es decir, no como a súbditos o subordinados sino como a hermanos. El pastor conserva su autoridad al tratar con una persona mayor o con un individuo joven, pero debe ser cuidadoso. Unicamente así podrá desarmar a sus críticos, que siempre serán muchos.

En relación con las palabras: «a las ancianas como madres», el estilo se reconoce generalmente como el de Pablo. Leemos, en Romanos 16.13: «Saludad a Rufo, escogido en el Señor, y a su madre y mía». A cada mujer cristiana que nos aventaja apreciablemente en edad debemos considerarla como a una madre dentro del contexto pastoral.

Un consejo en forma de mandato que merece toda la atención de un pastor es el siguiente: «a las jovencitas, como a hermanas, con toda pureza». Se añade «con toda pureza».

El pastor y el sexo opuesto

Debe recordarse que las jóvenes de la iglesia no son mujeres a las que debemos mirar con deseo o con demasiada admiración por su belleza o juventud. Para evitar problemas, tratémoslas siempre como a nuestras propias hermanas, aunque sin la familiaridad que se utiliza en nuestra propia casa.

No es difícil encontrar en todo lo anterior ciertos elementos que pudieran tener relación con lo cultural. Un pastor recibe siempre una influencia apreciable de los que le rodean. A través de nuestros países se notan marcadas diferencias en el trato a las personas mayores. En algunas ciudades y regiones no debemos dirigirnos a ellas usando el tratamiento de «tú» sino el «usted». En otros ambientes el «tú» es permisible, aunque no siempre recomendable. En algunos sitios los hijos se dirigen a los padres como «usted», aunque sólo les separe cronológicamente un par de décadas. En algunos ambientes existe una tendencia a ser formales en el trato y en otros prevalece una informalidad bastante manifiesta. La forma en que hablamos con las jóvenes, por ejemplo, puede presentar mucha variedad. El uso del «piropo» o elogios dirigidos a las damas puede ser peligroso. El pastor no tiene necesidad de ser una persona severa o cuidadosa para comprender que debe ejercer un cuidado especial evitando que sus palabras se malinterpreten. Algunas jóvenes pueden sentirse ofendidas por una expresión. Otras pueden pensar que se les está insinuando alguna proposición amorosa. Pudieran imaginar que el pastor se siente atraído física o sentimentalmente hacia ellas y de esa forma ilusionarse al hacerse ideas que no coinciden con la realidad. El joven ministro puede encontrarse de repente en una situación difícil. Lo mejor es hacer todo lo posible por evitar estos problemas. Todo lo que hemos advertido se aplicaría a una mujer en el ministerio pastoral. Le sería necesario el mismo cuidado con el sexo opuesto.

Las palabras «pureza» o «recato» se refieren al mismo asunto. Esa «pureza» y ese «recato» no deben entenderse como residuos de un mundo pasado de moda. No se trata de un *ancien regime* sino de virtudes que conservan su vigencia incluso para personas de mente amplia y poco dispuestas a una formalidad demasiado estricta.

B. La provisión para las viudas (5.3-8)

Honra a las viudas que en verdad lo son. Pero si alguna viuda tiene hijos, o nietos, aprendan éstos primero a ser piadosos para con su propia familia, y a recompensar a sus padres; porque esto es lo bueno y agradable delante de Dios. Mas la que en verdad es viuda y ha quedado sola, espera en Dios, y es diligente en súplicas y oraciones noche y día. Pero la que se entrega a los placeres, viviendo está muerta. Manda también estas cosas, para que sean irreprensibles; porque si alguno no provee para los suyos, y mayormente para los de su casa, ha negado la fe, y es peor que un incrédulo.

No debe sorprender que un asunto que corresponde a la esfera familiar, como la atención de las viudas, reciba tanta importancia. Recordemos que en la época del autor de estas epístolas no había seguro social, ni gobierno de tipo «benefactor» que se ocupase de ellas. En los próximos versículos notaremos un contraste entre las viudas que por su conducta y espíritu pueden considerarse como verdaderas viudas, que lo son en espíritu, y las que lo que son simplemente por haber muerto su esposo. El tener la condición de viuda es presentado como un estado y como una respetada vocación.

Tal vez sería oportuno aprovechar la forma en que Turrado trata lo que corresponde a las viudas en este capítulo. Según él, el autor distingue tres clases: «las que han perdido el marido, pero la Iglesia no tiene por qué encargarse de ellas», «las que la Iglesia se encarga de asistir, por ser viudas de verdad, que han quedado desamparadas...» y las que «asistidas o no por la

Iglesia son llamadas por ésta a desempeñar ciertas funciones oficiales, particularmente en la ayuda material a fieles necesitados».

A éstas últimas las considera «viudas canónicas» que contraían el compromiso formal de no volverse a casar y las distingue de las llamadas «diaconisas» que debían constituir un «grupo análogo, destinado también a obras de misericordia y asistencia social».[3]

Vv. 3-4. En estos versículos se empieza por poner las cosas en su lugar. No hay consideración especial para las «viudas alegres» (como el título de la famosa ópera). Es probable que aquí el uso de la palabra «honra» sea equivalente a «paga». No tanto en el significado literal como en la connotación. Más adelante, al ir desarrollándose la iglesia, se encuentra a viudas trabajando para la obra cristiana y recibiendo alguna remuneración y hasta un reconocimiento especial como si integrasen una especie de orden.

El deber religioso que tiene el creyente para con la familia está aclarado desde el principio. Será necesario tener en cuenta una serie de consideraciones, pero no podemos olvidar el lugar que le corresponde a la familia en el orden de prioridades. El deber que tienen los hijos de proveer para sus padres era un asunto importante para los judíos. Esa situación se extendía a otras sociedades patriarcales. En cuanto a las viudas no debemos perder de vista que, entre los judíos, al morir el esposo, la viuda podía regresar a su familia sólo si el precio que su esposo pagó para casarse con ella había sido devuelto a los herederos del mismo. Ella podía ser forzada a vivir en una posición de desventaja con la familia de su esposo y hasta ser vendida como esclava en caso de deudas. No se miraba con agrado que se volviera a casar. Debía esperar por el «levirato», es decir, el matrimonio con un hermano de su difunto esposo para garantizar herederos varones a la familia, o ser rechazada públicamente por los cuñados para poder entonces casarse fuera de la familia (Dt. 25.5-10). Los códigos hebreos no hacían provisión para la situación de las viudas a no ser en caso del «levirato». Sin embargo, encontramos en el Antiguo Testamento una serie de prohibiciones de la opresión a las viudas y se les concede algún tipo de protección.[4] Algún grado de protección de las viudas, los huérfanos y los pobres se encuentra desde temprano en otras culturas del Cercano Oriente, es decir, no se trata de algo exclusivo de los judíos. Como no tenían derechos legales había que protegerles. Eso es todo.

Muchos creyentes creen que han cumplido con Dios asistiendo a la iglesia y ofrendando. Han creado una especie de nuevo «corbán».[5] Es frecuente el abandono en que se encuentran los padres. Afortunadamente, entre los de habla

3 Véase el tratamiento que Turrado le da al asunto en *op. cit.*, p. 309-400.

4 Véase Dt. 14.28-29; 16:11-14; 24.17-18.

5 «Corbán» quiere decir «mi ofrenda a Dios». Algunos judíos de los días de Jesús hacían una ofrenda religiosa que tomaba el lugar de su obligación de sostenimiento material de sus padres.

española quedan todavía muchos hijos que siguen la tradición de albergar y sostener a sus padres cuando no tienen recursos.

Estos deberes fueron objeto de palabras muy claras por parte de Jesús. Esa es línea de pensamiento que ya encontramos en los diez mandamientos. Cuando hay familiares inmediatos, la iglesia no debe ser gravada. Recordar los deberes a hijos y nietos no es una función extraña, sino parte del ministerio educativo de la iglesia de Dios. Por lo tanto, «aprendan éstos primero». En caso contrario no pueden alcanzar cierta bendición que Dios les reserva. Ocuparse de los suyos es «bueno y agradable delante de Dios».

Tengamos en cuenta que en el v. 4 leemos «recompensar a sus padres» y en otra versión «corresponder con sus padres» (NC). No hay fundamento bíblico para que le deleguemos esa responsabilidad a la iglesia o al estado. Esto no quiere decir que no utilicemos los programas y recursos que el estado pone a la disposición de las personas mayores o necesitadas. Cuando una nación, sobre todo si cuenta con los recursos que lo permiten, se ocupa de sus ancianos y menesterosos, está cumpliendo con una gran obligación.

La tragedia de la ancianidad contemporánea

En nuestros países encontramos una situación no demasiado diferente de la que existía en los días bíblicos, ya que no abundan los programas efectivos y completos para la atención de los ancianos. En regiones enteras, si un hijo no se ocupa de su anciana madre, ésta queda totalmente abandonada. Además, recordemos que si no hay atención médica, viviendas y alimentos para los jóvenes trabajadores, mucho menos será posible contar con esa ayuda para los ancianos.

Nuestras iglesias no tienen los recursos suficientes para iniciar este tipo de programas. En los días de Pablo era difícil que la iglesia pudiera atender todos los casos de «viudas». Lo mismo sucede en grandes sectores latinoamericanos. Las iglesias no pueden hacerle frente a esa situación, pero les corresponde hacer su parte. Exista o no cierta ayuda estatal o un adecuado ministerio de la misericordia en la iglesia local, el creyente conserva sus obligaciones con sus mayores.

Vv. 5-6. En la versión Reina-Valera leemos acerca de la viuda que «ha quedado sola» y en Nácar y Colunga se dice que está «desamparada» (NC). Más adelante se afirma que «espera en Dios». Esto último significa «que ha dirigido su esperanza hacia Dios». Los contrastes pueden ser tremendos, pues existe otro tipo de viuda que «se entrega a los placeres». Se dice de ella que «viviendo está muerta». Se hace aquí referencia a una muerte espiritual o a una muerte moral. La viuda entregada a placeres, pudiera tal vez diferenciarse de aquella que ha sido abandonada y se encuentra desamparada. Hay quien entiende que debe tratarse de una mujer que todavía tiene fuerzas y se une ilícitamente a un hombre o que tal vez se dedica a la prostitución. Muchos insisten en relacionar la prostitución con esta entrega a los placeres. Nosotros no estamos seguros. Aquí se habla de viudas que se entregan voluntariamente a esa clase de vida. No sabemos si se refiere a aquellas que para subsistir hacen algo que puede dar algún placer. No es posible llegar a una conclusión definitiva.

Los tristes placeres del subdesarrollo

En nuestros países pobres y subdesarrollados la prostitución y el concubinato son males frecuentes. Es frecuente que algunos extranjeros visiten nuestras ciudades para satisfacer sus pasiones carnales por un precio bastante bajo. En la ciudad donde residíamos en nuestra infancia y adolescencia, vivían muchas muchachas que se dedicaban a la prostitución. No había otro trabajo para ellas en las poblaciones del interior. A veces ni siquiera en la capital. Si eran de la raza de color era prácticamente imposible emplearse en un establecimiento comercial. Si cometían un desliz, la sociedad provinciana las rechazaba y muchos padres las expulsaban del hogar. De esa condición se aprovechaban una serie de malvados que las orientaban hacia la prostitución pues eran solicitadas por los turistas y por los soldados extranjeros. Esta situación no es nacional sino internacional. Se extiende a numerosos países y ciudades.

No justificamos a quienes se dedican a tan repudiable trabajo, pero los cristianos podemos hacer poco para resolver el problema a no ser dentro de nuestras comunidades religiosas, mediante la predica y la enseñanza. También es posible establecer programas para ayudar y orientar a este tipo de personas. Muy importante sería conseguir que la iglesia denuncie abiertamente a los beneficiados por este tipo de negocio y ayude a conseguir soluciones de tipo estructural.

No queremos interpretar el texto de tal manera que el lector llegue a la conclusión que su tema es la prostitución, pero existe una serie de ramificaciones que no pueden dejar de considerase.

A Estados Unidos llegan constantemente mujeres latinoamericanas, todavía jóvenes, que han perdido sus esposos en conflictos políticos y luchas guerrilleras de diversos matices, sin documentos legales o sin conocimiento del inglés, con pocos familiares, generalmente sin recursos. Algunas se dedican a la prostitución; pero es más frecuente el caso de aquellas que tienen la necesidad de acercarse a algún hombre, generalmente mayor que ellas, para resolver su problema económico inmediato.

Como hemos visto, en nuestros países encontramos todavía elementos sustanciales que nos permiten sentirnos relativamente satisfechos si comparamos su situación con la de naciones con mayores recursos. Aunque parezca increíble son más frecuentes los actos de devoción filial en estos ambientes pobres. La llegada del consumismo hace que las personas dediquen mayor tiempo a ciertos menesteres que les apartan de sus mayores.

Las características de la viuda cristiana que necesita ayuda son que la misma esté realmente desamparada y confíe en Dios, es decir que viva una vida piadosa sin entregarse a placeres ilícitos.

El caso tratado en el v. 6., es decir: «...la que se entrega a los placeres, viviendo está muerta» es demasiado grave para pensar, como algunos comentaristas, que se trata de una vida descuidada y alegre; algo frívola nada más. En cualquier caso, el v. 6 pudiera tener alguna relación con los vv. 11-13.

V. 7. Aquí encontramos un sentido de urgencia bastante pronunciado. Se está haciendo referencia a una situación que claramente ocurría en los días de Timoteo. Pablo se está refiriendo a un problema del momento y no a una situación hipotética que se le pudiera presentar a algún ministro. Ese parecer ser también el caso del v. 21. Es cierto que algunos creen que es una simple oración que conecta una parte con otra. La lectura cuidadosa del original revela que nos enfrentamos a verdaderas interrupciones (tanto en el v. 7 como en el v. 21). Pudiera ser difícil explicar cómo otro autor que no sea Pablo, refiriéndose a una situación que afectaba personalmente a Timoteo, pudiera haber sido el escritor de estas palabras.[6]

No olvidemos que aquí se pide a las viudas el ser «irreprensibles», lo mismo que a los obispos y diáconos. Algunos pueden ver en esto un argumento a favor de que el de «viuda» era un cargo en la iglesia.

V. 8. Guthrie entiende que negar la necesidad de proveer para los parientes necesitados es negar la esencia de la fe cristiana. Conoce bien que en otro ambiente muchos incrédulos se ocupan debidamente de sus familiares.[7] Todos hemos sido testigos de situaciones como ésa. Es difícil para un pastor reconocer que algunos de sus miembros son, por lo menos en ese aspecto, «peores que un incrédulo».

6 Resulta curioso que en el minucioso trabajo de Dibelius-Conzellmann, *op. cit.*, ni siquiera se comente esta peculiaridad tan significativa, así como difícil de explicar o justificar, según sea el caso.

7 *Op. cit.*, p. 101.

La palabra «fe» *(pistis)* indica una confianza subjetiva y debe ser utilizada en el sentido de lo que la fe cristiana contiene. Ward, que se inclina a esa interpretación, cita a Spicq que la entiende como «fidelidad y respeto por las obligaciones», pero concluye que debemos tener en cuenta la presencia de la palabra «incrédulo» en el versículo, lo cual pudiera alterar la interpretación en forma apreciable.[8]

C. Las viudas en la obra de Dios (5.9-10)

> Sea puesta en la lista sólo la viuda no menor de sesenta años, que haya sido esposa de un solo marido, que tenga testimonio de buenas obras; si ha criado hijos; si ha practicado la hospitalidad; si ha lavado los pies de los santos; si ha socorrido a los afligidos; si ha practicado toda buena obra.

V. 9. Aquí tenemos otro problema de interpretación. No hay seguridad acerca de si se trata de viudas como las anteriores o de una especie de orden de viudas dedicadas a trabajar en la obra de Dios.[9] Es siempre posible que ambas situaciones coincidan, es decir, que haya elementos de las distintas posibilidades. La palabra griega *katalegô* significa poner el nombre en una lista. Esto es utilizado en la literatura griega en el caso del enlistamiento de soldados. En cualquier caso, se trata por lo general de personas a las que se les asigna deberes.

Fred D. Gealy hace un énfasis especial en que este pasaje es la evidencia más antigua de una orden de viudas en la iglesia. Cita también los escritos de Ignacio y Policarpo.[10] Kelly insiste en la existencia de la orden, basándose específicamente en Ignacio, Tertuliano y Policarpo. La mayoría entiende que las referencias en cuestión son ambiguas y simplemente se refieren al problema de las viudas. Aquí se habla, por lo menos, de una lista de viudas oficialmente reconocidas como tales. Ward entiende que eran mucho más que simples beneficiarias pues llegaban a formar parte de una especie de orden de diaconisas o su equivalente.[11]

Ward también admite que son muchos los eruditos que creen que se trata de un grupo diferente aunque con funciones parecidas. No sabemos con precisión por cuánto tiempo existió una orden de viudas en el cristianismo antiguo, mucho menos cuándo surgió. Se ha llegado a saber que la edad de sesenta fue cambiada a cincuenta.

8 *Op. cit.*, p. 97.

9 Esta orden de viudas es un asunto muy discutible. Nos limitamos a mencionar las opiniones de comentaristas y a presentar algunas posibilidades. Insistimos en que debe consultarse la obra de Bonnie Bowman Thurston, *op.cit.*

10 *Op. cit.*, p. 436.

11 *Op. cit.*, p. 83.

Los requisitos son mayormente prácticos. No encontramos aquí nada acerca de que supieran enseñar u exhortar. Para algunos el requisito de que «haya sido esposa de un solo marido» indica «que haya quedado viuda una sola vez», que no haya formalizado un nuevo matrimonio. Nosotros preferimos a los que lo traducen de la siguiente manera: «que haya sido fiel a su marido».[12] Ward entiende que una mujer que haya quedado viuda dos veces tendría un número mayor de parientes y ciertas posibilidades de resolver su situación sin necesidad de subsidio eclesiástico. No puede perderse de vista el elevado concepto que se tenía de aquellas mujeres que no se casaban después de perder a su esposo. Eso no se limitaba a los hebreos o a los otros pueblos del Cercano Oriente. El pensador romano Séneca era uno de muchos escritores de la época que glorificaban a tales mujeres.

V. 10. Las otras condiciones no son fáciles de determinar en forma clara o categórica. Si crió hijos, estos seguramente estarían muertos o no podrían ayudarle. En otro caso el proyecto de ayuda no tendría justificación. A menos que fueran incrédulos y por lo tanto ignoraran las admoniciones que encontramos en este capítulo. Es también probable que se refiriera a mujeres sin prole, pero que ayudaron a criar a los hijos de otras personas.

Se les pide, como a los obispos o pastores, la hospitalidad. Hasta las personas más pobres pueden ocuparse de los viajeros. Ya hemos mencionado cómo en aquella época ese tipo de servicio era imprescindible debido a la ausencia o escasez de lugares adecuados dedicados especialmente a hospedaje. La referencia a que «haya lavado los pies de los santos» puede significar que ella les atendiera o cuidara, mostrando así su humildad. Debe recordarse que lavar los pies a otra persona era la labor más humilde en aquella época y se le encomendaba a un esclavo que se ocupaba de hacerlo en caso de los huéspedes que llegaban a un hogar. En Juan 13.5 y Lucas 7.44 encontramos referencias a lavatorio de pies entre cristianos. Socorrer a los afligidos es una condición bastante general. Pero hacerlo revela mucho acerca del buen carácter de una persona.

Practicar toda buena obra es también una generalización, pero no deja de merecer un lugar especial y deja la puerta abierta a otras oportunidades de servicio. En otra versión leemos «haberse ejercitado en toda clase de buenas obras» (BJ). Esto permite tener una visión mucho más amplia del llamado ministerio de la misericordia y puede incluir la preocupación social de los cristianos. No debe extrañarnos que el autor exija de la viuda el haberse ejercitado de esa manera. Un cristiano cuya experiencia se limite a la alabanza y la adoración ha logrado algo en su peregrinaje espiritual, pero le falta mucho por conseguir. Para ser verdaderamente útil en la obra de Dios, una viuda tendrá que entregarse al servicio más completo posible.

12 La conocida traducción al inglés de la «New International Version» lo traduce así.

Ch. Las viudas jóvenes (5.11-16)

Pero viudas más jóvenes no admitas; porque cuando, impulsadas por sus deseos, se rebelan contra Cristo, quieren casarse, incurriendo así en condenación, por haber quebrantado su primera fe. Y también aprenden a ser ociosas, andando de casa en casa; y no solamente ociosas, sino también chismosas y entremetidas, hablando lo que no debieran. Quiero, pues, que las viudas jóvenes se casen, críen hijos, gobiernen su casa; que no den al adversario ninguna ocasión de maledicencia. Porque ya algunas se han apartado en pos de Satanás. Si algún creyente o alguna creyente tiene viudas, que las mantenga, y no sea gravada la iglesia, a fin de que haya lo suficiente para las que en verdad son viudas.

V. 11. Las viudas jóvenes tendrían menos de sesenta años. Parece que en algún lugar habían sido admitidas varias mujeres relativamente jóvenes. De ahí la advertencia. En la *Didascalia*[13] encontramos referencias a reglas bastante elaboradas sobre la llamada «orden de viudas», pero la entrada ya era posible a los 40 años. En este pasaje no se enseña que debe impedirse la entrada de la viuda a la iglesia sino que en algunos casos no deben recibir la categoría especial de viuda que discutimos en el comentario.

V. 12. G. Holtz y N. Brox entienden que estas viudas que habían «quebrantado su primera fe» prometieron dedicarse a Cristo en primer lugar. Según otra versión parecen «haber faltado a su compromiso anterior» (BJ). Se aceptaba su nuevo matrimonio, pero el problema radicaba en que habían prometido no casarse más.[14] Aunque algunos comentaristas no discuten directamente el asunto, las ideas contrarias a un nuevo matrimonio, incluso en el caso de los viudos, eran parte del escenario. Algunos hasta rechazaban el matrimonio o lo consideraban un mal menor. Si se acepta la fecha del siglo segundo esto cobra aún mayor validez.

Es probable que Holtz y Brown tengan parte de la razón. No porque entendamos que haya habido una promesa formal de no casarse, sino porque ellas estaban involucradas en labores importantes que serían imposibles o difíciles de realizar en caso de un nuevo matrimonio. Es también probable que todo esto tenga que ver con un experimento que fracasó y por lo tanto se están estableciendo nuevas normas.

Para Guthrie, la palabra «condenación» es demasiado fuerte. Se trata de

13 Libro de disciplina eclesiástica que fue escrito en Siria algo después del año 200, aunque en ella se afirma abiertamente que la escribieron los doce apóstoles. Ese detalle puede explicar el nombre de *Doctrina católica de los doce apóstoles y santos discípulos de nuestro Salvador*, con el que también se le conoce. En esta obra se atacó a los que consideraban vigentes los ritos y leyes judaicas.

14 Interesante que Pablo aconseje en 1 Co. 7.20 que cada cual se quede como está.

una traducción de *krima* que quiere decir «juicio». Es por eso que el mismo comentarista, al estudiar este asunto, entiende como asunto serio el dejar de cumplir las obligaciones.[15] Es bueno aclarar que no estamos discutiendo necesariamente el tema de la condenación del alma en el infierno.

V. 13. En cuanto a que aprenden a ser «ociosas», la lectura en el original no nos ayuda demasiado pues puede indicar más bien que «siendo ociosas aprenden». Algunos comentaristas consideran esa como la mejor traducción. La Biblia de Jerusalén traduce así el versículo: «Y además, estando ociosas, aprenden a ir de casa en casa; y no sólo están ociosas, sino que se vuelven también charlatanas y entrometidas» (BJ).

James Moffat cree que hay problemas en el manuscrito y sustituye estas palabras con otras que indican que ellas inconscientemente se deslizaron hacia la condición de ociosas. No olvidemos que muchas veces, al llevarse a cabo el trabajo de visitación de miembros de la iglesia o de personas relacionadas con la comunidad cristiana, se presentan situaciones susceptibles a cierto grado de especulación o trivialidad y hasta a una abierta chismografía. De la ociosidad al chisme, o al simple entrometimiento, no hay nada más que un paso. Queremos señalar que también las mujeres mayores pueden caer en esa condición. A pesar de esa realidad las mujeres más maduras pueden comprender el peligro implicado por el chisme y el entrometimiento en cosas que no merecen la pena y no son propias de alguien que trabaja en la obra de Dios.

Cada uno en su casa

Existe el gran peligro de que los cristianos entiendan que por su relación especial con otro creyente o por su obra de visitación reciben una especie de licencia para entrometerse en la vida ajena. La Biblia no enseña esto. En los países de América Latina y entre muchos hispanos de Norteamérica hemos visto la costumbre de ciertos creyentes de estar siempre en la casa de otros cristianos y sobre todo dándole vueltas al hogar del pastor, impidiendo la privacidad que es necesaria en la vida. Esto es sin duda sumamente peligroso.

La misma lucha por la existencia, en ambientes pobres, facilita la interrelación entre personas que tienen objetivos comunes. La falta de educación formal o poco contacto con personas que han tenido oportunidades y contactos también propician esta práctica que no se limita en modo alguno a los pobres, pero que hace presa de aquellos que no tienen acceso a aquellos recursos que abren las puertas a estilos de vida menos propicios al continuo contacto

15 *Op. cit.*, p. 103.

con otros que compartan las mismas lamentables circunstancias. No olvidemos la promiscuidad en que vive mucha de nuestra gente. En ocasiones solo una débil pared separa una vivienda de otra. En ocasiones son varias familias las que viven en una misma casa.

De cualquier manera, no es nada saludable para las relaciones humanas el que estemos conviviendo demasiado. Es una práctica magnífica relacionarnos los unos con los otros, ayudarnos, etc. Pero han sido demasiados los casos de pastores que han tenido graves problemas precisamente por miembros que les visitan demasiado, que aspiran a ser visitados todas las semanas; o por casos de personas que están siempre entrometiéndose en la vida de los demás.

En cuanto al tema de las viudas y la «orden de viudas» que algunos creen encontrar en los pasajes anteriores, debe tenerse en cuenta que lo mismo esta «orden» como la lista de viudas, fueron, probablemente y entre otras razones, un modo que la iglesia, al mismo tiempo que respondió a las necesidades de las viudas, les dio un ministerio. Existe un paralelismo con algunas de nuestras situaciones.

V. 14. En este versículo sobre el matrimonio de las jóvenes, la palabra «quiero» significa «mando». Lo cual indica que había que resolver definitivamente el problema. El primer pensamiento que puede venir a la mente es la posibilidad de contradicción porque el Apóstol Pablo expresa su preferencia por el estado de soltería y generalmente no recomienda el matrimonio. En 1 Corintios 7 esa es la línea de pensamiento. Pero Pablo expresa también en ese capítulo que la viuda es libre de volverse a casar.

Es muy probable que se esté refiriendo a personas que no tienen el don de la continencia y, por lo tanto, en este caso específico, una recomendación a casarse no sería contradicción de alguna otra enseñanza.

Una recomendación a casarse, criar hijos y seguir adelante por un espacio prolongado pudiera hasta contradecir la expectativa acerca del inminente regreso de Cristo que parece prevalecer en muchos pasajes paulinos. Hanson se refiere al hecho de que ciertos comentaristas se refieren a esa aparente contradicción, la cual nosotros no reconocemos como tal con la rapidez que otros lo hacen.[16] Ni siquiera los mismos ángeles conocían o conocen acerca del momento del regreso de Cristo. El hecho de que Pablo esperara y deseara el regreso de Jesús no quiere decir que en todo momento y ocasión introdujera con la misma intensidad ese pensamiento en sus enseñanzas sobre otros temas.

Ahora bien, eruditos del prestigio de E. F. Scott afirman que en la época en que se escribieron las Epístolas Pastorales (que él como tantos otros consideran fue el segundo siglo): «la esperanza de la parusía había fallado».

16 *Op. cit.*, p. 99.

También señala la importancia que el ascetismo y las ideas sobre el celibato irían asumiendo con el tiempo.[17] La realidad es que el ascetismo y la imposición del celibato siempre han jugado un papel y no siempre por la influencia de la actitud hacia la parusía.

En relación con el uso de la frase «ocasión de maledicencia», puede tenerse en cuenta que la palabra «ocasión», en el original griego *(aformê)*, está asociada en este caso con un término de carácter militar: «base de operaciones». El cristiano está combatiendo y el enemigo, que aquí parece ser el mismo Satanás, busca formas de obtener la victoria. Su método favorito es arruinar la reputación del cristiano e intentar perjudicar así la causa del evangelio. En otra versión leemos: «o den al adversario ninguna ocasión capaz de provocar un reproche» (CI).

Fee señala que «las actividades de las viudas jóvenes en relación con promover las enseñanzas falsas, son también la mejor explicación a lo que ahora aparece como contradictorio de los vv. 11-12».[18] En otras palabras, esa «rebelión» que llevó a muchas a casarse, parece casi como un mal menor. Nos parece probable que lo que tengamos ante nosotros es el siguiente cuadro: si las viudas problemáticas utilizadas por los falsos maestros se casaban, dejaban de crear problemas doctrinales y de otro tipo. Les correspondería tener hijos. Es decir, la viuda joven sin hijos, se convierte en una excepción. Esta debe casarse y tener hijos. Claro que las conclusiones a las que hemos llegado son simplemente una interpretación más. Pero nos parece que debe ser tenida en cuenta. El sano ambiente familiar de atención del esposo y de los hijos, sería, en ciertos contextos, una gran bendición para todos. No creemos que haya nada antifemenino en expresar ese pensamiento porque entendemos también que muchos hombres deberían casarse y tener familia para evitar ciertos problemas, complicaciones y malas costumbres. El problema radica en considerar todos los casos como iguales.

V. 15. Brox piensa que algunas de estas viudas jóvenes fueron confundidas y atraídas por herejes. Esa es nuestra propia opinión. Guthrie y Spicq consideran que fueron desviadas hacia una vida inmoral. Gealy cree que fomentaron escándalos con su entrometimiento. Hanson concluye que pudiera ser que algunas se convirtieran en prostitutas. Ward simplemente afirma que se fueron al otro lado y «siguieron al enemigo». Hendriksen parece leer las palabras del autor de este versículo de la siguiente manera: «Es necesario que yo enfatice esto, a saber, que el adversario no debe tener ocasión alguna para injuriar, porque yo sé de casos concretos en que esto ha ocurrido».[19] El mismo comentarista entiende que Pablo estaba pensando todavía en viudas jóvenes

17 *The Pastoral Epistles*, Hodder & Stoughton, London, 1936, p. 62.

18 *Op. cit.*, pp. 122-123.

19 *Op. cit.*, p. 201.

que se habían apartado del camino recto y seguían a Satanás en vez de obedecer los mandatos de Jesús, que desea le sigamos.[20]

V. 16. Debido probablemente a las limitaciones de fondos en las primitivas iglesias, compuestas primordialmente por personas pobres, era natural que se utilizara con mucho cuidado los recursos disponibles. Esto conserva evidentemente su vigencia para cualquier tiempo. La Biblia de las Américas traduce así el versículo: «Si alguna creyente tiene viudas en la familia, que las mantenga, y que la iglesia no lleve la carga para que pueda ayudar a las que en verdad son viudas» (BA).

Es curioso que se diga que «si alguna creyente» tiene viudas.[21] Es probable que fueran mujeres que tuvieron que hacerse cargo de alguna viuda pobre. No nos permitimos el lujo de especular. En algunos manuscritos se lee «si alguna creyente» sin referencias a creyentes masculinos. Se refiere únicamente a las viudas que son parte de las familias de cristianos. Es a los creyentes que les corresponde mantenerlas y ayudarlas. No es una obligación de la iglesia de Dios.

La buena mayordomía no consiste solamente en ofrendar generosamente, sino en utilizar debidamente los recursos disponibles. Esta es una oportunidad de ponerlo en práctica. Ya se ha expresado el pobre concepto que tenía el autor acerca de aquellos cristianos que no proveían para su propia familia. Ahora añade indirectamente su opinión desfavorable acerca de aquellos que estaban dispuestos a pasar por alto las necesidades de la iglesia de Dios.

De nuevo encontramos la imposibilidad de separar la vida cristiana de la conciencia social. Debemos tener en cuenta el trasfondo de los problemas que la mujeres enfrentan. Sabemos que en el Antiguo Testamento la mujer vivía bajo la dominación del hombre.[22] En el Nuevo Testamento Jesús le dio un papel muy especial a la mujer y reconoció sus necesidades protegiéndole de arbitrariedades como la de los hombres que las repudiaban sin darles carta de divorcio. Enfrentándose a los prejuicios de la época Jesús permitió que las mujeres le siguieran, reconoció la dignidad humana de la Magdalena, curó en público a una mujer, conversó con una samaritana y le explicó cuestiones

20 *Ibid.*

21 La diferencia entre esta traducción y la de Reina Valera y otras versiones es que algunos copistas antiguos, sorprendidos de que la labor recayera solamente en mujeres, alteraron el texto, pensando más bien que lo estaban corrigiendo, de manera que se leyera «Si algún creyente o alguna creyente...». Véase Fee, *op cit.*, p. 124.

22 La posición de la mujer variaba de país en país, sobre todo en la legislación. En las regiones al oeste del antiguo imperio romano mejoraba la situación de la mujer. Las mujeres romanas tenían más derechos que las griegas. Las egipcias tenían una situación mejor que las de Atenas. Según la Tora, las mujeres eran inferiores a los hombres, y eso afectaba grandemente a las mujeres hebreas en los días de Jesús. En el Antiguo Testamento la condición de la viuda era tan lamentable y era encomendada a la misericordia y caridad públicas como los extranjeros, los huérfanos y los pobres. Véase Bonnie Bowman Thurston, *op. cit.*, pp. 10-17 y sobre todo Joachim Jeremias, *Jerusalén en tiempos de Jesús*, pp. 371-387.

teológicas a una dama. Richard N. Longenecker nos recuerda que «La actitud de Jesús hacia las mujeres en nuestros cuatro evangélicos canónicos es diferente a la de sus contemporáneos, tanto griegos como judíos».[23] Charles Carlston, por su parte hace constar que «Jesús se sentía perfectamente cómodo en presencia de las mujeres».[24] Su opinión se basa en que para él la igualdad entre los sexos no era una meta distante sino una realidad.

Abusos contra la mujer

Pero por siglos la actitud discriminadora ha prevalecido en muchos círculos cristianos. Esos prejuicios se manifiestan a veces en forma sutil, disimulada, y a veces abierta e irrespetuosamente. Se olvida que a pesar del trasfondo cultural de estas epístolas se nota una preocupación esencial por las mujeres y se hace un reconocimiento a su dignidad. Si se trata de un asunto como el de las viudas y no de cuestiones de otra dimensión, es porque parece ser que ese era el problema inmediato que afectaba a las mujeres de la iglesia.

Las penosas condiciones en que han vivido las mujeres en la América Latina y España han sufrido algún cambio. Estas han logrado escalar posiciones importantes y ocupar la presidencia de naciones como Bolivia, Argentina y más recientemente Haití y Nicaragua.

Una lectura demasiado rápida de estos pasajes pudiera llevarnos a pensar que el único problema de la mujer es el de la viudez. Una iglesia debe también «ejercitarse para toda buena obra» como las viudas cristianas fueron exhortadas. En otras palabras, la buena obra que pueda realizarse con las mujeres no está fuera de lugar.

En nuestra región existen millones de mujeres solteras, sin empleo, en condiciones infrahumanas, marginadas, rechazadas por la sociedad. La iglesia no debe quedar atrás. En las últimas generaciones la comprensión de estos asuntos ha aumentado en círculos cristianos, pero es muy largo el trecho a recorrer. Junto a los pobres, los indios, los negros y los que no tienen hogar, se encuentran muchas mujeres, algunas de ellas cerca de nuestra iglesia, que sufren de todo tipo de males sin recibir ningún tipo de ayuda. Más y más iglesias se están preocupando por estos asuntos. Se han creado programas de ayuda a las madres solteras y a las

23 «Authority, Hierarchy & Leadership Patterns in the Bible», *Women, Authority & The Bible*, InterVarsity Press, Downers Grove, Illinois, 1988, p. 71.

24 «Proverbs, Maxims, and the Historical Jesus», *JBL*, #99, 1980, pp. 96-97.

ancianas. Esto merece reconocimiento, pero no es suficiente. En Estados Unidos, los hispanos se han acostumbrado a soluciones cosméticas o artificiales como las que ofrecen algunas congregaciones anglas. Nos referimos a la inclusión de unos dólares en el presupuesto destinado al auxilio de alguna mujer o algún proyecto. Si se echa un vistazo en derredor de las iglesias hispanas en los barrios donde acuden inmigrantes y refugiados, se descubrirán enormes necesidades que merecen mucha más atención que un simple gesto.

Nos corresponde además «ensanchar el sitio de nuestra cabaña». Si enseñamos a nuestros jóvenes a rechazar la droga, podemos también enseñarles a todos que las mujeres merecen respeto y consideración, que no deben ser tratadas en la práctica como personas de segunda clase. Aun cuando se respeten las convicciones que la congregación local en cuestión tiene sobre el papel de la mujer en la iglesia, siempre hay formas de reconocerlas y respetarlas, utilizándolas en la obra cristiana y proveyendo con generosidad y elegancia para sus necesidades especiales.

D. Presbíteros en la Iglesia de Dios (5.17-22)

Los ancianos que gobiernan bien, sean tenidos por dignos de doble honor, mayormente los que trabajan en predicar y enseñar. Pues la Escritura dice: No pondrás bozal al buey que trilla; y: Digno es el obrero de su salario. Contra un anciano no admitas acusación sino con dos o tres testigos. A los que persisten en pecar, repréndelos delante de todos, para que los demás también teman. Te encarezco delante de Dios y del Señor Jesucristo, y de sus santos ángeles escogidos, que guardes estas cosas sin prejuicios, no haciendo nada con parcialidad. No impongas con ligereza las manos a ninguno, ni participes en pecados ajenos. Consérvate puro.

En esta sección el autor no habla de requisitos sino de otros asuntos. En cierto sentido está profundizando en el tema del ministerio cristiano. El ministro tiene también sus derechos. Se le pueden exigir normas muy elevadas. Estas deben ser presentadas como metas ya que no existe el pastor perfecto. Pero también se le otorgan una serie de privilegios, entre ellos el de no ser acusado ligeramente. El pastor merece respeto. También debe ser sostenido económicamente por su congregación si esta puede hacerle frente a tal responsabilidad. El Nuevo Testamento deja abierta la posibilidad de utilizar ministros que sean sostenidos por la iglesia y otros que «hagan tiendas», como Pablo en un período de su vida misionera.

Turrado comenta que no está claro el significado de este «doble honor», pero apunta que «Pablo trata simplemente de indicar que al respeto que se les debe por su carácter sagrado se añada la ayuda material, o quiere más bien significar que la retribución u honorarios sea abundante».[25]

Vv. 17-18. Los ancianos de la iglesia, los presbíteros, reciben ahora toda la atención. Se habla en forma especial de su remuneración. Así parece entender la mayoría de los comentaristas el uso de la palabra «honor» en este contexto (*timê*). En cuanto a «doble» lo que indica es amplitud o generosidad a la hora de sostenerles económicamente. Algunos entienden que se les debe pagar más que un salario corriente. Otros, como Turrado, no rechazan esa línea de pensamiento, pero advierten que el ministerio sagrado no debe convertirse en negocio porque Pablo lo reprueba; como lo notamos en 6.5.

El v. 18 menciona la palabra «salario», y esto sirve para que entendamos el pasaje con mayor claridad. El cristiano no sirve a Dios con el propósito de ser remunerado, y la Escritura establece la diferencia entre el «buen pastor» y el «asalariado» La cita que encontramos aquí es sacada de Deuteronomio 25.4. El significado no es difícil de determinar. Es necesario sostener al obrero del Señor que trabaja en la iglesia. Esto debe hacerse generosamente. Hay dos grandes peligros: el de remunerar a los obreros religiosos como si estos fueran potentados, y el de ser mezquinos con ellos.

Abusos contra el ministro

En nuestros países encontramos situaciones realmente lamentables. Iglesias a las que no se les ha enseñado la mayordomía. Congregaciones a las que se le han impuesto tradiciones humanas. Entre ellas, la de que el pastor debe ser bien pobre, usar ropa vieja, vivir en una choza, caminar bajo el sol kilómetros y kilómetros, aunque la iglesia pueda conseguirle un vehículo de locomoción. Su esposa y sus hijos son condenados a una vida de pobreza y necesidad. Muchas veces los líderes misioneros son los culpables. En este aspecto no queremos generalizar para evitar injusticias. Pero es mucho más fácil controlar a una persona sometida a condiciones de humillación que a aquella que tiene un sentido de la dignidad de la existencia. Resulta curioso que misioneros enviados por iglesias y agencias que en sus países de origen promueven presupuestos en los que se incluyen asignaciones generosas para el pastor, consideren que el obrero nacional puede subsistir con salarios de hambre o incluso vivir sin salario.

Entendemos lo de «vivir por fe». Pero resulta muy difícil justificar la diferencia entre «vivir por fe» en el caso de misioneros extranjeros y «vivir por fe» en el caso de obreros nacionales. Si lo examinamos

25 *Op.cit.* pp. 400-401.

cuidadosamente y sin prejuicios, nos daremos pronta cuenta que son dos cosas bastante diferentes y que guardan muy poca relación. Contrastando con esa actitud, conocemos de misioneros que se han quitado hasta buena parte de su propio salario para ayudar a obreros nacionales que no eran bien atendidos en sus necesidades por la misión o por la iglesia local.

Estos crímenes contra los siervos de Dios no son únicamente culpa de las denominaciones o las juntas misioneras. Las iglesias locales, y algunos de sus líderes, son culpables con mayor frecuencia. En algunos países, muchos pastores y líderes religiosos reciben, además de su salario, a veces sumamente elevado, una serie de asignaciones para «gastos de viaje», «gastos de representación», «beneficios adicionales», etc. En ocasiones todo esto tiene algún sentido si miramos al contexto. Pero en otros casos esto pudiera situarles al mismo nivel de un presidente de banco o de un alto funcionario de una compañía trasnacional. Sólo se necesita sumar todos esos capítulos o acápites del presupuesto para darnos cuenta de la clase de remuneración que reciben algunos. Otros tienen acceso a una especie de «comisiones» en metálico y hasta hay algunos que en realidad presiden o controlan un enorme negocio disfrazado de religiosidad y, por lo tanto, pueden considerarse en igualdad de condiciones con los «grandes» de este mundo. Les resultaría muy difícil una predicación profética contra las injusticias sociales. Mucho menos hacer algo que pusiera en riesgo sus intereses.

En los días de Pablo no existían estos casos pues la iglesia era pobre y no tenía acceso a los centros de poder, dinero e influencia. Pero es evidente que en las filas cristianas se manifestaba ya un alto grado de mezquindad con los pastores, las viudas, los huérfanos y los necesitados en general. Es por eso que tales temas se tratan en forma reiterada.

Son muchas las situaciones realmente significativas que se relacionan con la mezquindad con los ministros del Señor o con el otro extremo: un estilo de vida ministerial caracterizado por el dinero y las relaciones económicas y políticas. La falta de compasión con los siervos de Dios que no disfrutan de los recursos de la propaganda sistemática y organizada o de la amistad de los poderosos se traduce en un estilo de vida totalmente contrario a los intereses de los necesitados y de los que sufren. En contraste con lo anterior, el cristianismo de Pablo reconocía las necesidades de los pobres servidores de Dios y de las viudas. En otros pasajes del Nuevo Testamento ese énfasis por los que sufren se hace evidente. No olvidemos a los pobres, pero tampoco a los pastores y obreros del

Señor que viven en la pobreza. Se pudiera crear un círculo vicioso en el cual dos extremos jueguen un gran papel: ministros cristianos que viven en la pobreza y pastores que se han convertido en verdaderos millonarios. Nada más ajeno al pensamiento expresado en esta epístola.

Vv. 19-20. Proteger a un siervo de Dios de acusaciones falsas o exageradas era considerado como un factor digno de incluirse en una epístola como esta. Es conocida la exigencia de la ley judía en relación al testimonio de dos personas antes de juzgar un caso. Cuando se trata de un pastor debe ejercerse mucho mayor cuidado, por respeto a su persona y por el daño que las acusaciones contra el puedan hacer a la obra de Dios. Muy clara nos parece esta traducción: «No aceptes acusaciones contra un presbítero, si no se presentan por lo menos dos o tres testigos» (NBLA). Después de determinada su culpabilidad se le puede reprender, pero solamente si persiste en pecar.

La destrucción de un ministerio

Aunque sabemos que nuestra opinión será rechazada por muchos, entendemos que suspender definitivamente de empleo y sueldo a un ministro por haber pecado no puede basarse en este versículo. Si el obrero religioso persiste en un estilo de vida o de conducta contrario a las Escrituras debe ser reprendido en público. En casos graves o reiterados debe ser expulsado del ministerio. Pero el hecho de que cometiera un pecado, por sí solo, no es suficiente para separarle del oficio pastoral en forma definitiva. Lo que sí es cierto es que merece reprensión. Pudiéramos estar olvidando que figuras como David y Pedro, involucrados en escándalos como el adulterio público y el negar la fe ante los incrédulos, fueron perdonados y restaurados. Al no concederles oportunidades a otros ministros que pecan, estaríamos estableciendo una especie de privilegio concedido a siervos de Dios como Pedro y David, pero negado al resto de sus colegas de todos los tiempos.

El texto combina dos elementos: la protección del presbítero y la seriedad de las faltas, que no pueden ser tomadas a la ligera. Un presbítero no está por encima de la ley o de la conducta propia de un siervo de Dios, pero tiene derecho a que se le permita arrepentirse y enmendar. En estos asuntos resulta imprescindible remitirse de nuevo a lo enseñado por el mismo Jesús en Mateo 18.15-17.

No es difícil recordar el caso de algún joven que se dedicó al ministerio religioso, una actividad poco remunerada y poco prestigiosa en la región. Dedicó su juventud, los mejores veinte años de su vida, al trabajo de la predicación. Una noche cayó en tentación y fue seducido por una mujer atractiva y habilidosa. Se produjo un escándalo. Inmediatamente se realizó una asamblea o reunión de algún comité y fue sacado del ministerio. Ni siquiera se consideró seriamente someterlo a un período de prueba para después situarle en un trabajo en algún lugar distante. No importó su edad. Tal vez pasaba de los cuarenta o los cincuenta años. No se tuvo en cuenta el importante dato de que no hubiera cursado otros estudios aparte de los teológicos. La misión nunca le estimuló a obtener un grado académico secular. Es probable que se le desalentara si tenía intenciones de conseguirlo o se le llamó fuertemente la atención por esa «arrogancia». Sabemos que algunas organizaciones e iglesias hasta consideran como sospechosos o carnales a los que tienen inquietudes intelectuales. En nuestros países las condiciones de vida se deterioran constantemente. Cada día es más difícil conseguir trabajo, sobre todo cuando se ha pasado de cierta edad. Esos factores no contaron. Tampoco se tuvieron en cuenta los servicios prestados por el ministro hasta el momento de ser descubierta su falta. La misericordia no apareció por ninguna parte. El único elemento de juicio que se utilizó fue el pecado comprobado, una hora en la cual estuvo alejado de Dios. De acuerdo a nuestra propia opinión, el pecado cometido contra este hombre fue mucho mayor que su debilidad al entregarse por unos minutos a los brazos de una mujer seductora. Por esa acción algunos tendrán que dar cuenta en el día de juicio. También serán juzgados por ello los que inmisericordemente lo lanzaron a la calle junto a su esposa y sus hijos.

Aún si no se llega al extremo de expulsar al ministro por un pecado en particular, existe un problema continuo. Los ministros son víctimas de los chismes de una serie de personajes que se interesan en su vida privada. Lamentablemente, es poco lo que se puede hacer en ciertos casos ya que siempre hay alguien que les hace algún caso. También por medio del chisme se puede destruir la reputación de algún ministro. A veces algún predicador frustrado o una persona que no logró conseguir algún favor llega a especializarse en chismografía. Un gravísimo peligro es el representado por personas del sexo opuesto que al no lograr conquistar el afecto del pastor responden por medio de la difamación. Siempre hay un público dispuesto a participar de ese tipo de actividades.

Vv. 21-22. De acuerdo con B. S. Easton: «El bienestar de cada comunidad depende de una disciplina imparcial». El autor de la epístola utiliza una expresión muy fuerte al decir «Te encarezco delante de Dios...» y referirse a los ángeles, los cuales velan por los humanos y sus asuntos. Algunos ven aquí, como lo hace Guthrie, la posibilidad de razones escatológicas al mencionarse en este contexto a los ángeles de Dios (Lc. 9.26). El comentarista cita, para reforzar su interpretación, el libro de Enoc, que es parte de la llamada literatura apocalíptica.[26]

Timoteo no debía parcializarse ni someterse a los prejuicios. Estos últimos son tan frecuentes como la más rampante parcialidad en muchos ambientes cristianos. Existen prejuicios por el origen nacional, el trasfondo religioso original de una persona, su «teología», su afiliación política, etc.

Prejuicios y opiniones

Esta última situación es muy evidente entre muchos cristianos de hoy que piensan que para ser cristiano es necesario favorecer un sistema político y económico. En algunas regiones relacionan el grado de cristianismo de una persona con el partido político a que pertenece, lo cual nos parece totalmente ridículo. Nos preguntamos si el capitalismo, el socialismo, el feudalismo medieval, el aprismo de Perú, el comunismo de la antigua Unión Soviética, el liberalismo de Colombia o el conservadurismo de Inglaterra son factores contemplados que otorgan un reconocimiento especial o si por el contrario pueden descalificar a un ministro. Se requiere mucha imaginación para llegar a esas conclusiones.

Una iglesia norteamericana despidió a un pastor hispano muy consagrado. Este ministro era básicamente apolítico. Creemos que se le debe respetar al pastor, como ciudadano, su decisión de militar en un partido o permanecer neutral si lo prefiere. Pero al ministro en cuestión se le ocurrió decir en una conferencia pública acerca de los obreros migratorios, que abundaban en la región, que favorecía el estado «benefactor» o «providencial».[27] Ni siquiera lo había dicho en el templo o en el púlpito, sino en una sencilla y poco concurrida reunión de un grupo parecido al Club Rotario. Nos preguntamos qué relación existiría entre una opinión personal, expresada en un contexto como ése, y la doctrina y conducta de un pastor. Parafraseando a José María Vargas Vila, el notable escritor colombiano, los prejuicios son una flor pestilente que crece en todos los pantanos y hasta en los más hermosos jardines. En muchos países no se invita a personas de distinto color a asistir a ciertas iglesias. Si se les admite en ellas, no se les elige o designa como pastores o diáconos. En algunos ambientes, grandes organiza-

26 *Op. cit.*, p. 107.

27 En EE.UU a este tipo de programa lo denominan *welfare* y los hispanos de Norteamérica usan esa palabra inglesa aun cuando hablan entre sí.

ciones religiosas han tolerado sin mayor protesta hasta que el gobierno otorgue una licencia a ciertas personas para ejercer el ministerio, restringiendo la práctica del mismo, como sucedió en Rumania y otros países. Por décadas, grandes organizaciones cristianas internacionales no se molestaron en protestar. En otras geografías, se determinaba cuáles pastores podían trabajar con individuos de cierto color o raza, como era el caso de Sudáfrica. En muchos lugares se requiere alguna afiliación o simpatía política. Es lamentable que los cristianos nos guiemos por prejuicios que no tienen relación alguna con el evangelio.

Las advertencias acerca de la parcialidad y los prejuicios deben ser tenidas en cuenta por las iglesias hispanas de Norteamérica, las latinoamericanas y las españolas. Crear congregaciones integradas por personas que voten por el mismo partido y vean la problemática nacional e internacional en forma uniforme y exacta, puede parecer muy bueno a algunos. Estamos seguros, sin embargo, que el Señor nos quiere como obreros dispuestos a trabajar con todo tipo de personas.

Pero los prejuicios y la parcialidad no son los únicos males que Timoteo debía evitar. Se le dice también: «no impongas con ligereza las manos a ninguno». Algunos piensan que se trataba de la ceremonia de ordenación y otros que era el tema de la restauración de los pecadores en ceremonia pública, acostumbrada en ciertos ambientes históricos de la antigüedad. Creemos que lo que se exige es no precipitarse demasiado al escoger para el ministerio del evangelio a una persona. La no participación en «pecados ajenos» merece ser examinada. Timoteo no debía asociarse íntimamente con una persona indigna ni apoyar su ministerio. El ordenar a la ligera como ministro a un individuo con mal testimonio hubiera sido una forma de participar en los pecados de otra persona aceptándolos o justificándolos.

Fijémonos en las palabras finales del versículo: «consérvate puro». Es decir, cuando se tiene que designar a personas puras para los cargos e imponerles las manos, es necesario dar el ejemplo. Ser cuidadoso en estas cuestiones es una forma de mantenerse puro.

E. Asuntos prácticos y personales (5.23-25)

Ya no bebas agua, sino usa de un poco de vino por causa de tu estómago y de tus frecuentes enfermedades. Los pecados de algunos hombres se hacen patentes antes que ellos vengan a juicio, mas a otros se les descubren después. Asimismo se hacen manifiestas las buenas obras; y las que son de otra manera, no pueden permanecer ocultas.

V.23. Barclay entiende que el v. 23, con su referencia al «poco de vino» para aliviar ciertas enfermedades frecuentes de Timoteo, indica la intimidad de esta carta.[28] Esa es también la opinión de Turrado y otros comentaristas. Se conoce que las personas que hacían su voto como nazareos no podían tomar vino. Varios grupos judíos estaban inclinados a un ascetismo que no concedía un lugar a tomar vino, como lo hacía la mayoría del pueblo. Algunos entienden que Timoteo pudiera haber tenido la idea de que el vino no es agradable a Dios, o estaba bajo la influencia de quienes así pensaban. También pudiera ser que algunos creyentes repudiaran el vino y criticaran al pastor que lo ingería. La enorme diferencia cultural entre el ambiente en que se escribió el texto y el que prevalece entre los cristianos en los países de origen de muchos autores de comentarios pudiera favorecer en cierta forma la especulación.

Barclay considera que este pasaje no debe ser utilizado para tomar vino en forma excesiva o frecuente. Pero nos recuerda que E. F. Brown afirmó en una ocasión que el principio que encontramos aquí es el siguiente: «enseña que mientras la abstinencia total puede recomendarse como consejo sabio, no debe imponerse nunca como obligación religiosa». Turrado advierte que aunque este encargo pudiera dar «la impresión de estar aquí fuera de sitio», debe tenerse en cuenta que «el versículo está en todos los manuscritos». Según este mismo autor: «Timoteo, por razones ascéticas o por otras que ignoramos, había determinado no beber vino; y Pablo le aconseja, porque así le conviene para su salud, abandonar esa decisión».[29] Este profesor de Salamanca al recordarnos que «Para la medicina antigua el uso moderado del vino era considerado como remedio saludable en determinadas enfermedades, particularmente en la acidez del estómago» nos ayuda a evitar los extremismos en la interpretación.[30]

Para algunos, la referencia al vino es un paréntesis entre dos temas a tratarse, trayendo de paso una nota personal. Guthrie es uno de los que se inclinan en esa dirección. Por otra parte, otro sector encuentra aquí una interpolación. El grupo incluye a Falconer y a Moffat. Finalmente, Gealy en *The Interpreter's Bible* lo considera un giro literario relacionado con lo de «consérvate puro» de finales del versículo anterior.[31]

> Independientemente de estas y otras opiniones sensatas, que respetamos, aconsejamos al pastor tener mucho cuidado con las bebidas alcohólicas. Nosotros hemos prescindido de ellas durante toda nuestra vida y no creemos haber perdido nada. Sin recomendar el vino en todas las situaciones, el Apóstol pasa por encima del legalismo y lo recomienda en una situación específica. En este caso se trata de motivos de salud. Recordemos que Pablo enseñó que

28 *Op. cit.*, p. 119

29 *Op. cit*, p. 401

30 *Ibid.*

31 *Op. cit.*, p. 445.

el cuerpo es templo del Espíritu Santo. Por lo tanto, la salud debe cuidarse. Ni el cuerpo es malo, como enseñan algunas sectas, ni el vino carece de usos legítimos. Por lo menos éste es uno de ellos.

Vv. 24-25. En medio de lo solemne y profundo de los asuntos que se han tratado hasta el momento, aparece un aspecto eminentemente práctico en estos versículos finales del capítulo. Hay pecados evidentes *(prodêlos)* y otros menos aparentes, a veces secretos. Se ha rechazado a una persona por un pecado público que ha abandonado, sin reconocer una serie de valores que la persona posee y que no son tan evidentes. De acuerdo con Fee, Pablo regresa en estos versículos al asunto de los pecados de los presbíteros y ofrece su argumento básico en contra de imponer a la ligera las manos. En su opinión, cuando el juicio se produce en contra de algunas personas, no sorprende porque los pecados son evidentes. En el caso de los otros, «se les descubre después». Es muy importante este comentario que hace: «Claro, lo que no se dice en esta sección, es de qué pecados se trata. Pero la proximidad cercana de la acusación final de los maestros falsos en 6.3-10 hace que uno se pregunte si los pecados ocultos no serían el orgullo, el nada saludable deseo de discutir, los celos (6.4) y especialmente su avaricia (6.5-10)».[32]

Pero no olvidemos que las buenas obras tampoco pueden permanecer ocultas. El v. 25 contribuye a que este pasaje termine con una nota positiva. Hay una especie de compensación a la advertencia del v. 24. La gente valiosa y buena recibirá su debido reconocimiento.

En ocasiones, se acepta a alguien que aparentemente no ha cometido grandes pecados, pero que en el interior no alberga grandes buenos sentimientos y hasta comete acciones que para Dios son despreciables, pero que son desconocidas por los demás. En estos versículos se despliega un gran realismo. Este puede utilizarse en la práctica ejerciendo una mayor cautela al emitir juicios acerca de los demás.

Se nos dice que no debemos sentirnos decepcionados porque algunos no sean juzgados en esta vida. No nos corresponde amargarnos porque no se reconozcan las virtudes que creemos tener. El autor señala el juicio de Dios, su inevitabilidad y perfección, contrastando con nuestros errores y pobres evaluaciones.

Hay otro gran mensaje: el pastor no puede llevarse por las apariencias ni desanimarse por las frecuentes injusticias. Tampoco debe inquietarse demasiado por la falta de reconocimiento de su labor. Compartimos el comentario que hace Turrado: «...a veces tanto las deficiencias como las buenas cualidades de una persona son manifiestas, pero otras veces están ocultas y sólo aparecen

[32] *Op. cit.*, pp. 132-133.

después de atento examen. No hay, pues, que precipitarse ni en un sentido ni en otro».[33]

¿Habrá acaso algo más práctico para aconsejar a un joven ministro de Dios?

33 *Op. cit.*, p. 401.

VI

La batalla del ministro

Los problemas sociales salen a la superficie en varios pasajes de esta carta. Las referencias a las mujeres y las viudas representan un énfasis en el cual la preocupación por lo social no contradice una estrecha relación con Dios y una vida consagrada. La esclavitud y las relaciones entre amos y esclavos no podían estar ausentes por constituir una realidad grande en el contexto. Guthrie se refiere al hecho de que «en comunidades donde la feligresía incluía a numerosos esclavos junto a sus amos, las relaciones entre ellos era un problema apremiante».[1] De repente, el Apóstol vuelve al tema de los falsos maestros. Pero muy pronto regresaría a cuestiones que no están ajenas a las situaciones sociales y económicas. Revela la necesidad de contentamiento ante las graves limitaciones de todo tipo, que incluían evidentemente las de carácter económico. El amor a las riquezas sería abiertamente condenado, echando abajo el intento de glorificación del dinero que algunos cristianos de nuestro tiempo pretenden hacer. Las recomendaciones a los ricos hacen que se regrese abiertamente a la cuestión social y esta es relacionada en forma muy clara con la piedad y la vida cristiana. Este capítulo contiene hermosas alabanzas a Dios, exhortaciones a pelear la batalla de la fe y nuevas advertencias sobre los grandes peligros representados por las cosas vanas y la «falsamente llamada ciencia».

A. Amos y siervos (6.1-2)

Todos los que están bajo el yugo de esclavitud, tengan a sus amos por dignos de todo honor, para que no sea blasfemado el nombre de Dios y la doctrina. Y los que tienen amos creyentes, no los tengan en menos por ser hermanos, sino sírvanles mejor, por cuanto son creyentes y

1 *Op. cit*, p. 109.

amados los que se benefician de su buen sentido. Esto enseña y exhorta.

Los cristianos y la esclavitud en América

Casi diecinueve siglos después de escribirse estas palabras la esclavitud era todavía una realidad en muchos países. Hasta existía en naciones donde la población leía la Biblia y cantaba himnos religiosos basados en las Escrituras y su mensaje. En los Estados Unidos las denominaciones religiosas se dividieron por su actitud hacia el problema de la esclavitud. Una de esas denominaciones se dividió por el tema de si un misionero podía poseer esclavos. La estricta realidad reflejada en el texto es precisamente la esclavitud que es vista en estos pasajes con la óptica de alguien que, sin defenderla, la considera como un hecho contemporáneo fuera de su control, mientras trata de que los creyentes eviten cualquier exceso. El repasar estos factores puede servir de recordatorio de que los cristianos viven en un mundo imperfecto. Independientemente de si se sienten o no llamados a cambiar las estructuras sociales, les corresponde comportarse como seguidores de Cristo en la sociedad en que les ha tocado vivir. El comentarista Morgan P. Noyes expresa la situación de la siguiente manera: «Hay dos maneras de atacar los males sociales, métodos directos e indirectos. Ambos son necesarios». Su opinión es la de que Pablo utilizó ambas formas pero añade: «No podemos dudar que estaba opuesto a la institución de la esclavitud».[2]

Un grupo de misioneros bautistas y metodistas de Jamaica se infiltraron en las plantaciones cubanas durante la dominación colonial española con el propósito de agitar a los esclavos y llevarlos a la lucha abolicionista. Corría la primera mitad del siglo diecinueve. Otro importante personaje de la época, el cónsul inglés en La Habana, esposo de la hija del obispo anglicano de Jamaica, se convirtió en el principal símbolo de abolicionismo en Cuba. Era un evangélico comprometido a la causa de la abolición. Seguía la tradición de Lord Wilberforce y otros correligionarios. Un grupo de sacerdotes católicos cubanos, sin apoyo apreciable de la jerarquía eclesiástica, se opuso también a la trata y la institución misma de la esclavitud, realizando apreciables contribuciones.[3]

2 *Op. cit.*, vol. 11, p. 446.

3 Marcos Antonio Ramos, *Panorama del Protestantismo en Cuba*, Editorial Caribe, San José,

A pesar de la abolición de la esclavitud en Cuba y otros países del mundo, abundan todavía los humanos que son en cierta forma «siervos» y «esclavos». Todavía tiene cierta vigencia lo de «el hombre es el lobo del hombre». Desconocerlo sería una prueba indubitable de la más espantosa ignorancia. En la América Latina y España esa situación ha sido muy real. En Estados Unidos, hasta que fue aprobada la ley de derechos civiles en época del presidente demócrata Lyndon B. Johnson, los hispanos y negros tenían poco reconocimiento y eran discriminados. La situación todavía no se ha resuelto por completo.

Basta un breve repaso de la novelística contemporánea para tener una idea de la situación latinoamericana. Mencionemos algunos autores y sus obras. Jorge Icaza en *Huasipungo*, Carlos Fuentes en *La región más transparente*, Mario Vargas Llosa en *La Ciudad y los Perros*, Carlos Luis Fallas en *Mamita Yunai*, Alejo Carpentier en *El reino de este mundo*, Volodia Teitelboim en *Hijos del salitre* y Miguel Angel Asturias en *El Señor Presidente*. Estos libros revelan literariamente un mundo de opresión e injusticia.

Si nos trasladamos a otras geografías pudiéramos aprovechar el mensaje de obras como *El deshielo* de Ilia Ehrenburg y *Archipiélago Gulag* de Alexandr Solzhenitzyn que nos revelan la miseria a la que fueron sometidos millones de prisioneros en la Unión Soviética durante el largo régimen de José Stalin.

De cualquier forma, con un grado mayor o menor de opresión por parte de los distintos sistemas, son muchos los seres humanos que se comprometen a mejorar las condiciones de vida de otras personas. A veces hay situaciones que impiden ofrecer respuestas a ciertos asuntos. Pero hay un detalle fundamental: el cristiano vive en un mundo imperfecto. ¿Cómo comportarse en ese contexto?

V. 1. La palabra *doulos* es traducida por muchos como «esclavo» o «esclavos bajo yugo»,[4] una diferencia con el próximo versículo, en el cual se trata del caso de creyentes trabajando para amos cristianos. El hecho de que se mencione «el yugo de la esclavitud» nos sitúa dentro de la más estricta realidad. Los señores de la época oprimían y sometían a sus esclavos o siervos. Aún en medio de esas deprimentes circunstancias, el Apóstol exhorta a los cristianos a respetar a sus amos, lo cual implica, en este contexto, rendir una labor eficiente. Pero sacar en forma precipitada una serie de conclusiones adicionales sería peligroso.

Si nos limitamos a la información que encontramos aquí, parece como que hay que contentarse totalmente. Al no hablarse de oposición al sistema, esto

1986, pp. 57-69.

4 Véase Gordon D. Fee, *op. cit.*, p. 137.

pudiera significar que los esclavos jamás podrán hacer algo por liberarse. Téngase en cuenta que aquí no encontramos una invitación a la lucha abolicionista, pero eso no quiere decir que se suprima el natural anhelo de libertad. Nos parece leer lo siguiente: «en medio de esta situación, comportaos como cristianos».

El creyente debe ser el mejor empleado, el más eficiente trabajador y un ejemplo constante. Independientemente de detalles que aquí no aparecen, el cristiano no puede contribuir a que se blasfeme el nombre de Dios, como sería el caso si su comportamiento en estos asuntos dejara mucho que desear.

Si el cristiano deja una buena impresión en su empresa, sus colegas relacionarán su fe con la calidad de su trabajo. Lo contrario sería desastroso. Hasta en países donde se impone una filosofía materialista de la vida o un pragmatismo mercantilista el cristiano puede hacer una contribución fundamental. Con su ejemplo y conducta ayudará a que se respete a los creyentes. Tal vez logre que se les conceda un espacio. La intensidad de esa contribución tendrá relación directa con la calidad de su trabajo y con el respeto que demuestre hacia los administradores, independientemente de que ellos sean creyentes o incrédulos.

V. 2. El mayor peligro pudiera radicar en que algunos cristianos, empleados por sus hermanos en la fe, abusaran de la condición de creyentes que tienen sus amos o empleadores. Pero existe cierta ambigüedad. Al leer el original algunos discuten si se dice «los que se benefician de su buen servicio», refiriéndose al amo, o si se trata de que los esclavos se benefician del mejor trato por parte del dueño.

Aquí se habla de un amo «creyente» (que puede traducirse también como «fiel»). La relación entre un empleador cristiano y sus empleados debería ser excelente. Pero no siempre es así. El amo estaba obligado a ser la clase de persona que le permitiera beneficiarse al esclavo sin que éste dejara, a la vez, de beneficiarlo a él. Esa pudiera ser tal vez la lectura más adecuada y cercana a las intenciones del autor y a su contexto, que no es el nuestro.

Las palabras «esto enseña y exhorta» merecen un consideración aparte. Es probable que tengan relación con las palabras que siguen y que se refieran a las falsas enseñanzas que se estaban difundiendo, las cuales analizaremos a continuación. Tal vez representan una forma de pasar de un tópico a otro.

El alcance de un buen ejemplo

El empleado de hoy, lo mismo si trabaja para el sector privado que para el público, debe esforzarse porque su empleador se beneficie.

La explotación y los abusos son malos sin importar quién sea el que los imponga. Por supuesto, si el cristiano está situado en el lugar más privilegiado, tiene que tratar bien a sus subordinados, creyentes o no. Es más, el nombre de Dios es glorificado cuando el empleador cristiano trata bien a sus empleados, o cuando el creyente que trabaja para un incrédulo realiza una labor excelente.

En una población de la provincia cubana de La Habana, cerca de la ciudad capital, un grupo de personas se burlaban estrepitosamente de un culto de oración, impidiendo a los creyentes realizar su acto piadoso. De pronto salió de la modesta capilla un trabajador que había sido reconocido por sus labores en una empresa estatal. El joven y musculoso cristiano pidió la palabra, sin importarle los insultos de ciertos agitadores. Algunos de los que se mofaban de los creyentes se enteraron de que un compañero excepcional, galardonado por sus condiciones de empleado incansable y leal, se encontraba en la congregación. De repente, los extremistas perdieron apoyo y los más moderados empezaron a sugerirles a los demás que se retiraran y olvidaran el asunto. Aquellos creyentes tenían en sus filas a un trabajador ejemplar.[5] Ante esa realidad se inclinaban hasta los ateos más dogmáticos. Por lo menos en aquella pequeña localidad y sus alrededores no se produjeron actos similares en el futuro.

El testimonio de un buen trabajador puede llegar a ser impresionante y ayuda a la causa de Dios, independientemente del esquema socio-económico en que se viva. Ni siquiera el antiguo sistema de esclavitud que prevalecía en el Imperio Romano estaba exento.

B. Advertencia sobre los falsos maestros (6.3-5)

Si alguno enseña otra cosa, y no se conforma a las sanas palabras de nuestro Señor Jesucristo, y a la doctrina que es conforme a la piedad, está envanecido, nada sabe, y delira acerca de cuestiones y contiendas de palabras, de las cuales nacen envidias, pleitos, blasfemias, malas

5 En Cuba les denominan «obreros de vanguardia».

sospechas, disputas necias de hombres corruptos de entendimiento y privados de la verdad, que toman la piedad como fuente de ganancia; apártate de los tales.

Vv. 3-5. Encontramos aquí la palabra ***heterodidaskaleô*** en relación con «si alguno enseña otra cosa». Si prescindimos de aspectos literarios, la traducción más literal sería «si alguno enseña diferentemente».

De nuevo se repite «sanas palabras de nuestro Señor Jesucristo». Las referencias a la «sana doctrina» han sido muy reiteradas. Después de las «sanas palabras» se menciona «la doctrina que es conforme a la piedad». La discusión entre los comentaristas es en torno a si se refiere al evangelio de Cristo en general o a las tradiciones de la iglesia. A. J. Higgins es uno de los que prefiere esa última interpretación.

En cualquier caso, cualquiera que enseñe otra cosa, «está envanecido, nada sabe y delira acerca de cuestiones y contiendas de palabras». Pues bien, estas «disputas acerca de palabras» constituyen otra expresión que el autor introduce por primera vez en la literatura griega. Al menos esa es la apreciación de Hanson que se ha documentado considerablemente en estos asuntos como lo demuestra su riguroso uso de las diversas fuentes.[6] Es de esperarse que de esas «cuestiones y contiendas de palabras» surjan «envidias», «pleitos», «blasfemias», «malas sospechas».

Una atención especial merece el siguiente versículo. En relación con lo anterior se refiere a: «disputas necias de hombres corruptos de entendimiento y privados de la verdad». Se les acusa de ignorancia culpable, la causada por la impiedad. Guthrie lo explica diciendo que las «controversias y disputas han deteriorado su salud mental hasta el punto que se han enfermado».[7]

Es entonces que se produce esta declaración que es muy significativa: «que toman la piedad como fuente de ganancia». La piedad que vale la pena, la verdadera, no puede nunca convertirse en objeto de mercadeo, de comercialismo, de especulación; en otras palabras, de ganancia. Desconocemos si estos maestros utilizaban su pretendida religiosidad o sabiduría para conseguir dinero de forma disimulada o si solicitaban un pago por sus enseñanzas.

Barclay nos recuerda que no debe haber lugar en el trabajo de la iglesia para personas que sólo desean hacer avanzar una carrera. Es oportuno citar estas palabras suyas: «Las Pastorales enseñan que el obrero es digno de su salario; pero que el motivo de su trabajo debe ser el servicio público y no la ganancia privada. La meta debe ser, no el ganar, sino el gastarse y ser gastado en el servicio de Cristo y de su prójimo».[8] Es decir, no hay contradicción entre recibir un salario adecuado y generoso, como se enseña en la epístola, y el vivir

6 *Op. cit.*, p. 106.
7 *Op. cit.*, p. 111.
8 *Op. cit.*, p. 128

para Cristo. El problema radica en el deseo de ganancias. El consejo siguiente no puede ser más claro: «apártate de los tales».

Predicadores deslumbrados por la televisión

Las últimas décadas del siglo veinte parecen caracterizarse por una clara tendencia a la utilización de la obra religiosa para enriquecimiento. Se trata de un asunto que sigue siendo tratado en los próximos versículos. La situación empieza a reflejarse en la América Latina porque empieza a notarse la existencia de «evangelistas millonarios», algo que ya hemos mencionado en otras partes de este comentario. El desenfreno no es tan grande como en los países desarrollados, pero ya se empiezan a notar los mismos síntomas. Algunos prefieren aparecer por televisión a realizar cualquier otro trabajo en la obra cristiana. La cuestión es salir del limitado radio de acción de la iglesia local para convertirse en «personaje nacional», por lo menos dentro de la comunidad cristiana. Esto no tiene relación únicamente con problemas del «ego», sino con la consecución de mayores recursos económicos a los cuales tienen acceso aquellos que son más conocidos.

Es cierto que algunos predicadores de la televisión y celebridades importantes del mundo de la religión son en cierta forma «irreprensibles»,[9] pero el peligro sigue siendo real, hasta para ellos mismos. Se trata de un cambio demasiado violento que quebranta la intención original que encontramos en los pasajes que estudiamos. La imagen del pastor esforzado y desinteresado está

9 El doctor Billy Graham es un hombre de Dios que puede ser considerado irreprensible en estas cuestiones. Merece ser admirado, entre otras razones, por no haberse enriquecido, por no haber utilizado sus relaciones públicas para engrandecimiento personal y por respetar a los que no piensan como él. También ha tomado en serio el asunto de la madurez, ha tratado de entender las señales de los tiempos y ha tenido en cuenta las diferentes culturas. El autor de este comentario lo ha considerado siempre un modelo contemporáneo que debe ser tenido en cuenta por los cristianos de las diferentes denominaciones. La Madre Teresa de Calcuta es también un caso que merece reconocimiento. Esta mujer de Dios ha pasado por alto diferencias denominacionales, políticas y de todo tipo, para servir al menesteroso, y, por lo tanto, a Dios. El hecho de haber recibido el Premio Nobel de la Paz no le ha llenado la cabeza de humo como a ciertos personajes de la televisión. Cualquier diferencia teológica que tengamos con el doctor Alberto Schweitzer, el gran humanista y misionero que también fue galardonado con el Nobel, palidece cuando recordamos su gigantesco ejemplo al servicio de los pobres enfermos de Lambarene. En sus casos podemos hablar de personas irreprensibles a pesar de la fama. Esta no los ha deslumbrado. En América Latina y España, así como en las comunidades hispanas de Norteamérica, hay casos parecidos.

todavía en la mente de muchos. Pero hasta cristianos que por su formación teológica deberían apreciar ese tipo de labor se han dejado deslumbrar por las luces de la televisión y han llegado a considerar que aparecer en sus pantallas es la marca más grande de la fidelidad y del éxito en la vida cristiana y en el ministerio del Señor.

C. Los peligros de las riquezas (6.6-10)

Pero gran ganancia es la piedad acompañada de contentamiento; porque nada hemos traído a este mundo, y sin duda nada podremos sacar. Así que, teniendo sustento y abrigo, estemos contentos con esto. Porque los que quieren enriquecerse caen en tentación y lazo, y en muchas codicias necias y dañosas, que hunden a los hombres en destrucción y perdición; porque la raíz de todos los males es el amor al dinero, el cual, codiciando algunos, se extraviaron de la fe, y fueron traspasados de muchos dolores.

Vv. 6-8. El individuo que ha arreglado cuentas con Dios y consecuentemente ha llegado a disfrutar de la condición de hijo suyo no tiene que buscar su felicidad en las riquezas. La palabra «contentamiento» *(autarkeia)* nos da la idea de tener dominio sobre uno mismo. Según los comentaristas hay una connotación de autosuficiencia en el mejor sentido que puede tener esta palabra, pero el término, en este contexto, pudiera resultar ambiguo en español.

El cristiano no tiene necesidad de «muchos bienes guardados para muchos años» (Lc. 12.19-20). Al contrario, ha experimentado lo enseñado en Filipenses 4.11: «No lo digo porque tenga escasez, pues he aprendido a contentarme cualquiera que sea mi situación». Más adelante, leemos en esa misma epístola (en el versículo siguiente): «Sé vivir humildemente, y sé tener abundancia; en todo y por todo estoy enseñado, así para estar saciado como para tener hambre, así para tener abundancia como para padecer necesidad» (Fil. 4.13).

En el v. 7 se escucha el eco de las palabras del patriarca Job: «Desnudo salí del vientre de mi madre, y desnudo volveré allá. Jehová dio y Jehová quitó; sea el nombre de Jehová bendito» (Job. 1.21). Esas famosas palabras sirven para darnos una explicación de algo que resulta de importancia trascendental en la vida de fe y que tiene antecedentes en todo el trato de Dios con los humanos desde las épocas más lejanas, como lo fue, sin duda, la que le tocó vivir a Job.

En cuanto a «sustento y abrigo», el tema del v. 8, se trata de un brevísimo resumen de aquello que resulta indispensable para la vida. Podemos olvidarnos de lo más valioso, que tal vez ya disfrutamos, mientras hacemos el esfuerzo de alcanzar otras metas.

Los dolores del consumismo

Las sociedades de consumo tienen la característica de satisfacer muchas necesidades y de alentarnos a trabajar lo suficiente para disfrutar de grandes comodidades, como las representadas por los aparatos que pone a nuestra disposición la tecnología moderna. En todo eso hay elementos de gran valor. Pero también nos esclavizan. Cada día surgen nuevos productos y los miembros de la familia los demandan hasta el punto que la vida se convierte en una carrera para adquirir más y más cosas. No hay que adoptar una actitud pedante o filosófica para concluir que muchas de esas ventajas y productos no son indispensables para la vida. Si caemos en ese círculo vicioso nos convertimos en esclavos. Muchos latinoamericanos se mudan para Norteamérica en busca de bienes de consumo y de un mejor nivel de vida. No hay nada reprensible en esa actitud. Pero debemos ser cuidadosos. Hemos visto a muchos jóvenes consagrados y fieles llegar de nuestros países para después perder toda sensibilidad espiritual. No tienen tiempo para las cosas de Dios. Muchos dejan de tener la más mínima compasión por el prójimo. Ni siquiera quieren identificarse como hispanoamericanos. Un apasionamiento increíble por las grandezas de este mundo les atrapa y controla. Les esperan, como veremos más adelante, los mismos «dolores» que el pasaje anticipa.

Vv. 9-10. Estas codicias son «necias» y «dañosas». Los hombres se hunden, pues, en destrucción (*olethros*) y «perdición» (*apôleia*), palabras que en griego se derivan de un verbo con la connotación de «perder». Como resultado de estas codicias se cae en tentación, la persona queda atrapada en deseos vanos que según el contexto tienen relación con cuestiones materiales y no precisamente con el sexo, como alguno pudiera pensar. El dinero es «una raíz» y no la «única raíz» de todos los males. De acuerdo con Hendriksen, lo condenado por Pablo es el deseo de ser rico pues tales personas caen en la tentación; a la vez que nos recuerda que esa palabra, en el original, puede indicar también «prueba».[10] El mismo autor señala que, como un lazo, esto «mantiene aprisionado al animal, así como la pasión incontrolable por las riquezas cierra sus tenazas sobre los que codician hasta el polvo de la tierra».[11]

La Biblia no enseña que los ricos no puedan ser salvos, pero Jesús advirtió que sería difícil, como lo era para un camello «entrar por el ojo de una aguja» (Lc. 18.25). Acerca de la posibilidad de ser cristiano y rico, al mismo tiempo,

10 *Op. cit.*, p. 227.

11 *Ibid.* Véase también 1 Ti. 3.7; Am. 2.7.

dan testimonio otras palabras en esta misma epístola. Las consideraremos en su momento.

Fee cree ver en esto del «amor al dinero» el proverbio griego «el amor al dinero es la ciudad madre de todos los males». Para él, «Pablo está simplemente citando un proverbio como apoyo de su afirmación acerca de que la avaricia es un lazo lleno de deseos que hieren y conducen a todo tipo de pecados».[12]

Los «dolores» que se mencionan aquí son tal vez más fáciles de explicar. Lo que se nos dice es que un verdadero cristiano no puede sentirse feliz en medio de un materialismo rampante. La persona que disfruta de muchas riquezas se ve necesariamente en medio de nuevos problemas, sobre todo de carácter espiritual.

En relación con los que se «extraviaron de la fe». La palabra griega *apeplanêthêsan* que quiere decir «planeteado», indica el andar «errantes» como un planeta. Según Hendriksen, «La palabra planeta significa errante, porque eso es exactamente un planeta. No en el sentido de que la tierra o los demás planetas sean arrojados de las órbitas señaladas... en relación con estrellas fijas, los planetas, girando alrededor del sol, parecen vagar. Esta es la razón de su nombre». [13]

El dinero y el pecado

Cuando hacemos una lectura latinoamericana del v. 9, este se reviste de singular actualidad. Se habla nada menos que de «tentación y lazo». Aquí se hace una descripción tremenda del deseo de posesiones materiales, las cuales nos tientan y atrapan, a la vez. En nuestro tiempo las gentes matan en algunos países por conseguir un radio de transitores. En otros ambientes, caracterizados por un exagerado consumismo, que incluye la mariguana, la cocaína y otras drogas, muchas personas están dispuestas a todo con tal de conseguir lo que desean.

En Agosto de 1989 se produjo el asesinato de un importante pre-candidato presidencial en Colombia. Más de un aspirante a la primera magistratura de ese país perdió la vida durante ese proceso electoral. Las informaciones vinculaban el hecho al narcotráfico que ha arruinado la calidad de vida en regiones enteras de la gran nación colombiana y de otras naciones del continente. Es triste que no se pueda escribir la historia de América Latina en las décadas

12 *Op. cit.*, p. 146.
13 *Ibid.*

de los años ochenta y noventa sin referirse al impacto del narcotráfico en la economía, la política y la sociedad.

La codicia es presentada como un océano en el cual cualquiera puede hundirse, quedando sepultado por la ambición. Muchos cristianos que predican contra la inmoralidad y el vicio olvidan este terrible y destructivo pecado de la ambición que aparece retratado en forma especial en el próximo versículo, que debe ser fundamental para una vida cristiana sólida.

Estas son palabras que no pierden vigencia: «porque raíz de todos los males es el amor al dinero, el cual, codiciando algunos, se extraviaron de la fe, y fueron traspasados de muchos dolores».

Muchos matrimonios han sido destruidos, así como las relaciones con los hijos, hogares, instituciones, pastorados prometedores. En el proceso, millones se han alejado del evangelio. Es verdad que probablemente la fe era para ellos una profesión externa sin verdadera conversión. Pero la realidad es que se han «extraviado» o andan «errantes».

El v. 10 es realmente una bomba de tiempo que puede explotar en cualquier momento en los ambientes caracterizados por la glorificación de los «últimos métodos en la recaudación de fondos para las iglesias». Algunos tratan de disimular esto buscando explicaciones gramaticales que puedan hacer que lo leamos de manera diferente.

Tratando de cuestiones contextuales, encontramos cómo ciertos problemas exegéticos pueden tener relación con la forma en que leemos ciertas palabras y frases en nuestro tiempo. Por ejemplo, Hanson, volviendo a los argumentos sobre expresiones no paulinas, nos recuerda que la frase «amor al dinero» *(philarguria)* no puede proceder de Pablo, incluso la considera como lo más lejano al pensamiento paulino que pueda imaginarse. Disentimos abiertamente de esa opinión. Aceptarla nos permitiría afirmar que la famosa frase martiana «con todos y para el bien de todos» no procede de la boca de José Martí, porque solamente la utilizó una vez en uno de sus discursos. Considerar esto como lo más lejano al pensamiento paulino que pueda imaginarse revela tal vez influencias contextuales aún en comentaristas tan valiosos como Hanson y Fee. Este último explica el pasaje identificándolo como un proverbio utilizado por Pablo para ilustrar una situación peligrosa. No olvidemos que esta advertencia sobre el «amor al dinero» pudiera hacer caer gran parte del edificio sobre el que se levantan algunas teorías que favorecen a un sistema político o económico en particular. Entiéndase bien que el problema no radica en considerar al capitalismo u otro proyecto como un sistema económico o social con mérito. No tenemos problemas con esto. Lo que nos preocupa es la sutil e inconsciente manipulación de la perspectiva bíblica. Algunos han glorificado una mezcla de política, economía y religión, asociándola con el capitalismo e identificándola con el estilo de vida cristiano, olvidando que el capitalismo, como cualquier otro esquema, es fenómeno reciente y posiblemente transitorio. En otro sector se produce un fenómeno parecido. Para merecer el codiciado título de «progresista», algunos se ven obligados a establecer alguna relación inconfundible entre la militancia socialista, marxista o de izquierda radical y la profesión de la fe cristiana en nuestro tiempo. Debemos respetar las convicciones políticas de todos los hermanos, pero pudiéramos sugerirles, a unos y otros, que hagan algún tipo de diferenciación entre posiciones políticas personales y la clasificación de los creyentes en categorías arbitrarias.

El pasaje de Hechos 4.32-37, que relata un experimento de comunidad de bienes en particular, es utilizado por algunos contra el socialismo o por lo menos contra alguna manifestación o estilo dentro del mismo. Este pasaje de Pablo previniendo sobre el amor de las riquezas es utilizado por otros para combatir las pretensiones de sistema cuasisagrado que algunos también conceden en nuestro tiempo al capitalismo. Después de hacer esas aclaraciones, nos corresponde repetir que las Escrituras no enseñan que el cristiano se margine a sí mismo de las luchas sociales y de las confrontaciones ideológicas. Ni tampoco indican que el cristianismo sea algo «aséptico» que no tenga relación con los problemas propios de la condición humana. La razón por la que hacemos estas diferenciaciones a través del comentario, cada vez que nos parece necesario señalar algún peligro, es evitar que se confunda un sistema político o económico, cualquiera que este sea, con el reino de Dios.

Claro que la enseñanza bíblica puede proporcionarnos elementos valiosos para introducirlos en cualquier sistema y también nos permitiría transformar cualquier esquema humano. El cristiano puede obtener dinero, pero no amarlo. La vida espiritual no se construye sobre cuentas bancarias. Ese es el mensaje de este pasaje que puede aplicarse en forma especial en nuestro propio tiempo. Una lectura adecuada de la Biblia nos conduciría a un estilo de vida individual y social en el cual podemos estar dentro de la voluntad de Dios y ayudar a los demás, sin necesidad de ambiciones desmedidas.

Ch. Exhortación a un ministro de Dios (6.11-14)

Mas tú, oh hombre de Dios, huye de estas cosas, y sigue la justicia, la piedad, la fe, el amor, la paciencia, la mansedumbre. Pelea la buena batalla de la fe, echa mano de la vida eterna, a la cual asimismo fuiste llamado, habiendo hecho la buena profesión delante de muchos testigos. Te mando delante de Dios, que da vida a todas las cosas, y de Jesucristo, que dio testimonio de la buena profesión delante de Poncio Pilato, que guardes el mandamiento sin mácula ni reprensión, hasta la aparición de nuestro Señor Jesucristo.

V. 11. Timoteo recibe el alto tratamiento de «hombre de Dios», lo cual contrasta enormemente con las anteriores consideraciones acerca de la persona interesada en las riquezas materiales que este mundo puede ofrecer. En contraste con el amante de las riquezas temporales, el «hombre de Dios» huye de las cosas vanas de este mundo. En el Antiguo Testamento había una designación especial de «hombre de Dios» para Moisés y David así como para los profetas.[14] El versículo puede contener una oración transicional que se ocupa de cubrir el cambio de sujeto. De acuerdo con Hanson, Pablo nunca hubiera emparejado «justicia» *(dikayosunê)* con «piedad» *(eusebeia).* Pablo no hubiera colocado la justicia en una lista de logros humanos ya que la consideraba como algo que solo Dios puede conceder, como la fe. Para ratificar su posición, Hanson acude en su libro a la autoridad de Gealy, que afirmó: «Poner como metas la justicia o la fe no es lenguaje paulino. Para Pablo, estos son dones de Dios y no logros de los hombres.»[15]

En este pasaje se mencionan, además de «la justicia» y «la piedad», «la fe, el amor, la paciencia, la mansedumbre». De la misma manera que hay que huir de ciertas «cosas», es necesario correr tras otras. Una buena explicación de esos asuntos la hace Hendriksen: «En cuanto a fe, este concepto es usado aquí en el sentido subjetivo de confianza activa en Dios y sus promesas. El amor, para Pablo, es ancho como el océano y tiene como su objeto a Dios en Cristo, a los creyentes y en un sentido a todos... Cuando estas virtudes están presentes, el resultado será mansedumbre de espíritu. La palabra así traducida aparece solamente aquí en la Biblia griega. Una comparación con 2 Timoteo 3.10 indica que está relacionada en significado con longanimidad (paciencia con respecto a personas)».[16]

Vv. 12-13. Las palabras contenidas en estos versículos pueden tratarse de una confesión previa al bautismo. El hacerlo descartaría la opinión de muchos eruditos que entienden se trata de algo relacionado con la ordenación. El haber hecho una profesión delante de muchos testigos ciertamente encierra una

14 Véase Dt. 33.1, Jos. 14.6, Neh. 12.24, 1 S. 9.6, 1 R. 17.18, 2 R. 4.7.

15 *Op. cit.*, pp. 109-110.

16 *Op. cit.*, p. 231.

connotación que pudiera llevarnos a aceptar que se trata de una confesión bautismal. Entre los que sostienen la interpretación se encuentra G. R. Beasley Murray.[17] Además de este importante erudito bautista inglés, son muchos los que defienden esa posición. Entre ellos mencionaremos a Falconer, Spicq, Jeremias, Pax y Holtz. La interpretación que se inclina a la ceremonia de ordenación la defienden, entre otros, Barrett, Brox, Hasler y Käsemann. Para J. Thurén se trata de una confesión de fe ante un tribunal pagano.[18] Hanson trata de reconciliar las dos primeras interpretaciones. Se trata, según su opinión, de la exhortación a un ministro que va a ser ordenado, pero ella incluye fragmentos de una liturgia bautismal. Oscar Cullmann se ocupa también del asunto. Ya sea que el joven ministro a quien se dirige esta carta aceptara esta comisión antes de ser bautizado, o que se le exhortara de esta manera en el momento de su ordenación, debemos atender otros aspectos importantes de la misma. Timoteo debe continuar librando la batalla, lo cual quiere decir también seguir huyendo de los vicios que caracterizan a aquellos que se le oponen. Pablo compara la vida cristiana con una carrera. Su uso de las palabras «correr», «estadio», «carrera», es conocido (1 Ti. 4.7; 1 Co. 9.24). En el v. 13, Timoteo, que ha dado testimonio delante de muchos testigos (v. 12), recibe órdenes muy específicas. Su confesión se compara con la de Cristo ante Pilato, y se le «manda» delante de Dios «que da vida a todas las cosas». Se trata de un testimonio de origen divino y de una orden que procede de Dios.

V. 14. Según este versículo, Timoteo debe guardar «el mandamiento», que bien pudiera ser su comisión bautismal o la exhortación recibida en la ordenación. En todo caso, el atleta de la fe, el joven Timoteo, que ha dado testimonio público, debe guardarlo «sin mácula ni reprensión». Esto quiere decir que él también debe, como los obispos y diáconos, ser «irreprensible». Existe alguna discusión acerca de «la aparición de nuestro Señor Jesucristo» porque algunos dicen que ya Pablo no la esperaba en forma tan inminente. Ese acontecimiento es presentado aquí como un hecho histórico que ocurriría en el futuro.

Una inesperada batalla de la fe

Un joven ministro cristiano tiene ante sí la oportunidad de aprender. Una de las lecciones más significativas sería comprender hasta qué punto es necesario «huir», como se le pide a Timoteo en el v. 11. No sólo huir del amor al dinero sino de otros peligros parecidos. Se le debe advertir a todo aspirante al ministerio de los

17 Véase su explicación en *Baptism in the New Testament*, Eerdmans, Grand Rapids, 1973, pp. 204-209.

18 Véase *TZ*, #26, 1970, pp. 241-253.

graves problemas a los que deberá enfrentarse. Pero también debe tener una idea clara de lo que se espera de él. No porque tenga que satisfacer las demandas arbitrarias de congregaciones exigentes sino por la relación directa con cuestiones imprescindibles. Además de pelear «la buena batalla de la fe», tendrá que combinar la «justicia» con la «mansedumbre», algo que muchos han encontrado prácticamente imposible de lograr en situaciones sumamente complicadas. Guardar «el mandamiento sin mácula» es un recordatorio más de la necesidad de combinar la ortodoxia, la fidelidad a las doctrinas recibidas, con una vida limpia y con la práctica de las más elevadas virtudes.

Un joven ministro ocupaba un pastorado entre los hispanos del sureste de Estados Unidos. Un miembro de su congregación le pidió ayuda para resolver un problema relacionado con una demanda que hacía al gobierno. Muy pronto, el flamante pastor se dio cuenta que el hermano en la fe le pedía que tradujera una serie de mentiras que planeaba decir ante un magistrado. De esa forma no sólo se atentaría contra la justicia en cuanto a administración de la ley sino también se cometían injusticias contra otra persona. ¿Cómo conciliar la mansedumbre con todo eso? ¿Cómo negarse firmemente a ser partícipe en una acción de esa naturaleza y a la vez decirlo en forma consecuente con un carácter manso? Claro que es posible, pero a veces no resulta fácil.

Mientras unos piensan que el «mandamiento sin mácula» se refiere a asuntos teóricos, o si acaso doctrinales, se trata de mucho más que todo eso. La «batalla de la fe» se libra todos los días. A veces en medio de las situaciones más inesperadas y desagradables que pudieran imaginarse.

D. El Dios inmortal (6.15-16)

La cual a su tiempo mostrará el bienaventurado y solo Soberano, Rey de reyes y Señor de señores, el único que tiene inmortalidad, que habita en luz inaccesible; a quien ninguno de los hombres ha visto ni puede ver, al cual sea la honra y el imperio sempiterno. Amén.

V. 15. Los elementos litúrgicos son evidentes, pero pudiera tratarse de una doxología espontánea, lo cual encaja en el estilo de Pablo. Se le está recordando al lector que será «a su tiempo» que Jesucristo se mostrará. Se rebate de paso la tendencia a esperar la parusía en forma inminente. Jesucristo es presentado aquí como «Soberano», una palabra que se aplica a los gobernantes de este mundo en otros pasajes, y a Dios. Sobre todo en un libro deuterocanónico: 2 Macabeos 3.24, 12.15 y 15.4,23. En Judas 25 se le atribuye a Jesús: «gloria y majestad, imperio y potencia». La idea está implícita.

V. 16. Sólo Dios posee «inmortalidad» *(athanasia)* en el sentido de no tener ni principio ni fin. La «inmortalidad» en relación al humano es «vida perdurable» o «existencia sin fin». El título «Rey de reyes y Señor de señores» aparece en el Apocalipsis. El está por encima de todos los gobernantes de la tierra. Otras dos características exclusivas de Dios aparecen aquí. El es trascendente; es decir «habita en luz inaccesible». También es invisible; es decir «a quien ninguno de los hombres ha visto ni puede ver». El «poder» que Pablo le reconoce a Dios ya ha sido mencionado por él en otras ocasiones. Se trata de *kratos* o «poder» (Ef. 1.19, 6.10 y Col. 1.11). La contemplación de este ser majestuoso y poderoso conduce al climax: «al cual sea la honra y el imperio sempiterno».[19] Pablo desea que Cristo pueda recibir ese honor que solamente Dios merece mientras manifiesta su eterno e incomparable poder. Todo lo anterior tiene necesariamente relación directa con el amor que el Apóstol sentía hacia su bondadoso Salvador.

E. Recomendaciones a los ricos (6.17-19)

> A los ricos de este siglo manda que no sean altivos, ni pongan la esperanza en las riquezas, las cuales son inciertas, sino en el Dios vivo, que nos da todas las cosas en abundancia para que las disfrutemos. Que hagan bien, que sean ricos en buenas obras, dadivosos, generosos; atesorando para sí buen fundamento para lo por venir, que echen mano de la vida eterna.

Vv. 17-19. En este pasaje se les hacen demandas moderadas y razonables a los ricos. Otra versión lo traduce así: «A los ricos de este mundo encargarles que no sean altivos ni pongan su confianza en la incertidumbre de las riquezas, sino en Dios, que abundantemente nos provee de todo, para que lo disfrutemos, practicando el bien, enriqueciéndose de buenas obras, siendo liberales y dadivosos atesorando para lo futuro con que alcanzar la verdadera vida» (NC). Nos parece que esta traducción, con su referencia a «enriqueciéndose de buenas obras», nos ayuda a establecer el contraste entre el enriquecimiento que agrada al mundo y el que agrada a Dios. Lorenzo Turrado se refiere a esto de la siguiente manera: «Con un nuevo toque de alerta sobre las riquezas termina San Pablo esta perícopa».[20] Ciertamente se trata de un verdadero «toque de alerta». El cristiano debe hacer tesoros en el cielo, no en la tierra. Si los posee aquí debe compartirlos generosamente. Esto necesariamente incluye ofrendar liberalmente para la obra de Dios y poner a trabajar sus bienes en beneficio de la causa del evangelio y de los pobres. En el día del juicio le serán tenidas en cuenta sus dádivas y bondad. Eso no quiere decir que estas

[19] De acuerdo con muchos eruditos la mejor traducción no sería «sempiterno» sino simplemente «eterno».

[20] *Op. cit.* p. 404.

acciones han comprado la salvación sino que las mismas están relacionadas con la recompensa que Dios ofrece y con la obligación de ocuparnos del prójimo, a quien debemos amar.

Hendriksen nos recuerda Marcos 10.21 «Entonces Jesús, mirándole, le amó, y le dijo: Una cosa te falta: anda, vende todo lo que tienes, y dalo a los pobres, y tendrás tesoro en el cielo; y ven, sígueme, tomando tu cruz». Para el mencionado comentarista, ese tesoro consiste de una buena conciencia, una recepción entusiasta por parte de los que se han beneficiado de su generosidad, la entrada a los deleites y glorias del cielo.[21] Estas palabras de Jesús al hombre rico pudieran indicar, en caso que a alguien las riquezas le separen de Jesús, que tal persona debe desposeerse de todo para ganar el Reino y agradar a Dios. Al ser utilizadas literalmente, como se hace con otras exigencias o ideales de Jesús, se produciría una verdadera revolución.

De acuerdo con Fee: «Pablo no habla en ningún lugar de los que tienen riquezas como formando una clase, pero eso indica simplemente la naturaleza *ad hoc* de sus cartas. Su teología de la cruz reconoce claramente la posición del Antiguo Testamento acerca de que Dios sirve de campeón de la causa de los pobres».[22] También insiste en que «...Pablo no era un asceta. El que los que poseen riquezas no pongan su confianza en la riqueza no lleva consigo una actitud de rechazo total a las mismas».[23]

Como tantas otras exigencias del evangelio o de las epístolas, los cristianos tratan siempre de buscar una explicación que no conduzca a la conclusión lógica de lo que se pide. Se hace con un alto grado de buena fe, pero ninguna explicación será lo suficientemente satisfactoria como para convencernos de que Pablo se opuso directamente al amor de las riquezas que tanto influye en el pensamiento de los humanos, aún de los más piadosos.

¿Confianza en Dios o esperanza en las riquezas?

Si alguna iglesia importante fuera estricta en cuanto a estas demandas no sabemos qué pudiera suceder. A muchos cristianos que exigen una vida sumamente moral, este versículo les puede resultar «tabú» pues no se atreverían a interpretarlo literalmente como lo hacen con otros. Jesús nos pide pureza sexual. Como consecuencia lógica, ciertas personas son excomulgadas por cometer adulterio. En muchos círculos se le pide al creyente una vida separada de la mundanalidad, lo cual es muy correcto. Pero no se

21 *Op. cit.* pp. 239-240.
22 *Op. cit.*, p. 157.
23 *Ibid.*

exige generalmente a los ricos que lo vendan todo y lo den a los pobres. Por lo menos se les exigiría que usaran bien sus riquezas. Aquél que lo haga así, atesora «buen fundamento para lo por venir». Y una vez más se escuchan las palabras «echen mano de la vida eterna». Es una llamada a establecer prioridades.

En ninguna parte de este comentario afirmamos que los ricos no pueden salvarse. Tampoco hemos desechado el pensamiento de que personas con grandes recursos pueden llegar a agradar a Dios y ser muy útiles en la vida cristiana. Pero en ningún pasaje la Biblia nos exhorta a promover que la gente se haga rica o millonaria como sugieren algunos predicadores radiales. Se habrá notado la insistencia con que hemos tratado de evitar esa sacralización innecesaria de sistemas políticos, económicos y sociales que pueden encontrar en otras fuentes la justificación de sus métodos e ideología. Tampoco hemos negado que ciertos aspectos de un sistema humano pueden coincidir con muchas de las enseñanzas bíblicas. Teniendo todo eso en cuenta, no encontramos en estas palabras la denuncia de las riquezas que algunos quisieran encontrar. Tampoco son exaltadas o presentadas en calidad de meta a alcanzar, como otros desearían, al estilo del ilustre historiador protestante y primer ministro francés Francois Guizot y su famosa exhortación a sus compatriotas en el siglo diecinueve: «Enriqueceos». No podemos complacer tampoco al comentarista Guthrie que saca a relucir el «estado benefactor»[24] como un posible peligro por ofrecer cierto tipo de seguridad a las personas. En este pasaje hay una referencia a las riquezas y nada más. No hay ataques contra la ayuda a los necesitados. La situación que preocupa a algunos comentaristas de los países del Norte es muy diferente a la de los creyentes del Tercer Mundo y su apreciación del asunto. Por implicación se puede decir que el creyente no debe confiar en los bienes materiales, pero no se niega en ninguna parte su derecho a recibirlos, ya sea como recompensa a su trabajo o como satisfacción de sus necesidades. Esa posición no justifica la vagancia. Tal vez sea precisamente en lo de la obligación a trabajar para ganar el pan, que estemos todos de acuerdo. La Biblia es clara al respecto. Pero aun ese último asunto necesita aclaraciones.

Hay una situación que no se limita a los hispanos de Norteamérica, pero que tiene mucho que ver con el estilo de vida de los barrios y las comunidades hispanas. No creemos que se le debe exigir trabajar en la calle a una madre, abandonada por su esposo,

24 En Estados Unidos, con la influencia de la lengua inglesa, los hispanos se refieren a los beneficios del estado benefactor como *welfare.*

que tiene que criar a seis o siete hijos, y no tiene recursos para pagar una niñera, «nana» o trabajadora doméstica que le ayude mientras ella trata de ganar el sustento. Los enemigos del «welfare» o de cualquier forma de asistencia social se refieren constantemente a estas pobres mujeres para hacerlas objeto de todo tipo de ataques. Es cierto que se refieren a ciertos abusos que se ha hecho al programa, pero no conviene generalizar. Algunos enemigos de la ayuda social y partidarios irrestrictos del trabajo como obligación de todos serían hasta contrarios a que se le extendiera un poco de misericordia, por medio de un cheque de asistencia social, a esa madre. ¡Ojalá desterremos el legalismo en casos como éste y en muchos otros!

Este pasaje tiene algo para cada grupo en la América Latina. Lo decimos así porque generalmente la región se divide en personas que son muy ricas o muy pobres. La clase media es bastante pequeña en la mayoría de los países del área. La altivez de los ricos se ha reflejado en arbitrariedades como la creación de castas y dinastías, a veces parasitarias, formadas por individuos que han heredado enormes extensiones de terreno que ni siquiera administran directamente. En otras ocasiones se han creado enormes imperios por medio de la explotación más inmisericorde. En el mejor de los casos existen situaciones en las que ha existido un trabajo intenso y un talento apreciable que se ha traducido hasta en buen trato para los empleados y en beneficio para la economía nacional. Pero las diferencias extremas son una forma de altivez rampante. Un viaje por las grandes ciudades latinoamericanas es suficiente para darse cuenta. Las enormes y lujosas mansiones situadas a unas pocas cuadras de las «villas miseria» son la prueba al canto. Los automóviles fastuosos que pasan precipitadamente por humildes calles llenas de tugurios son una forma más de mostrar altivez. Claro que pudiera afirmarse con toda razón que una persona que ha logrado ciertas alturas financieras generalmente no rueda vehículos modestos. Aún en ese caso cabe recordar que lo que sugiere este pasaje es una vida sin ostentaciones. Poner la esperanza en las riquezas es un modo de vida en ciertos ambientes. Esto no incluye solamente a los que juegan a la bolsa en Wall Street, Nueva York, sino a sus colegas latinoamericanos que todo lo juzgan según la forma en que afectaría sus intereses. Para ellos, un candidato a cargos públicos solamente merece atención si facilita el enriquecimiento. Su posición acerca de las necesidades humanas seguramente palidece ante un futuro económico brillante que ofrece. No les importa si esa economía será distribuida en forma absolutamente arbitraria.

Por otro lado no puede esperarse que los ricos pongan su confianza en el Dios vivo. Muy pocos lo hacen. Existe una incompatibilidad manifiesta entre la tendencia al enriquecimiento y el camino que conduce a la piedad. Son pocos los que logran superar esa situación.

Un problema que tenemos que enfrentar es el de la poca disposición de los conversos procedentes de las altas esferas económicas a donar generosamente su dinero para la obra de Dios. Sus ofrendas no guardan proporción. Por otra parte, son pocos los verdaderos creyentes cristianos en los altos círculos financieros latinoamericanos. Existe un número apreciable de conceptos bien arraigados que nos llevan a considerar como respetable cualquier limosna. Una cifra que puede impresionar a una persona de bajos ingresos no es la adecuada para quien se encuentra disfrutando de las riquezas de este mundo. Esto no es tenido en cuenta con frecuencia. Por lo general, los pobres son más generosos que los ricos. Por otra parte, preferimos depositar en un banco de esta tierra y no en el de los cielos. En otras palabras, que pueden aplicarse las advertencias de Santiago 5: 3-5: «Vuestro oro y vuestra plata están tomados de herrumbre y su herrumbre será testimonio contra vosotros y devorará vuestras carnes como fuego. Habéis acumulado riquezas en estos días que son los últimos. Mirad; el salario que no habéis pagado a los obreros que segaron vuestros campos está gritando; y los gritos de los segadores han llegado a los oídos del Señor de los ejércitos. Habéis vivido sobre la tierra regaladamente y os habéis entregado a los placeres; habéis hartado vuestros corazones en el día de la matanza» (BJ). Estas palabras parecen ser una descripción contemporánea de situaciones en Latinoamérica y a través del mundo.

F. La bendición (6.20-21)

> Oh Timoteo, guarda lo que se te ha encomendado, evitando las profanas pláticas sobre cosas vanas, y los argumentos de la falsamente llamada ciencia, la cual profesando algunos, se desviaron de la fe. La gracia sea contigo. Amén.

V. 20. A Timoteo se le ha encomendado algo sumamente valioso. Nada menos que el depósito de las verdades de la fe, como pastor del rebaño. Se le ha confiado, sobre todo, el evangelio de Dios «que trae salvación a todos». Le corresponde «guardar» esto que se le ha confiado y que contrasta con una serie de argumentos de la «falsamente llamada ciencia».Un asunto puede ser profano aunque tenga una relación con la religión, lo cual deja abierta la puerta a interpretaciones y hasta a un alto grado de especulación. Ya hemos discutido bastante las distintas posibilidades en relación con las «profanas pláticas», «fábulas», etc. El error ha llegado a los humanos con muchos disfraces desde que Satanás se presentó como «ángel de luz». No nos extrañe que se presente como «ciencia», como «conocimiento», incluso como «sabiduría». Los judaizantes, los gnósticos y todo tipo de charlatanes se han caracterizado por esto. Algunos han profesado esa «falsamente llamada ciencia» y se han desviado. El pastor debe estar consciente de ese «depósito de la fe» que debe guardar. Aún cuando haya sido el fundador o pionero de la congregación a la que sirve, recibió un «depósito» de aquellos que le comunicaron el evangelio o le prepararon para realizar su ministerio. También lo comparte con otros cristianos y hace bien en tenerlo presente. No es otro Robinson Crusoe en una isla desierta sino que forma parte de la comunión de los santos y comparte un mismo «depósito» que le es encomendado. J. Glenn Gould señala que había una gran preocupación en Pablo cuando escribía estas palabras y que «hace alusión de nuevo a las falsas enseñanzas que ha estado denunciando en toda esta epístola».[25] No hay duda que esos elementos no pueden exagerarse demasiado. La preocupación y el problema son tan reales que revelan la importancia de las reiteradas alusiones del autor.

V. 21. Después de esta exhortación final, Pablo concede su bendición. No le era difícil hacerlo. El canónigo Ward lo expresa de la siguiente manera: «La palabra final trasciende todas las exhortaciones y todas las respuestas a los falsos maestros. La gracia: toma posesión de ella y predícala. Ella resume el valor y el carácter infinitos de lo que Dios ha hecho y dado en su Hijo».[26] Es una bendición destinada a la comunidad cristiana en general y resulta evidente. Al hacer la exégesis del pasaje, Turrado entiende que esto se da entender y que «la carta, no obstante estar dirigida a Timoteo, es de carácter público».[27] Tengamos en cuenta que aquí la palabra «contigo» está en plural y se trata de un pronombre personal en griego. Es por eso que pudiera traducirse de la siguiente manera «La gracia sea con vosotros». Era una fórmula de bendición final para todos los creyentes de Efeso. Hay un elemento eminentemente espiritual en esta despedida. Sin negar las condiciones materiales, que son atendidas por el autor en sus advertencias y explicaciones, los valores del espíritu siguen prevaleciendo hasta el final en esta carta apostólica. Pudiéramos añadir un pensamiento. La gracia es la mayor de todas las bendiciones. ¿Hubiera podido mencionarle algo mejor a su amado hijo espiritual Timoteo? ¿Podría haber un mejor legado para nosotros?

25 J. Glenn Gould, *Comentario Bíblico Beacon*, Casa Nazarena de Publicaciones, Kansas, 1965, tomo IX, p. 658.
26 *Op. cit*, p. 127.
27 *Op. cit.*, p. 404.

Acudiendo a la gracia en nuestro contexto

La existencia del cristianismo ya era una realidad en Efeso en los días de Timoteo y Pablo. En los países y comunidades de habla española la iglesia es mucho más visible todavía. Nuestro «depósito» es una tradición que se inició, al menos históricamente, con la llegada de los conquistadores al iniciarse la larga y triste experiencia de la colonización de América. Una evangelización deficiente, aunque a veces bien intencionada y con muchos individuos valiosos en sus filas, fue abriendo el camino. El pueblo empezó a escuchar el nombre de Jesús desde el siglo dieciséis. El mensaje de justificación por la fe y énfasis en las Escrituras que caracteriza a los evangélicos se fue extendiendo lentamente a partir del siglo diecinueve. La comunidad evangélica está ahora en un proceso de crecimiento acelerado. Después del Concilio Vaticano Segundo la comunidad católica de nuestros países ha cambiado bastante y muchos de sus fieles están interesados en la lectura de las Escrituras. Surgen nuevos fenómenos, aumenta la influencia del movimiento carismático, se crean las llamadas comunidades de base. Hay inquietudes sociales y religiosas que no se confrontaban antes. Surge además una teología latinoamericana que va asumiendo distintos matices.

El problema de la pobreza no se ha resuelto en forma apreciable, pero muchos se deciden a buscar el Reino de Dios y su justicia. Los misioneros y pastores pioneros han dejado un legado. Debemos guardar ese «depósito» como les correspondía hacerlo a Timoteo y sus colaboradores en Efeso. En medio del evangelismo masivo, de la labor en comunidades aisladas, del uso de las comunicaciones electrónicas o de la página impresa, debe plantearse con seriedad el problema de las falsas doctrinas que se van introduciendo y las supersticiones que se han ido quedando. Unas son de origen «católico». Otras son el resultado de cierta piedad «evangélica» que no resiste un análisis riguroso. Algunas son simplemente «mandamientos» y «fábulas», al estilo de los mencionados en las Epístolas Pastorales. Ciertos aspectos han sido atendidos mientras otros son descuidados constantemente. La dimensión social del evangelio está presente en el trasfondo de Primera de Timoteo. Muchos principios se aplican al contexto en el cual nos desarrollamos. Existen los mismos peligros de enriquecimiento, vanidad y explotación. Corremos el riesgo de defender convicciones a costa de sacrificar los derechos de las mujeres creyentes, viudas o no, y de los pastores del rebaño que son atropellados por cometer una falta, o se les condena a una vida miserable. Son muchos los que tienen en poco el ministerio. Proliferan los falsos maestros y las sectas extravagantes, pero también los que viven una vida separada de su pueblo o caracterizada por viejas y nuevas formas de inmoralidad. Los pastores del rebaño tienen que ser idóneos y fieles. En medio de ese cuadro el evangelio de salvación debe continuar siendo la prioridad de la iglesia. Esta no puede perder su especificidad.

El templo no es precisamente el mejor lugar para discursos políticos o disquisiciones moralistas. El pueblo busca en nosotros un refugio en medio de la tormenta y también una mano ayudadora y solidaria. Por otra parte la iglesia no debe convertirse en un «ghetto» para aislarnos de lo que sucede en el mundo. Saber combinar razonablemente los elementos que conducen a un enfoque balanceado de la cuestión sería una de las mejores metas que podemos trazarnos. Las enseñanzas falsas, las desviaciones hacia lo material, la religiosidad descontextualizada, así como los muchos defectos y limitaciones de los mismos cristianos, indican la necesidad de acudir a una gracia que se constituye en bendición de Dios para la condición humana. Con ese mensaje concluye Primera de Timoteo. Haríamos bien en empezar por refugiarnos de nuevo en esa gracia, pero sin dejar de trabajar, con más entusiasmo todavía, a favor de Cristo, su iglesia y el pueblo que nos rodea.

II Timoteo

Introducción a II Timoteo

A. Ocasión de la Epístola

Si aceptamos la teoría del segundo encarcelamiento paulino, que ha sido discutida en detalle en la introducción, pudiéramos concluir que Pablo, después de haber viajado a la parte oriental del Imperio Romano y escribir Primera de Timoteo y Tito, escribió Segunda de Timoteo. Algunos hasta han llamado a esta carta «la despedida del apóstol Pablo». Este se encontraba entonces en prisión en Roma. Pudiéramos tal vez pensar en el estado de ánimo de un hombre que se daba cuenta de su destino, de la imposibilidad de su liberación y del desamparo en que se encontraba. De esa manera se pudiera entender su interés en solicitar una visita de Timoteo acompañado de Marcos (2 Ti. 4.9-11), así como su petición acerca de objetos dejados en Tróade y que quería tener consigo (2 Ti. 4.13). Todo esto contrasta con la situación reflejada en Hechos de los Apóstoles y las epístolas a Filemón, Colosenses y Filipenses cuando un Pablo cautivo albergaba esperanzas y estaba rodeado de fieles colaboradores (Hch. 28.30-32; Col. 4.7-14; Fil. 1.12-25; Fil. 2.23-24; Flm. 22,24).

La Segunda Epístola a Timoteo pudo haber sido escrita, según la teoría del segundo encarcelamiento romano, en el año 66 o 67, poco antes de la muerte de Pablo. En caso contrario será importante tener en cuenta opiniones significativas como algunas que se consideran en el comentario del texto y que ya fueron expresadas en la introducción.

Una posible clave de interpretación de esta epístola estaría en relación directa con un reconocimiento de las cambiantes situaciones de Pablo pues ya no tenía libertad de continuar su ministerio itinerante. En resumen, había sido arrestado (probablemente en Troas), estaba confinado en prisión en Roma, y se había realizado una audiencia preliminar de su caso. El Apóstol esperaba su juicio definitivo sin mayores esperanzas.

B. Contenido

En esta carta Pablo se enfrenta a la realidad del poco tiempo que le queda. Turrado insiste en que se trata «del testamento espiritual de Pablo». Es por eso, que el Apóstol le recuerda a Timoteo los deberes de un pastor fiel del rebaño de Cristo. Este debe ser valiente y enfrentarse a los falsos maestros. En el primer capítulo se le invita a testificar acerca del Señor y se le recuerda el don de Dios que ha recibido y la necesidad de avivarlo, a la vez que se despliega un espíritu que no puede ser de cobardía. En el segundo capítulo se describen las características de un soldado de Jesucristo y de un «obrero aprobado». También se le exhorta a «huir de las pasiones juveniles» y se le dice que no puede ser contencioso. En el tercer capítulo se explica el carácter de los humanos en los postreros días: «los malos hombres y los engañadores irán de mal en peor, engañando y siendo engañados». El capítulo termina con una proclamación del carácter inspirado y sobrenatural de las Sagradas Escrituras. En el capítulo cuarto hay una nota muy personal en la exhortación a Timoteo a quien se dan instrucciones que incluyen aspectos relacionados no solamente con su trabajo sino con el deseado encuentro de los dos. Es decir que las instrucciones personales ocupan un buen espacio del texto.

En el libro se hacen valiosas referencias al sufrimiento personal y a la pureza que deben ser tenidas en cuenta en cualquier ambiente. En países invadidos por el vicio y caracterizados por un alto grado de pobreza y de sufrimiento, el ministro de Dios tiene que ser una persona excepcionalmente capaz de enfrentarse a esos problemas. En este libro, al igual que en 1 Timoteo, abundan las referencias a la confusión que siempre traen los falsos maestros. Las nuevas sectas y grupos, con diferentes formas y tonalidades, proliferan actualmente entre nosotros. Otro tema que nos afecta es el de los «amadores de sí mismos», quienes van tomando posiciones dentro de las filas cristianas que han infiltrado. Estos personajes deterioran la verdadera espiritualidad con su egolatría, su crueldad y su «apariencia de piedad», lo cual es evidente entre aquellos que se aprovechan de las diversas formas de adoración o de espiritualidad entre los creyentes para ponerse por encima de sus hermanos y hermanas en la fe. Todavía es real el mismo peligro de subestimar las Escrituras que les afectaba a ellos. Siempre han existido aquellos que olvidan que son «palabra de Dios», inspirada y eficaz. En medio de todo este cuadro podemos, como el autor, confiar en un Señor que nos «librará de toda obra mala».

C. Bosquejo de segunda de Timoteo

I. El ministro y el depósito de la fe
   A. La salutación (1.1-2)
   B. Acción de gracias (1.3-5)
   C. El don de Dios (1.6-10)
   Ch. Pablo testifica (1.11-12)
   D. Nueva exhortación a Timoteo (1.13-14)
   E. Recordatorio (1.15-18)

II. El ministro aprobado
   A. El esforzarse en la gracia (2.1)
   B. Encargando la doctrina a otros (2.2-6)
   C. El poder disponible (2.7-10)
   Ch. Otro himno cristiano (2.11-13)
   D. Actitudes hacia la charlatanería y el error (2.14-19)
   E. Características del ministro de Dios (2.20-26)

III. El ministro y el futuro de la humanidad
   A. La humanidad en los días postreros (3.1-9)
   B. Experiencias en Antioquía, Iconio y Listra (3.10-13)
   C. La constancia de Timoteo en la doctrina (3.14-17)

IV. El ministro como predicador
   A. Detalles de una encomienda final (4.1-2)
   B. La razón de la encomienda final (4.3-5)
   C. La antesala de la gloria (4.6-8)
   Ch. Instrucciones e información sobre colaboradores (4.9-15)

D. La primera defensa de Pablo (4.16-18)
E. Los saludos y el anhelo del reencuentro (4.19-21)
F. Bendición (4.22)

I

El ministro y el depósito de la fe

A. La salutación (1.1-2)

Pablo, apóstol de Jesucristo por la voluntad de Dios, según la promesa de la vida que es en Cristo Jesús, a Timoteo, amado hijo: Gracia, misericordia y paz, de Dios Padre y de Jesucristo nuestro Señor.

Vv. 1-2. De nuevo, el autor reclama para sí el título de Apóstol de Jesucristo. Nos recuerda a 1 Ti. 1.1. En cuanto a la frase «por la voluntad de Dios», es paulina según casi todos los comentaristas. No se trata de un alarde sino de una expresión proveniente de alguien que estaba consciente de su misión y que no quería se confundiera su trabajo. Este saludo revela la intimidad que existía entre el autor y su «amado hijo» Timoteo. De esto hemos hablado en la introducción general.

Lo que se añade en este caso es «según la promesa de la vida que es en Cristo Jesús». Turrado entiende que esa «no es otra que la vida divina, la que llamamos vida de gracia para la época de la tierra y vida de gloria para la época del cielo».[1] Además, para el mismo comentarista, San Pablo fue elegido apóstol según esa promesa «en orden a anunciar a los hombres la promesa divina de comunicarles esa vida».[2]

B. Acción de gracias (1.3-5)

Doy gracias a Dios, al cual sirvo desde mis mayores con limpia conciencia, de que sin cesar me acuerdo de ti en mis oraciones noche y día; deseando verte al acordarme de tus lágrimas, para llenarme de

1 *Op. cit.* p. 406.
2 *Ibid.*

gozo; trayendo a la memoria la fe no fingida que hay en ti, la cual habitó primero en tu abuela Loida, y en tu madre Eunice, y estoy seguro que en ti también.

V. 3. La palabra «conciencia» aparece frecuentemente en las Pastorales. Además, suponiendo que el autor no haya sido Pablo, al referirse a Dios afirmando «al cual sirvo desde mis mayores», estaba transitando un camino paulino. Pablo estuvo siempre interesado en recordar a sus lectores y oyentes la vinculación entre el cristianismo y el judaísmo así como su propio origen hebreo que nunca ocultó a pesar de que sus opositores más encarnizados eran precisamente los judíos. El Apóstol había perseguido a los cristianos, pero, con todo y haberlo hecho, enseñó que en su vida judía anterior servía al mismo Dios. Este asunto es importante, dada la continuidad entre judaísmo y cristianismo en Pablo y en esta epístola en particular. Más adelante, alabará en Timoteo el haber «sabido las Sagradas Escrituras, las cuales te pueden hacer sabio para la salvación por la fe que es en Cristo Jesús» (3.15). No olvidemos que esas Escrituras eran las del Antiguo Testamento que Timoteo había conocido en su niñez.

Vv. 4-5. Las «lágrimas» de Timoteo han provocado alguna discusión. No se sabe cuándo lloró en forma tan intensa. Los comentaristas en su mayoría piensan en las lágrimas de una despedida. Turrado piensa que pudiera tratarse de una presencia suya en el momento difícil y triste del arresto de Pablo, pero lo expresa reconociendo el carácter especulativo del asunto. Otros autores simplemente se limitan a afirmar que los orientales eran dados a las lágrimas.[3] El versículo 5 contiene información biográfica, la cual es explicada con más detalles en la introducción general.

C. El don de Dios (1.6-10)

Por lo cual te aconsejo que avives el fuego del don de Dios que está en ti por la imposición de mis manos. Porque no nos ha dado Dios espíritu de cobardía, sino de poder, de amor y de dominio propio. Por tanto, no te avergüences de dar testimonio de nuestro Señor, ni de mí, preso suyo, sino participa de las aflicciones por el evangelio según el poder de Dios, quien nos salvó y llamó con llamamiento santo, no conforme a nuestras obras, sino según el propósito suyo y la gracia que nos fue dada en Cristo Jesús antes de los tiempos de los siglos, pero que ahora ha sido manifestada por la aparición de nuestro

3 Para un inglés o un europeo occidental, los habitantes de aquellas regiones podían ser considerados como orientales, geográficamente hablando. Pero en este contexto, cualquier referencia u observación hecha por un comentarista dado pudiera decir «parte del imperio oriental». Recordemos que en aquella época «oriental» pudiera significar «no latino». La parte occidental estaba más directamente bajo la influencia de la cultura romana o latina.

Salvador Jesucristo, el cual quitó la muerte y sacó a luz la vida y la inmortalidad por el evangelio.

V. 6. Según algunos comentaristas hay posibilidades de que el rito de la ordenación se desarrollara propiamente después de los días de Pablo, llegando a tomar la forma de «las órdenes sagradas» que conocemos ahora. Si se entiende como ordenación una ceremonia elaborada de tipo sacramental esos autores pueden tener razón. Sin embargo el reconocimiento de la misión ministerial o profética mediante la imposición de manos parece tener un carácter muy antiguo como lo evidencian los escritos apostólicos. Es altamente probable que Pablo participara en la ordenación de Timoteo o que en alguna ocasión le impusiera las manos. En el original, la palabra «avives» quiere decir «mantener la llama encendida». Timoteo no había perdido el fuego de su entusiasmo, pero necesitaba avivarlo continuamente.

Vv. 7-8. El v. 7 abunda más en las características de este don. Al decirnos que «no nos ha dado Dios espíritu de cobardía, sino de poder, de amor y de dominio propio» se nos está hablando de algo que es mucho más que una ceremonia eclesiástica o una característica de los obreros cristianos del Nuevo Testamento.[4] El espíritu de poder viene con el don. No se trata de un simple «don de la palabra», en el sentido de elocuencia. Por lo tanto, no se esperaba que una persona con ese don se sintiera avergonzada de que su maestro estuviera preso. Que se añadan las palabras «de dominio propio» es muy apropiado para un pastor o líder, el cual, sin esta característica, poco podría hacer al trabajar con seres humanos. Es también parte integral del don. El participar de las aflicciones del evangelio puede tener relación con ciertas prohibiciones pues se necesita la disposición a sufrir por el evangelio.

V. 9-10. Los vv. 9 y 10 son tal vez extraidos de un himno cristiano. A. T. Hanson incluso estudia en forma independiente estos versículos intitulando esa sección «Fragmento litúrgico introducido».[5] A su lado está la mayoría de los comentaristas. Como en otros casos, se discute si se trataba de material utilizado en bautismos, ordenaciones, credos, etc. Pero coincidimos con Guthrie en que «el lenguaje y el pensamiento son integralmente paulinos, y sería necesario suponer que el apóstol había adaptado sus propias enseñanzas a una forma litúrgica».[6] No vemos incompatibilidad alguna pues el Apóstol debe haber ejercido influencia sobre la liturgia del cristianismo de los primeros tiempos. El lenguaje utilizado es parecido al de 1 Timoteo 6.15-16 y el lector puede consultar esa parte del comentario.

4 De acuerdo con Juan Calvino: «Pablo no niega que los profetas y los maestros estuviesen dotados del mismo Espíritu antes de la promulgación del Evangelio, sino que declara que esta gracia debe ser ahora especialmente poderosa y conspicua bajo el reinado de Cristo». Véase *op. cit.*, p. 223-224.

5 *Op. Cit*, pp. 122-123.

6 *Op. cit.*, p. 128.

En cuanto a que Cristo «quitó la muerte y sacó a luz la vida y la inmortalidad por el evangelio» (v.10) notamos cómo en el Apóstol la salvación tiene generalmente una perspectiva escatológica. Fee hace resaltar cómo la inmortalidad que esperamos ya es nuestra, al menos en un sentido, porque en su «aparición» (encarnación) y «especialmente mediante la cruz y la resurrección, nuestro último enemigo, la muerte, ha recibido ya su herida mortal».[7]

Los cristianos se enfrentan al temor

La necesidad de hacerles frente a las dificultades con un espíritu de valor y con una actitud caracterizada por el rechazo a la cobardía se ha hecho evidente de manera especial entre nosotros. El espíritu de 1.7-8 ha estado presente entre los cristianos de nuestros países. Los cristianos evangélicos perseguidos por su fe en España, Colombia, México, el Caribe, etc., pertenecen a una larga tradición. No son ajenas a ella figuras como Bartolomé Las Casas que en nombre del evangelio y sin avergonzarse de sus enseñanzas se opuso valientemente a la explotación de los indios.

Los cristianos de América Latina y España han sido frecuentemente ridiculizados por su fe. La proclamación se ha hecho bajo dificultades apreciables. Lo mismo en los días de la Reforma, cuando los protestantes españoles fueron llevados a la hoguera, que en la época de la colonización, cuando clérigos católicos españoles se enfrentaron a la crueldad de algunos conquistadores y colonizadores. Los sacerdotes que se opusieron a las injusticias coloniales o fueron acusados de «herejes» pertenecen a una hermosa tradición latinoamericana y española. Por otra parte, a principios del siglo diecinueve se dieron casos sobresalientes de valor en medio de la persecución como el de Francisco Penzotti que se enfrentó a todos los obstáculos y pasó por todo tipo de pruebas para distribuir la Biblia en nuestros países. A pesar del elemento de fanatismo o de oposición a reformas sociales, puede también tirarse un vistazo al período de los «cristeros» en México. En épocas más recientes, como la llamada «violencia» en Colombia, se clausuraron y hasta quemaron numerosas capillas evangélicas. Los cristianos han proclamado su fe en condiciones difíciles. Dar testimonio del evangelio ha sido una labor peligrosa en tiempos recientes. En algunos países los cristianos no han sido perseguidos pero sí discriminados. Los prejuicios han provocado que algunos se retiren de las filas cristianas o no profesen públicamente su fe. Conocimos

7 *Op. cit.*, p. 230.

el caso de una cristiana cubana que logró permanecer como profesora de una escuela de nivel secundario en medio de la hostilidad de aquellos que trataron de considerar su presencia como obsoleta por no profesar una concepción materialista de la vida. Hasta los más dedicados y rigurosos marxistas tuvieron que reconocer que se trataba de una persona de convicciones inquebrantables y la dejaron en el cargo. Esa joven no se avergonzó de «dar testimonio de nuestro Señor».

Las prisiones por el evangelio forman parte del trasfondo histórico del cristianismo en América Latina y España. Por miles se cuentan los mártires de la Inquisición. Más recientemente, se cuentan también por millares los asesinados por defender la justicia social en nombre de Cristo. En México, a fines de la década de los ochenta, turbas fanáticas obligaron a varios evangélicos a abandonar una población. Algunos fueron maltratados físicamente. El asesinato del arzobispo Oscar Arnulfo Romero en El Salvador no fue el primer caso que ha atraído la atención de la prensa. El fundador de la obra bautista en Cuba, el médico y pastor Alberto J. Díaz, estuvo a punto de ser fusilado por las autoridades coloniales en Cuba en 1896. Su situación se convirtió en «causa célebre» en los periódicos de aquella época en varios países. Fue puesto en prisión no solamente por «peligroso protestante» sino por «agitador» a favor de los «insurrectos» como se llamaba a los cubanos que luchaban contra la dominación colonial española. Una lectura de los documentos relacionados con su causa recuerda aquellas ridículas acusaciones de «luteranos, calvinistas y judíos» que las autoridades coloniales hicieron a fieles sacerdotes católicos en la lucha por la independencia.[8]

Las aflicciones que menciona Pablo incluían los ataques que se hicieron contra su persona y se harían contra la de Timoteo. Los cristianos han sido acusados de «agitadores», «herejes», «comunistas», «agentes del imperialismo yanqui», «fanáticos», «liberales», «fundamentalistas», etc. Nada de esto es totalmente nuevo. Pablo fue acusado también de ser un agitador. Los ataques han procedido de filas muy diversas. Los cristianos hispanos en Estados Unidos han tenido que enfrentarse a graves problemas por defender la justicia y por mantener su identidad. El siervo de Dios debe estar listo para lo que se presente ya que por todas partes se producen arbitrariedades y acusaciones falsas.[9]

8 Como fue el caso de los Padres Hidalgo y Morelos en México.

9 Por supuesto que no deseamos generalizar. Algunos clérigos y líderes cristianos han sido acusados justamente, y la condición de creyente no nos exime de hacerle frente al resultado de nuestras decisiones personales, a veces controversiales y en ocasiones indefendibles.

En cuanto a la condición de «preso suyo» que el autor proclama ha sido una realidad lo mismo en la Siberia que en la mayoría de las regiones del continente latinoamericano. Los cristianos han sido convertidos en prisioneros religiosos, pero también han sido considerados como prisioneros políticos y hasta como criminales comunes. En todo eso se ha manifestado la gracia de Dios que les ha sostenido mediante su fe en la «aparición de Nuestro Salvador Jesucristo». En nuestros pueblos ha habido cristianos que, como lo dice el viejo himno, demuestran no tener «temor alguno».

Ch. Pablo testifica (1.11-12)

Del cual yo fui constituido predicador, apóstol y maestro de los gentiles. Por lo cual asimismo padezco esto; porque no me avergüenzo, porque yo sé a quién he creído, y estoy seguro que es poderoso para guardar mi depósito para aquel día.

Vv. 11-12. Pablo nos recuerda nuevamente su autoridad como predicador, su llamamiento a predicar a los gentiles. Spicq insiste en que se pudiera tratar de una forma que tenía el Apóstol para manifestar que no le avergonzaban sus prisiones por el evangelio. Brox duda que Pablo se llamara a sí mismo maestro (*didaskalos*). En cuanto a «aquel día» algunos señalan el martirio de Pablo, otros la parusía. El Apóstol hace memoria de las penalidades y recuerda a aquél en quien ha confiado. Nótese que se vuelve a mencionar el «depósito». De acuerdo con Turrado se trata del «depósito de buenas obras y méritos que Pablo ha ido acumulando durante su vida y cuya recompensa espera». Esto tiene bemoles teológicos. No olvidemos que es lógico que algunos comentaristas, como el Padre Turrado, pudieran reflejar sus propios puntos de vista o su formación confesional en cuestiones como la justificación por la fe solamente o por medio de la fe acompañada de las obras. Pero siempre debe tenerse en cuenta que hasta los evangélicos, con la insistencia en la salvación que se obtiene sólo por medio de la fe en los méritos de Cristo, aceptan que habrá una recompensa en los cielos para los salvos. Pero el mismo comentarista reconoce que otros colegas prefieren «retener el mismo sentido que en 1 Ti. 6.20 y aquí mismo en el v. 14», es decir el «depósito del evangelio confiado a Pablo, del que diría que permanecerá intacto y victorioso hasta el final».[10]

D. Nueva exhortación a Timoteo (1.13-14)

Retén la forma de las sanas palabras que de mí oíste, en la fe y amor

10 *Op. cit.*, p. 408

que es en Cristo Jesús. Guarda el buen depósito por el Espíritu Santo que mora en nosotros.

V. 13. Timoteo debe preservar estas palabras y practicarlas en su propia vida. Es una recomendación práctica y una de las muchas exhortaciones que se le hacen al joven ministro. La palabra griega *ypotypôsis* denota «la forma de las sanas palabras» y quiere decir literalmente el bosquejo que hace un arquitecto antes de proceder a los detalles del plan definitivo de la construcción de un edificio. De acuerdo con Guthrie, Pablo no afirma que sus propias enseñanzas sean más que el punto inicial. Hay lugar para expansión y desarrollo de las mismas.[11]

De acuerdo con Ward, Timoteo queda libre de «escoger su propio lenguaje, incluyendo el de ilustración, en su prédica y enseñanza. De otra manera él hubiera tenido que pasar el tiempo que dedicó al ministerio en poco más que la simple repetición de un credo».[12] Es decir, se le dan normas generales y no específicas. Se evita el mecanicismo. El problema no es observar la letra sino el espíritu.

V. 14. El «buen depósito» parece ser el evangelio. Ward también entiende que «en algún sentido Pablo está designando a Timoteo como su sucesor».[13] Turrado también se inclina hacia la sucesión: «Estas palabras, encargando a Timoteo que guarde como precioso depósito el mensaje evangélico que oyó de Pablo, están indicando que Pablo lo ha previsto como sucesor suyo de alguna manera».[14] Su uso de «alguna manera» deja bastante espacio como para que no le asignemos algo demasiado específico que necesitaría probarse en forma minuciosa. Como otros autores católicos, Spicq ve en estas palabras el papel tutelar de la Iglesia Romana.[15] En la forma en que el texto ha llegado a nosotros es posible llegar a diversas conclusiones, incluyendo la de que ese depósito puede morar en cualquier cristiano que depende del Espíritu Santo.

E. Recordatorio (1.15-18)

Ya sabes esto, que me abandonaron todos los que están en Asia, de los cuales son Figelo y Hermógenes. Tenga el Señor misericordia de la casa de Onesíforo, porque muchas veces me confortó, y no se avergonzó de mis cadenas, sino que cuando estuvo en Roma, me buscó

11 *Op. cit.* p. 132.
12 *Op. cit.*, p. 156.
13 *Op. cit.*, p. 157.
14 *Op.cit*, p. 408.
15 Esto no quiere decir que los autores católicos como un todo lo entiendan así. Muchos teólogos y comentaristas eminentes de confesión católica creen que el desarrollo de la jerarquía fue gradual y demoró tanto tiempo que su forma de ver la iglesia primitiva no incluye en realidad el concepto tradicional de la jurisdicción romana.

solícitamente y me halló. Concédale el Señor que halle misericordia cerca del Señor en aquel día. Y cuánto nos ayudó en Efeso, tú lo sabes mejor.

V. 15. Varios creyentes de Asia habían abandonado al Apóstol. Esto no quiere decir que todos los que estaban allí lo abandonaron, sino un grupo significativo. Además, recordemos que Asia era, en el contexto de Pablo, una región de Asia Menor, una provincia romana y no todo el continente asiático. Por cierto que las palabras «me abandonaron» se encuentran también en Tito 1.14. La mención de Figelo y Hermógenes nos indica que fueron parte del problema. Esto es todo lo que conocemos acerca de ellos.

Vv. 16-17. Aparece Onesíforo, un hombre fiel, mencionado también en 4.19. Se ha dicho acerca de él, en la literatura apócrifa, que le dió alojamiento a Pablo en Iconio. En cualquier caso, confortó a aquél que había sido abandonado.

Encontramos aquí el deseo de Pablo de que Dios tenga misericordia ni solamente de Onesíforo sino de su familia. Como veremos en el próximo versículo hay cierto grado de controversia pero más bien en cuanto al contenido del v. 18.[16]

¡Cuántas veces un pastor u obrero cristiano es abandonado por otros hermanos o hermanas, incluso por pastores del rebaño! ¡Pero siempre existe algún Onesíforo que nos conforta! Es fácil tener el apoyo y el consuelo de los hermanos y hermanas en la fe cuando disfrutamos de cierto prestigio o de un éxito apreciable. En condiciones difíciles algunos prefieren echarse a un lado, sobre todo si el estar con nosotros, o cerca de nosotros, les puede proporcionar un problema con otros creyentes o un peligro para su propia vida.

V. 18. Surge aquí una disparidad entre algunos intérpretes católicos y protestantes. Un sector, compuesto por algunos de los eruditos católicos, ven en las palabras «concédale el Señor que halle misericordia cerca del Señor en aquel día», una referencia a las oraciones por los muertos recibidos en el purgatorio.[17] Muchos creen que Onesíforo había muerto para aquella época. El mismo Spicq, un comentarista católico, cree que es un ejemplo único de este tipo de oraciones en el Nuevo Testamento. Otros piensan que Pablo solo estaba expresando un sentimiento, su deseo de que Onesíforo fuera un verdadero cristiano y por lo tanto alcanzara la misericordia de Dios. Hendriksen

16 Véase, C. P. Wiles, «Paul's Intercessory Prayers», *SNTS*, Monograph Series» # 24, 1974, pp. 45-155.

17 El único precedente que tenemos de ese tipo de oraciones lo encontramos en un libro deuterocanónico del Antiguo Testamento: 2 Macabeos 12.43-45.

y otros advierten que estas palabras no indican necesariamente que Onesíforo hubiera estado muerto.[18]

El pasaje termina con unas palabras que revelan hasta qué punto Timoteo conocía estos hechos: «Y cuánto nos ayudó en Efeso, tú lo sabes mejor». Timoteo debía ser experto en la historia de la obra en Efeso. Por lo tanto, el sabía qué clase de colaborador había sido Onesíforo, merecedor de elogios. Guthrie ve en este personaje a un modelo de «servicio cristiano». [19] Este mismo comentarista afirma que la ayuda prestada por Onesíforo pudo haber sido en cuestiones materiales, pero también mediante su compañerismo.

La causa de los prisioneros en América Latina

En estos versículos finales del primer capítulo encontramos argumentos bastante poderosos para desvirtuar una interpretación del evangelio que insiste solamente en la fe y no en las obras. Aún cuando la fe es la que salva, las obras demuestran la salvación recibida y son el fruto de la misma. Visitar y ayudar a los prisioneros debe ser parte de la vida cristiana. En nuestros países abundan los prisioneros. Entre ellos están los llamados «criminales» o «delincuentes comunes», pero en algunos países el número de presos políticos es muy alto. Existe hasta la categoría de «detenidos desaparecidos» como los que llamaron la atención de la prensa que cubría los acontecimientos de las últimas décadas en Chile, Argentina, Brasil, Uruguay, etc. Sin que la situación esté limitada al Cono Sur, es esa región la que ha producido los casos más dramáticos en los últimos años. Recordemos también los lamentables casos de Guatemala y El Salvador. Un personaje considerado controversial por amplios sectores en su país, el reverendo Jesse Jackson, un líder afro-americano de EE.UU., practicó la visitación y el auxilio a los prisioneros cuando logró que el gobierno cubano pusiera en libertad a un buen número de prisioneros en 1984. Un presidente norteamericano que ha profesado y practicado abiertamente su fe cristiana, James Earl Carter, dedicó buena parte de sus esfuerzos a favor de los derechos humanos a lograr el excarcelamiento de prisioneros en diversos países del mundo. Otro hombre religioso, el argentino Adolfo Pérez Esquivel, fue galardonado con el Premio Nobel de la Paz precisamente por realizar la labor de misericordia en relación con prisioneros, desaparecidos y torturados.

18 Opiniones citadas por Gordon D. Fee, *op. cit*, p. 238n.

19 *Op. cit.*, p. 137.

Es imposible justificar a un pueblo cristiano que pase por alto sus obligaciones con los prisioneros, lo mismo en países gobernados por la derecha que en los socialistas. Sin olvidar los emiratos, sultanatos y dictaduras árabes. Una iglesia que se desentiende de los prisioneros en la Europa del este o en el Cono Sur, no ha perdido solamente su visión profética sino también su capacidad de ejercitarse en buenas obras y en la misericordia cristiana. Limitar este ministerio a una visita semanal para realizar cultos evangelísticos pudiera tener gravísimas limitaciones. Pablo no pide que se le visite con el exclusivo propósito de celebrar un culto o recibir una palabra de aliento. No tenemos duda alguna acerca de la importancia de la adoración y el compañerismo, pero sería limitar demasiado el interés a un solo aspecto. Aquí se habla de «confortarme» (NBLA), de que «me buscó hasta encontrarme» (NBLA) y de no «avergonzarse de mis cadenas» (NBLA). Para buscar a ciertos prisioneros desaparecidos es necesario realizar una labor mucho más amplia que el importante ministerio que se realiza normalmente en las prisiones del mundo. El «no avergonzarse» de las cadenas implica todo un desafío al orden establecido que oprimía al Apóstol Pablo. Alexandr Solzhenitsyn, que afirma ser cristiano, no se avergonzó de su cautividad y sufrimiento en las prisiones del «Archipiélago Gulag» sino que las expuso y ayudó a conseguir para los prisioneros de conciencia un respeto universal.

II

El ministro aprobado

Según el obispo Reuss, es necesario recordar que «Pablo se halla en el atardecer de su vida y ve a su comunidad amenazada por falsas doctrinas. Por ello se preocupa muy en particular de que Timoteo, al que, como antes (1.2), con un amor tierno, verdaderamente paternal, designa como su hijo, se mantenga firme y fiel en la fe».[20] También notaremos como el Apóstol deseaba que las verdades recibidas fueran conservadas y transmitidas a discípulos de toda confianza. El tema de los falsos maestros no podía ser ajeno a esta parte de la carta. Pero, antes, en 2.8-13 encontraremos la base teológica para la apelación que Pablo hace a Timoteo.

A. El esforzarse en la gracia (2.1)

Tú, pues, hijo mío, esfuérzate en la gracia que es en Cristo Jesús.

V. 1. Mientras un grupo de creyentes de la provincia de Asia[21] abandonaba a Pablo, Timoteo recibía la invitación, o la exhortación, a esforzarse. La gracia «es en Cristo Jesús» y, por lo tanto, como nos lo recuerda Guthrie, es para todos los cristianos. Este comentarista prefiere el significado «favor de Cristo» antes que «poder» utilizado por Easton y otros. Preferimos también el uso que hace Newport White de la palabra. Según White, «Gracia, aquí, tiene su significado teológico más simple como ayuda divina, el don inmerecido de ayuda que procede de Dios».[22]

Notamos la insistencia de Pablo en que Timoteo se entregue totalmente al ministerio. Solamente la gracia de Dios podrá ayudarle a realizar sus fun-

[20] *Op. cit*, p. 42.

[21] Una de las provincias romanas de Asia Menor. Se encontraba situada en la costa occidental de lo que hoy es Turquía. Efeso era su ciudad principal.

[22] *Op. cit.*, p. 137.

ciones. Para Turrado: «Su fuerza vendrá de la gracia divina, que a él y a todos se comunica mediante la unión a Cristo».[23]

B. Encargando la doctrina a otros (2.2-6)

Lo que has oído de mí ante muchos testigos, esto encarga a hombres fieles que sean idóneos para enseñar también a otros. Tú, pues, sufre penalidades como buen soldado de Jesucristo. Ninguno que milita se enreda en los negocios de la vida, a fin de agradar a aquel que lo tomó por soldado. Y también el que lucha como atleta, no es coronado si no lucha legítimamente. El labrador, para participar de los frutos, debe trabajar primero.

Vv. 2-3. El ministerio debía extenderse. La única forma de hacerlo en forma amplia y extensa era mediante otras personas. Se trata, como nos lo recuerda Ward, de «una política deliberada, no restringir sino salvaguardar la expansión espontánea del evangelio».[24]

Muchos de estos testigos estarían presentes en el bautismo y en la ordenación de Timoteo, o en otras ocasiones de su vida cristiana o ministerial. A Timoteo le correspondía buscar personas idóneas. Para eso ya el Apóstol había hablado de requisitos y normas para obreros cristianos. Pero el requisito básico es ahora la aptitud para enseñar.

En cuanto a los «muchos testigos», Turrado señala lo siguiente: «Quizá Pablo se refiera a que el mensaje evangélico no es algo transmitido en secreto y entre particulares, sino algo que se hace a la luz pública».[25] De ser así, el autor pudiera estarse oponiendo a las enseñanzas secretas de los gnósticos o de grupos que prepararon el camino de éstos.

En el caso del mismo Timoteo, y probablemente de los otros obreros y maestros, había que disponerse a sufrir penalidades. El buen soldado obedece órdenes, aunque estas impliquen sufrimiento. Ese ambiente le da un sentido de llamamiento militar a la labor de Timoteo y sus obreros.

V. 4. Se le advierte contra las distracciones. El mejor soldado es el profesional. En el original griego *emplekomai* se refiere al caso de un arma que se traba en la capa del soldado. Ese tipo de situación es la descrita. Las palabras de Turrado son sumamente definidoras: «...lo que ciertamente trata de inculcar Pablo es que el apóstol debe renunciar a todo lo que pudiera ser un obstáculo a su misión».[26]

[23] *Op. cit.*, p. 409.
[24] *Op. cit.*, p.160.
[25] *Op. cit.*, p. 409.
[26] *Op. cit.*, p. 409.

¿Ministros con dos empleos?

No hay base alguna en este versículo para prohibirle a un ministro el practicar otra profesión. Pablo había sentado un precedente al referirse a su oficio de hacer tiendas de campaña. Pero el propósito del siervo de Dios es servir la causa del evangelio, y el «enredarse» en los negocios de esta vida le es prohibido. Un pastor que tiene que trabajar en un empleo secular por falta de recursos, pero se mantiene dentro de su ministerio, puede tratar de poner su trabajo pastoral en primer lugar. Si necesita ingresos adicionales y los obtiene, manteniéndose dentro del cumplimiento de su ministerio, no existe una incompatibilidad. Está obligado a ser fiel a Dios, pero también a sostener debidamente a su familia. Cualquier conclusión que pueda sacarse de este versículo tendrá que hacerse teniendo en cuenta 1 Timoteo 5.8: «...si alguno no provee para los suyos, y mayormente para los de su casa, ha negado la fe, y es peor que un incrédulo».

V. 5. La comparación con un atleta es sumamente ilustrativa. De no luchar legítimamente, (*nominôs*), es decir, «de acuerdo con las reglas», no se recibe recompensa. La referencia aquí es a atletas profesionales. Estos se disciplinan en forma rigurosa y se someten a reglas. No puede entenderse el v. 5 si no se tiene en cuenta el tema de la disciplina del atleta y las reglas del juego.

Esta imagen tiene una gran fuerza en nuestras sociedades, muy inclinadas a las actividades deportivas. Una de las grandes ilusiones de nuestros jóvenes es triunfar en el mundo de los deportes. Lamentablemente, muchos le dan más importancia al deporte que a su vida espiritual. Si se imitara la dedicación de los atletas, aunque muchas veces sólo buscan gloria y dinero, pudiéramos retar a nuestro pueblo a trabajar con la meta de recibir la corona prometida por el Señor. Hay reglas de juego en la vida cristiana. En el ministerio pastoral las hay, muy específicas. Pero pastorear grandes congregaciones a costa de disminuir el caudal de otras iglesias hermanas es violar las reglas de juego. Pudiéramos citar muchos ejemplos.

V. 6. También se esfuerza un labrador, y en el próximo versículo se mencionan sus intensas labores (*kopiaô*) y sus recompensas, las cuales no pueden producirse antes de la terminación del trabajo.

Hay un interesante contraste al mencionarse la labor del «soldado» que implica «sufrimiento» pero que tiene algo de fascinante y después la del «labrador», generalmente caracterizada por poco atractivo. Se recuerda el derecho del labrador a recibir los mejores frutos de su trabajo, lo cual no ocurre en nuestras sociedades. En el Nuevo Testamento no se presenta al labrador en una forma despreciable o poco importante sino que se glorifica el trabajo y se reconoce el derecho que tienen al pan los que laboran con sus manos.

«Soldados» y «Labradores»

Algunos ven aquí otra referencia al derecho del obrero cristiano, en este caso del ministro o pastor, a ser remunerado por sus labores. Sin embargo, tengamos en cuenta el texto, que nos habla de trabajo primero, paga después.

Un ministro de Dios es más bien un labrador que un personaje fascinante. Ese concepto ha sido distorsionado en la cultura contemporánea. Ya casi resulta imposible atraer personas al trabajo del campo. En algunos países los campos están casi desiertos mientras que en otros están poblados pero llenos de miserias humanas y de sufrimiento.

Es frecuente en nuestras sociedades que se produzca una confrontación entre los soldados y los labradores. En el siglo diecinueve la guerra contra la dominación española en Cuba la hicieron principalmente hombres de campo, labradores o «guajiros» como se les llama allí. Las grandes luchas agrarias de la humanidad se han caracterizado por ese enfrentamiento entre las tropas al servicio de los propietarios o de los poderes coloniales y los pobres campesinos sin propiedades. Son los soldados los que desalojan a los labradores de sus tierras. Es triste ver enfrentados a soldados, extraidos muchos de ellos de las clases campesinas, con los labradores que se incorporan a las guerrillas. En el pasaje la labor del «soldado» y la del «labrador» son usadas para referirse a la misión del obrero de la viña del Señor. No existe necesariamente una incompatibilidad o un enfrentamiento entre los que realizan ambas labores.

C. El poder disponible (2.7-10)

Considera lo que digo, y el Señor te dé entendimiento en todo. Acuérdate de Jesucristo, del linaje de David, resucitado de los muertos, conforme a mi evangelio, en el cual sufro penalidades, hasta prisiones a modo de malhechor; mas la palabra de Dios no está presa. Por tanto, todo lo soporto por amor de los escogidos, para que ellos también obtengan la salvación que es en Cristo Jesús con gloria eterna.

V. 7. En otra versión leemos así: «Por lo demás, el Señor hará que comprendas todo» (NBLA). La necesidad de entendimiento no necesita mucha defensa. Es necesario conocer cómo trabajar y cómo sufrir, dos temas muy relacionados en este capítulo. Una de las grandes realidades de tipo positivo que inspiran al creyente es que Dios da sabiduría e inteligencia a sus siervos. Timoteo debe estar consciente de que en una causa tan noble como la del evangelio hay que saber trabajar y sufrir. Sólo Dios puede ayudarnos a comprender un asunto como ése. Sobre todo en una sociedad poco dispuesta al sacrificio.

«Penalidades» y «Sacrificios» placenteros

Se requiere mucho entendimiento para comprender estas cosas en lugares donde lo único que interesa es el número de radios, televisores, automóviles, semanas de vacaciones, viajes al extranjero, ropa deslumbrante, etc. Ciertas capas de la sociedad latinoamericana han imitado a los norteamericanos en la búsqueda constante de una vida cómoda. En ese ambiente no se puede vivir sin aire acondicionado. El «sacrificio» de muchos ejecutivos de empresas cristianas es en lujosas oficinas. En ellas se disfruta de los servicios de complacientes empleados. Para aceptar esa forma de vida y trabajo no se necesita demasiado entendimiento. Pero la Madre Teresa de Calcuta sí recibió un conocimiento especial que le ha permitido sacrificarse. Muchos pastores que trabajan en los arrabales conocen de primera mano el significado de la palabra «penalidad» y su «sacrificio» misionero no es el de continuos viajes en avión por todo el mundo. La mejor escuela de la que puede graduarse un pastor hispano en Estados Unidos es trabajar en los barrios bajos de las grandes ciudades. Allí conocerá mejor la condición humana y entenderá mucho más el significado de estos versículos bíblicos que leemos de prisa.

Pero algunos quieren utilizar estas palabras para lograr una vida placentera. Se exhiben películas con niños hambrientos y famélicos, con víctimas de grandes sequías y hambrunas para levantar fondos que serán utilizados, sobre todo, para adquirir oficinas y equipos, facilitar viajes y hacer que algunas personas reciban salarios que llenarían de sonrojo a los sacrificados siervos que trabajan en condiciones lamentables a lo largo y ancho del mundo, incluyendo la América Latina.

V. 8. El poder para hacerlo radica en lo enseñado en el v. 8 que presenta a Jesucristo resucitado de los muertos. Se trata en cierta forma del «poder de la resurrección» obrando en el ministro. También hay una referencia a Jesús como el Mesías pues se le presenta como el hijo de David o «del linaje de David». En otra versión leemos «descendiente de David» (BA). Esta epístola tuvo que haber sido escrita por un creyente de origen judío, como Pablo. En caso que se tratara de otro autor cristiano tiene que haber tenido esos antecedentes.

Jesús sufrió y murió, pero también resucitó. Timoteo, como los primitivos cristianos, era, entre otras cosas, un predicador de la resurrección. Ese era el más potente mensaje de la época y de toda la historia. El poder de la resurrección no se limitaba a que Cristo había resucitado sino que la resurrección acompañaba a los cristianos. En el caso de Pablo, el Jesús resucitado se le reveló en el camino a Damasco y eso constituía el acontecimiento más importante de su vida.

V. 9. En ese evangelio Pablo había encontrado sufrimientos y por él había sufrido como malhechor, pero se trataba de un mensaje tan poderoso que aun estando él mismo situado en una prisión «la palabra de Dios no está presa».

Pablo sufría como *kakourgos*, como entonces se llamaba a los criminales. Pero este «malhechor» podía regocijarse en que la palabra que había causado su prisión y la acusación de criminal, era libre. Hay una diferencia enorme entre poner en prisión a un cristiano y aprisionar la palabra de Dios. Esto último no es posible.

La palabra de Dios no está presa

En China muchos cristianos fueron puestos en prisión durante la Revolución Cultural. Pero ahora hay más creyentes allí que antes de ese fenómeno. Las razones son múltiples, pero la principal es precisamente que «la palabra de Dios no está presa». La parte oriental de Alemania ha sido azotada fuertemente por el secularismo, como también la occidental, y también estuvo bajo un régimen en el que se proclamaba oficialmente el ateísmo. Sin embargo, en 1990, cuatro de las carteras más importantes del gabinete de ese país las ocupaban tres pastores evangélicos[27] y un laico que había sido hasta 1989 el vicepresidente del sínodo de la Iglesia Evangélica Alemana. Cuatro personas que dan testimonio público del evangelio. ¿Estaba el evangelio preso antes del ascenso al poder de ese grupo de cristianos profesantes? En modo alguno. La

27 Como el lector se habrá dado cuenta nos referimos al breve período de tránsito de la República Democrática Alemana a la Alemania unificada. A fines de 1990 la RDA se unió a la República Federal Alemana, es decir, ambos estados pasaron a ser uno solo.

palabra estaba tan libre antes como después. Los alemanes orientales han sido más activos, como cristianos, que los alemanes occidentales. El evangelio fue un poder catalizador, tuvo siempre un elemento profético y las almas siguieron convirtiéndose a Cristo a pesar del ateísmo oficial. Dios se encarga de mantener en libertad su palabra eterna. Los esfuerzos misioneros de los nestorianos en la antigua China y de los jesuitas en el Japón del siglo dieciséis no fueron destruidos totalmente a causa de la persecución desatada por las autoridades de ambos imperios, y el cristianismo florece allí en el siglo veinte. En la primera etapa del régimen de Francisco Franco, los evangélicos españoles tenían que adorar en unos pocos edificios que, por cierto, estaban bastante deteriorados y en los que se prohibía poner letreros indicando que eran «iglesias». Ha sido impresionante el testimonio de fieles cristianos que tuvieron una experiencia con Dios en los años más difíciles del régimen franquista. Algunos añoran ahora el fervor de los creyentes en las más duras épocas de represión. En la América Latina hombres como Francisco Penzotti, a quien ya hemos mencionado, pasaron por las prisiones más crueles por distribuir Biblias. La distribución de las Escrituras fue prohibida con frecuencia y tenacidad, pero esa «palabra» no estaba presa. De alguna manera, su mensaje llegó al continente.

V. 10. En cuanto al aspecto personal este versículo contiene la gran verdad de que el sufrimiento de Pablo era «por amor de los escogidos», es decir, que por amor de ellos estaba dispuesto a soportarlo todo. El propósito es «que ellos también obtengan la salvación que es en Cristo Jesús con gloria eterna». Guthrie nos recuerda que Pablo acostumbraba relacionar la «gloria», con la «salvación».[28] El énfasis de que la salvación es «en Cristo Jesús» indica, una vez más, que no hay otro camino para alcanzarla y que solamente los que están en Cristo la poseen.

Nuestros países necesitan más obreros como Pablo. Personas en las que prevalezca ese «amor de los elegidos». Las condiciones en las que viven nuestros hermanos son verdaderamente lamentables y su condición espiritual es tal que la confusión es rampante. Consideremos asuntos como los que expondremos a continuación. La influencia de creencias opuestas a los principios básicos del evangelio de Cristo. Un sistema de vida en el que prevalece una pobreza atroz. Una cultura de la pobreza que dificulta entender partes sustanciales del mensaje cristiano. Gente que se entrega a la promiscuidad, las bebidas alcohólicas y las drogas. Un pueblo que acepta cualquier mensaje extravagante que llegue del extran-

[28] 2 Corintios 4.17; Romanos 5.1-2; 2 Tesalonicenses 2. 13,14.

jero. El «amor de los elegidos» debe llevarnos a un compromiso completo con la evangelización y el servicio a los necesitados, es decir, una dedicación como la que Pablo demostró a sus contemporáneos.

Ch. Otro himno cristiano (2.11-13)

Palabra fiel es esta: Si somos muertos con él, también viviremos con él; Si sufrimos, también reinaremos con él; Si le negáremos, él también nos negará. Si fuéremos infieles, él permanece fiel; El no puede negarse a sí mismo.

Nos agrada la siguiente traducción: «Es cierta esta afirmación: Si hemos muerto con él, también viviremos con él, si nos mantenemos firmes, también reinaremos con él; si le negamos, también él nos negará; si somos infieles, él permanece fiel, pues no puede negarse a sí mismo» (BJ). Para Barclay, éste es uno de los primeros himnos de la fe cristiana y sugiere, como otros comentaristas lo hacen, que se trata solamente de un fragmento de un himno. También está entre los que creen que esta cita tiene relación con la necesidad de los cristianos de cantar la fe en medio de la persecución.[29] En cualquier caso, nos encontramos ante otra de las «palabras fieles» tan propias del estilo de las Epístolas Pastorales. Con ella, se llama nuevamente la atención a una verdad significativa y solemne a la cual hay necesidad de atender.

Vv. 11-13. Sobre el material que contiene el v. 11, puede existir una íntima relación con el bautismo. Recordemos la presentación del bautismo cristiano que hace Pablo en Romanos 6.1-11. El énfasis allí era la muerte al pecado simbolizada en esa ceremonia. También encontramos una posible referencia al martirio y a la confesión de fe. Muchos cristianos entienden que en el bautismo se hace una confesión pública de fe en Cristo. En el martirio encontramos ambos elementos, se entrega la vida por la causa de Cristo y se da un grandioso testimonio público de fe en aquél a quien se confiesa en público aunque el hacerlo cueste la vida. Las referencias a la necesidad de confesar a Jesús son muchas. Sabemos que él mismo prometió: «Yo os digo: Por todo el que se declare por mí ante los hombres, también el Hijo del hombre se declarará por él ante los ángeles de Dios. Pero el que me niegue delante de los hombres, será negado delante de los ángeles de Dios» (Lc. 12.8) (BJ).

En el v. 12 se dice, en la segunda parte, «Si le negáremos, él también nos negará». Será siempre bueno acudir a Mateo 25. 41-46. En ese pasaje están representadas las actitudes del Señor hacia dos grupos, el de aquellos que alimentan a los hambrientos, hospedan a los forasteros y se acuerdan de los presos, y el de los que dicen confesar su nombre, pero le niegan en la práctica

29 *Op. cit.*, p. 169.

diaria de sus vidas. En medio de eso, Jesús permanece fiel, la infidelidad es nuestra. Puede acudirse sobre esto al Antiguo Testamento, sobre todo la monumental declaración del libro de Lamentaciones acerca de la fidelidad de Dios (Lm. 3.23).

En cuanto a que «El no puede negarse a sí mismo» es muy probable que estas palabras no formen parte del antiguo himno al que hemos hecho referencia.

Hanson se refiere a la opinión de V. Hasler sobre el dato probable de que «el autor está escribiendo en una situación en la cual los líderes de la iglesia están en el proceso de abandonar la iglesia grande por las sectas heréticas —deben ser advertidos sobre eso».[30] Al escribir «El no puede negarse a sí mismo», el autor está prácticamente poniendo el punto final a una discusión.

Joachim Jeremias nos advierte que no intentemos encontrar aquí un tratado completo, una proclama, acerca del pecado y la apostasía. Es más bien una apelación a la conciencia sensible de los creyentes.

D. Actitudes hacia la charlatanería y el error (2.14-19)

Recuérdales esto, exhortándoles delante del Señor a que no contiendan sobre palabras, lo cual para nada aprovecha, sino que es para perdición de los oyentes. Procura con diligencia presentarte a Dios aprobado, como obrero que no tiene de qué avergonzarse, que usa bien la palabra de verdad. Mas evita profanas y vanas palabrerías porque conducirán más y más a la impiedad. Y su palabra carcomerá como gangrena; de los cuales son Himeneo y Fileto, que se desviaron de la verdad, diciendo que la resurrección ya se efectuó, y trastornan la fe de algunos. Pero el fundamento de Dios está firme, teniendo este sello: Conoce el Señor a los que son suyos; y: Apártese de iniquidad todo aquel que invoca el nombre de Cristo.

V. 14. En otra versión leemos: «Recuérdales estas cosas y diles insistentemente en nombre de Dios que dejen las discusiones de palabras, que no son de ningún provecho, sino que perjudican a quienes las escuchan» (NBLA). No se conoce exactamente a quiénes se estaba refiriendo el autor aunque está bastante claro que existe una relación con los vv. 11 al 13. La palabra «perdición», utilizada en la Versión Reina-Valera, algunos la traducen como la «subversión» de los oyentes. Para el comentarista Guthrie se trata de la antítesis de «edificación». Ha habido aquí también un intento bastante desarrollado, por parte de ilustres comentaristas, de probar que se trata de una referencia directa al gnosticismo del segundo siglo. Insistimos en nuestra

30 *Op. cit.*, p. 133.

opinión acerca de que son formas incipientes y anticipadas del mismo. No se olvide la tendencia de grupos judío-cristianos a las discusiones sobre la ley, las tradiciones y las genealogías.

V. 15. Este versículo es considerado como clave para ciertas conclusiones de la teología dispensacional,[31] muy influyente en el movimiento evangélico de habla española. El dispensacionalista hace un énfasis muy especial en que el obrero cristiano debe evitar confundir una dispensación con otra.[32]

Independientemente de las conclusiones de las diferentes escuelas teológicas, hay un aspecto que debe resultar claro a todos los creyentes: el siervo de Dios no debe tener de qué avergonzarse en ningún asunto significativo. Nos referimos a cuestiones éticas, morales, espirituales, personales, teológicas, a sus relaciones y al interés y atención que debe dedicar a su trabajo. Es muy importante, por tanto, que sepa «dividir» o «usar» las Escrituras y la palabra de Dios. Esto pudiera incluir también cuestiones como distinguir entre Antiguo y Nuevo Testamento, o entre dispensaciones, según las convicciones personales.

N. A. Woychuk, que parece seguir la línea dispensacionalista, nos recuerda palabras de Agustín de Hipona: «Si distingues entre las edades, todas las Escrituras se abrirán ante tí».[33] Woychuck además de advertirle al estudiante de la Biblia acerca de la necesidad de distinguir entre el «pacto de las obras» y el «pacto de gracia», señala «lo necesario de observar las distinciones

31 El dispensacionalismo es el punto de vista que defiende la existencia de una variedad en la economía o administración de la relación de Dios con los hombres y mujeres. El Señor ha tenido distintos tratos con los humanos en las diferentes eras de la historia bíblica. Algunos se inclinan a siete dispensaciones: inocencia, conciencia, gobierno humano, promesa, la ley, la gracia y el Reino. Otros difieren sobre el número de las mismas. Debido al énfasis en dispensaciones diferentes, algunos han acusado a los dispensacionalistas de enseñar más de una manera de ser salvo, lo cual ha sido negado categóricamente por las principales figuras que se identifican abiertamente con el dispensacionalismo. Véase Lewis Spencer Chafer, «Inventing Heretics through Misunderstanding», *BibSacr*, #102, enero, 1945. La Biblia de Scofield y los escritos de Lewis Spencer Chafer han popularizado la teología dispensacional. Pero en muchos círculos se considera generalmente al teólogo inglés J. N. Darby como el fundador del dispensacionalismo. En cuanto a «dispensación», según Scofield, éste es un período de tiempo durante el cual los hombres son probados en cuanto a su obediencia a alguna revelación específica de la voluntad divina. No todos los que usan la palabra «dispensación», que aparece en algunas versiones de la Biblia en 1 Corintios 9.17, Efesios 1.10; 3.2 y Colosenses 1.25, pueden ser considerados necesariamente como dispensacionalistas. Véase Charles Caldwell Ryrie, *Dispensationalism Today*, Moody Press, Chicago, pp. 48-64.

32 Una obra fundamental para el estudio de la escuela dispensacional de interpretación de las Escrituras es la de Clarence B. Bass, *Backgrounds to Dispensationalism: Its Historical Genesis and Ecclesiastical Implications*, Baker Book House, Grand Rapids, 1981. Un estudio serio, escrito desde un punto de vista dispensacional, es el de Charles C. Ryrie, mencionado en otra nota. Su obra más conocida sobre el asunto ha sido traducida al español. Véase *Dispensacionalismo Hoy*, Publicaciones Portavoz Evangélico, Barcelona, 1974.

33 N. A. Woychuk, *Exposición de Segunda de Timoteo: El Adiós del Apóstol Pablo*, Publicaciones Portavoz Evangélico, Barcelona, 1976, p. 80.

bíblicas con respecto a los judíos, los gentiles y la Iglesia, y las promesas que pertenecen a cada grupo». Se debe distinguir «entre los varios juicios y resurrecciones de los que se habla en la palabra de verdad...».[34]

Volviendo al texto del v. 15, la connotación pudiera ser la de un hombre construyendo una carretera y tratando de hacer las debidas divisiones que permitan que ésta llegue a su destino en la forma más derecha posible.

La palabra «obrero» en el original pudiera señalar una diferencia entre el «hombre de fe» y el «trabajador», pero no hay incompatibilidad alguna en este caso. Tenemos el auxilio que nos proporciona un contexto o marco de referencia amplio ya que Jesús mismo utilizó en Lucas 10.2 la palabra «obrero» y Pablo habla de «malos obreros» en Filipenses 3.2.

Vv. 16-17. Nos enfrentamos nuevamente a la necesidad expresada por la palabra «evita» *(periisteemi)*. En el griego no se trata de una invitación a aislarnos del resto de los cristianos. El peligro representado por esa forma de traducción es señalado por varios comentaristas. Se trata de evitar las palabrerías, no a los cristianos que piensan diferentemente de nosotros. Aun entre los que presentan objeciones a la autoría paulina, hay reconocimiento a que «Himeneo» y «Fileto» son los nombres de verdaderos opositores de Pablo y que existieron en su época. Hanson, uno de los que niegan la autoría paulina, insiste en que no se puede asegurar que en los días en que se escribieron estas palabras Himeneo hubiera sido excomulgado. Guthrie cree que lo había sido. En cualquier caso, ya nos habíamos encontrado con Himeneo (1 Ti. 1.19-20). Se trata de un verdadero ejemplo de «persistencia en el pecado» a pesar de dar la apariencia de sinceridad.[35] Está claro aquí el hecho de que continuar discutiendo ciertos temas polémicos y errados puede conducir a la impiedad, aparte de trastornar.

De Fileto nada conocemos aparte del escaso material que hemos mencionado.

V. 18. Una de las versiones traduce así el v. 18: «se han desviado de la verdad al afirmar que la resurrección ya ha sucedido: y pervierten la fe de algunos» (BJ). Se trata necesariamente de una referencia a una resurrección que ya se efectuó, en vez de indicar simplemente a «la» resurrección como si fuera una sola. Así lo entienden comentaristas como Holtz y Hanson. Notamos en este pasaje la actividad de algunos que niegan una resurrección futura. Sabemos que en Corinto había quienes la negaban: «Pero si se predica de Cristo que resucitó de los muertos, ¿cómo dicen algunos entre vosotros que no hay resurrección de muertos?» (2 Co. 15.12). Es probable que presentaran el tema de la resurrección como algo simplemente espiritual, o simbólico, lo cual echaría abajo el fundamento de la fe que estaba siendo predicada. Al quitar

34 *Ibid*, p. 81-82.

35 Ronald A. Ward, *op. cit.*, p. 173.

un fundamento tan importante el edificio se venía abajo. No debe sorprendernos entonces que se tomen medidas extremas, que haya implicaciones de excomunión, que se mencione la palabra «iniquidad» y todo lo demás. Juan Calvino se refiere a ese tema y al v. 19 que nos recuerda que «el fundamento de Dios está firme» y nos dice que «no hay razón para que los creyentes se desanimen, aunque vean caer a aquellos a quienes consideraban como los más fuertes».

V. 19. En cuanto al sello: «conoce el Señor a los suyos», Calvino entiende que Pablo quiere decir «que bajo la secreta protección de Dios, como un sello, está contenida la salvación de los elegidos, así como testifica la Escritura que ellos están escritos en el libro de la vida».[36] Para Ward, «Himeneo y Fileto son, cada uno a su manera, los Coré del Nuevo Testamento. Si esta epístola y su contenido hubieran sido de su conocimiento, hubieran reconocido su desafío a ellos». Para ese comentarista, ellos tenían que escoger entre apartarse de su iniquidad o apartarse del Señor. Además, aclara que es un asunto individual y personal como lo es también el conocimiento que Dios tiene de quienes son en realidad suyos.[37]

Debe añadirse algo en cuanto al uso de la palabra «sello». En la iglesia antigua, su uso más común era en referencia al bautismo. Ese «sello» lo encontramos en toda la tradición patrística. El bautismo es un sello de Cristo. También se menciona en las Escrituras el «sello» de la bestia. «Sellar», en un estilo figurado, significa autenticar o dar fe de una cosa (Dn. 9.24; Jn. 3.33; 6.27; Ro. 4.11; 1 Cr. 9.2; 2 Ti. 2.19). En otros pasajes indica comunicar seguridad o mantener sigilo, según el caso. No olvidemos tampoco que Dios sella a sus seguidores (Ap. 7.2,3; 14.1). Dios sella a los creyentes, haciéndoles hijos suyos, reconociéndolos como tales y comunicándoles su Santo Espíritu (2 Co. 1.11; Ef. 1.13,14; 4.30).

Gerhard von Rad, refiriéndose a las palabras «...Apártese de iniquidad todo aquel que invoca el nombre de Cristo», afirma: «...la naciente comunidad cristiana se vio colocada ante la necesidad de separarse de los miembros indignos simplemente por el hecho de existir; había un dentro y un fuera, y se presentaba continuamente la tarea de señalar los límites entre ambos recintos».[38] Su comentario debe analizarse teniendo en cuenta su análisis de ciertas normas que definen claramente el círculo de los elegidos en el Antiguo Testamento. Relaciona la proclamación del anatema con estas cuestiones.[39]

36 *Op. cit.*, p. 263-264.

37 *Op. cit.*, p. 176.

38 *Teología del Antiguo Testamento*, vol. II, Ediciones Sígueme, Salamanca, 1976, pp. 506-507.

39 *Ibid.*

Charlatanes Religiosos

Un peligro enorme, para un ministro de Dios, sobre todo para el que está a cargo de una congregación, es el de las reiteradas insistencias de los charlatanes de toda especie. La América Latina de hoy puede compararse en muchos aspectos a Efeso y otras ciudades y regiones de los primeros siglos. Ha surgido una variedad de sectas que va asumiendo las características de una invasión cultural. Una serie de variantes de las distintas ramificaciones del cristianismo va acompañada de grupos que se salen de los cauces del cristianismo. El latinoamericano promedio tiene que confrontarse en la calle con los seguidores de las religiones orientales más antiguas, pero con un nuevo ropaje. Hasta formas novedosas de gnosticismo están apareciendo, incluso en círculos cultos de ciertas capitales latinoamericanas. Por supuesto que algunos de sus voceros hacen el ridículo por la forma en que presentan estos asuntos.

En España, los estudiantes universitarios de Madrid reciben visitas en sus hogares en las cuales se les informa que Cristo, en persona, les predicó a los indios de la América conquistada y colonizada por los españoles y se les habla de libros traducidos de antiguas formas de un idioma «egipcio», a la vez que se les trata de convencer de que los indios americanos son las antiguas tribus perdidas de Israel.

Algunos grupos atentan contra la integridad cultural de los pueblos. No se dedican simplemente a evangelizar, o a defender una interpretación del cristianismo aclarando los errores de otra. Se trata de la charlatanería de cientos de movimientos que no «usan bien la palabra de verdad.» No son solamente personas que distribuyen revistas sugiriendo la nueva fecha para el fin del mundo. Es todo un intento de cambiar el estilo de vida de los latinoamericanos y españoles. De ese último pecado han sido culpables algunos cristianos cuya teología puede ser considerada básicamente ortodoxa, pero que confunden la práctica de una vida cristiana con costumbres aprendidas en otras latitudes. Aun así, un peligro mucho mayor radica en apartarles del mensaje de salvación en nombre de Jesucristo. Esto último se realiza impunemente, a veces hasta utilizando la palabra «evangélico». En las comunidades hispanas de Estados Unidos se crean hasta nuevas iglesias «católicas», algunas de las cuales apelan a costumbres religiosas favoritas de los pueblos con origen africano en el Caribe.

Cualquier observador del panorama latinoamericano que no

sea un verdadero especialista encontrará dificultades en determinar varias cuestiones. Si analizamos el panorama político notaremos la existencia de tantos partidos comunistas que es prácticamente imposible determinar cuál es la posición menos afectada por formas de revisionismo o de «stalinismo». Es algo así como tratar de determinar si hay algún «partido liberal» en la región que se diferencie sustancialmente de otro que utilice el nombre «conservador». Entre los cristianos son tantas las variedades del movimiento evangélico que es difícil determinar quién es realmente evangélico y quién no lo es. Por otra parte, algunos grupos sólo se diferencian de otros en alguna práctica o énfasis que los mantiene separados de los demás. Las pugnas internas dentro del catolicismo son de una frecuencia e intensidad tan inusitadas que no es muy fácil saber quién es reconocido como un católico en obediencia a las directrices oficiales de su iglesia y quién no lo es. Muchos católicos llenos de celo y entusiasmo empiezan a parecer más bien pentecostales. Otros parecen estar más cerca del sector llamado progresista del protestantismo que de otros católicos.

La famosa entrada de sacerdotes católicos (que entonces vestían sotana) a poblaciones aisladas en la zona de los Montes Apalaches era considerada, a principios del siglo veinte, como una invasión cultural peligrosísima, mientras algunos habitantes se preguntaban si se trataba de hombres o de mujeres. Esa situación, que puede ser considerada hasta como cómica, palidece ante la confusión actual, que se ha trasladado al mundo de habla española. En nuestro ambiente proliferan las sectas, los partidos, los movimientos y los mensajes. La confusión es ambiente propicio para las más evidentes formas de charlatanería. Es curioso que las peores características de los movimientos religiosos del exterior sean acogidas en amplios sectores que pasan por alto una serie de cuestiones culturales que en otra época hubieran sido obstáculos insalvables.

E. Características del verdadero ministro de Dios (2.20-26)

Pero en una casa grande, no solamente hay utensilios de oro y de plata, sino también de madera y de barro; y unos son para usos honrosos, y otros para usos viles. Así que, si alguno se limpia de estas cosas, será instrumento para honra, santificado, útil al Señor, y dispuesto para toda buena obra. Huye también de las pasiones juveniles, y sigue la justicia, la fe, el amor y la paz, con los que de corazón limpio invocan al Señor. Pero desecha las cuestiones necias e insensatas, sabiendo que engendran contiendas. Porque el siervo del Señor no debe ser contencioso, sino amable para con todos, apto para enseñar, sufrido; que con mansedumbre corrija a los que se oponen, por si quizá Dios les conceda que se arrepientan para conocer la verdad, y escapen del lazo del diablo, en que están cautivos a voluntad de él.

No es difícil reconocer la relación entre estos versículos y los anteriores. Había una imperiosa necesidad de aclarar porque se multiplicaban los falsos maestros y los creyentes con tendencias heréticas, algunos de los cuales ni siquiera podían considerarse como cristianos verdaderos.

V. 20. En otra versión leemos: «En una casa grande, no solamente hay objetos de oro y de plata, sino también de madera y de barro; unos son para usos especiales y otros para uso común» (VP). En Reina-Valera encontramos las palabras «usos honrosos» y «usos viles». Esto último es bastante fuerte.[40] La figura bien pudiera ser esta: de la misma manera que en una casa grande hay todo tipo de utensilios, incluyendo necesariamente los utilizados para «usos viles» del cuerpo, así sucede con la iglesia.

Mientras una congregación es pequeña es bastante fácil ejercer algún control. Imaginémonos una organización religiosa universal, o con pretensiones de serlo, compuesta por infinidad de congregaciones, grupos, sectores, en fin, «una casa grande». En ella habrá, necesariamente, de todo.

La casa grande de cristianos considerados marginales

En nuestros países la iglesia evangélica se han convertido en una «casa grande». La católica siempre lo fue. Ahora algunos movimientos evangélicos, como el pentecostalismo y otros, cuentan con millones de miembros y simpatizantes, realizando una labor apreciable. Entre las iglesias nacionales consideradas como históricas hay algunas, como los bautistas en el Brasil, que agrupan cientos de miles de feligreses. En ese país existe una comunidad luterana igualmente grande. ¿Quién puede garantizar uniformidad moral o doctrinal en un conglomerado como ése? Pablo y los primitivos líderes cristianos le hacían frente, pues, a una situación sumamente complicada y había necesidad de aclarar asuntos como éste.

Se ha visto reiteradamente que el crecimiento de una comunidad religiosa ha traído nuevos problemas y provocado críticas que

40 Según algunos estudiosos especializados en griego, los «usos viles» son los que se da, por ejemplo, a una bacinilla.

de otra manera no se hubiesen producido. Por ejemplo, la llegada del general Efraín Ríos Montt, un cristiano pentecostal, a la presidencia de Guatemala convirtió a los evangélicos guatemaltecos y centroamericanos en noticia. Los defectos de su gobierno fueron en parte atribuidos a los evangélicos. Algo parecido pudo haber ocurrido en Brasil, con el régimen del general Ernesto Geisel, un luterano de origen alemán. En 1990 la prominencia de la candidatura presidencial de Alberto Fujimori en Perú hizo resaltar la importancia del grupo evangélico que le apoyó, y varios miembros de iglesias evangélicas fueron elegidos senadores y diputados. Inmediatamente las críticas empezaron a llover, sobre todo cuando se dieron cuenta, gracias a los medios de difusión, que le acompañaba en la candidatura, para segundo vicepresidente, Carlos García, el pastor de una iglesia bautista limeña. A pesar de todos los temores, Fujimori y García fueron elegidos por una abrumadora mayoría. Un alto funcionario católico no es noticia en América Latina; pronto dejará de serlo un evangélico, porque se va convirtiendo en asunto repetido. En 1991 la elección de Jorge Serrano Elías, un prominente evangélico, como presidente, resultó mucho más significativa. No sólo triunfó por un margen de 2 a 1 sino que otro evangélico, Gustavo Adolfo Espina, fue elegido como vicepresidente. Ciertamente, la «casa» de los evangélicos latinoamericanos se va haciendo «grande». Los «vasos» considerados indignos resaltarán ahora más que antes. Aún si no son indignos, se tratará de presentarles como tales. Ese es el precio de ser «casa grande». Se requiere un cuidado muy especial.

Hay un contraste entre el caso de Himeneo y Fileto y los que se mantenían dentro de las normas doctrinales y morales del evangelio. La clave puede estar en Romanos 9.21: «¿O no tiene potestad el alfarero sobre el barro, para hacer de la misma masa un vaso para honra y otro para deshonra».

V. 21. Este versículo contiene algo que se extiende o aplica a todos los cristianos. La acción de limpiarse pudiera implicar, como en 1 Corintios 5.7, separar del cuerpo de Cristo a alguien (excomunión) y la idea de limpieza de todo tipo de impurezas que parece ser en definitiva el significado en este versículo. Hay también necesidad de acudir a la parábola del trigo y la cizaña (Mt. 13. 24-30) para entenderlo.

En todo caso, el cristiano tiene que mantenerse alejado de todo lo que signifique impureza, error, contaminación. Unicamente al hacerlo podrá un creyente ser utilizado plenamente constituyéndose en una bendición verdadera.

Como en el versículo anterior nos enfrentamos a palabras duras. Aquí el acto de limpiarse se refiere a lo que usted mismo puede imaginarse como lo más despreciable en su vida física. Si lo traducimos literalmente esa conclusión es inevitable. No hay otra forma de indicar, descriptiva y adecuadamente, la necesidad de limpiarnos de aquellas cosas que consideramos, como en la vida física, las más sucias y despreciables.

V. 22. La edad de Timoteo tiene que haber estado lo suficientemente relacionada con la realidad de las pasiones juveniles como para que se escribieran estas palabras. Hay una diversidad de opiniones acerca de la naturaleza de las pasiones juveniles que deben ser evitadas. Es fácil concluir precipitadamente que se trata de cuestión de mujeres. Lo cual es probable.

Otros intérpretes estiman, sin embargo, que el contexto (lleno de problemas de herejías y disputas) identifica esas pasiones con una tendencia al partidarismo o el sectarismo, lo cual pudiera indicar la posibilidad de que se trate de una advertencia sobre tratar demasiado fuerte, en una discusión, a los falsos maestros.[41] Calvino afirma lo siguiente: «Si surge algún debate, los jóvenes se excitan con más facilidad, se irritan más fácilmente, se equivocan más frecuentemente por falta de experiencia.[42] El reformador francés no cree, pues, que se trate de inmoralidad o libertinaje.

El canónigo Hanson, consciente de estas opiniones, dice que «el significado obvio parecería ser vino y mujeres». Esa interpretación es la más generalizada entre los evangélicos y algunos católicos.

La frase «los que invocan al Señor» contrasta con lecturas de otros manuscritos que inclinan a ciertos comentaristas a preferir la frase «con los que aman al Señor». Algunos creen que se trata de oraciones. Para Calvino se trata «del todo de la religión o del culto a Dios». Para Joachim Jeremias «corazón limpio» quiere decir, en este caso, «limpia conciencia».

Vv. 23-25. Una versión traduce así esta referencia a las controversias: «en cambio, rechaza las polémicas tontas y de analfabetos, sabiendo que engendran luchas; y un esclavo del Señor no debe ser pendenciero, sino atento con todos, capaz de enseñar, sufrido, educando con mansedumbre a los adversarios, a ver si Dios les concede arrepentimiento para llegar al conocimiento de la verdad» (CI). Vuelve, pues, a producirse una advertencia contra las polémicas y disputas. Estas cuestiones necias son también «insensatas», lo cual pudiera ser una traducción algo imperfecta de *apaideutous* que indica falta de disciplina o de preparación cultural.

Es interesante que la frase «el siervo del Señor» que tanto usamos aparece aquí por única vez en el Nuevo Testamento. En relación con este «siervo» o «esclavo» se menciona que debe ser «apto para enseñar». Hemos afirmado ya que sin esta capacidad no puede haber pastor ni maestro adecuado. En un sentido, todos somos «siervos del Señor» pero hay personas designadas para una labor que les identifica como tales. Guthrie señala, acertadamente, que

41 Así parecen entenderlo Brox, acompañado de Higgins y Dornier, entre otros. Véase sobre todo a Bruce Metzger en «Die neterikai epithymioi in 2 Tim 2.22» en *TZ*, # 33, 1977, pp. 129-136.

42 *Op. cit.*, p. 269.

Pablo pudo haber estado bajo la influencia de pasajes sobre el siervo sufriente en Isaías.[43]

También nos parece oportuno recordar que lo de «amable para todos» pudiera ser no solamente una invitación a la amabilidad sino un rechazo de la parcialidad. Es decir, nos está diciendo que no podemos preferir a unos y no a otros en el ejercicio de nuestra amabilidad ministerial. La palabra que es traducida aquí al español como «amable» indica una actitud hacia todos mientras que «sufrido» pudiera indicar la paciencia hacia los que se nos oponen denodada y sistemáticamente.

Especialistas religiosos en contienda y destrucción

Es interesante que muchos pastores y maestros sean, por naturaleza, «contenciosos». Basta escuchar ciertos sermones radiales y televisados, invitando la controversia, es decir, tratando de fomentarla. Muchos incluso llegan a ser conocidos por ellas. Hay predicadores que nunca hubieran sido conocidos fuera de los límites de su parroquia o ambiente original a no ser por su predilección por los temas polémicos. Denominaciones cristianas y órdenes religiosas han sido divididas por personas que escogen dos o tres temas teológicos o morales para dedicarse profesionalmente a crear contenciones. Gracias a su capacidad para enardecer se les considera hasta como «defensores de la fe» y cosas parecidas.

La «mansedumbre» resulta imprescindible. El propósito no es hundir a una persona sino levantarla. Se ha repetido, con cierta razón, que «el ejército cristiano es el único que mata a sus propios heridos». Algunos prefieren precipitarse a destruir, con palabras fuertes y espíritu arrogante, a los pecadores. Algunos hasta se especializan en hacerlo. Otros están deseosos de tener la oportunidad de exhortar duramente a alguien y hasta anhelan despedirlo de la iglesia por cualquier motivo. Si la persona se arrepiente se sienten frustrados, no han logrado su objetivo. Continúan insistiendo en la necesidad de «hacer algo con este mal testimonio». La verdadera disciplina cristiana no puede entenderse debidamente sin el espíritu señalado por el v. 25. Además de la referencia a la mansedumbre se dice: «por si quizá Dios les conceda que se arrepientan para conocer la verdad».

Si alguien ha pecado, es decir, si se ha embriagado, robado, roto su matrimonio, fornicado o cometido adulterio, debe recibir la

43 *Op. cit.*, pp. 153-254.

oportunidad de arrepentirse. Si lo hace y da fruto, todo ha terminado, para gloria de Dios y restauración del pecador. Este no es distinto a nosotros por haber cometido una falta, aunque sea un herejía. Un repaso de nuestra propia experiencia y peregrinaje espiritual seguramente nos revelará que en algún momento estuvimos equivocados. Es posible que hasta hayamos guiado a alguien al error. La oportunidad debe aprovecharse para ayudar a otros a rectificar.

V. 26. El autor se dirige a los pecadores para que escapen del «lazo del diablo». En los días de Pablo, el diablo estaba mostrando su poder. Cuando se habla aquí de «lazo del diablo» y de que «están cautivos» se sugiere por lo menos que han llegado a ser una especie de prisioneros del mismo. Mientras Jesús nos invita a ser «pescadores de hombres», Satanás está interesado en «capturar» a los hombres.

Algunos comentaristas afirman que hay confusión en estas palabras finales del capítulo 2. Entienden que el autor puede hasta haber escrito en forma confusa para oscurecer algo el significado. Ni siquiera nos detenemos a considerar esa posibilidad. Una posible interpretación es que Dios toma cautivos a los que a su vez han sido hechos prisioneros por el diablo, lo cual sugeriría cambiar un lazo por otro. Independientemente de ciertos detalles, creemos que la advertencia es bastante clara y el lenguaje puede entenderse suficientemente como para que evitemos caer en esa situación o en otra parecida (como sugieren los especialistas). Lo que sobresale en el repaso de los comentarios disponibles es que ninguna interpretación seria prescinde del peligro de dejarse usar o controlar por Satanás.

Atrapados en su propia trampa

En nuestro propio tiempo existe un alto grado de interés en el satanismo. Son muchos los misioneros en tierras lejanas que han tenido experiencias que les han revelado la obra constante de Satanás. Algunos se entregan voluntariamente a la influencia del diablo. Otros son engañados, e incluso usados involuntariamente. Aclaremos una situación específica: no podemos decir que toda persona que tiene errores doctrinales es un instrumento del diablo. Ese sería un extremo. Tal situación no está necesariamente contemplada aquí. Pero el diablo puede sutilmente atrapar a muchos y lograr que nieguen verdades fundamentalmente importantes para la fe cristiana.

Es importante el ser cuidadosos en cuanto a la experiencia personal. Muchas veces algunos asuntos pudieran ser sumamente peligrosos. Sin caer en extremismos, debemos estar conscientes del poder del demonio. Si algunas de nuestras prédicas y enseñanzas se prestan a confusión, pudiéramos estar contribuyendo indirectamente a que algún ser humano caiga en error o hasta en pecado. ¿Quién es el más interesado en estos asuntos?

Pudiera llegar a ser interesante el pensar que no solamente las personas pueden caer en «trampa del diablo» (CI), sino los países y los grupos. La actividad de Satanás incluye hasta confundir a las naciones y sus gobernantes (Ap. 16.14). Cualquier actividad que deteriore el entendimiento del pueblo de Dios y de los seres humanos debe tenerse en cuenta como una probable «trampa del diablo». Muchas veces los sistemas políticos y económicos pueden haber caído en «lazo». Por espacio de siglos los pueblos hispanoamericanos han estado atrapados en supersticiones, errores y hasta actividad demónica. No hay duda que las flagrantes injusticias sociales y económicas han sido utilizadas, así como los sistemas que las promueven, para infligir daño al pueblo de Dios. Cuando estamos hablando de promiscuidad, y eso ha sido frecuente en este comentario, no nos referimos a algo que ha sucedido así como caído del azul del cielo. Muchos son culpables de que las personas vivan en un solo cuarto y no tengan privacidad de clase alguna, lo cual promueve la promiscuidad. Si en esto no hay «lazo» o «trampa» del diablo, sería difícil encontrar casos en los que exista ese «lazo» o esa «trampa». Algunas formas de rebeldía contra esas situaciones —no necesariamente todas— pudieran también conducirnos a ese problema. El diablo busca oportunidades de confundir, exasperar y hasta de destruir la espiritualidad conduciéndonos al resentimiento, la intriga y la rebelión. Pero existen razones estructurales que no pueden ser desatendidas y que deben ser resueltas de alguna manera, a menos que nuestra interpretación de las Escrituras sea estrecha. El diablo tenía que ver con situaciones específicas y también con las estructuras en las cuales se veían «atrapados» los hombres y mujeres de los primeros siglos.

También es así en nuestros países y regiones destinados a una marginación que solamente puede traer consecuencias negativas y ¿por qué no decirlo? abiertamente diabólicas. No es posible negar que el diablo ha estado interesado en atrapar a los hombres en sistemas que crean campos de concentración como los de Siberia y Cambodia, o las «favelas», «villas miseria» o «poblaciones callampas» de Brasil, Argentina y Chile, respectivamente.

Téngase presente que cuando la gente vive amontonada en un campo de concentración o en un barrio pobre, los que crean esas situaciones han caído en la trampa diabólica del deseo de poder o la avaricia, y sirven al diablo. Han servido para atrapar y ellos mismos han sido atrapados.

Estos tipos de «lazos» y «trampas» los mencionamos por el contexto hispanoamericano. Estamos conscientes de las muchas y variadas formas que asumen en la experiencia humana.

III

El ministro y el futuro de la humanidad

El tema de los días postreros ha llamado mucho la atención. No nos corresponde utilizar los versículos que se refieren a los últimos tiempos en estas epístolas para ofrecer a los lectores una interpretación completa de temas tan importantes y complicados como la Segunda Venida de Cristo. No nos sentimos obligados a proporcionarles a algunos el material que desean, generalmente con el propósito de ratificar las convicciones que ya se han adoptado, a veces apriorísticamente, acerca de su posición pre-milenial, pos-milenial o amilenial.[44]

Lo que nos corresponde es comentar los versículos que forman parte de estos capítulos relacionándolos con los temas, incluyendo la Segunda Venida de Cristo. Cualquier intérprete o estudioso serio debe reconocer desde el principio la existencia de problemas fundamentales y difíciles en cuanto a interpretación.

Un número alto de eruditos modernos, muchos de los cuales merecen el gran prestigio que como investigadores disfrutan, entienden que la iglesia primitiva esperaba el regreso inmediato de Cristo. Esa posibilidad no puede negarse. Es más, las indicaciones de que esperaban se produjese en cualquier momento son muchas. Eso no quiere decir que Cristo se equivocara. Al no revelarse el día y la hora, las conclusiones de la iglesia no deben atribuirse a Jesús sino a sus seguidores. Pero debe tenerse en cuenta que el propósito

44 Nuestra propia posición es la de que el regreso de Jesús será literal y puede producirse en cualquier momento. Más específicamente, estamos entre los que esperan ser librados, por la gracia de Dios, de la «ira que vendrá», y que se va aproximando sobre este mundo lleno de materialismo, guerras innecesarias, corrupción e injusticias sociales. En nuestra propia manera de ver estos asuntos, sólo falta que sea predicado «...este evangelio del reino en todo el mundo, para testimonio a todas las naciones; y entonces vendrá el fin» (Mt. 24.14).

infalible de Dios era que los creyentes viviesen en la espera continua del regreso de Jesús, y eso se refleja necesariamente en las palabras del Pablo. El Apóstol no se equivocó. Sus palabras indican que tenía la mirada puesta en el regreso de Jesús.

Es fácil comprender el natural deseo de un cristiano fiel de que durante su vida se produzca el regreso del Salvador amado. Nos parece normal que Pablo expresara esa continua espera del regreso de Jesús y que ella prevaleciera en sus escritos. Eso no implica de ningún modo que Pablo cometiera errores como escritor sagrado. El Nuevo Testamento enseña que el cristiano debe vivir esperando el regreso del Señor. Eso se aplica a Pablo en el primer siglo y a nosotros también.

La iglesia esperaba el «inminente» regreso de Jesús y lo sigue aguardando. El regreso es «inminente» en el sentido de que puede producirse en cualquier momento. Es con ese sentido de «inminencia» que tratamos de relacionar las señales con nuestros tiempos.

No debemos olvidar tampoco que los judíos dividían el tiempo en «la edad presente» y «la edad venidera». La iglesia primitiva, que tenía una gran influencia judía, se desenvolvió en medio de dificultades que no dejan de tener relación con las condiciones de los últimos tiempos.[45] Independientemente de cualquier confusión, es fácil considerar las referencias a los «postreros días» como si se tratara del fin del presente estado de cosas. El estudioso tiene necesariamente que tener en cuenta los trabajos de muchos biblistas (por ejemplo, Oscar Cullmann) que argumentan que «los postreros días» comenzaron con el advenimiento de Jesús. Esto es lo que pudiera desprenderse del sermón de Pedro en Pentecostés. Desde esta perspectiva, entender «los postreros días» en términos exclusivos de la Segunda Venida de Cristo sería demasiado estrecho. En la interpretación de Cullmann y otros, Pablo vivía en «los postreros días» en ese sentido. Por lo tanto, no se equivocó. Los que siguen esa línea de interpretación entienden también que los que se equivocan son los que piensan que «los postreros días» son los últimos meses antes de la Segunda Venida.[46] Es decir, el momento cuando se escucharán las palabras «Los reinos

[45] No olvidemos tampoco que los profetas hebreos se referían a veces, al mismo tiempo, a las realidades inmediatas y a los acontecimientos del futuro.

[46] Los partidarios de interpretaciones como la de Cullmann señalan que la importancia de las mismas van va más allá de la frase «los últimos tiempos» pues tiene que ver con la visión que la iglesia tiene de sí misma. La iglesia del NT vive «en los postreros tiempos», no porque falta poco para que Jesús vuelva, sino porque Jesús vino, y vino el Espíritu Santo. Esa iglesia espera el pronto retorno de Jesús; pero no es eso lo que hace que sean «los últimos tiempos». El cambio viene, no cuando se deja de esperar el retorno de Jesús, sino cuando se deja de pensar que «los últimos tiempos» ya han comenzado. Veamos las diferencias. Si Cullmann y otros que piensan como él tienen razón, nuestros tiempos son «últimos», pero no son más «últimos». Además no hay que decir que Pablo se equivocó. El texto que estamos estudiando sería igualmente válido para todos los tiempos de la iglesia, que por ser tiempos después de la crucifixión y el Pentecostés, son postreros. Algunos entienden que si estos textos se aplican únicamente a los

de este mundo han venido ha ser los reinos de Dios y de Cristo y reinarán por los siglos de los siglos» (Ap. 11.15).

No creemos que pueda mencionarse un aspecto más positivo, desde el punto de vista de la vida espiritual, que el de que la iglesia haya vivido esperando el regreso de Jesús. No en balde la Escritura dice que el que tiene tal esperanza «se purifica» (1 Jn. 3.3). La experiencia del cristianismo ha incluido ese sentido de expectación, de esperar el regreso de aquél que prometió. ¿Quiénes somos nosotros para juzgar a Pablo y sus contemporáneos por vivir a la sombra de la esperanza bienaventurada de la fe cristiana?[47]

A. La humanidad en los días postreros (3.1-9)

También debes saber esto: que en los postreros días vendrán tiempos peligrosos. Porque habrá hombres amadores de sí mismos, avaros, vanagloriosos, soberbios, blasfemos, desobedientes a los padres, ingratos impíos, sin afecto natural, implacables, calumniadores, intemperantes, crueles, aborrecedores de lo bueno, traidores, impetuosos, infatuados, amadores de los deleites más que de Dios, que tendrán apariencia de piedad, pero negarán la eficacia de ella; a éstos evita. Porque de éstos son los que se meten en las casas y llevan cautivas a las mujercillas cargadas de pecados, arrastradas por diversas concupiscencias. Estas siempre están aprendiendo, y nunca pueden llegar al conocimiento de la verdad. Y de la manera que Janes y Jambres resistieron a Moisés, así también éstos resisten a la verdad; hombres corruptos de entendimiento, réprobos en cuanto a la fe. Mas no irán más adelante; porque su insensatez será manifiesta a todos, como también fue la de aquéllos.

V. 1. Al leer el v. 1 muchos encuentran esto: que los días del fin serán peligrosos, sin excluir que los días en que se escribieron estas palabras eran sumamente peligrosos también.[48] Otros señalan que estas palabras se aplican a todos los tiempos de la iglesia por igual.

La palabra *calepos* traducida como «peligrosos» no debe limitarse a una interpretación escatológica aunque ese fuera el caso, como lo entendemos nosotros mismos. Hay otros tiempos peligrosos y la palabra ha sido usada para

últimos días antes de la parusía, Timoteo se hubiera equivocado si los tomó como refiriéndose a la iglesia de Efeso.

47 La relación entre futuro y presente del reino de Dios debe ser tenida en cuenta. El teólogo Wolfhart Pannenberg enfrenta el tema en su obra *Teologíay Reino de Dios*, Ediciones Sígueme, Salamanca 1974, pp. 114-117. Nosotros recomendamos la lectura de la obra de George Eldon Ladd, *Jesus and the Kingdom*, Words Book, Waco, 1964, especialmente el capítulo 13, «La consumación del Reino», pp. 303-335.

48 Si seguimos la opinión de biblistas como Culmann esta distinción que se hace no vendría al caso.

referirse a ellos. Sin embargo, para Turrado: «Esos últimos días, conforme al significado corriente de la expresión (cf. Is. 2.22; Hch. 2.17; 1 Ti. 4.1) es la era mesiánica en que vivimos, último período de la historia humana. Pablo no sabe si ese período será largo o corto (cf. 1 Ts. 5.1-11); lo que sí sabe, pues ya lo había anunciado Jesucristo (cf. Mt. 24, Lc. 18), es que antes de la parusía o final de ese período surgirán hombres perversos, seudoprofetas con apariencia de piedad...»[49] Para ese comentarista lo que Pablo quiere conseguir es que sean «vigilantes». De ahí el uso de «También debes saber esto».

Vv. 2-4. En esos días habría necesariamente «hombres amadores de sí mismos». La palabra griega para «amadores de sí mismos» es *filautos*. Después viene, inmediatamente, como complemento, la palabra *filarguros* que traducimos como «avaros» o amadores del dinero. Ya con esto podemos tener una idea de lo que nos espera: «...fanfarrones, soberbios, difamadores, rebeldes a los padres, ingratos, irreligiosos, desnaturalizados, implacables, calumniadores, disolutos, despiadados, enemigos del bien, traidores, temerarios, infatuados, más amantes de los placeres que de Dios» (BJ). Esta lista tiene como común denominador el egoísmo más absoluto.[50]

Las condiciones no podrían ser peores que estas en «los postreros días». Esta descripción tiene mucho que ver con el estilo de la literatura apocalíptica de los judíos. Notamos fácilmente el parecido con la lista de pecados hecha por Pablo en el capítulo primero de Romanos. Entonces describía el mundo contemporáneo, ahora encontramos el uso de las palabras «postreros días».[51]

Algunos pecados o características merecen consideración aparte. Por ejemplo «amadores de los deleites más que de Dios», que leemos al final del v. 4, es una referencia al materialismo, no necesariamente al materialismo filosófico sino al materialismo práctico, el cual es bastante grosero y muy poco «filosófico».

Otra clave para entender la clase de «días postreros» que se describen la encontramos en el uso de la palabra griega traducida como «arrogante». Esa clase de persona, según el significado más estricto, desprecia a todo el mundo menos a sí mismo. Es un pecado propio del corazón, Barclay se encarga de recordárnoslo. El arrogante puede serlo incluso en forma oculta, en lo interno, dando la impresión de humildad. Se adora a sí mismo.[52]

Preocupa mucho la referencia a «desobedientes a los padres». Debemos tener en cuenta lo que significaba en el mundo antiguo. Los judíos consideraban el mandamiento «honra a tu padre y a tu madre» como sumamente importante. Sabemos que conllevaba una promesa. Los romanos castigaban fuertemente como criminales a los que golpeaban a sus padres. Los griegos

49 *Op. cit.* p. 413.

50 Véase N. J. McEleney, *CBQ*, # 36, 1974, pp. 203-219.

51 No olvidemos que para muchos «los postreros días» se refieren a toda la era de la iglesia.

52 *Op. cit.*, p. 187.

eran muy estrictos al respecto. La desobediencia a los padres se ha ido generalizando según las normas se han liberalizado.

En nuestra época, el desobedecer al padre o la madre puede hasta ser considerado por algunos como «señal de madurez» y en el peor de los casos como «desviación psicológica». Es lamentable que se sacrifiquen los grandes valores y los grandes mandamientos con el propósito de acomodar nuestros cambios radicales en la valoración y nuestra desobediencia a una serie de ideas que todavía no se han probado en forma apreciable.

Vv. 5-7. Estos «postreros días» serán aparentemente terreno propicio para la falsa piedad. Es por eso que nos dice el autor «tendrán apariencia de piedad, pero negarán la eficacia de la misma». Hanson considera como «sorprendente» que «después de esta lista de caracteres malvados encontremos que son aparentemente miembros respetables de la iglesia».[53] El comentarista hace varios señalamientos históricos, como el de la iglesia del siglo quince, anterior a la reforma religiosa de Lutero y Calvino.

A nosotros nos interesa señalar también el uso de la palabra «evita» que encontramos nuevamente. En gran parte, estas epístolas contienen advertencias y exhortaciones que incluyen el evitar a este tipo de gente. Son más peligrosos que los pecadores que conocemos en la calle. Es decir, los cristianos falsos o carnales pueden ser más peligrosos, para nuestra edificación y conducta, que los «de afuera».

En cuanto a la mención de que «...éstos son los que se meten en las casas y llevan cautivas a las mujercillas cargadas de pecados, arrastradas por diversas concupiscencias. Estas siempre están aprendiendo y nunca pueden llegar al conocimiento de la verdad» pudiera suceder que, como entienden Spicq y otros, se esté pensando en ciertos casos de familias paganas.

Hanson señala que esto no concuerda con el resto de la epístola, que se refiere a peligros internos de los falsos maestros entre los cristianos.[54] Ward ve aquí un peligro en amas de casa que no tienen mucho que hacer y que no quieren vivir de acuerdo con el evangelio. Cualquier hombre puede «hacerles un cuento». Particularmente este tipo de personas que se ha descrito tan elocuentemente.[55]

Al hablar de «mujercillas cargadas de pecado» se hace evidentemente una referencia a mujeres poco serias con un pasado muy poco recomendable. Es necesario reconocer que el uso de la palabra «mujercilla» pudiera tener relación con personas moralmente débiles.

Además, «Estas siempre están aprendiendo, y nunca pueden llegar al conocimiento de la verdad». Hay mentes que, aparentemente, no pueden

53 *Op. cit.* p. 145.

54 *Ibid.*

55 *Op. cit.*, p. 190.

alcanzar el conocimiento de la verdad, entre otras razones porque prefieren simplemente enterarse de algo nuevo, tener acceso a alguna información, pero nada más. Los falsos maestros pueden hacer de ellos sus víctimas sin mayor dificultad. Algunos han señalado que lo que se describe en los v. 2-5, sean los predicadores que en el v. 6 se aprovechan del sentido de culpa de esas jóvenes mujeres.

La atracción del mensaje más reciente

En ese último caso pudieran encontrarse algunas conexiones con el fenómeno contemporáneo del abuso que han hecho de ciertas mujeres algunos predicadores de la televisión en EE.UU. Pero es difícil extender tanto los significados y posibles implicaciones. En cualquier caso, es necesario enfrentarnos a la triste realidad de la frecuente manipulación religiosa.

En una ocasión vimos desfilar un grupo algo exótico por una calle del viejo San Juan en Puerto Rico. Era una actividad promovida por una secta extravagante que afirmaba ser dirigida por una especie de diosa. Le preguntamos sobre el grupo a un ministro que nos acompañaba y este nos dijo simplemente: «hay un mercado para todo, incluso para una secta tan rara como esta». Hemos entrado a hogares que nos han abierto sus puertas para que les hablemos del evangelio. Pero hemos descubierto que también las abren a cuanta persona llega con algún mensaje, sin importar en qué se base. Sienten una gran atracción por el último mensaje que llega. Una serie de organizaciones religiosas extranjeras han penetrado los hogares de los españoles e hispanoamericanos con doctrinas y prácticas que son casi completamente ajenas a los principios básicos del evangelio y se oponen a aspectos fundamentales de la cultura nacional. Muchos que nunca fueron educados debidamente en la religión católica o en las doctrinas evangélicas empiezan a desarrollar un interés por la religión. Como no se han arraigado en una serie de principios de la fe cristiana que les permitan discernir inteligentemente lo verdadero de la falso, están siempre listos para escuchar el último mensaje. No son únicamente las mujeres las que no «pueden llegar al conocimiento de la verdad». Lo que sucede es que en el contexto del autor la situación era evidente en un sector femenino que él conocía.

Un pastor debe ser especialmente cuidadoso con las «mujercillas» que le abren sus casas, aunque en este versículo se hace una advertencia acerca de aquellos hombres que buscan relacionarse con ellas. No hay referencia alguna a pastores. Sin embargo, falsos pastores o ministros que han logrado alcanzar un grado de madurez espiritual pueden desviarse de las normas de la vida cristiana y caer en una piedad falsa, una «apariencia de piedad» y en visitar mujeres con tendencias pecaminosas para aprovecharse de ellas y sus problemas. Ese estilo de vida siempre repercutirá en detrimento de la reputación del evangelio cristiano porque todo líder religioso que se identifique como «cristiano» creará un ambiente de confusión en derredor suyo. Veamos cómo esto afecta en nuestro medio.

No podemos olvidar ni por un momento que existe una ignorancia bastante fuerte acerca de los evangélicos. Es decir que lo que vamos a exponer tiene más relación con ese sector que con los católicos. La llegada de nuevas sectas a la América Latina complica la situación. Cualquiera que ande por las calles con una Biblia y mencione continuamente la palabra «evangelio» va a ser confundido con un cristiano evangélico aunque sea un mormón, un testigo de Jehová o el miembro de una secta de tipo esotérico. Si esa persona anda visitando mujeres con frecuencia, despertará sospechas. En nuestros países no se acostumbra que un hombre visite a una mujer casada sin la presencia del marido en el hogar. Los propagandistas de algunas de estas creencias van de dos en dos. Pero si ambos son del sexo masculino y desconocidos, la desconfianza continuará. Hasta qué punto esto puede afectar el concepto que se tiene de los evangélicos y de los religiosos en general es difícil determinarlo en cada situación. Grandes peligros existen.

Muchos han tratado de separar la doctrina de la conducta. Para algunos es muy fácil predicar un sermón muy fuerte el domingo, condenando el pecado, y tener relaciones sexuales con un miembro de la iglesia durante la semana. Eso no se aplica solamente a las nuevas sectas. Mucho cuidado. Estamos entrando de lleno en lo de «apariencia de piedad» y en el señalamiento acerca de que «negarán la eficacia de ella». Se niega la eficacia mediante la conducta. Una doctrina que no produce una vida limpia estará siempre abierta a cuestionamientos razonables y frecuentes.

Vv. 8. La comparación con Janes y Jambres es interesante. «Estos hombres siguen el ejemplo de Janés y de Jambres, que se opusieron a Moisés; ellos también están descalificados en cuanto a la fe y con su mente pervertida se oponen a la verdad» (NBL). Janes y Jambres [56] son los magos egipcios sin nombre[57] que se opusieron a Moisés (Ex. 7. 8-12). Para conocer algo acerca

56 A quienes también se les llama Yannés y Yambrés en otros materiales en castellano y en los cuales la e se acentúa en esas y otras traducciones.

57 Serafín de Ausejo, *op. cit.*, p. 2059.

de ellos hay necesidad de acudir también a escritos de Orígenes y al *Targum* de Jonatán.[58] Estos sabios y hechiceros utilizaron sus encantamientos cuando Aarón echó su vara delante de Faraón y esta se hizo culebra. Al tratar de usar la magia negra lograron que sus varas se volvieran culebras pero la vara de Aarón devoró sus varas. Merrill F. Unger entiende que ambos «estaban investidos con poderes demoníacos».[59]

Como se hace una referencia de estos personajes dentro de un contexto que es de herejía y no necesariamente de superstición, se establece así, una vez más, la relación entre ambas situaciones, igualmente negativas.

Pues bien, este tipo de personas, comparables a Janes y Jambres, serán conocidas como insensatas, como lo fueron los magos después del fracaso de sus pretensiones. El v. 9 se encarga de aclararlo.

El uso de las palabras «corrupto» y «réprobo» en el versículo anterior no debe sorprendernos demasiado si es que se toma en cuenta que estas personas merecen compararse con los personajes ya mencionados.[60]

B. Experiencias en Antioquía, Iconio y Listra (3.10-13)

> Pero tú has seguido mi doctrina, conducta, propósito, fe, longanimidad, amor, paciencia, persecuciones, padecimientos, como los que me sobrevinieron en Antioquía, en Iconio, en Listra; persecuciones que he sufrido, y de todas me ha librado el Señor. Y también todos los que quieren vivir piadosamente en Cristo Jesús padecerán persecución; mas los malos hombres y los engañadores irán de mal en peor, engañando y siendo engañados.

Vv. 10-12. Son palabras de reconocimiento al joven Timoteo las que encontramos en estos versículos. Para hacerlo, Pablo hace un recuento de algunas de las situaciones en que se ha visto involucrado. El uso de «has seguido» *(parakoloutheô)* pudiera tener aquí el mismo significado que en Lucas 1.3 donde es traducido en el sentido de «investigar» más bien que como «seguir». Pero muchas puertas quedan abiertas acerca de cómo traducir este verbo. Se pudiera decir, como hace Ward, que «ha visto, comprendido y seguido» el ministerio de Pablo y sus circunstancias.

58 Un *Targum* a pesar de ser originalmente oral es una paráfrasis en arameo del Antiguo Testamento y contiene también interpretaciones, como en este caso. Véase Gleason L. Archer (hijo), *Reseña Crítica de una Introducción al Antiguo Testamento*, Moody Press, Chicago, 1974, pp. 52-53.

59 *Biblical Demonology*, Scripture Press, Wheaton, 1952, p. 112.

60 Para profundizar en este tema de los dos personajes puede acudirse a R. Bloch en «Note méthodologique pour l'Etude de la Littérature Rabbinique», *RechSR*, #43, 1955, pp. 213-224. También sugerimos a C. Burchard, «Das Lamm in der Waagschale», *ZnTW*, #57, 1966, pp. 219-228.

El Apóstol se refiere aquí a claras evidencias de una vida cristiana. No está proclamándose perfecto, pero da testimonio del tipo de vida que ha seguido desde su conversión con el propósito de que Timoteo entienda que el Señor le libró de persecuciones, padecimientos y ataques. A pesar de esas situaciones, pudo mantener la integridad de la doctrina y la conducta.

En el v. 11 encontramos situaciones más específicas porque hay referencias a Antioquía, Iconio y Listra.[61]

Después de este recuento histórico, Pablo extiende su propia experiencia a otras personas diciendo, en el v. 12, que «...también todos los que quieren vivir piadosamente en Cristo Jesús, padecerán persecución». No se trata necesariamente de que todos los cristianos padecerán el mismo tipo de persecución. Para Easton la frase «en Cristo Jesús» está en armonía con el uso que de la misma hace Pablo en otros lugares, relacionado generalmente con una vida devocional intensa. Tengamos presente que Jesús insistió en que sus seguidores fieles pasarían por tribulación, prometiéndoles su paz, su ayuda y su presencia.

El falso «evangelio del éxito»

Entre las muchas desviaciones que se han ido introduciendo entre nuestra gente está el llamado «evangelio del éxito», que en cierta forma mencionamos en otras partes del comentario. Se trata de una predicación que ofrece dinero y «bendiciones de todo tipo» a los que confían en las promesas de esos evangelistas. Los más beneficiados serían los que les envían generosas ofrendas. Según sus voceros, esta experiencia se producirá en las vidas de aquellos que sigan las instrucciones de este tipo de mensaje. Prometen felicidad, carros de último modelo, abundante dinero en el banco, etc. Cuando la persona se entrega al «evangelio del éxito» recibirá, de parte de Dios, la abundancia y la prosperidad más extraordinarias. No hay nada que se oponga más completamente al mensaje de Jesús. Es cierto que el Señor bendice a los que diezman y ofrendan. Con gran frecuencia encontramos casos en los que Dios provee para las necesidades de sus hijos. Ciertamente el evangelio es «buenas nuevas» y el Señor vino a predicarlas a los pobres (Lc. 4). Pero también se nos advierte acerca de «persecuciones» y «tribulaciones». Pablo y Pedro, entre tantos otros apóstoles y discípulos, fueron perseguidos y puestos en prisión. Dios proveyó para sus necesidades básicas, pero nadie se atreve a decir que llegaron a ser ricos gracias a un «evangelio del éxito». Sería ridículo

61 El lector puede encontrar más información al respecto en Hechos 13.14,45,50 y 14.1-7,19-22.

presentar a Pablo rodeado de esclavos, cargado en andas o habitando uno de los palacios de los tiempos antiguos. Nos atrevemos a afirmar que el «evangelio del éxito» es todo lo contrario al evangelio que predicó Jesús en la sinagoga de Nazaret. El ofrece liberación, se ocupa de los pobres, anuncia «el año agradable del Señor», pero ni siquiera da a entender que su propósito es crear una congregación de millonarios. Es cierto que el Señor es el que nos da poder para hacer riquezas, que de él procede «toda buena dádiva y todo don perfecto». De ahí a interpretar el evangelio como una especie de lotería o de recompensa material inmediata hay una gran distancia.

V. 13. La palabra que ha sido traducida como «engañador» pudiera también significar «magos», como los personajes mencionados hace poco. Ahora bien, en este caso se trata de personas que engañan y son engañadas. Es por eso que Hanson no cree sean impostores conscientes.[62] Nosotros pensamos que eran, al mismo, impostores conscientes y personas engañadas, lo cual es frecuente. Ese mismo comentarista se preocupa por la tendencia a considerar como de carácter apocalíptico estas palabras.[63] En cualquier caso, el pensamiento que se expresa aquí es realmente paulino, independientemente de cualquier influencia. Hanson afirma que en su investigación encontró que algunos comentaristas sugieren la posibilidad de que los herejes sean condenados aquí por la práctica de la magia.[64] Una opinión contraria es la de R. J. Karris.[65]

C. Constancia en la doctrina de origen divino (3.14-17)

Pero persiste tú en lo que has aprendido y te persuadiste, sabiendo de quién has aprendido; y que desde la niñez has sabido las Sagradas Escrituras, las cuales te pueden hacer sabio para la salvación por la fe que es en Cristo Jesús. Toda la Escritura es inspirada por Dios, y útil para enseñar, para redargüir, para corregir, para instruir en justicia, a fin de que el hombre de Dios sea perfecto, enteramente preparado para toda buena obra.

V. 14. Teniendo en cuenta la situación que se ha ido describiendo y el contraste entre los malos y los «engañadores» con la experiencia de Pablo, Timoteo debe atrincherarse en la doctrina bíblica predicada por Pablo y en las

62 *Op. Cit.*, p. 150.

63 Hanson se refiere a los autores Holtz y Spicq.

64 *Op. cit.*, p. 150.

65 Véase «The Background and Significance of the Polemic in the Pastoral Epistles», *JBL*, #92, 1973, p. 560.

Sagradas Escrituras. El mensaje es claro: «Pero persiste tú en lo que has aprendido y te persuadiste, sabiendo de quién has aprendido». Pablo le había presentado sus credenciales, una vez más, como leemos en los vv. 10 y 11, lo cual es característico en él. No tenía entonces otra alternativa que persistir ya que él «sabía» de quién había aprendido.

Recordemos que Pablo se ha presentado mediante la integridad de su doctrina como también en la fidelidad demostrada durante su vida. En otras palabras, Timoteo debe evitar el peligro de seguir a maestros de errores doctrinales o que viven una vida incorrecta, que no agradan a Dios.

Vv. 15-17. Es importante notar la referencia a las raíces doctrinales y espirituales de Timoteo en el v. 15: «y que desde la niñez has sabido las Sagradas Escrituras, las cuales te pueden hacer sabio para la salvación por la fe que es en Cristo Jesús».

Debe señalarse cierta diferencia entre «Sagradas Escrituras» (*ieros gramma*) y «Escritura» (*graphê*) que encontramos en el versículo siguiente (el 16). Al catalogarla como «sagradas», el autor hace probablemente una diferenciación entre la condición especial de los escritos del Antiguo Testamento y otro tipo de literatura religiosa, incluyendo posiblemente ciertos escritos apocalípticos. Contrastando con la actitud de Dibelius, que no cree que haya una significación especial en añadir la palabra «sagrada» en referencia a las Escrituras, Guthrie entiende que debe haber un propósito especial en utilizarla en el v. 15 y en no hacerlo en el v. 16.

En cualquier caso, está claro el deseo de resaltar las raíces bíblicas de Timoteo y el hecho de que en las Escrituras está el conocimiento de la salvación. El Antiguo Testamento prepara el camino para el Nuevo. La fe en el Mesías que iba a venir, Jesús, es enseñada en los libros veterotestamentarios. El Nuevo Testamento es cumplimiento del Antiguo. No olvidemos que Pablo subraya al autoridad del Antiguo Testamento porque los herejes la niegan.

Al utilizar (v. 16) las palabras «toda Escritura» o «toda la Escritura» (en el griego *pasa hê graphê*), podemos llegar a la conclusión que nos está diciendo que cada porción de la Escritura inspirada por Dios es útil para nuestra enseñanza. Como lo había sido en el caso de Timoteo (v. 15). También es posible leerlo de otra manera: «cada pasaje es inspirado por Dios y también es útil para el maestro».[66] Independientemente de detalles o significados especiales que pueden admitirse, entendemos que «Escritura» en el versículo 16 es utilizado al igual que el 15, en relación con el Antiguo Testamento que conocemos como aceptado por los judíos. Lo que hemos tratado de hacer, en medio de las naturales limitaciones de espacio, es darle a entender al lector

[66] Es evidente que el comentarista A. T. Hanson ha estudiado detenidamente una serie de opiniones y ésta, según él, es la misma de Lock, Jeremias, Gealy, Kelly, Dornier y Holtz, entre otros. Véase *op. cit.*, p. 153.

que existen algunos problemas de tipo gramatical que pudieran alterar ligeramente la interpretación.

De acuerdo con Guthrie, existen varias esferas en las cuales la utilidad de la Escritura puede verse. Estas esferas pueden relacionarse con la doctrina o con la ética y son las representadas por «enseñar», «redargüir», «corregir» e «instruir».[67]

Nos enfrentamos después al objetivo de depender de las Escrituras. Se trata de que «el hombre de Dios sea perfecto». La palabra *artios* («perfecto») quiere indicar tal vez «eficiente» en su vida y trabajo.

A pesar de que algunos comentaristas puedan considerar esto como una forma de justificar el clericalismo, creemos que la palabra «hombre de Dios», aunque pueda aplicarse a otros cristianos, se refiere aquí al ministro del Señor que como Timoteo tiene sus raíces en la Escritura, utilizándola en la obra del ministerio.

Sería interesante tener en cuenta la opinión de Carl F. H. Henry que considera al v. 16 como «el clásico versículo sobre la inspiración». Según él, «El hecho de que las Escrituras estén vinculadas con una inspiración que procede de Dios milita contra cualquier punto de vista que les atribuye a los escritores humanos un papel lingüístico, en cuanto a originar y gobernar los pensamientos, que sea diferente al de un vocero que hable en nombre de Dios».[68]

Controversias sobre la inspiración de la Biblia

Existe la tendencia a utilizar este pasaje en la controversia entre los que afirman que la Escritura no contiene errores, ni siquiera en asuntos históricos y científicos, y aquellos que defienden interpretaciones consideradas más liberales. Aun partiendo de la interpretación considerada más conservadora (el autor de este comentario pertenece a esa tradición) es necesario reconocer que estos versículos son mucho más profundos que todo eso. En otras palabras, que el autor no pensó en participar en una controversia de esa naturaleza sino en señalarle a Timoteo su necesidad de depender fielmente de las Escrituras. Por supuesto que existe el peligro de tener un concepto limitado de la inspiración de las Escrituras, las cuales son palabra de Dios. Pero seamos consecuentes con el pasaje. Timoteo necesitaba lo que se le estaba ofreciendo para cuestiones prácticas de su vida cristiana y de su

67 *Op. cit.*, p. 164.
68 *Op. cit.*, p. 424.

trabajo pastoral. Era cuestión de edificación, de madurez, de perfeccionamiento, de preparación, de buena obra.

Desde los días ya remotos de Diego Thomson y los pioneros de la causa bíblica en la América Latina y desde la época de George Borrow, inmortalizada por su propio libro *La Biblia en España* traducido al castellano por el estadista español Manuel Azaña, la Biblia ha jugado un papel fundamental en la causa evangélica de nuestros países. Antes que entraran los misioneros llegó la Biblia. Por lo tanto, ésta preparó el camino. La obra cristiana debe ser eminentemente bíblica. Es por ello que se preparan comentarios como éste. El propósito es resaltar la importancia de las Escrituras y permitirles a los líderes cristianos interpretarlas debidamente. La Biblia no contiene errores, pero alguien pudiera interpretarla incorrectamente y utilizar versículos en una forma que es inconsecuente con la intención original del autor o con la debida aplicación que el contexto le está exigiendo.

Una lectura hispanoamericana de la Biblia, sin prejuicios y sin intenciones ocultas, puede llevarnos un paso más cerca al perfeccionamiento de la obra de Dios y de nuestra vida como creyentes. Los cristianos no pueden realizar su peregrinaje sin acudir a las Escrituras. Subestimar la palabra escrita de Dios sería siempre un error con graves consecuencias. Esto no quiere decir, en modo alguno, que deseemos necesariamente entrar en algún tipo de controversia.

El v. 16 tiene que interpretarse en gran parte de acuerdo a su relación a la polémica antiherética (ya sea antignóstica o antiprotognóstica) de toda la epístola. En ese contexto, el énfasis en que toda la Escritura es inspirada es un rechazo de la opinión de los que negaban el Antiguo Testamento (o parte de él) por parecerles demasiado materialista. En América Latina hay tendencias semejantes. Sería necesario hasta ir más allá de la controversia acerca de la «inerrancia» y llegar a considerar la manera en que hasta muchos creyentes rechazan implícitamente las enseñanzas del Antiguo Testamento en el sentido de que Dios es el creador que ama al mundo, inclusive al mundo de la materia. El mundo en sí no puede ser malo pues fue creado por Dios. Recordemos las enseñanzas de los antiguos gnósticos y como distorsionaban todo esto. Independientemente de cuál sea nuestra posición en las controversias, no podemos olvidar que la referencia a «toda Escritura» es primordialmente al Antiguo Testamento, sin que se excluya al Nuevo.

IV

El ministro como predicador

A Timoteo se le encomendaron responsabilidades, se le hicieron exhortaciones, se le recordaron peligros y se le animó. En otras palabras, se le hizo una composición de lugar en relación con el trabajo que tenía por delante. Al llegar al final de la epístola, Pablo continúa insistiendo en el desafío al que se enfrentaba, pero pone en orden algunos pensamientos finales de gran importancia. Para Turrado «este final de la carta es de lo más dramático y solemne que salió de la pluma del Apóstol. Pablo, que prevé próximo su fin, insiste con redoblada energía sobre su predilecto discípulo Timoteo para que cumpla con valentía y decisión su deber de ministro de Cristo. Es como su testamento».[69]

A. Detalles de una encomienda final (4.1-2)

Te encarezco delante de Dios y del Señor Jesucristo, que juzgará a los vivos y a los muertos en su manifestación y en su reino, que prediques la palabra; que instes a tiempo y fuera de tiempo; redarguye, reprende, exhorta con toda paciencia y doctrina.

Vv. 1-2. De acuerdo con Barclay, el Apóstol le recuerda a Timoteo tres asuntos relacionados con Jesús. Cristo es el juez de los vivos y de los muertos[70], es un conquistador que regresa, y es rey.[71] Timoteo, que no estaba ajeno a la labor pastoral, no puede perder de vista la realidad del juicio final. Será el mismo Cristo quien juzgará a «vivos y muertos». Turrado recuerda que

69 *Op. cit.*, p. 414.

70 Es interesante que el tema de Jesús como juez viene inmediatamente después de la afirmación de la autoridad del Antiguo Testamento. En el siglo segundo hubo quienes negaron las dos cosas. Es probable que en el siglo primero los hubiera también. Véase Justo L. González, *Historia del Pensamiento Cristiano*, Caribe, Miami,1992, vol. I, pp. 159-165.

71 William Barclay, *op. cit.*, pp. 202-203.

esa misma expresión refleja la doctrina de Pablo acerca de que los que se hallen vivos al producirse la parusía no pasarán por la muerte.

Barclay entiende que el ministro cristiano no encontrará en muchos otros pasajes del Nuevo Testamento una presentación más clara de sus deberes. El predicador debe, pues, tener un sentido de urgencia en su trabajo, ser persistente, trabajar para que el pecador llegue a estar plenamente consciente de su pecado, reprender y exhortar. Ninguno de esos elementos puede faltar para que se lleve a cabo la obra de comunicar el evangelio y de lograr la edificación de los creyentes. El hacerlo con «paciencia» (lo cual implica persistencia) y «doctrina» es combinar lo primero con una enseñanza correcta del evangelio. Un ministro debe ser paciente (y persistente) en la exposición y defensa de la sana doctrina, evitando introducir —directa o indirectamente— cuestiones doctrinales que traigan confusión al rebaño. Nos permitimos detenernos brevemente en uno solo de estos elementos que necesita alguna aclaración. Se nos invita a predicar la palabra y a instar «a tiempo y fuera de tiempo». En relación con esto último, el verbo griego quiere decir «estar listo, preparado». Un pastor debe estar siempre listo para enfrentarse a una situación relacionada con su labor, sobre todo con la proclamación del evangelio.

B. La razón de la encomienda final (4.3-5)

Porque vendrá tiempo cuando no sufrirán la sana doctrina, sino que teniendo comezón de oír, se amontonarán maestros conforme a sus propias concupiscencias, y apartarán de la verdad el oído y se volverán a las fábulas. Pero tú sé sobrio en todo, soporta las aflicciones, haz obra de evangelista, cumple tu ministerio.

Vv. 3-4. Se aproxima la hora para la oposición encarnizada a la obra del evangelio. Una vieja versión lo traduce así: «Porque vendrá tiempo, en que los hombres no podrán sufrir la sana doctrina, sino que, teniendo una comezón extremada de oír doctrinas que lisonjeen sus pasiones, recurrirán a una caterva de doctores propios para satisfacer sus desordenados deseos, y cerrarán sus oídos a la verdad, y los aplicarán a las fábulas» (TA). Aquí se está preparando a Timoteo para una labor futura, pero próxima. Este tendría que hacerle frente a esa situación. Se está anticipando un gran problema en relación con la doctrina. Llegaría el tiempo cuando muchos «no sufrirán la sana doctrina». Lo que se ha traducido como no «sufrir» *(anecomai)* parece indicar que no la soportarían en el sentido de que no serían indulgentes con ella, no tendrían la suficiente paciencia con ella, etc.[72]

La situación descrita con las palabras «teniendo comezón de oír, se amontonarán maestros conforme a sus propias concupiscencias» es una ex-

72 Véase la presentación del tema de «los tiempos postreros» al iniciar el comentario al texto del capítulo anterior.

periencia frecuente en la historia del cristianismo. Existe una tendencia reiterada a buscar maestros que nos complazcan el oído, que nos digan lo que deseamos escuchar, que justifiquen nuestras tendencias pecaminosas. Sectores enteros del movimiento cristiano se han desviado detrás de figuras más o menos atractivas, sin verdadera aptitud para la enseñanza correcta, que han seducido a los incautos o a aquellos que corren detrás de una nueva idea o doctrina. Barclay llama a los seguidores de estos maestros «oyentes tontos». De acuerdo con él, lo que hace Pablo en estos versículos es describirlos. El tema de los falsos maestros y de las fábulas ya ha sido discutido. Es tan antiguo como el mundo. Los cristianos hemos padecido frecuentemente debido a la actividad de los tales. En Tito 1.14 se volvería de nuevo al tema de los mitos, llamados allí «fábulas judaicas».

V. 5. En contraste con esos personajes y con los que tienen «comezón de oír», Timoteo debía ser «sobrio» (*nêphô*), lo cual en este contexto indicaba que le correspondía desarrollar las cualidades de un verdadero atleta que controla sus apetitos y pasiones. Debía soportar las «aflicciones» que naturalmente vendrían a su vida y mantenerse dentro de su labor de evangelista. En este contexto no se está haciendo referencia a la obra de «evangelista» como cargo sino como función. Michael Green, al citar el ejemplo de Pablo, con su constante apelación a los primitivos creyentes, pidiéndoles abrir nuevos campos, menciona este llamamiento hecho a Timoteo y añade «aun si, como el contexto lo sugiere, éste no era su don natural». Pudiera ser que Green viera el don de evangelista en forma especializada, diferenciándolo del «don de Dios que está en ti» de 2 Timoteo 1.5. Su afirmación pudiera tener relación, por otra parte, con la «imposición de manos» que se menciona en el versículo. En ese caso, Timoteo no tenía el don natural sino que le fue dado.[73]

En la trinchera de la evangelización

El autor está añadiendo una dimensión que debemos tener en cuenta en cualquier contexto. Para nosotros, en medio de las dificultades que enfrentamos en nuestros países, la labor de «evangelista» no debe ser tenida en poco. Sin que dejemos de preocuparnos por otros asuntos importantes y sin que esto implique en modo alguno una falta de compromiso con nuestra gente, debemos hacer «la obra de evangelista». La especificidad de la iglesia y del evangelio se pueden perder si nos olvidamos de nuestra responsabilidad en la obra de evangelización. Ese es un gran peligro que afecta a los mejores cristianos, comprometidos con su pueblo y dedicados a una obra caracterizada por la preocupación

73 Michael Green, *op. cit*, p. 169.

social. A veces hasta deterioran su imagen pastoral. Ningún problema, situación, dificultad o aflicción debe apartarnos de «la obra de evangelista». Por mucho que contribuyamos a defender a nuestro pueblo y hacer resaltar los valores de nuestra cultura, si no hacemos ese tipo de labor nos estamos alejando del propósito divino. Existe este grave peligro, que utilicemos una serie de actividades legítimas, para no hacer la labor evangelística. Es fácil decir que «evangelizamos» al asistir a reuniones políticas o comunitarias. Algunos dicen que nuestra presencia allí es en sí una obra evangelizadora. Claro que no hay nada que nos impida participar en esas reuniones. Pero tengamos cuidado en no utilizar ese tipo de «evangelización» como un pretexto para justificar el deseo que sentimos de estar presentes en actividades que nos atraen personalmente. Si de veras creemos que podemos evangelizar en ese contexto debemos seguir adelante. Pero en caso que nos aparten de la labor evangelizadora debemos retraernos.

Es cierto que si el cristiano se olvida de las necesidades materiales de los que le rodean está demostrando una falta olímpica de compasión. Pero eso mismo es lo que reflejaría su poca intensidad como evangelista. Se trata también de falta de compasión. En tales casos lo que resalta es la indiferencia por el destino eterno de las almas. Los que están entregados a las drogas no pueden resolver sus problemas mediante proclamas políticas o proyectos de redención social. Ni siquiera la ciencia puede resolver el problema. En tales casos nos damos cuenta con facilidad que sólo el evangelio es el «poder de Dios para salvación» y que únicamente «el que está en Cristo, nueva criatura es; las cosas viejas pasaron; he aquí todas son hechas nuevas» (2 Co. 5.17). No nos hemos encontrado con drogadictos que hayan resuelto su problema por medio de un estudio acerca de la responsabilidad social. Pero sí conocemos muchos que en un servicio evangelístico o por intermedio de un creyente que los evangelizó se han convertido en nuevas criaturas. La búsqueda de equilibrio, que permita al cristiano comprometerse con su pueblo, no puede llevarse a cabo a expensas de la obra evangelizadora. Los grandes problemas de América Latina son la deuda externa, la opresión, el analfabetismo, la corrupción, las estructuras injustas. Pero los enormes problemas a los que se enfrentan nuestros pueblos incluyen también el vicio, la droga, la disolución familiar, el materialismo, la vagancia y la indolencia. El pecado está detrás de todo lo mencionado, desde la deuda externa hasta la indolencia.

Existe una gran diferencia entre el ministro de Dios que tiene un amplio sentido de su responsabilidad y no es indiferente a las necesidades materiales y sociales y un colega que prefiere esto último a una serie de responsabilidades pastorales que pueden parecerle pesadas o rutinarias. En medio de cualquier compromiso válido que el ministro pueda tener con su pueblo, debe recordar las palabras del texto: «cumple tu ministerio». El pastor no cumple su ministerio solamente con predicar o evangelizar. Existen importantes aspectos adicionales que se han mencionado, incluso el compromiso con el pueblo. Nuestro énfasis tiene que ver con casos en los que se ha olvidado la dimensión evangelizadora. La iglesia nos ha elegido como pastores del rebaño y nos sostiene con sus ofrendas. No podemos olvidar que somos responsables ante ella. No podemos acusar de vagos a los que no trabajan si nosotros mismos no trabajamos precisamente en la ocupación que se nos ha encomendado y que hemos elegido voluntariamente. Gran admiración merecen aquellos siervos de Dios que tienen en alta estima el ministerio pastoral. Muchos de ellos han sido profesores, reformadores, teólogos, escritores, luchadores por las mejores causas,[74] pero han cumplido sobre todo con su ministerio pastoral y con la evangelización. Las deprimentes condiciones en que se realiza a veces el ministerio, los sufrimientos y persecuciones, el acoso dirigido por los opresores de diverso matiz, no deben sacarnos de nuestro trabajo, ni servir tampoco para que los utilicemos como un pretexto para abandonar lo que los católicos llaman «cura de almas» y los evangélicos «cuidado pastoral». España, América Latina y las comunidades hispanas de Norteamérica necesitan pastores que no olviden ninguna dimensión fundamental de su trabajo. Un pastor puede ser un luchador en muchas trincheras, pero no puede olvidar la principal.

C. La antesala de la gloria (4.6-8)

> Porque yo estoy para ser sacrificado, y el tiempo de mi partida está cercano. He peleado la buena batalla, he acabado la carrera, he guardado la fe. Por lo demás me está guardada la corona de justicia, la cual me dará el Señor, juez justo, en aquel día; y no sólo a mí, sino también a todos los que aman su venida.

V. 6. Pablo estaba listo para partir. En este caso, «sacrificio» quiere decir ser derramado como una libación a los dioses. Entre los romanos existía la costumbre de terminar las comidas con una especie de sacrificio religioso consistente en vertir el contenido de un vaso de vino, el cual era «derramado» para los dioses. Lo que está diciendo también es que se acerca su fin y está

74 Como lo son la paz, la justicia social, los derechos humanos, etc.

listo para terminar su tarea, la cual debe ser continuada por personas como Timoteo.

V. 7. Pablo utiliza una imagen familiar, de carácter atlético, lo cual no es nada nuevo en él. El Apóstol afirma haber «peleado la buena batalla». La palabra «pelea» (*agon*) significa una competencia en los juegos olímpicos u otras actividades similares. No se trata de una batalla de tipo militar.

Para entender mejor «la carrera» que afirma haber acabado podemos acudir a Filipenses 2.16: «asidos de la palabra de vida, para que en el día de Cristo yo pueda gloriarme de que no he corrido en vano, ni en vano he trabajado».

En cuanto a haber «guardado la fe», pudiera ser que Pablo guardara el depósito de la fe, las verdades de la fe que estaba traspasando a sucesores como Timoteo. También pudiera tratarse de haber creído hasta el fin. Para Spicq esto pudiera haber sido una referencia a la fe que confesó en su bautismo o en la comisión que recibió como Apóstol.

V. 8. La corona de laurel de los juegos olímpicos se marchita pronto; pero aquí se habla de una «corona de justicia» la cual, por supuesto, nunca se marchitaría. El premio no era solamente para Pablo sino para todos los que como él tenían intenso de amor hacia la «venida»[75] de Jesús, los cristianos verdaderos y fieles, personas rectas en todo el sentido de la palabra. Ciertamente le estaba «guardada» la corona de justicia. Se trata de algo que reservaban los monarcas orientales para entregarlo a los que habían rendido servicios significativos.[76] Guthrie se inclina a la opinión de Newport White acerca de lo que «corona de justicia» significa en este contexto. La frase debe significar «la corona que es la recompensa de las virtudes de un hombre recto».[77] Este premio a la rectitud estaría muy en armonía con la doctrina de Pablo acerca de la justicia. Para otros, la rectitud misma es la corona.

Ch. Otros colaboradores (4.9-15)

> Procura venir pronto a verme, porque Demas me ha desamparado, amando este mundo, y se ha ido a Tesalónica, Crescente fue a Galacia, y Tito a Dalmacia. Sólo Lucas está conmigo. Toma a Marcos y tráele contigo, porque me es útil para el ministerio. A Tíquico lo envié a Efeso. Trae, cuando vengas, el capote que dejé en Troas en casa de Carpo, y los libros, mayormente los pergaminos. Alejandro el calderero me ha causado muchos males; el Señor le pague conforme a sus

75 Algunos entienden el uso de la palabra indica el regreso de Jesús. Otros creen que tiene que ver con la encarnación.

76 Esa fraseología se utiliza en antiguas inscripciones de reyes orientales.

77 *Op. cit.*, p. 170.

hechos. Guárdate tú también de él, pues en gran manera se ha opuesto a nuestras palabras.

V. 9-10. Aquí encontramos vasos para honra y vasos para deshonra.[78] Algunos fueron fieles y otros se convirtieron en graves problemas en la obra de Dios. Esta es una lista en la que lo encontramos todo. Incluye personas poco agradecidas y también ejemplos impresionantes de lealtad. Si la carta se escribió en Roma y Timoteo estaba en Asia Menor ésta sería, tal vez, una petición extraña. Hanson explica que le tomaría muchas semanas a una carta llegar a Timoteo y aun mucho más tiempo para que éste llegara a Roma. Puede ser un simple deseo de verle antes de morir.[79]

Demas es mencionado tres veces en las epístolas paulinas. Fue un colaborador de Pablo (Flm. 24) y es mencionado sin ningún tipo de comentarios (Col. 4.14). Aparece simplemente en este versículo como alguien que desamparó al Apóstol. Según Spicq, este hermano se sintió desanimado y regresó a su casa ya que no hay base para afirmar que necesariamente apostató de la fe o algo parecido. Crescente es mencionado únicamente en este versículo. Se discute si fue a Galacia o a las Galias.[80] A Tito, de quien se dice que fue a Dalmacia, se le había pedido reunirse con Pablo en Nicópolis. Una de las poblaciones de Dalmacia se llama precisamente Nicópolis.

De acuerdo con Fee: «Demas es mencionado primero... De él se conoce poco (aunque se ofrece información sobre él en la literatura apócrifa) a no ser que era un colega de Pablo durante un encarcelamiento anterior».[81] De acuerdo con ese mismo autor, lo de «amando este mundo» es un lenguaje escatológico que hacía contrastar el presente con la era venidera y su actitud con las de Pablo, Timoteo y otros que amaban la «venida» de Jesús (v. 8).[82] También apunta que la razón de la ida a Tesalónica es desconocida, pero estima que pudiera ser su región natal ya que no era un sitio atractivo en aquel tiempo.[83]

V. 11. No todos coinciden en que el Lucas mencionado aquí es el autor de dos libros del Nuevo Testamento. Pero nosotros estamos bastante seguros de que se trata de nuestro famoso «San Lucas» mencionado en otras partes y tenido en gran estima por el Apóstol y por casi todo el mundo cristiano de la época.

Había habido problemas entre Pablo y Marcos, pero en esta avanzada fecha en la vida del Apóstol el evangelista se había convertido en «útil», lo

78 Véase el comentario a 2.20-21.

79 *Op. cit.*, p. 157.

80 Hay problemas lingüísticos aquí. Algunos traductores han especulado sobre si se trata de «Galilea».

81 *Op. cit.*, p. 293.

82 *Ibid.*

83 *Ibid.*

cual no nos extraña.[84] Tal vez nunca dejó de ser realmente útil a no ser en la apreciación humana que Pablo en un momento de controversia hizo de su persona. Afortunadamente, Pablo no añade información acerca de que Marcos no era «útil a los ojos de Dios» o algo por el estilo. No le fue «útil» a Pablo, sobre todo porque lo dejó en una ocasión, pero esto no lo descalificó totalmente. Preferimos pensar que simplemente se arreglaron sus relaciones con Pablo y de ahí que, también para el ministerio de éste, Marcos llegó a ser «útil».

Reconocemos que para algunos traductores y comentaristas, el ser «útil» o *eucrêstos* indica «útil en el servicio del evangelio» o «útil para el ministerio» (no solamente para el ministerio de Pablo).[85] Según la tradición copta, Marcos fundó la iglesia de Egipto. Los cristianos coptos de ese país llaman al «Papa» de Alejandría, su patriarca y líder espiritual, «sucesor de San Marcos».

V. 12. Tíquico, «el que tiene fortuna» o «el afortunado», era un discípulo procedente de Asia Menor que acompañó a Pablo en su último viaje a Jerusalén. Posteriormente, fue enviado a Efeso y a Colosas por el Apóstol encarcelado para informar sobre los acontecimientos en Roma. Lo encontramos en Creta en Tito 3.12.[86] Hanson insiste en llamarle un hombre de muchos viajes.[87]

V. 13. De acuerdo con Guthrie: «las referencias a la capa, los libros y los pergaminos son tan incidentales que llevan las marcas de la autenticidad».[88] La palabra que se usa para capa o capote es *felonês*. Ese autor menciona la relación que existe con la palabra latina *paenula* que quiere decir una vestimenta externa en forma circular, hecha de un material pesado y con un hueco en el medio reservado para la cabeza. En muchas regiones de América Latina se diría que era un poncho o una ruana. Otros entienden que *felonês* en este caso es simplemente una especie de portafolio. Los pergaminos (*membrana*, son difíciles de identificar pero seguramente eran valiosos. Muchos entienden que se trataba de pergaminos que contenían el Antiguo Testamento en griego, o al menos parte del sagrado volumen. También se cree que pudieron haber sido cartas de Pablo que se estaban coleccionando o el certificado de ciudadanía romana del Apóstol acompañado tal vez de otros documentos legales.[89]

Vv. 14-15. Sobre Alejandro el calderero existe alguna incertidumbre. Pudiera haber tenido alguna relación con el hereje Alejandro mencionado en 1 Timoteo 1.20. Pudiera ser el Alejandro de Hechos 19.33. No existen mayores

84 Al mismo tiempo que Pablo lo despidió, siguió siéndole útil a un pariente, Bernabé.

85 A. T. Hanson menciona estas formas de entender el uso de la palabra «útil» en este caso. Véase *op. cit.*, p. 158.

86 Serafín de Ausejo, *op. cit.*, p. 1946.

87 *Op. cit.*, p. 158.

88 *Op. cit.*, p. 173.

89 Véase T. C. Skeat en *Cambridge History of the Bible*, Cambridge University Press, Cambridge, 1969, vol. 2, pp. 54-74.

evidencias. Además, el que se le identifique como «el calderero» es posiblemente una forma de separarlo de otros personajes del mismo nombre. Guthrie indica que como Pablo vincula al Alejandro de 1 Timoteo 1.20 con Himeneo en el caso de una excomunión temporal algunos han identificado al calderero con este hombre. Pero expresa sus dudas al respecto.[90]

Por su parte, Spicq señala que las palabras «me ha causado muchos males» pudieran implicar que Alejandro ofreció mala información acerca de Pablo. Lo que sí está claro es lo expresado por el Apóstol acerca de cuidarse de este personaje peligroso y de su evidente oposición a la prédica de Pablo. Finalmente, «el Señor le pague según sus hechos» es una cita del Sal. 62.12.

El v. 15 es presentado en otra versión como «Tú guárdate de él, porque ha mostrado gran resistencia a nuestras palabras» (NC).

D. La primera defensa de Pablo (4.16-18)

> En mi primera defensa ninguno estuvo a mi lado, sino que todos me desampararon; no les sea tomado en cuenta. Pero el Señor estuvo a mi lado, y me dio fuerzas, para que por mí fuese cumplida la predicación, y que todos los gentiles oyesen. Así fui librado de la boca del león. Y el Señor me librará de toda obra mala, y me preservará para su reino celestial. A él sea gloria por los siglos de los siglos. Amén.

Vv. 16-17. En estos versículos se está tratando probablemente de la investigación preliminar o *prima actio* que establecen los procedimientos judiciales basados en el derecho romano y realizada antes del juicio formal. También es probable que se haya emitido un veredicto de que los asuntos no estaban claros *(non liquet)*. Al ser llevado al tribunal por primera vez no tenía defensor y parece ser que nadie vino a darle el apoyo moral representado por su presencia. Solamente el Señor estuvo a su lado.

Con esta interpretación hay necesariamente algunas dificultades, como sin dudas las hay en otras que la contradicen. La más importante pudiera ser la existencia de una aparente contradicción entre los vv. 6-8 en los cuales Pablo se refiere a una inminente conclusión de su vida y ministerio, como sería el caso de su condena a muerte, y el v. 17 donde nos dice: «Así fuí librado de la boca del león». Esto ha sido explicado de varias maneras. Nosotros entendemos que se trataba de una expresión de confianza ya que el cristiano puede confiar en ser librado por el Señor «de toda obra mala». Incluso ser condenado a muerte no quiere decir que no hayamos sido librados «de toda obra mala» como nos dice el Apóstol en el v. 18, en el cual, también en relación con el poder de Dios para librar, habla de ser preservado «para su reino celestial».

Guthrie, utilizando la gramática griega, señala también la posibilidad de

[90] *Op. cit.*, p. 174.

que esté refiriéndose a una ocasión histórica en que en que su defensa tuvo éxito.[91] Además, se puede tratar de que citara Sal. 22.21 que se inicia precisamente con esas mismas palabras acerca de ser librado del «león». No podemos olvidar tampoco que el diablo es presentado en 1 Pedro 5.8 como un león.

En esta breve presentación estamos dando por sentado un segundo encarcelamiento y nos hemos referido a la parte preliminar del proceso judicial. Algunos mencionan la defensa de Pablo en Cesarea, la cual se describe en Hechos 24. Aparte de otros problemas que esa interpretación nos presenta, no encontramos indicación alguna, en esa defensa, de que Pablo hubiera estado solo. Según comentaristas que rechazan la autoría paulina, en este capítulo encontramos varias notas procedentes de diversos materiales en los cuales hay referencias a la prisión de Pablo.

Volviendo a otros detalles, también significativos, como es el caso del abandono en que se encontró Pablo, encontramos como este, al afirmar sobre esa «primera defensa» que «ninguno estuvo a mi lado, sino que todos me desampararon; no les sea tomado en cuenta», utiliza *paraginomai* para decir «ninguno estuvo a mi lado», que probablemente significa que no tuvo defensor, y no necesariamente que se encontraba solo en el local donde se efectuó el juicio.

Al decir «para que por mí fuese cumplida la predicación» puede referirse a que consideraría incompleta su misión de no haber podido predicar en Roma. Por lo tanto, estas circunstancias fueron usadas para que tuviera la oportunidad de predicar en la capital del Imperio Romano y «que todos los gentiles oyesen», incluyendo los residentes de la capital y por lo tanto la corte imperial. También es posible que contara con una audiencia compuesta por personas de todas las nacionalidades del imperio. Ese probable carácter cosmopolita es señalado por numerosos intérpretes. Para Spicq, por mencionar uno, el poder predicar en un tribunal usando una defensa o exposición era una de las grandes oportunidades de aquella época.

No creemos pueda haber una interpretación adecuada de las palabras de Pablo en estos versículos sin citar Mateo 10.18: «y aun ante gobernadores y reyes seréis llevados por causa de mí, para testimonio a ellos y a los gentiles». Todo estaba previsto en el plan trazado por aquél que podía confundir al enemigo, darle la fuerza necesaria al predicador, librarle del «león» y concederle una oportunidad para testimonio. Además, sin importar las decisiones de los tribunales, le podía preservar «para su reino celestial».

Brox entiende que el autor utilizó una serie de materiales para hacer resaltar la condición de mártir de Pablo, mostrando así como el evangelio avanzaba a pesar de todo. Pero pudiera ser simplemente el testimonio suyo acerca de cómo Dios le usó a pesar de las circunstancias.

91 *Op. cit.*, p. 175.

V. 18. Debe tenerse en cuenta la parte final del versículo: «...A él sea gloria por los siglos de los siglos. Amén». Muchos entienden que esto es parte de una liturgia y señalan que dondequiera se utiliza «amén» se trata de un fragmento litúrgico. Carl F. H. Henry entiende que se trata de una «forma breve», y se refiere a posibles adiciones que se encuentran en algunos manuscritos, como en el caso de Mateo 6.13 y en este mismo versículo.[92] Existe también la opinión, compartida por Holtz, Spicq y en menor grado por Hanson y Ward, de que hay un uso frecuente del Salmo 22 por parte del autor.

El inagotable perdón

Existe la posibilidad de llegar a conclusiones que puedan afectarnos en el contexto en el cual nos desarrollamos. Para concluir nuestra exposición de estos versículos, haremos una referencia a las palabras de Pablo después de describir su abandono o falta de defensores (según sea el caso): «no les sea tomado en cuenta». Nos recuerdan inmediatamente a Jesús en la cruz (Lc. 23.34) y sus expresiones para los que le abandonaron y para los que le crucificaron. También pone en nuestra mente las de Esteban (Hch. 7.60) en relación con los que le apedreaban. Es maravillosa la continuidad histórica en este tema, una razón más para incorporar el perdón a nuestra vida, nos obliga a perdonar.

Aunque el ambiente cultural que nos rodea no sea propicio para el perdón, y el resentimiento forma parte del estilo de vida de nuestros compatriotas y vecinos, la continuidad del evangelio no dará lugar alguno para maniobras y manipulaciones de textos que permitan imitar a los que nos rodean. Es frecuente en nuestros países, así como en otras regiones del mundo, que se acuda a las persecuciones y los ataques contra el pueblo de Dios. No podemos responder con resentimiento, odio y venganza.

Independientemente de esas consideraciones, debemos tener presente el valor del apoyo que otros nos dan, así como la responsabilidad que tenemos los unos para con los otros. Los cristianos no hemos sido llamados a ser «Robinsones» modernos, aislados del resto de los creyentes o del resto de la humanidad, incapaces de responder a las grandes necesidades del resto del género humano.

92 *Op. cit.*, p. 93.

E. Los saludos y el anhelo del reencuentro (4.19-21)

Saluda a Prisca y a Aquila, y a la casa de Onesíforo. Erasto se quedó en Corinto, y a Trófimo dejé en Mileto enfermo. Procura venir antes del invierno. Eubulo te saluda, y Pudente, Lino, Claudia y todos los hermanos.

En medio de los saludos, encontramos información adicional. Pablo saluda a Prisca y Aquila, encabezando una lista que constituye una breve sección de la epístola. No importa que haya acabado de ofrecernos unas palabras inspiradoras al estilo de la liturgia cristiana. Prisca (a quien también se le llama Priscila) y Aquila son saludados como colaboradores. El autor parece pensar que estaban en Efeso. Recordemos que en Hechos 18.33 encontramos el encuentro de Pablo con estos personajes,[93] expulsados por el decreto del año 52 d. C., de Claudio[94] emperador de Roma; y que viajaron con el Apóstol a Efeso donde les dejó. Saluda a «la casa de Onesíforo», lo cual pudiera implicar que Onesíforo había muerto, pero que permanecía la preciosa relación con su familia cristiana.[95] Aun si utilizamos los *Hechos de Pablo,* una obra apócrifa en la cual se presenta a Onesíforo en Iconio con su familia, esto ocurriría con bastante anterioridad a la muerte de Pablo. Erasto es mencionado en el v. 20. Ese nombre es mencionado también en Hechos 19.22 y Romanos 16.23. Se trataba probablemente del tesorero de la ciudad de Corinto y era natural que permaneciera allí como menciona Pablo.[96]

En el mismo versículo se nos dice que Trófimo quedó enfermo en Mileto. Era de Efeso. Notamos el comentario de Ward en relación con el tema de la enfermedad en el cristiano. Nos advierte que muchos creen que no es la voluntad de Dios que el creyente pase por enfermedades. Pablo pudo ser usado por Dios en la sanidad de alguna persona, pero en el caso de Trófimo él mismo lo presenta como enfermo y no dice nada acerca de una sanidad. No es siempre la voluntad de Dios sanar a una persona determinada. Lo que sí sabemos es que el Señor puede sanar.[97]

El v. 21 expresa nuevamente el deseo de Pablo de que Timoteo hiciera el

93 Véase la exposición de este pasaje en Justo L. González, *Comentario sobre Hechos*, de esta misma serie del *Comentario Bíblico Hispanoamericano* de Editorial Caribe.

94 Claudio (10 a.C-54 d.C). De acuerdo con Suetonio, Claudio expulsó de Roma a los judíos alrededor del año 49 debido a disturbios acerca de «Chrestus», lo cual hace suponer que se tratara de discusiones acerca de Cristo. El edicto de expulsión hizo que Aquila y Priscila se trasladaran a Corinto poco después de su llegada allí. Véase Hch. 18.2,18,19; Ro. 16.3; 1 Co. 16.19. Claudio era aficionado a los estudios históricos y algunos le consideran como historiador. En su época fue considerado como uno de los más grandes conocedores de los antiguos etruscos y de las viejas religiones de la Península Itálica.

95 Véase nuestro comentario sobre 2 Ti 1.16.

96 Véase el comentario de Justo L. González.

97 *Op. cit.*, p. 223.

intento de ir a verlo antes del invierno. Era la última oportunidad disponible, el tiempo se iba acortando y al llegar el invierno no se podía viajar por mar.[98]

Se menciona a Eubulo como saludando a Timoteo. En el mismo versículo aparecen Pudente, Lino y Claudia. También se refiere colectivamente a todos los hermanos. Eubulo es el único nombre griego mencionado aquí; los demás son de origen latino. No olvidemos que escribía desde Roma. No tenemos información acerca de Eubulo y de Pudente. En la lista de obispos de Roma ofrecida por Ireneo encontramos a Lino como sucesor de Pedro. Revisando los comentarios y escritos consultados nos resulta curioso que el canónigo Hanson afirme categóricamente, al referirse al asunto, que no había episcopado monárquico en Roma en el primer siglo y por lo tanto considere las referencias de Ireneo como no históricas, en lo cual coincide con infinidad de eruditos protestantes que pertenecen a iglesias sin pretensiones de episcopado histórico.[99] Pero no nos atrevemos, en ningún caso, a identificar con seguridad al Lino de la epístola con el otro aunque se pudieran mencionar fuentes tradicionales.

La presencia de Claudia, sobre la que no sabemos prácticamente nada, es resaltada hasta cierto punto por algunos comentaristas que encuentran curioso que sea la única mujer del grupo de cuatro. También se ha dicho que era romana, amiga de Pablo y madre de Lino. Otro dato no comprobado se refiere a su probable condición de esposa de Pudente.

Se especula sobre las razones de la no participación de estos personajes en el juicio de Pablo. El se proclama como «solo» o «abandonado» (o más bien sin defensores). Son datos difíciles de explicar aunque no presenten necesariamente contradicción alguna.[100] El problema radica en que los detalles íntimos del juicio son desconocidos. De todos modos, estos saludos, como tantos otros en las epístolas,[101] son recordatorios de la maravillosa comunidad entre los cristianos del mundo. Todavía disfrutamos de ella a pesar de las diferencias que nos separen.

F. Bendición (4.22)

El Señor Jesucristo esté con tu espíritu. La gracia sea con vosotros. Amén.

V. 22. La bendición se divide claramente en dos partes. La primera es dedicada a Timoteo. Si acudimos a Filemón 25 y a Gálatas 6.18 encontramos el mismo tipo de bendición. Tal vez en este caso es un poco más personal pues

98 Véase Justo González, *Comentario sobre Hechos* y su exposición de Hechos 27.27-44.

99 *Op. cit.*, p. 164.

100 Véase nuestro comentario sobre v. 16-17.

101 Véase H. Gamble en «The Textual History of the Letter to the Romans», *Studies and Documents*, # 42, pp. 56-83.

se dirige a un solo individuo. En el griego se usa la segunda persona del singular. «La gracia sea con vosotros», que constituye la segunda parte, es para los otros cristianos ya que se utiliza el plural. También eso último pudiera indicar que la epístola debía ser leída por otros además de Timoteo. La bendición, si es considerada como un todo, es claramente paulina.

Solidaridad en medio de la prueba

En esta carta se exhorta a Timoteo a avivar el don de Dios que había recibido. También hay referencias a una «palabra fiel», se defiende la sana doctrina, se advierte sobre la apostasía, se le señala a la iglesia el peligro de los falsos maestros, se recomienda predicar una doctrina sana, y se termina con saludos, como en otras ocasiones.

La solidaridad entre los cristianos es sumamente importante. Aunque se mencionen incidentes desagradables relacionados con algunos de los personajes cuyos nombres aparecen, hay una nota positiva. Los hermanos se mantenían en contacto. Eran creyentes dedicados que permanecían fieles a Pablo y sobre todo a Dios.

Como los hombres y mujeres de aquel mundo romano en que se desarrollaron las vidas de Pablo y Timoteo y como aquellas personas de origen judío o gentil, los cristianos de nuestros países y de nuestra lengua podemos mantener todavía un contacto esencial entre nosotros. Es siempre oportuno compartir las penas y las alegrías. Un compañerismo hispanoamericano de cristianos no quiere decir que olvidemos a los hermanos norteamericanos, británicos, canadienses o de otras nacionalidades. Es importante incluirlos a ellos también. Pero debemos aprovechar las coincidencias culturales y lingüísticas para mantener una comunión especial por las cuestiones de contexto. En esta carta se habla de «tiempos peligrosos». Esa condición no es extraña a esta época y a este lugar.Enfrentamos gravísimos problemas internos y externos. Nuestros países se empobrecen continuamente según aumenta la población y disminuyen los recursos disponibles. Hemos sufrido guerras y pasado por revoluciones y crisis de todo tipo. Las iglesias han estado divididas y existe una peligrosa polarización entre los creyentes. Pero ha habido muchos que han extendido generosamente la mano de la solidaridad. Abundan los creyentes fieles y dedicados, comprometidos con su pueblo, con la iglesia y sobre todo con la causa del Reino de Dios. Evitemos todo tipo de resentimiento y amargura. Dios se encargará de rectificar las injusticias entre nosotros y fuera de nuestro ambiente. Como sucedió con

Pablo, el Señor nos «...librará de toda obra mala» y «...preservará para su reino celestial». No somos el pueblo de Dios de los primeros siglos, pero somos también pueblo suyo en España, América Latina y las comunidades hispanas de Norteamérica y el mundo. Por lo tanto, podemos confiar en él y mantener el contacto con nuestros hermanos.

Este comentario se propone ser una modesta contribución a que avivemos «el don de Dios» e intensifiquemos las relaciones entre los que integran el cuerpo de Cristo.

Tito

Introducción a la epístola a Tito

A. Ocasión de la Epístola

Al iniciar su comentario sobre la epístola, Joseph Reuss se refiere al tema de la relación del Apóstol Pablo con la misión en Creta, encomendada a Tito: «Después de la liberación de la primera prisión romana, en el año 63, el apóstol Pablo intentó probablemente hacer un viaje misional a España, acerca del cual no se han conservado noticias seguras. Seguidamente se dirige de nuevo al Asia Menor y a Grecia, y visita la isla de Creta, donde en compañía de Tito funda unas comunidades cristianas».[1] Ese autor reconoce en una nota que ese orden cronológico de las cartas pastorales en la vida del apóstol es discutido.[2] Además, resultaría complicado determinar el lugar desde donde Pablo pudiera haber escrito la carta. Sin embargo, creemos que no podía haber llegado todavía a Nicópolis donde planeaba pasar el invierno. Las cuestiones de autoría han sido discutidas desde la introducción y el lector conoce la diversidad de opiniones al respecto. Pero la ocasión parece haber sido el instruir a Tito en cuanto a la administración del cuidado pastoral y el gobierno de la iglesia. Según la opinión de Gould: «La Epístola a Tito es de tipo similar a las cartas a Timoteo, con su tema principal de consejo de un supervisor de mayor edad para un pastor joven».[3] Con ese tipo de presentación se evitaría la discusión acerca de la autoría pues establece un punto fundamental indiscutible. En Creta faltaba mucho por hacer en cuanto a enfrentarse a enseñanzas falsas y a la conducta inmoral de muchos. Una clave la proporciona la cita de Epiménides,

1 *Carta a Tito*, Editorial Herder, S.A., Barcelona, 1968, p. 5.

2 Según Joseph Reuss «otra opinión las coloca dos décadas más tarde, niega que hayan sido compuestas personalmente por el Apóstol y las atribuye a uno de sus discípulos». Opiniones como esa se han discutido en más detalle en la introducción de esta obra.

3 *Op. cit.*, p. 706.

poeta cretense que describió bastante duramente a sus compatriotas en el siglo sexto a.C. (Tit. 1.12).

Existe una fuerte corriente de opinión a favor de que la Segunda Epístola a Timoteo, que acabamos de estudiar, sea la última de las tres. Como se desprende de la despedida del Apóstol, esa carta debe haberse escrito poco antes de la muerte de Pablo, si se le considera a él como autor de la misma. Por lo tanto, la carta a Tito se escribió probablemente en la misma época que Primera de Timoteo. Pero las escasas referencias a asuntos personales no proporcionan indicaciones claras en cuanto a la fecha y el lugar. Turrado entiende que la fecha de composición es «prácticamente la misma» de la de Primera de Timoteo y señala que se trata «de tiempos posteriores a la primera cautividad romana, pues anteriormente no parece que esa isla hubiera sido evangelizada por Pablo».[4] Para Gould: «...es difícil establecer si se escribió antes o después de Primera de Timoteo».[5]

B. Contenido

Se trata de una carta bastante breve, y mucho de lo que se ha dicho de Primera de Timoteo ayuda a entender el contenido. De nuevo encontramos los temas de la lucha contra las doctrinas erróneas y peligrosas, de la preservación del «depósito» de la fe y de la organización de las iglesias. Esto se nota desde el primer capítulo. En el segundo hay referencias a la vida cristiana y cómo el pastor debe tratar a personas de diferentes edades y sexo. Ciertos materiales acerca de la «cura de almas» o ministerio pastoral que puede aprovecharse en nuestro tiempo. De nuevo hay exhortaciones a los siervos. Este capítulo dirige la atención del lector a la segunda venida de Cristo en medio de exhortaciones a una vida pura, alejada de la impiedad. En el capítulo tercero se enseña a obedecer a los gobernantes, se recuerda la condición del cristiano antes de su conversión y se hace un contraste con la bondad y la gracia de Dios. En ese último capítulo se hace un énfasis especial en «las cuestiones necias y genealogías» que deben evitarse. Como ya se ha indicado, la parte final del capítulo tiene que ver con cuestiones personales, pero no se ofrece mucha información.

Fee encuentra en la Epístola a Tito mucha menos urgencia que en Primera de Timoteo. Además, señala que mientras Timoteo debía reformar una iglesia ya establecida, Tito tenía que darle forma a las de Creta, lo cual ayuda a entender el contenido. Según él, tiene un carácter «profiláctico» pues ayuda al propósito de advertir de las enseñanzas falsas, y posee también un carácter «evangelístico», es decir, promueve el comportamiento cristiano que atrae al mundo que se quiere convertir.[6]

4 *Op. cit.*, p. 417.
5 *Op. cit.*, p. 706.
6 *Op. cit.*, p. 11.

C. Bosquejo de la epístola a Tito

I. El ministro como supervisor
   A. La salutación (1.1-4)
   B. La comisión de Tito en Creta (1.5)
   C. Requisitos para los ancianos (1.6-9)
   Ch. Los herejes de Creta (1.10-11)
   D. La reputación de los cretenses (1.12-13)
   E. Dos estilos de vida (1.14-16)
II. El ministro y la exhortación
   A. La vida cristiana en los demás (2.1-6)
   B. Tito y su propia vida cristiana (2.7-8)
   C. El ministerio pastoral (2.9-10)
   Ch. La esperanza bienaventurada (2.11-15)
III. El ministro y toda buena obra
   A. Las buenas obras (3.1-2)
   B. El cristiano y su propio pasado (3.3)
   C. El salvador manifestado para justificación (3.4-7)
   Ch. Admoniciones sobre obras y maestros (3.8-11)
   D. Conclusión (3.12-15)

I

El ministro como supervisor

A. La salutación (1.1-4)

Pablo, siervo de Dios y apóstol de Jesucristo, conforme a la fe de los escogidos de Dios y el conocimiento de la verdad que es según la piedad, en la esperanza de la vida eterna, la cual Dios, que no miente, prometió desde antes del principio de los siglos, y a su debido tiempo manifestó su palabra por medio de la predicación que me fue encomendada por mandato de Dios nuestro Salvador, a Tito, verdadero hijo en la común fe: Gracia, misericordia y paz, de Dios Padre y del Señor Jesucristo.

Los tres elementos de una salutación convencional al estilo de las anteriores están presentes aquí: el escritor, la persona a quien se dirige la carta y una bendición. Sin embargo, hay una diferencia marcada. Se trata de una salutación bastante más larga que las otras dos contenidas en las Pastorales.

V. 1. Lorenzo Turrado señala que Pablo «trata de destacar ya desde un principio su autoridad, y, consiguientemente, la de Tito su enviado, a fin de impresionar más a los falsos doctores de Creta».[7] Pero la salutación es tan elaborada que los que no aceptan la autoría paulina pueden muy bien preguntarse si hay algo extraño aquí. Se supone que Tito haya sido un amigo cercano del Apóstol. Es posible aceptar, hasta cierto punto, el comentario hecho por J. L. Houlder al referirse a la riqueza en pasajes doctrinales que encontramos en la carta a Tito a pesar de su tamaño. Esta introducción a manera de salutación nos pudiera estar preparando para ello. Por su parte, R. E. Collins cree que el autor de la carta está situando a Pablo al mismo nivel que Moisés, David y los profetas.[8]

7 *Op. cit.*, p. 418.

8 Véase «The Image of Paul in the Pastorals», *LTP*, # 2, 1975, p. 149.

También parece bastante apropiado el comentario que hace Barclay acerca de que Pablo «al convocar a uno de sus ayudantes[9] para realizar una labor, empieza por establecer su propio derecho a hablar y, como si ese fuera el caso, a poner de nuevo el fundamento del evangelio».[10] Esta es una ocasión única en la que Pablo se describe a sí mismo como un esclavo (*doulos*) de Dios. Ya se había presentado en otras cartas como «Siervo de Jesucristo». En este mismo versículo se encuentran elementos que permiten intensificar la discusión acerca de quién escribió la carta pues muchos afirman que Pablo nunca se hubiera presentado como «siervo de Dios» sino como «siervo de Jesucristo». Muchos prefieren resaltar la insistencia paulina en referirse a Cristo y no a Dios. Santiago se presenta a sí mismo como «siervo de Dios y del Señor Jesucristo» (Stg. 1.1).

Otro asunto interesante es que Pablo parece aquí vincular o hasta condicionar su apostolado a la fe de los «escogidos de Dios». Para nosotros, «conforme a la fe de los escogidos de Dios y el conocimiento de la verdad...». pudiera leerse más bien de la siguiente manera: «para adelantar la fe de los escogidos de Dios y el conocimiento de la verdad». Se trata de una construcción griega difícil de traducir y trasladar a las lenguas modernas (*kata pistin*). El uso de «escogidos de Dios» no ofrece elementos adicionales de juicio que nos permitan entrar en la ya larga discusión acerca de la predestinación. Se refiere a los creyentes como «escogidos».

En cuanto a «el conocimiento de la verdad que es según la piedad», es una probable referencia a la ortodoxia, la cual estaba en crisis por los ataques de los falsos maestros y las nuevas escuelas. El apostolado de Pablo no tenía relación solamente con las condiciones reinantes en el momento en que se escribieron estas palabras.

V.2. El próximo versículo lo aclara: «en la esperanza de la vida eterna, la cual Dios, que no miente, prometió desde antes del principio de los siglos». Se está hablando de algo que no se limita ni siquiera a las imposiciones del tiempo. Según el Apóstol Dios no puede mentir («Dios, que no miente»). Se utiliza aquí una combinación de palabras del idioma griego que significan que Dios está libre de toda falsedad.

V. 3. Después hallamos un contraste entre la eternidad y el «debido tiempo». Por lo tanto: «...a su debido tiempo manifestó su palabra por medio de la predicación que me fue encomendada por mandato de Dios nuestro Salvador». Es una predicación de origen divino. La palabra es dada a conocer mediante ese mensaje. En una versión leemos: «y que en el tiempo oportuno ha manifestado su Palabra...» (BJ) y en otra simplemente «en su tiempo» (TA).

9 William Barclay utiliza la palabra inglesa *henchman* que si la traducimos al castellano sería «hechura», «paniaguado» o «secuaz servil», pero creemos que el autor se refiere más bien a un fiel ayudante formado bajo la dirección del Apóstol.

10 *Op. cit.*, pp. 232-234.

V. 4. La más antigua tradición de la iglesia contiene suficientes datos acerca de Tito como para que estemos seguros de su relación especial con Pablo, independientemente de la información que encontramos en esta epístola. Es por eso que no nos sorprende que el Apóstol se refiera a él como «verdadero hijo en la común fe» en el v. 4, que también contiene una bendición. En otra versión se dice «...hijo querido, según la fe que nos es común» (TA). También se trata básicamente de la misma forma utilizada para referirse a él en 1 Timoteo 1.1. Ahora bien, en este versículo se habla «de la común fe», mientras que en 1 Timoteo 1.1 se hace referencia solamente a «la fe», lo cual puede indicar que en la carta a Tito se está haciendo mayor énfasis en la «catolicidad» o carácter universal de la fe. Spicq es uno de los que piensan de esa manera. Por otra parte, Pablo el judío y Tito el gentil tenían algo en común en cuanto a su experiencia religiosa. Algunos creen que el interesarse en señalar eso en el primer siglo no tendría importancia. La confrontación o enfrentamiento principal en la iglesia no era, según ellos, entre judíos y gentiles. En cualquier caso, el tema está sujeto a discusión.

B. La comisión de Tito en Creta (1.5)

Por esta causa te dejé en Creta para que corrigieses lo deficiente, y establecieses ancianos en cada ciudad, así como yo te mandé.

V. 5. Por lo que se desprende de la lectura de este versículo, la existencia allí de problemas de cierta importancia parece tener relación con el nombramiento de Tito. Se le concedía a este ministro principal o supervisor de la obra hasta la autoridad de designar ancianos o presbíteros en las distintas poblaciones de la isla siempre que éstos llenaran las condiciones requeridas. Se estaba confirmando o reafirmando una posible comisión anterior, sobre todo en el posible caso de que Tito hubiera iniciado su gestión y estuviera experimentando ciertos problemas serios, incluso relacionados con la autoridad que necesitaba para su labor.

Es también probable que algunas personas quisieran ocupar cargos para los cuales no eran idóneas. Es hasta posible que los que debían ocuparlos se retrayeran. Esa situación se repite constantemente en la iglesia cristiana.

Se presume que el Apóstol había visitado Creta y había dejado allí a Tito como supervisor del trabajo. No encontramos precedentes de esa autoridad conferida a una sola persona ya que se le estaba concediendo nada menos que la facultad de nombrar los ancianos de la iglesia por sí mismo. Nos parece razonable la explicación ofrecida por el canónigo Hanson acerca de que la iglesia en Creta puede haber sido fundada desde Efeso. Por lo tanto, ésta podía delegar autoridad en una persona conocida para que les hiciera frente a circunstancias especiales. Hanson se refiere también a que Pablo y Bernabé volvieron a visitar las iglesias fundadas en Cilicia y nombraron presbíteros allí

(Hch. 14.23). En relación con ese caso se habla específicamente de que «constituyeron» ancianos y les encomendaron al Señor.[11]

Es posible usar ciertos elementos para hacer una composición de lugar. Veamos. Pablo presentó desde el principio sus credenciales de Apóstol. Las condiciones en Creta eran especiales. Tito era un hombre de confianza. Las iglesias no estaban lo suficientemente desarrolladas como para escoger sus líderes en esa etapa inicial. A. Cousineau entiende que la iglesia no había logrado allí un crecimiento apreciable, ya que había sido fundada recientemente.[12] Todo eso está sujeto a discusión.

Por lo tanto, independientemente de si aceptamos una forma de gobierno eclesiástico determinada, no debe extrañarnos lo sucedido.[13] En cada sistema se hace provisión para situaciones como ésta. No debe, pues, llegarse precipitadamente a la conclusión de que se trata específicamente del sistema de obispos monárquicos que algunos hallan en forma germinal en su análisis del período.[14] Es cierto que algunos elementos de ese tipo de episcopado pudieran hallarse aquí, pero una situación especial es prevista en casi todos los sistemas de gobierno eclesiástico imaginables y no hay ninguna razón de peso que nos permita especular acerca de si los detalles de nuestros sistemas de gobierno están reflejados exactamente en las primeras etapas del cristianismo.

Algunos versículos sugieren como lo hace éste que las condiciones de la iglesia cristiana en Creta eran más complicadas o difíciles que la de Efeso. Veamos.

Creta, la antigua «Kefti», llamada también «Candía», es una isla griega en el Mediterráneo central, al sur de las Cícladas y del mar Egeo. Tiene 88,379 kilómetros cuadrados de extensión territorial y su forma es alargada. Mientras la costa septentrional es articulada, la meridional no tiene mayores accidentes. El interior del país está bastante accidentado por grandes macizos y con elevaciones de hasta 2,500 metros. No fue sino hasta principios de este siglo que se iniciaron los estudios avanzados que nos permiten conocer bastante acerca del pasado de Creta. Una misión inglesa dirigida por Arturo Evans[15]

11 *Op. cit.*, pp. 172-173.

12 Véase «Le sens de *presbyteros* dans les Pastorales», *ScSpr*, # 28, 1976, p. 159.

13 Lo que aquí leemos no contradice abiertamente ninguno de los sistemas de gobierno más conocidos. Hasta las denominaciones con gobierno congregacional delegan mucha autoridad en sus misioneros para establecer iglesias y escoger líderes en forma temporal. Después que las iglesias se desarrollan y organizan, son ellas las que eligen a sus dirigentes.

14 Como se ha explicado en la introducción estas cuestiones pueden tener relación directa con la fecha que se les atribuye a estas cartas.

15 Arqueólogo inglés (1851-1941) nacido en Nash Hills, Hertford. Sus excavaciones en Creta le convirtieron en uno de los más importantes personajes en las investigaciones arqueológicas de todos los tiempos. Gracias a sus descubrimientos el caudal de datos sobre la civilización primitiva de Grecia y el Mediterráneo aumentó en forma decisiva, hasta el punto de alterar ideas que hasta entonces eran aceptadas por todos. Sus obras incluyen *Cretan Pictographs and Prae-Phoenician Script*, *Further Discoveries of Cretan and Aegean Script* y otras. Para los

tuvo como punto de partida excavaciones realizadas en 1893. La misma ha permitido que tengamos a nuestra disposición datos fundamentales y una mejor idea del pasado, lo cual se ha conseguido a través del estudio de una serie de fases, objetos y monumentos. La labor de Evans fue complementada por los arqueólogos Halbherr de Alemania y Camparetti de Italia.

Aún antes de esas excavaciones y estudios, se conocía bastante acerca de Minos, de quien sabemos por fuentes homéricas que reinó allí. Los historiadores Herodoto y Tucídides, así como Aristóteles, se refieren a la fortaleza de su armada. La importancia de Creta en el período pre-helénico de Grecia es ahora aceptada generalmente y despierta la atención de los historiadores y arqueólogos a través del mundo. Se admira la riqueza de la cultura antigua de la isla, el desarrollo de sus civilizaciones.

La cultura cretense se desarrolló en tres grandes períodos: el minoico anterior que coincide con la primera dinastía egipcia, hacia el año 3000 a.C.; el minoico medio se inicia con la duodécima dinastía egipcia, hacia el año 2000 a.C.; y el minoico posterior hacia el 1500 a.C. La cultura cretense (antigua) se extingue alrededor de 1200 a.C., pero su arte fue adoptado en Grecia donde se continuó. Creta fue cuna de la cultura egea, cretense o micénica. Puede decirse que durante el segundo milenio a.C., esa cultura se desenvolvió con gran éxito y esplendor. Es interesante que su escritura original haya sido desplazada rápidamente por la fenicia y por lo tanto no se conoce debidamente. Michael Grant es uno de los historiadores que mencionan la posibilidad de que los fenicios se hayan originado en Chipre, Asia Menor o Creta.[16] Grandes excavaciones se han estado realizando durante este siglo en Cnosos, Festos, Hagia Triada y otros lugares, comprobándose que Festos y Cnosos tuvieron épocas de gran esplendor.

La lectura de Primera de Macabeos, Hechos de los Apóstoles y Tito revela que en las épocas helenista y romana se habían establecido los judíos allí en número apreciable. Ya en 67 a.C., Creta pasó a ser una provincia senatorial dentro del Imperio Romano. En 27 a.C., se unió con la provincia senatorial de Cirenaica, convirtiéndose ambas en una sola unidad administrativa. Como se verá más adelante, sus pobladores no disfrutaban de muy buena fama pero eran muy útiles como tropas auxiliares y sobre todo como arqueros.[17] Aun así, su compatriota Epiménides, citado en 1.12, no dejó escrito un testimonio de su buena reputación en aquella parte del mundo sino todo lo contrario. En 1204 Creta fue ocupada por los venecianos y en 1669 por los turcos. En 1899 un

estudiosos de la religión y la historia de las religiones sus obras *The Mycenaen Tree and Pillar Cult* y sobre todo *The Earlier Religion of Greece in the Light of Cretan Discoveries* pueden ser consideradas como fundamentales. Una lúcida presentación de la obra de Evans y el tema de Creta y el minotauro se encuentra en la obra de C. W. Ceram, *Gods, Graves and Scholars*, Alfred A. Knopf, New York, 1968, pp. 61-72.

16 *The History of Ancient Israel*, Charles Scribner's Son, New York, 1984, p. 67.

17 Como encontramos en 1 Macabeos 10.67 y 11.38.

alto comisionado fue designado allí por Rusia, Italia, Francia y el Reino Unido. Estas naciones escogieron para el cargo a un representante de Grecia, y en 1912 la isla pasó a la soberanía griega.

Para conocer el trasfondo histórico y legendario de la religión de los cretenses es necesario también acudir a la mitología. El aspecto más conocido de su antigua religiosidad mitológica es el culto al Minotauro, un monstruo humano con cabeza de toro. Según esa leyenda, éste había sido el fruto de la unión entre Pasifae, esposa de Minois, y un toro enviado por Poseidón, al famoso monarca. El monstruo fue encerrado en un laberinto, después famoso, construido por Dédalo. Allí el Minotauro se alimentaba de carne humana. Cuando Creta derrotó a Atenas, los atenienses tenían que enviar cada siete años a siete mancebos y siete doncellas, utilizados como alimento del Minotauro. Teseo mató al monstruo y liberó a su patria del tributo. Los minoicos adoraban a los toros, a los que ofrecían en sacrificio al rendirle culto a una diosa-madre, la «señora de los animales», diosa cazadora de la cual surgió tal vez la adoración a la diosa Artemisa. Tenían danzas rituales, que celebraban con frecuencia y símbolos religiosos, entre los que sobresalía la doble hacha, usada posiblemente en el sacrificio de animales. Las religiones de las naciones cercanas fueron penetrando en Creta según se iban produciendo los contactos. Es decir, la situación no era del todo diferente a la de otras regiones del Imperio Romano. Bajo el nombre de Zeus se adoraba en Creta a un dios prehelénico mucho más antiguo. Algunos creían, pues, que en Creta estaba la tumba de Zeus; pero era basado en esta probable confusión. También ese argumento se utilizaba por algunos para atribuirles a los cretenses la condición de mentirosos que se atribuían una tumba inexistente. Marija Gimbutas, al señalar que la religión centrada en diosas y sus símbolos sobrevivió por largo tiempo en algunas regiones del Egeo y el Mediterráneo, identifica a Creta como uno de esos sitios.[18]

Pablo visitó Creta por primera vez durante su viaje a Roma (Hch. 27.7-21). Tito fue obispo en la isla de acuerdo con fuentes tradicionales de la antigüedad cristiana. Es importante señalar que Creta era una escala importante en el Mediterráneo en relación con visitas a la Palestina, a Cirene, al Asia Menor, etc. Los judíos residentes allí fueron afectados tal vez por una reacción nacionalista que se produjo allí pero con raíces en otros acontecimientos de la región. En 117 d.C., hubo manifestaciones violentas contra los romanos que vivían en Creta, instigadas por judíos de Palestina, Chipre y Cirene, y se produjeron algunas matanzas de judíos. Es posible que en el siglo segundo de nuestra era existiera alguna tensión entre los cristianos y los judíos de Creta.

Creemos que los problemas de la iglesia de Creta, reflejados en la carta a

18 Véase *The Language of the Goddess*, Harper & Row, San Francisco, 1990, p. xxi.

Tito, fueron asuntos derivados mayormente de condiciones internas de la iglesia.[19]

La comisión del misionero

Los misioneros extranjeros, al llegar a América Latina o España, habían recibido un apreciable grado de autoridad por parte de sus juntas misioneras o denominaciones.[20] También los obispos españoles enviados durante la dominación colonial poseían facultades bastante amplias.[21] El pasaje que nos ocupa puede ofrecer cierta justificación de esos casos y hasta nos ayuda a comprender muchas situaciones. Pero debe tenerse en cuenta que tanto Tito como cualquiera de nosotros se enfrenta a un grave peligro cuando se abusa de la autoridad que se otorga para establecer iglesias y designar personas con responsabilidades importantes. Esa autoridad se utiliza en algunos casos para la imposición de elementos culturales totalmente extraños, así como ideologías de diversos matices y puntos de vista personales sobre toda una vasta gama de asuntos.[22] Un misionero debe, además de propagar y defender la fe y su «depósito», organizar iglesias y buscar las personas idóneas para los cargos. Pero esa labor no debe extenderse hasta el punto de que se le conceda el privilegio de cambiar el estilo de vida y la cultura de iglesias y pastores. Una lectura latinoamericana o española de este pasaje, así como una interpretación del mismo en cualquier contexto, revelará situaciones muy propias de cual-

19 Para preparar esta sección acerca de Creta y su religión hemos consultado numerosas fuentes, entre ellas el *Diccionario de la Biblia* de Serafín de Ausejo; el tomo 3 del *Diccionario Enciclopédico UTEHA*, México, 1951; *Manual Bíblico Ilustrado*, Editorial Caribe, San José, 1976; *The Archaeology of Crete* de J. Pendlebury, Londres, 1939; Glyn Daniels, *The Origins and Growth of Archaeology*, Galahad Books, New York, 1967; *Archaeological Encyclopedia of the Holy Land*, Thomas Nelson Publishers, Nashville, 1986; Marija Gimbutas, *op. cit.*, y Marcos Antonio Ramos, *Historia de las Religiones*, Editorial Playor, Madrid, 1989.

20 Véase Marcos Antonio Ramos, *Protestantism and Revolution in Cuba*, Institute for Interamerican Studies, Graduate School of International Studies, University of Miami, Coral Gables, 1989, pp. 19-25.

21 Debe tenerse en cuenta la opinión de los historiadores que como Jean Meyer insisten en que «La Iglesia era sin embargo mucho menos poderosa de lo que podría creerse, pues la medida misma de su influencia da también la del control del Estado sobre ella». Véase *Historia de los Cristianos en América Latina*, Editorial Vuelta, México, 1989, p. 24.

22 Es necesario un estudio lo más amplio posible acerca de la historia de la teología en la América Latina. Un esfuerzo significativo y útil, es *Raíces de la Teología Latinoamericana* editado por Pablo Richard, Ediciones DEI, San José, 1985. En algunos de los trabajos incluidos en esa obra se hace resaltar el problema de la penetración cultural. Pero seguimos esperando la publicación de un estudio verdaderamente balanceado sobre el tema.

quier región en que se realice «obra pionera». El viejo sistema en el que el misionero lo era todo: superintendente general, pastor de la principal iglesia de la capital, evangelista, autoridad inapelable en cuestiones de teología, administrador de los negocios de la obra, rector del seminario y supervisor de todos los departamentos, debería convertirse en un dato histórico del pasado y nada más. Sólo en situaciones muy especiales pueden justificarse concentraciones de poder como ésa. Pudiera ser simplemente un arreglo temporal.

En nuestros países existen personas con gran capacidad para dirigir la obra eclesiástica, operar instituciones educativas, administrar programas de asistencia social. Contamos con excelentes predicadores, pastores de gran experiencia y líderes de todo tipo. El misionero sigue siendo útil y debe recibir la bienvenida. Es más, debe evitarse que se sienta discriminado. Pero la situación contemplada en el pasaje es muy diferente a la actual. Tito era una persona enviada a un ambiente adverso con recursos muy limitados. El que tuviera que realizar diversas funciones en un ambiente como el de los inicios de la obra en Creta no contradice la enseñanza de la Biblia, la cual insiste en la multiplicidad de los dones y en el trabajo compartido. Tito no fue enviado a «colonizar» o a «culturizar» Creta sino a evangelizar la isla, a organizar iglesias y a buscar líderes. Los únicos elementos «culturales» que pudieran entenderse como parte de la labor del misionero tienen relación directa con aspectos de cualquier cultura que no coincidan con la sana doctrina o el estilo de vida cristiano. Cualquier participante en la obra de las misiones encontrará esos elementos en la cultura del país donde es enviado y también en la de su país de origen. A pesar de eso, muchos grupos no han trazado todavía una línea de separación entre el trabajo misionero y su abierto, subconsciente o disimulado deseo de promover una nueva cultura.[23]

C. Requisitos para los ancianos (1.6-9)

El que fuere irreprensible, marido de una sola mujer, y tenga hijos creyentes que no estén acusados de disolución ni de rebeldía. Porque es necesario que el obispo sea irreprensible, como administrador de Dios; no soberbio, no iracundo, no dado al vino, no pendenciero, no

23 En relación con aspectos culturales que se han mencionado, véase Jean Pierre Bastian, *Historia del Protestantismo en la América Latina*, Ediciones CUPSA, México, pp. 130-132, 143-151; Washington Padilla, *La iglesia y los dioses modernos*, Corporación Editora Nacional, Quito, 1989, pp. 387-435; y Marcos Antonio Ramos, *Panorama del Protestantismo en Cuba*, Editorial Caribe, San José, 1986, pp. 199-233.

codicioso de ganancias deshonestas, sino hospedador, amante de lo bueno, sobrio, justo, santo, dueño de sí mismo, retenedor de la palabra fiel tal como ha sido enseñada, para que también pueda exhortar con sana enseñanza y convencer a los que contradicen.

V. 6. No hay diferencias sustanciales entre los requisitos exigidos en Primera de Timoteo y los que encontramos en la Epístola a Tito. Tampoco debe haber duda alguna acerca de que se trata de dos listas de requisitos preparados por un mismo autor. Pero hay algunos ángulos y requisitos adicionales que trataremos de tener en cuenta considerando los más difíciles de interpretar o justificar a la luz de la situación en Creta o de la diferencia con los incluidos en Primera de Timoteo. La condición de «irreprensible» (*anenklêtos*) se les exige en esta epístola a los ancianos como ya se les había exigido a los diáconos de Efeso. En otra versión se utiliza la palabra «irreprochable» (BJ).

Para algunos comentaristas es difícil entender cómo se pasa, sin transición o aclaración especial, de los requisitos de los ancianos, en los vv. 5 y 6, a los de los obispos en el v. 7. En realidad parece como si el autor se estuviera refiriendo al mismo cargo, al cual, por su diversidad de funciones, se le dan dos nombres, como sugieren muchos. De acuerdo con el profesor Juan José Hernández Alonso, fue precisamente al examinar estos pasajes que Juan Calvino llegó a identificar a los pastores con los obispos.[24] Por lo menos en esta epístola nos parece claro que el obispo es un anciano o presbítero más. Para Turrado: «ambos términos eran entonces sinónimos».[25] Hanson cree que el autor, al pasar de los requisitos de los presbíteros a los correspondientes a los obispos, no indica cambio de sujeto porque desea dar consejos acerca de un tipo de obispos monárquicos que no existía en el primer siglo pero que estaban empezando a ejercer ese tipo de funciones en la época en que él considera que esta epístola se escribió, el siglo segundo.[26]

En 1.6 se le exige al anciano u obispo, según la interpretación, el requisito de que sus hijos sean creyentes. En 1 Timoteo 3.4 solo se exige que se mantengan «en sujeción con toda honestidad». Bernard puede acertar con su interpretación: al elegirse los ancianos se debía escoger a los que presidían una familia cristiana. Además, al obispo se le exige que sea «irreprensible, como administrador de Dios». Ya Pablo había usado las imágenes del administrador y del tutor o curador en Gálatas 4.2 y en 1 Corintios 4.1.

V.7. Guthrie entiende que algunos requisitos que encontramos en el v. 7 y que obviamente parecen ser hasta propios de personas no cristianas, son incluidos debido a que en Creta había mucha gente inestable. En una situación

24 Véase «Ministerios en la iglesia en la teología de Calvino», *Diálogo Ecuménico*, Tomo VII, # 26, 1972, pp. 143-166.

25 *Op. cit.*, p. 419.

26 *Op. cit.*, p. 173.

como esa, para ser realista, las normas debían ser bastante moderadas. Para ese mismo autor, el que el ministro no sea soberbio o iracundo es muy saludable porque la presencia de esos defectos en algunos líderes ha debilitado el progreso de la iglesia en nuestro propio tiempo.

Además, las tres prohibiciones: no ser dado al vino, pendenciero o codicioso de ganancias deshonestas tenía más vigencia en la Creta del primer siglo que en nuestro propio tiempo.[27] Parece decirnos que allí había que contentarse con líderes que por lo menos tuvieran esencialmente un carácter cristiano y no esperar encontrar con facilidad personas con un grado más alto dentro de la condición de «irreprensible» que se sigue exigiendo.

V. 8. Se demanda del obispo que sea, además de «hospedador», «amante de lo bueno», lo cual algunos traducen como «amante de hombres buenos». Hanson está citando a Dibelius y Conzelmann al mencionar que esta cualidad se le atribuye generalmente a ciertos gobernantes en inscripciones contemporáneas.[28] De acuerdo con Ward, el uso de la palabra «santo» en este contexto es apropiado para cultos religiosos. Es decir, un hombre que es santo se siente «cómodo» con Dios, el cual le da la bienvenida. Y ya que también se utiliza la palabra «justo», que tiene más bien un carácter forense, el mismo comentarista considera que se consigue crear una «contraparte cúltica» con el uso de la palabra «santo».[29] Para Hendriksen, el significado es «amor a forasteros», dispuesto «a amparar y a dar alojamiento a creyentes desamparados, viajeros o creyentes perseguidos».[30]

V. 9. El siguiente requisito amerita un tratamiento especial: «retenedor de la palabra fiel tal como ha sido enseñada, para que también pueda exhortar con sana enseñanza y convencer a los que contradicen». En otra versión leemos: «Que esté adherido a la palabra fiel, conforme a la enseñanza, para que sea capaz de exhortar con la sana doctrina y refutar a los que contradicen» (BJ). El obispo debe ser un hombre de la palabra. Tiene que compenetrarse con ella y serle fiel. Es más, debe proyectar una imagen que le haga merecedor de la confianza del pueblo de Dios. Su tarea es exhortar a los demás y hacerles frente a los que contradicen las verdades de la fe. Es muy probable que en un lugar como Creta estas condiciones fueran especialmente importantes en un líder. Para Hendriksen, lo que se quiere es alguien que pueda «aferrarse y aplicarse a la sagrada tradición que está en armonía con la sana doctrina, esto es, con la doctrina que a su vez, está basada en la Escritura».[31]

27 *Op. cit.*, p. 185.
28 *Op. cit.*, p. 174.
29 *Op. cit.*, p. 241.
30 *Op. cit.*, p. 393.
31 *Op. cit.*, p. 393.

La ética ministerial en nuestro ambiente

El ministro de Dios tiene que vivir siempre bajo el escrutinio de los demás. Algunos han llegado a pensar que esto puede tomarse a la ligera. Con mucha facilidad acudimos a las imperfecciones humanas como puerta de escape. Es cierto que hay una gran realidad en todo eso, pero si afirmamos ser seguidores de Cristo y voceros suyos en el mundo, será necesario que los demás vean la diferencia que Cristo hace en las vidas de sus hijos y sus siervos. Las condiciones económicas de nuestros países obligan a muchos pastores a buscar auxilio en el exterior. Con frecuencia se hacen apelaciones que generalmente se han aprendido en la televisión o la radio por la influencia de predicadores extranjeros. Se solicitan fondos para orfanatorios o para proyectos especiales de asistencia social a los cuales se destina sólo una parte de lo recolectado. Muchos predicadores llegan a Estados Unidos y hacen llamadas telefónicas a personas cuyos nombres les han sido dados por algún amigo o colega y se solicitan invitaciones a predicar, «ofrendas de amor», etc. La realidad es que, por lo general, las personas que tal cosa piden necesitan ayuda. Pero han proliferado en nuestro medio los que con tal de conseguir ayuda económica pasan por alto una serie de principios y normas. ¿Estará exento el ministro de Dios de llenar los más altos requisitos de conducta? En estos versículos hemos leído una serie de palabras que tienen relación directa con el más alto idealismo. Pero lo más importante puede lo contenido en el v. 9: «retenedor de la palabra fiel tal como ha sido enseñada, para que también pueda exhortar con sana enseñanza y convencer a los que contradicen». ¿Cómo podremos enfrentarnos a un mundo lleno de corrupción si imitamos algunas de sus prácticas? ¿Podrá la cultura de la pobreza destruir nuestros ideales? Al hablar de los requisitos que se le demandan al obrero cristiano en Primera de Timoteo ya hemos enfrentado algunos de estos asuntos, así como otros temas relacionados que aparecen en los textos comentados, pero no podemos pasar por alto la opinión que de la obra de Dios pueden llegar a tener muchos que nos rodean. ¿Será considerada la obra de Dios como una especie de mendicidad organizada? ¿Creerán los incrédulos que el evangelio es un sistema de recaudación de fondos?

Por otro lado, una persona que tenga como característica el ser «retenedor de la palabra» no sería alguien que cambiara de doctrina por motivos de lucro o conveniencia. También en estos traslados de un lado para otro existe el peligro. Algunos pudieran cambiar con una facilidad descomunal. Cuando están relacionados con cierto grupo favorecen un culto emocional y al establecer relaciones con otro sector se van hacia el formalismo. Pueden cambiar de denominación a pesar de haber sostenido firmemente ciertos principios básicos de la misma que contrastan radicalmente con las del nuevo grupo. No es cuestión de defender alguna forma de sectarismo o el excesivo denominacionalismo, sino la palabra que decimos retener.

Otro asunto serio son las cuestiones de moralidad. Los próximos versículos, que pueden aplicarse a cualquier contexto, nos ayudarán mucho a interpretar el texto al que nos hemos referido.

Ch. Los herejes de Creta (1.10-11)

> Porque hay aún muchos contumaces, habladores de vanidades y engañadores, mayormente los de la circuncisión, a los cuales es preciso tapar la boca; que trastornan casas enteras, enseñando por ganancia deshonesta lo que no conviene.

Vv. 10-11. El tema de los falsos maestros de Creta se extiende más allá de estos dos versículos, pero ellos merecen ser atendidos en forma independiente ya que será necesario hacer ciertos énfasis especiales con posterioridad. Reuss hace hincapié en que «En las comunidades cristianas de Creta aún no bien afincadas en la fe se dan ya herejes en gran número» y señala en una nota que las herejías mencionadas en 1 Timoteo 1.3-11; 4.1-11; 6.3-10 y en 2 Timoteo 2.14-18 eran parecidas.[32] Las indicaciones disponibles señalan que entre los falsos maestros de la isla prevalecían, en número o influencia, los de origen judío. Estos estaban haciendo el intento de convencer a los cristianos cretenses de que no era posible contentarse con el mensaje de la cruz de Cristo y que era necesario complementar la prédica acerca de Jesús con las enseñanzas, alegorías y genealogías de los judíos. Hendriksen parece ver en estos versículos la necesidad de declarar «por qué son necesarios hombres tan altamente calificados para el trabajo espiritual en Creta, en forma tan especial».[33] Para él, servir a Cristo en Creta era una labor demasiado fuerte para cualquier tipo de obrero. Se necesitaba mucho más que un llamamiento general a servir o una buena disposición.

Por ejemplo, sobre los que habitaban su campo de trabajo, muchos eran «contumaces» o más bien totalmente indisciplinados como lo indica la palabra griega, *anupotaktos*, que algunos comentaristas traducen al inglés con una palabra que pudiera vertirse al español como «insubordinados». Es decir, se

32 *Op. cit.*, p. 36.

33 *Op. cit.*, p. 397.

habla de gente que no estaba dispuesta a guiarse por normas fijas o aceptar la disciplina de una iglesia organizada y seria. La actividad de los «habladores de vanidades» se relacionaba en la mente judía con el culto a los ídolos paganos. Es decir, lo que fuera sin valor real, vacío, vano, sin poder producir nada bueno; tal como lo indica el uso de la palabra griega *matailogoi* que puede traducirse así.

Sus enseñanzas creaban trastornos, incluso al nivel familiar, y tenían como característica adicional el obtener alguna compensación económica por su charlatanería.

La respuesta del autor es simplemente callarlos. Se les debe tapar la boca como lo indica el uso de la palabra griega *epistomizô*. Barclay hace bien al aclarar que no se trata aquí de silenciarlos mediante el uso de la violencia o la fuerza. Tampoco debe acudirse a la persecución. El significado de *epistomizô* es silenciar mediante el uso de la razón. Se debe, pues, contrarrestar la enseñanza falsa mediante la exposición clara de la buena doctrina.[34]

Mercado de supersticiones

La influencia del medio ambiente es siempre decisiva. Algunos predicadores parecen estar imitando a los más prominentes charlatanes de la radio y la televisión. Los «astrólogos» y adivinos han alcanzado una gran audiencia en nuestros países.[35] Las recomendaciones acerca de la felicidad, la prosperidad, el éxito en el amor y la salud llueven por todas partes. Algunos médicos se han unido al carro de la charlatanería y venden sus propias medicinas que supuestamente mejorarían la salud de las personas, les permitirían alcanzar «largas vidas», etc. Pero por lo general la situación más generalizada es la provocada por los que ofrecen hierbas, perfumes, talismanes, «resguardos», etc.

Lo que sería lamentable es que a los cristianos se nos juzgue como iguales a ellos. Abundan los predicadores que ofrecen la sanidad en forma automática. No estamos diciendo esto por falta de fe en la sanidad divina. Una convicción personal en el poder de Dios para sanar es parte integral de nuestro estilo de vida cristiana.

34 *Op. cit.*, pp. 241-242.

35 Afortunadamente no hemos tenido en épocas recientes episodios tan dramáticos como uno que sorprendió a los hispanos y otros residentes de los EE.UU. La esposa de un presidente del país —la primera dama— consultaba constantemente con una escritora de horóscopos. La agenda de actividades presidenciales era redactada según las orientaciones de una consejera tan poco recomendable. En ese gran país, donde viven tantos buenos cristianos y siervos de Dios, los creyentes desconocían que la mansión ejecutiva estaba bajo una «influencia astral», como se refieren al asunto los partidarios de la astrología.

En modo alguno nos oponemos a las oraciones por los enfermos. Lo que tratamos de hacer es señalar el peligro representado por ciertos excesos como los de aquellos que prometen riquezas y bienestar material por «medio de la fe». Proliferan los «programas de micrófono abierto» en los cuales un pastor habla con una joven sobre sus problemas sentimentales y le ofrece que «por medio de la fe» podrá conseguir el amor del joven al que ella aspira. ¿Será esto distinto a las antiguas prácticas paganas que situaban a los enamorados bajo la protección de alguna deidad?

D. La mala reputación de los cretenses (1.12-13)

Uno de ellos, su propio profeta, dijo: Los cretenses, siempre mentirosos, malas bestias, glotones ociosos. Este testimonio es verdadero; por tanto, repréndelos duramente para que sean sanos en la fe.

Vv. 12-13. En relación con las palabras «uno de ellos», el canónigo Hanson entiende que debería esperarse el siguiente significado: «uno de los herejes»; pero admite que ese difícilmente sería el caso ya que «la profecía se remonta a tiempos legendarios»— como hemos dejado entender en nuestros datos históricos y culturales sobre Creta. Al menos sirve para asociar con la situación de Creta una herejía en particular. También entiende que el autor menciona la profecía cretense como una forma de desacreditar a los herejes.[36]

Los antiguos hablaban frecuentemente de la mala reputación de sicilianos, capadocios y cretenses. Tres pueblos que tenían entonces mala fama. A los cretenses se les consideraba avaros, insolentes, mentirosos, glotones, borrachos e indignos de confianza. Todo eso puede ser exagerado y hasta corresponder a una generalización. Sin embargo, como sucede hasta en ciertos comentarios inadecuados que se hacen acerca de todos los pueblos, puede existir un elemento de verdad. Esa situación tiene algo de real incluso cuando es expresada dentro de la más flagrante exageración.

En el griego clásico, el verbo *kretizein* («mentir», «engañar»), que nos pudiéramos atrever a traducir literalmente como «cretizar», tiene su origen en la situación que acabamos de describir a grandes rasgos.

Epiménides[37] es el autor de la cita que Pablo hace en el v. 12. Hemos hecho referencia a la tumba de Zeus, un monumento funerario en Creta que les ganó a sus habitantes la fama de mentirosos y provocó la frase citada por Pablo.

Al llamarles «mentirosos», «malas bestias», «glotones ociosos» se confir-

36 *Op. cit.*, p. 176.

37 Poeta y filósofo griego nacido en Cnosos a finales del siglo VI a.C., se desempeñó como legislador y alcanzó gran fama como poeta, siendo reconocido por Diógenes Laercio en su *Vida de los filósofos*. Se le consideraba uno de los siete sabios de Grecia.

ma la mala fama de ese pueblo. Pablo está, pues, apoyando en líneas generales lo afirmado en este proverbio de autor cretense y se dirige entonces a los falsos maestros en el v. 13 pidiendo o exigiendo que sean reprendidos. Pablo pide reprensión para los falsos maestros de Creta, no para todos los cretenses. No creemos que hubiera prejuicios tan fuertes contra los pobladores de la isla hasta el punto de que se les clasificara a todos de la misma manera. Turrado nos ofrece una explicación muy interesante: «Extraña un poco que Pablo hable tan duramente de los cretenses...

Pero no hay que olvidar que es una cita, y cita de un cretense, y a Pablo le convenía hacer resaltar el peligro de los falsos doctores, sin andar con fórmulas diplomáticas».[38] Hendriksen lo explica diferentemente: «el judío y el cretense tenían algo en común: el empleo de artimañas o engaños para una ventaja egoísta caracterizaba a ambos. Un judío honesto o un cretense honesto parece haber sido una excepción. Y ciertamente la combinación judío-cretense no era muy feliz».[39] Algunos pudieran pensar que el comentarista se ha excedido con su opinión.

Prejuicios y realidades

Ser víctima de prejuicios es frecuente entre nosotros. Algunos extranjeros consideran a los hispanoamericanos como «perezosos», «indolentes», «incultos», «atrasados», «incapaces de superarse», «tolerantes de gobiernos corruptos». Se trata de exageraciones. Como también lo son algunos comentarios que escuchamos sobre los norteamericanos. Muchos consideran que todos ellos son «fríos», «calculadores», «insensibles», «pragmáticos».[40] En el caso tratado aquí parece que hay un elemento de verdad lo suficientemente significativo como para que se identifique como «mentirosos» a un buen número de cretenses. Si así se hace en los escritos sagrados es necesariamente porque debe ser incluido. No era la intención del autor el crear un prejuicio. Pero, en lo que a nosotros respecta, debemos manejar con cuidado todo material que tenga que ver con estereotipos y prejuicios. Por ejemplo, hemos escuchado a misioneros extranjeros referirse a la corrupción administrativa en América Latina. Por citar un ejemplo, los políticos norteamericanos no tienen absolutamente nada que aprender en cuanto a la práctica de la corrupción de sus colegas

38 *Op. cit.*, p. 420.

39 *Op. cit.*, p. 399.

40 Para tener una idea de los problemas que experimentan los hispanos en Estados Unidos en cuanto a la forma como son percibidos por muchos habitantes del país, véase Virgilio Elizondo, *Galilean Journey: The Mexican-American Promise*, Orbis Books, Maryknoll, 1985, pp. 19-32.

latinoamericanos. Los escándalos políticos más grandes de los últimos tiempos han tenido lugar en Estados Unidos y no en América Latina: «Watergate», «Iran-contras» y el reciente caso del Departamento de Viviendas de cuyos fondos se extraían miles de millones de dólares en beneficio de una serie de contratistas que defraudaban mediante el uso de influencias políticas. El escándalo del Banco Silverado y de las otras instituciones de ahorro y crédito, subvencionadas por el gobierno federal estadounidense, es tal vez el escándalo más grave en la historia si se tiene en cuenta los miles de millones de dólares que se han administrado incorrectamente y de manera dolosa. El número de alcaldes, concejales, gobernadores, miembros de asambleas legislativas estatales, congresistas federales, senadores, secretarios de gabinete y otros funcionarios que han sido acusados o condenados por corrupción es tan alto que los robos que se hacen de los fondos públicos en América Latina pueden hasta parecer insignificantes en cuanto a la cantidad de dinero y el modo de obtenerlo. La corrupción es un problema en la América Latina y España, pero nuestras regiones no son necesariamente las de mayor corrupción en el mundo. Tampoco podemos decir que en todos los aspectos de la corrupción somos superados por Estados Unidos o negar la inmensa corrupción que ha existido en casi todos los niveles en el continente latinoamericano desde la época colonial. Han sido precisamente algunos misioneros y líderes cristianos norteamericanos los que se han enfrentado más abiertamente a estas situaciones en su propio país. Así lo reflejan recientes publicaciones que hablan muy alto del sentido crítico de un sector de la comunidad cristiana de Estados Unidos. En esto pueden darnos grandes lecciones a los cristianos latinoamericanos y españoles que calificamos de «comunistas», «reaccionarios» o «subversivos» —según sea nuestra corriente de opinión favorita— a cualquiera que se refiera al problema de la corrupción en distintos regímenes en la región.

Creta no era el único país donde vivían personas mentirosas. Sucede que en la época de la obra cristiana pionera que se estaba allí realizando, y en siglos anteriores, éste había llegado a ser un problema serio. No creemos que los latinoamericanos puedan sentirse ofendidos si se menciona el problema del narcotráfico que nos afecta. Los estadounidenses no pueden negar el alto porcentaje de pacientes de SIDA, una enfermedad transmitida mayormente por desviaciones sexuales. Los españoles admiten preocupados la ola de pornografía que amenaza con deteriorar la moralidad en su país. El pasaje que tenemos ante nosotros debe ser analizado con mucho cuidado pues refleja una situación real.

La Escritura no debe ser utilizada para la creación de estereotipos. No fue esa la intención del escritor sagrado, sino que expresó una situación específica utilizando el lenguaje de su época.

E. Dos estilos de vida (1.14-16)

No atendiendo a fábulas judaicas, ni a mandamientos de hombres que se apartan de la verdad. Todas las cosas son puras para los puros, mas para los corrompidos e incrédulos nada les es puro; pues hasta su mente y su conciencia están corrompidas. Profesan conocer a Dios, pero con los hechos lo niegan, siendo abominables y rebeldes, reprobados en cuanto a toda buena obra.

V. 14. Las fábulas judías, que son probablemente parecidas a las mencionadas en 1 Timoteo 1.4 y que ya hemos comentado, eran especulaciones basadas en el Antiguo Testamento y las enseñanzas de maestros judíos. En este versículo se hace una clara afirmación de que tienen un origen judío. De acuerdo con Hendriksen, «Los creyentes firmes de la isla de Creta se relacionaban diariamente con miembros de la iglesia que no estaban tan firmes pero que estaban dispuestos a prestar oídos a engañadores judaizantes de hablar altisonante, teñidos de gnosticismo. A su vez, estos falsos maestros estaban bajo la influencia de hombres que estaban completamente fuera de la iglesia, por ejemplo, judíos, propagandistas farisaicos que rechazaban completamente a Cristo...»[41] Guthrie estima como probable que los herejes de Creta fueran más inclinados al judaísmo que los de Efeso.[42] Otra posibilidad es lo que muchos comentaristas afirman acerca de que los «mandamientos de hombres» pudieran referirse a las mismas prácticas mencionadas en la carta a los Colosenses. En medio de las complicadas reglas que controlaban la vida de los judíos religiosos, y mucho más las de aquellos que especulaban sobre detalles, Pablo establece un principio formidable.

V. 15. Si una persona, con la ayuda de Dios, es realmente pura, la impureza no le contamina. Lo cual, por supuesto, no establece de ninguna manera una licencia para el pecado. Todo lo contrario. La mezcla de judaísmo y gnosticismo que se va originando y que después tomaría forma (para el siglo segundo) llegaría a estimar casi todo como impuro. Para entender sus palabras, es casi absolutamente necesario acudir a Romanos 14.20: «No destruyas la obra de Dios por causa de la comida. Todas las cosas a la verdad son limpias; pero es malo que el hombre haga tropezar a otros con lo que come». Otro pasaje fundamental puede serlo Marcos 7.15: «Nada hay fuera del hombre que entre

41 *Op. cit.*, p. 403.
42 *Op. cit.*, p. 189.

en él, que le pueda contaminar; pero lo que sale de él, eso es lo que contamina al hombre».

Los pretendidos purificadores a los que se refiere el autor son condenados. Para ellos, de acuerdo con él, «nada les es puro; pues hasta su mente y su conciencia están corrompidas». A pesar de las pretensiones de los que afirman ser «puros» y «santos», lo más probable es que se trate de personas sin conocimiento de Dios. No podemos, sin embargo, inclinarnos en la dirección de Dibelius que entiende que aquí «conocer a Dios», o profesar conocerlo, es una indicación segura de gnosticismo. Sin que tampoco neguemos que algunos gnósticos afirmarían «conocer a Dios» de esa misma manera. Se trata probablemente de afirmaciones procedentes de maestros judíos que estaban introduciendo nuevas doctrinas en las cuales podía haber elementos o algún anticipo de futuras formas de gnosticismo.

V. 16. Según nuestra propia forma de interpretar el uso de las palabras «abominable», «rebelde» y «reprobados», son la ratificación de que «con los hechos» niegan conocer a Dios. Por lo tanto, sus obras son reprobadas, como se afirma al final del versículo. Aquí parece haber un gran contraste entre un estilo de vida dependiente de Dios, en el cual la pureza es algo natural, y otro en el cual existen necesariamente elementos de «fealdad» y «falta de utilidad», usando el lenguaje utilizado por Barclay en su comentario.[43]

Es importante conocer a Dios realmente. Para ello es imprescindible la experiencia de la salvación y por consiguiente la vida cristiana normal. No debe haber en esto exageraciones o pretensiones innecesarias. Tampoco una encubierta búsqueda de ganancias, intenciones ocultas u obras externas falsas que son rechazadas de plano.

El uso de la palabra «reprobados» en el v. 16, es decir, la palabra griega *adokimos*, indica algo que ha sido rechazado al no pasar una prueba. Ese estilo de vida y esa actitud, a las que hemos hecho referencia, no han pasado la prueba. A Turrado le llama la atención sobre estas personas «que alardeen de piedad y lleven luego una conducta indigna».[44] Hendriksen dice que son «incapaces de realizar cualquier obra que proceda de la fe, hecha en conformidad con la ley de Dios, y que redunde para su gloria».[45]

Entre la pureza y el alarde

¿Dejaremos que en la obra de Dios prevalezcan los alardosos? A veces se habla mucho de personas piadosas cuando en realidad se trata de personas que no han producido fruto alguno. Es lamenta-

[43] *Op. cit.*, p. 245.
[44] *Op. cit.*, p. 420.
[45] *Op. cit.*, p. 406.

ble que se confunda en nuestros círculos la piedad con la gritería o el alarde. No consideramos como un verdadero ejemplo el de una persona que se refiera con demasiada frecuencia a sus pretendidas proezas en el evangelio, el número de personas que se han convertido en su ministerio o sus bautizados, la eficacia de sus sermones, la integridad de su vida, la ortodoxia de sus convicciones. En Cuba y otros países se dice que las personas que hablan tanto de sí mismas «no tienen abuela» porque éstas son las que generalmente insisten en las virtudes de sus nietos. Recordamos con tristeza un incidente que se reviste de una trágica y lamentable comicidad. Se trata de un pastor hispano en el suroeste de EE.UU., que en un sermón mencionó que «Jesús ayunó cuarenta días y cuarenta noches» y añadió: «yo puedo decir que he ayunado más que Jesús». ¿Hasta donde vamos a llegar en esta feria de vanidades y alardes religiosos? Es frecuente escuchar a aquellos que dicen que «creen la Biblia de tapa a tapa» o que «se conocen la Biblia de memoria». Recordamos a un ferviente religioso que afirmó en una ocasión haber caminado arrodillado cientos de kilómetros para cumplir sus votos. Nos parece hasta repugnante que una persona se levante en una asamblea y se autoproclame «soy un hombre de oración». Pero esa es la situación que prevalece en muchos ambientes.

Algunos consideran que ciertas exigencias morales que se hacen en iglesias de Hispanoamérica y otras regiones son verdaderas «leyes de pureza». Nos referimos a las prohibiciones al baile, la fiesta, las bebidas alcohólicas y prácticas que «contaminan». Hasta se busca establecer una relación con los rituales de pureza como los presentados en Levítico 12 que mantenían a la mujer al margen de las actividades de la comunidad o los de Levítico 15 que nos da a saber de momentos en los que la condición del varón se consideraba también como inmunda. Sin embargo, algunos de nosotros tenemos esas firmes convicciones contra el baile moderno, ciertas fiestas mundanas, el consumo de bebidas alcohólicas, etc. Nuestra actitud debe respetarse como parte de un estilo de vida que se ha adoptado dentro del concepto de libertad cristiana. Si lo hacemos en forma legalista o para alardear de piedad, se trataría entonces de una desviación. Aún cuando exista disparidad de criterios acerca de lo que es realmente «puro», pueden evitarse los extremos y el énfasis en los detalles. Evitemos vivir una vida en la cual no haya un lugar para normas de conducta, pero rechacemos el imponer nuestro propio estilo de vida para expresar una pretendida superioridad espiritual y una limpieza que de no existir internamente serían artificiales y peligrosas.

II

El ministro y la exhortación

De acuerdo con D. Edmond Hiebert, Pablo «pasa desde el tema de la organización eclesiástica y el liderazgo cualificado a una consideración de los deberes de los varios grupos que componen la congregación. Se puede dividir en tres secciones. En los vv. 1-10 Pablo expone la clase de vida que se espera de cada grupo en la congregación. A continuación nos muestra la gracia de Dios como el poder motriz de la vida cristiana (vv. 11-14). La división termina con una repetida declaración acentuada del deber de Tito de mantener su autoridad ministerial (v.15)».[46]

La consideración de las obligaciones éticas es evidente en estos versículos. Un pastor o cualquier líder responsable de la iglesia cristiana tiene necesariamente que ocuparse de que los fieles que están bajo su cuidado observen una conducta propia de su llamamiento. El mismo debe conducirse como un ejemplo. La autoridad con la que puede reprender tiene necesariamente que tener relación con esas cuestiones. En medio de estos temas, aparece el tema de la gracia de Dios y la esperanza bienaventurada del regreso de Cristo. Una clave del capítulo pudiera encontrarse en las palabras «un pueblo celoso de buenas obras».

A. La vida cristiana que promueve un pastor (2.1-6)

Pero tú habla lo que está de acuerdo con la sana doctrina. Que los ancianos sean sobrios, serios, prudentes, sanos en la fe, en el amor, en la paciencia. Las ancianas asimismo sean reverentes en su porte; no calumniadoras, no esclavas del vino, maestras del bien; que enseñen a las mujeres jóvenes a amar a sus maridos y a sus hijos, a ser

[46] D. Edmund Hiebert, *Tito y Filemón*, Portavoz Evangélico, Barcelona, 1981, p. 46.

prudentes, castas, cuidadosas de su casa, buenas, sujetas a sus maridos, para que la palabra de Dios no sea blasfemada. Exhorta asimismo a los jóvenes a que sean prudentes.

De acuerdo con Hendriksen, «Pablo concentra la atención de Tito sobre la vida familiar e individual. Da mandamientos relativos a la conducta adecuada de cinco clases de individuos: ancianos, ancianas, casadas jóvenes, hombres jóvenes (Tito debe darles ejemplo) y esclavos».[47] Estos versículos, así como los de 1.6-10, pueden considerarse de gran importancia desde el punto de vista del cuidado pastoral. Según G. Lohfink pudieran ser considerados los de mayor valor en cuanto a catequesis.[48]

V. 1. Tito estaba encargado de reclutar a otros pastores y líderes situándolos en posiciones de responsabilidad. Lo mejor que podía hacer en relación con la doctrina correcta era hablar acerca de ella evitando introducir cualquier elemento que no coincidiera con la misma. En otra versión leemos: «Tú, al hablar, fíjate en la sana doctrina» (NBLA). En el idioma original «lo que está de acuerdo» o «lo que conviene» implica también lo que puede ser considerado como tal, es decir, aquellas cosas que llegan a constituir, en la práctica, sana doctrina. *Prepô* significa ser «adecuado» o «idóneo», lo cual siempre encuentra eco en Pablo, preocupado precisamente por esas cuestiones. Tendría entonces que promover en los demás una vida cristiana adecuada, sin descuidar —como veremos pronto— la suya propia. Al hacer esto, está siguiendo la misma línea que con Timoteo.

«Ortodoxia» y «Sana doctrina»

Si nos fijamos cuidadosamente en los versículos posteriores notaremos que para el autor la sana doctrina no es solamente una serie de principios puramente «doctrinales» en el sentido en que entendemos generalmente la palabra, sino que tiene relación con la vida práctica. Algunos han enseñado que la «sana doctrina» es una especie de catecismo. En otras palabras, que si se cree en la Trinidad, la divinidad de Cristo y otros fundamentos de la fe, todo está resuelto, usted tiene la «sana doctrina». Si seguimos esa interpretación tendríamos que concluir aceptando la integridad doctrinal de aquellos que cometieron todo tipo de depredaciones, pero nunca negaron la divinidad de Cristo y jamás pudieron ser acusados de arrianismo. No es posible separar las creencias de la conducta.

47 *Op. cit*, p. 409.

48 Véase «Die Normativität der Amtsvorstellungen in den Pastoralbriefen», *TZ*, # 157, 1977, pp. 99-100.

En este caso resulta más que evidente que el autor está preocupado por este tipo de interpretación y no por una estrecha visión de la experiencia cristiana. La iglesia y sus líderes no sólo se preocupan porque el evangelio de la salvación sea predicado y que los creyentes sean edificados sino que, en relación con el discipulado y otros asuntos fundamentales, incluyendo el aspecto profético de la predicación, tiene que velar por la «sana doctrina» hasta el punto de preocuparse por la integridad y dignidad de la persona humana. Es ciertamente fácil aceptar los diezmos y ofrendas de los que han explotado abiertamente a su prójimo o considerar como buenos cristianos a los oficiales de los cuerpos represivos de los diferentes países porque aceptan participar en un «desayuno de oración» y repartir proclamas o diplomas, pero ¿será esto «sana doctrina» por parte de la iglesia de Dios?

V. 2. Esta parte se inicia con referencias a los hombres mayores, los ancianos. No se está hablando necesariamente de «ancianos» en el sentido de «presbíteros». Los ancianos deben ser «sobrios» o «templados» *(nêfalios)*, palabra griega que indica una sobriedad claramente distinguida de la liberalidad o indulgencia en el consumo de vino, pero que no se limita exclusivamente a eso. Pudiera traducirse como «moderado» en sentido general. Deben ser «serios» o «graves» *(semnos)*, palabra que describe un comportamiento correcto a la luz de ciertos principios. Se aproxima más bien a lo que significamos cuando decimos «tomar algo en serio» que a simplemente ser «serios» en el sentido de tener una expresión sombría o usar un lenguaje solemne y cuidadoso.

Una persona que es sana «en la fe, en el amor, en la paciencia» es la que exhibe virtudes cristianas como estas. En la vida cristiana hace falta una verdadera «salud», física y mental, como lo implica el uso de «sanos».

Vv. 3-4. Hay palabras especiales para las mujeres mayores. En el v. 3 se le dice al pastor y supervisor de iglesias Tito que «Las ancianas asimismo sean reverentes en su porte; no calumniadoras; no esclavas del vino, maestras del bien». En otra versión leemos: «Asimismo, que las mujeres mayores sean reverentes en conducta, ni calumniadoras ni esclavas del mucho vino, maestras de lo bueno» (RVA). Estamos involucrados en una labor tan sagrada y hemos adoptado un estilo de vida tan elevado que se requiere «reverencia» en aquellos que más pueden ofrecer. Una mujer mayor, cristiana fiel, debe ser una persona apartada de ciertas tendencias a la frivolidad que pueden manifestarse hasta en edades avanzadas, y a veces con mayor intensidad al llegar esos años considerados por algunos como «invernales». El chisme y la calumnia deben desterrarse. Se habla reiteradamente de «las viejas chismosas» y si no se examina el texto con cuidado puede reflejar una exageración y un estereotipo. Pero, en cualquier caso, hay una prohibición de esa tendencia existente entre algunas mujeres.

La mujer mayor es una maestra por excelencia. Por lo tanto, en el v. 4, tan relacionado con el anterior, se le dice a Tito que debe instarlas a «que enseñen a las mujeres jóvenes a amar a sus maridos y a sus hijos». Este comentarista no olvida nunca a la gran mujer que crió a su madre. Era la hermana mayor de la misma y se encargó de ella debido a la prematura muerte de la madre de ambas. Hasta el día de hoy, pasados los ochenta años de edad, sigue siendo la figura central de la familia a pesar de que estamos dispersados por lo menos en dos países. Fue la persona que enseñó a nuestros familiares la dignidad de la conducta en medio de las dificultades y de las limitaciones de la vida. Su cónyuge fue un marido ejemplar. Nuestra madre fue enseñada desde pequeña a respetar a su esposo. No recordamos que ella le haya faltado jamás el respeto a nuestro padre. Al contrario, protegió siempre su imagen para que tuviéramos en casa el imprescindible principio de autoridad paterna. Esas abuelas y madres siguen haciendo falta. Una mujer dada al vino y al chisme no tiene lugar en el ambiente cristiano, ni dentro de los parámetros de la más elemental decencia practicada hasta fuera de los más exigentes círculos religiosos.

Agentes de desculturización

Nuestro contacto con sociedades diferentes puede ocasionar una distorsión total del papel de la mujer. Es cierto que se le ha discriminado y relegado. Hemos visto también como una lectura sensata y contemporánea de la Escritura nos ayudará a ver esa línea progresiva de superación de las condiciones de la mujer, demostrada en la actitud misma de Jesús rompiendo barreras y favoreciendo a las mujeres de su tiempo. Pero la igualdad y el compañerismo entre el hombre y la mujer no deben llevarnos a aceptar los tristes espectáculos de mujeres gritándoles a sus maridos o sometiéndolos a humillaciones delante de los demás. Son mujeres que han perdido su feminidad para darle órdenes a sus esposos. La tradición latinoamericana y española incluye elementos de machismo que deben ser rechazados, junto a la discriminación y la marginación de la mujer, pero no introduzcamos, bajo la influencia de las comunicaciones masivas y la penetración extranjera, una serie de costumbres desagradables que deterioran la imagen de la relación matrimonial. No recibiremos ayuda alguna por parte de la industria cinematográfica y de los medios de comunicación que están entre los principales agentes en la tarea de desculturizar nuestros pueblos. La producción de programas de televisión nada edificantes y de «novelas» y películas extranjeras ha introducido nuevas costumbres. Uno de sus más frecuentes daños es el de promover el adulterio, dando la impresión que se

trata de algo moderno y propio de personas felices, como esos personajes que se llevan al celuloide en las «telenovelas». Algunos pueden confundir la lucha por los derechos de la mujer con la inmoralidad rampante que afecta a mujeres y hombres en esas producciones tan populares en muchos sectores. Contemplando con frecuencia esos programas o películas no se contribuirá a que las mujeres amen a sus maridos y sus hijos, o a que éstos las respeten y amen a ellas.

V. 5. Se continúa con el tema de las mujeres jóvenes que deben ser enseñadas por las mayores. Algunas cuestiones serían singularmente difíciles para ellas. Por ejemplo, en el contexto histórico-cultural de la carta, debe tenerse en cuenta que muchas mujeres tenían que casarse con el marido escogido por la familia. En relación a ellas y su conducta se nos dice en el v. 5 que deben ser enseñadas «a ser prudentes, castas, cuidadosas de su casa, buenas, sujetas a sus maridos, para que la palabra de Dios no sea blasfemada».

El énfasis recae en las esposas jóvenes. Como en el caso de los hombres mayores se habla de prudencia en el sentido de discreción y de temperancia. Más adelante, encontramos la palabra «castas» *(hagnos)*. Guthrie hace bien en afirmar que en el Nuevo Testamento no puede diferenciarse de «pura».[49] El canónigo Ward insiste en el carácter cúltico de la expresión, ya que puede usarse en referencia a Dios y a Cristo.[50] En cuanto a «cuidadosas de su casa» pudiera indicar «trabajando en la casa». El hogar debe ser el centro de su vida. El suyo y no el del vecino. A través del tiempo, sin que dejemos por eso de defender los derechos de la mujer, hemos visto el resultado de hogares en los cuales la esposa está siempre ausente. Se trata de un verdadero desastre para todos.

Una esposa que permanece en el hogar sería grandemente elogiada por los griegos. Esa virtud era apreciada, como también el amar a los esposos y a los hijos, lo cual aparecía frecuentemente mencionado en las inscripciones de las tumbas. La palabra «buena» no aparece aquí por pura formalidad, tratándose de algo que todos esperarían como una condición imprescindible en una mujer cristiana. Pudiera referirse a que sean buenas esposas.

Un problema lo sería este: las palabras griegas se traducen generalmente como «cuidadosas de la casa, buenas». Puede tratarse entonces de nombre y adjetivo. Hanson que tiene en cuenta ese detalle nos recuerda también que para los griegos, como Filón, eso, así como lo de «sensible» y «amante de su esposo» constituían las virtudes de la esposa ideal.[51]

Finalmente, «para que la palabra de Dios no sea blasfemada» puede referirse a la religión cristiana. Debe tenerse en cuenta que violar estas normas

49 *Op. cit.*, p. 193.
50 *Op. cit.*, p. 253.
51 *Op. cit.*, p. 180.

pudiera ser negar la efectividad del evangelio en que se ha creído. En la Reina-Valera Actualizada es traduce como «...para que la palabra de Dios no sea desacreditada» (RVA). Es muy probable que algunas mujeres, en el favorable ambiente de una iglesia más comprensiva de sus problemas que el resto del mundo, se considerara «liberada» en el mal sentido de la palabra, abusando de su recién adquirida libertad cristiana. Sería interesante tener en cuenta el consejo de Hendriksen: «Si las madres jóvenes, que profesan ser cristianas, manifestasen falta de amor por sus maridos y por sus hijos, falta de sensatez, de pureza, de apego al hogar, de bondad y sumisión, harían que el mensaje de salvación fuese vilipendiado por los de fuera».[52]

V. 6. Este versículo fue escrito para los jóvenes del sexo masculino. Tito debe exhortarlos a la prudencia. En este caso, a ejercer control sobre sí mismos. En una versión inglesa se traduce como «urgirles a los jóvenes a controlarse a sí mismos». En la Biblia de Jerusalén leemos: «Exhorta asimismo a los jóvenes a que sean prudentes» (BJ) mientras que en la Nueva Biblia Latinoamericana se traduce como: «Enseña también a los jóvenes que sean responsables bajo todos los aspectos» (NBLA) y en la Nueva Reina Valera encontramos «Exhorta también a los jóvenes a que sean sensatos» (NRV). Esa tónica aparece en las Pastorales y tiene relación con un pensamiento que es parte de la ética griega. Guthrie cita a Scott, el cual indica que este tipo de autocontrol es diferente en el cristiano porque hay un «elemento de humildad que falta en los moralistas griegos». Ha llegado a ser parte de la concepción esencialmente religiosa del Nuevo Testamento.[53]

Una opinión que no aceptamos, pero que merece al menos considerarse, es la expresada por algunos comentaristas, sobre todo por J. Elliot, de que aquí la palabra «jóvenes», además de indicar jóvenes de sexo masculino, debería traducirse como «recién bautizados».[54]

B. Tito y su propia vida cristiana (2.7-8)

> ...presentándote tú en todo como ejemplo de buenas obras; en la enseñanza mostrando integridad, seriedad, palabra sana e irreprochable, de modo que el adversario se avergüence, y no tenga nada malo que decir de vosotros.

V. 7-8. Según Reuss, Pablo consideraba, en relación con Tito, que «Más importante que sus exhortaciones y su predicación era su buen ejemplo».[55] Para tener una mejor idea sería bueno acudir a 1 Timoteo 4.11-12 porque mucho de lo que se pide de Tito ya se le ha pedido a Timoteo. Hanson cree

52 *Op. cit.*, p. 414.
53 Citado por Donald Guthrie en *op. cit.*, p. 194.
54 «Ministry and Church Order in the New Testament», *CBQ», #* 32, 1970, p. 377-379.
55 *Op. cit.*, p. 48.

que forman parte de un documento existente del cual se han extraído los requisitos en ambos casos e incluso en otros que se mencionan.[56]

No hay forma posible de alcanzar efectividad en el ministerio sin un adecuado testimonio personal. Las motivaciones del ministro deben ser correctas. El trabajo debe hacerse con dignidad. El ministro está obligado a presentar un mensaje basado en las verdades divinas. No solamente el predicador, sino también su mensaje, deben ser irreprensibles. Es por eso que encontramos el uso de *akatagnôstos*, es decir, «que no pueda ser condenado». En otras palabras, debe ser irreprochable.

Las palabras «y no tenga nada malo que decir de vosotros» requieren alguna explicación especial. Aquí se usa *faulos* que es traducida como «malo» y que en realidad quiere decir «sin valor». La meta no es lograr que los opositores dejen de difamar a un líder cristiano, pues no dejarán de hacerlo, sino evitar que tengan razones válidas para atacarle.

Hacerles frente a nuestras propias faltas

Muchas veces, escuchamos comentarios mal intencionados acerca de los siervos de Dios. Pero en pocas ocasiones encontramos razones de peso. Es triste cuando eso último es una realidad. Existen numerosos casos de ministros y misioneros que por su conducta se sitúan en una situación desagradable provocada por sus propios errores y faltas. Cuando un escándalo está basado en mentiras y exageraciones podemos orar y pedir a Dios liberación de esas circunstancias. El se encarga. También podemos hacerlo cuando lo sucedido es el resultado de nuestras faltas. Pero entonces necesitamos empezar por pedir perdón públicamente. A veces no es fácil confrontar las acusaciones, o incluso resulta imposible. Pablo le está tratando de evitar esa situación a Tito mediante esta exhortación tan oportuna.

Un hombre piadoso podrá edificar a su pueblo, y uno que sea conocedor de la palabra divina podrá enseñar a los fieles. Por mucho que apele a ser un cristiano como de los demás y un simple ser humano, el pastor es un modelo. De no serlo, los problemas se repetirán y hasta se irán acumulando. Muy oportuno nos parece el consejo del comentarista Gould: «El ejemplo es más poderoso que el consejo, y los hombres nos seguirán si nosotros seguimos a Cristo, ya sea de cerca o de lejos».[57]

56 *Op. cit.*, p. 181.

57 *Op. cit,.*, p. 723.

C. El ministerio pastoral a los esclavos y oprimidos (2.9-10)

Exhorta a los siervos a que se sujeten a sus amos, que agraden en todo, que no sean respondones; no defraudando, sino mostrándose fieles en todo, para que en todo adornen la doctrina de Dios nuestro Salvador.

Vv. 9-10. Acudamos a otra versión: «Exhorta a los siervos a que sean sujetos a sus señores, que agraden en todo, que no sean respondones. Que no los roben, antes que se muestren confiables, leales, para que en todo adornen la doctrina de Dios, nuestro Salvador» (NRV). Pedirle a un esclavo o siervo que se sujete al amo puede parecer una demostración de servilismo hacia los poderosos. De nuevo tenemos que recordar al lector que en las palabras de las Pastorales no hay una sacralización de la esclavitud ni siquiera una justificación. Se utiliza ahora la palabra *hypotassô*, «sujetar», la cual es mucho más fuerte que *hypakouô*, traducida como «obedecer», en las cartas a los Efesios y a los Colosenses. Le corresponde al siervo o esclavo cristiano agradar al dueño. Tal vez hasta existe la posibilidad de que el autor tuviera alguna esperanza de que esto ayudara a modificar el sistema de esclavitud o beneficiara individualmente a esclavos y dueños. Este tema hay que entenderlo en el contexto de la vida cristiana. Un verdadero discípulo de Cristo debe ser un buen ejemplo. Esa es una norma que debe respetarse lo mismo si el creyente es esclavo o libre. Nos atrevemos a expresar nuestra propia opinión: un amo demostraría la intensidad de su cristianismo liberando a los esclavos. Pero, en su defecto, debe tratarles lo mejor posible.

En este caso la exhortación es a los siervos, lo cual indica que pudiera haber habido alguna situación especial en Creta en aquellos momentos. Tal vez allí no había amos en las filas de la iglesia.

En cuanto al grado de honradez que aquí se solicita, puede pensarse que al no trabajar lo suficiente «defraudaba» al amo. Pero también hay que tener en cuenta que en el esquema esclavista se propicia la tendencia a situar a los esclavos en una situación tan lamentable que muchos de ellos acuden al robo y el engaño, generalmente en pequeña escala. Esto puede ser el resultado de una costumbre. Pudiera presentarse una situación en la cual se verían prácticamente obligados a robar. Es importante que el cristiano, aun en este mundo imperfecto, esté por encima de una conducta tan poco recomendable.

Esclavos en nuestro tiempo

Si no tenemos hoy una esclavitud institucional, a no ser en bolsones aislados de la geografía universal, no es menos cierto que todavía existen formas de opresión. En nuestro tiempo, trabajamos generalmente para un empleador que es nuestro «jefe» y no nuestro «amo». Pero la aplicación de estas palabras es básicamente la misma. Una lectura de la Biblia en nuestro tiempo nos puede conducir a conclusiones aplicables a una serie de problemas con los que nos enfrentamos ahora y que tienen relación con los que son tratados aquí. Usted podrá responder diciendo que estas situaciones no tienen nada que ver con nosotros. Tomemos un caso para tratar de probar lo contrario. Los inmigrantes indocumentados que llegan a Estados Unidos,[58] que es uno de los países más ricos del mundo, pueden convertirse en una especie de esclavos. Se presentan en una empresa y aceptan cualquier trabajo, sus familiares están pasando hambre en su país natal. Después se dan cuenta que el salario no puede compararse ni siquiera remotamente al que reciben otras personas que realizan las mismas funciones. Pero sus familiares necesitan cualquier dinero que se les pueda enviar y si abandonan el trabajo corren el riesgo de ser denunciados a las autoridades de inmigración o a la policía. En la práctica se trata de esclavos del siglo veinte.

Los cristianos debemos reaccionar manteniendo niveles muy superiores a los del resto de la población. Es muy importante que entendamos que nuestra prioridad es hacer la voluntad de Dios aunque esta no coincida con la de las autoridades. No nos corresponde el papel de perseguidores de los indocumentados. Dentro de los parámetros legales o de la sensatez debemos hacer un esfuerzo por ayudar a estos seres humanos en desgracia. Es importante que la voz de la comunidad cristiana se levante siempre en defensa de los oprimidos, nunca en contra de ellos. La iglesia puede hacer mucho mediante programas especiales, pero también debe dejarse sentir en oposición firme y organizada contra estas formas de esclavitud. Nos corresponde recoger la bandera de cristianos como Lord Wilbeforce y el Padre Bartolomé de Las Casas para señalar los males de nuestra época.

Ch. La esperanza bienaventurada (2.11-15)

Porque la gracia de Dios se ha manifestado para salvación a todos los hombres, enseñándonos que, renunciando a la impiedad y a los deseos mundanos, vivamos en este siglo sobria, justa y piadosamente, aguardando la esperanza bienaventurada y la manifestación gloriosa de nuestro gran Dios y Salvador Jesucristo, quien se dio a sí mismo por nosotros para redimirnos de toda iniquidad y purificar para sí un

[58] Los indocumentados son conocidos en ese país como *ilegal aliens* o inmigrantes ilegales.

pueblo propio, celoso de buenas obras. Esto habla y exhorta y reprende con toda autoridad. Nadie te menosprecie.

Esta es una majestuosa referencia a la esperanza bienaventurada del regreso de Jesús y a «la manifestación gloriosa de nuestro gran Dios y Salvador Jesucristo». También se hace una declaración solemne sobre el interés divino en la salvación y un recordatorio hermoso de la encarnación. De nuevo nos encontramos con un posible fragmento litúrgico. Hanson, Dibelius y Easton pertenecen a una larga lista de comentaristas que sugieren que se trata de un credo o de una liturgia bautismal utilizada por un autor del segundo siglo, lo cual es discutible, pero hay elementos apreciables a su favor.

Vv. 11-12. La Versión Moderna traduce así estos versículos: «Porque ha sido manifestada la gracia de Dios, la cual trae salvación a todos los hombres, instruyéndonos a fin de que, renunciando a la impiedad y a los deseos mundanos, vivamos sobria y justa y piadosamente, en este siglo presente» (VM). De nuevo tenemos un ejemplo de una cristología con énfasis en la epifanía.

Hanson, a quien acabamos de mencionar, entiende que Spicq no puede justificar su posición favorable a que en este caso se trata de palabras paulinas. Pero para nosotros no hay palabra más paulina que «gracia», aunque reconocemos que eso no es suficiente. Como tampoco parece serlo la negación abierta que hace el distinguido comentarista. Nos parece indiscutible que este verso está conectado con el anterior, el cual termina con una referencia a «la doctrina de Dios nuestro Salvador». No hay duda que hay un énfasis en «salvación» y en la manifestación de la gracia para hacer posible la salvación.

El verbo *ephiphainô*, que quiere decir «aparecer», lo encontramos dos veces en el Nuevo Testamento, aparte de este versículo. Hay discusión sobre si debe leerse «a todos los hombres» en un sentido universal o, más bien, «a toda clase de hombres» para incluir así hasta los esclavos que acaban de mencionarse. De todas formas el evangelio es universal. Las connotaciones de «universalismo», es decir, la doctrina que enseña que a la postre todos serán salvos, es otro asunto.

Aquí se ofrece una razón teológica para un comportamiento ético. Tiene relación con la conducta de los esclavos y también con la renuncia a la «impiedad» y los «deseos mundanos».

Cristo apareció, se manifestó y murió en momentos dados de la historia. En este siglo nos toca vivir a la altura de su salvación, de su ejemplo y de sus enseñanzas, precisamente porque la gracia se ha manifestado para salvación.

En el v. 12, con sus connotaciones éticas, hay también un recordatorio del aspecto educativo de todo esto. La gracia de Dios nos está enseñando cómo vivir, cómo comportarnos. Nos está mostrando también una doble negación a la que debemos estar dispuestos. Una de esas negaciones es a la «impiedad» *(asebeia)*. La otra es a los «deseos mundanos» *(kosmikos epithymia)*. Pero no solamente nos invita a que renunciemos a ello, sino que desea que vivamos «sobria, justa y piadosamente».

V. 13. En otra versión el texto se traduce así: «viviendo en espera del feliz cumplimiento de lo que se nos ha prometido: el regreso glorioso de nuestro gran Dios y salvador Jesucristo» (VP). De acuerdo con Dibelius, ciertas palabras que encontramos a partir del versículo 11: «salvador de todos los hombres», «aparición» y «gracia», eran parte del lenguaje utilizado en el culto del Emperador. Ese tipo de religiosidad política se iría desarrollando, sobre todo después de los días de Pablo.

Ahora bien, tan pronto se produjo la ascensión de Cristo ya había entusiasmo entre los cristianos acerca de la Parusía. Estas palabras no proceden necesariamente de una fecha demasiado posterior como sugieren varios de los autores que se inclinan en esa dirección. No debe extrañarnos que estas palabras estén aquí, ni tampoco que se relacionen con la otra manifestación gloriosa, la de la Encarnación.

Muchos se sorprenden que tan pronto en la historia del pensamiento cristiano —como se refleja aquí— se le atribuya la deidad completa a Jesucristo «el gran Dios y Salvador Jesucristo». Creen que ese es un asunto que fue definido mucho más adelante en la teología cristiana. Es tal vez por eso que algunos prefieren la traducción siguiente: «de nuestro gran Dios y nuestro Salvador Jesucristo» en vez de «nuestro gran Dios y Salvador Jesucristo». Entre los que prefieren la primera se encuentran Kelly, Holtz, Brox, Hasler, Jeremias, Windisch y Moffat. La segunda, que es la que entendemos como correcta, la defienden Bernard, Bengel, Easton, Pax, Lock, Higgins, Barrett, Spicq, Houlden, Dornier.[59]

V. 14. El ejemplo de ese Cristo a quien muchos consideramos como «nuestro gran Dios y Salvador» es presentado de nuevo mediante este versículo. Aquellos que lo aceptamos como «nuestro gran Dios y Salvador» formamos parte de una larga tradición que procede del primer siglo. El propósito del autor no es solamente confirmarnos lo que Cristo hizo para hacer posible nuestra redención, sino recordarnos ese propósito suyo de «purificar» a su pueblo. El uso de «pueblo propio» ocurre primeramente en Ex. 19. 5 y quiere decir un «tesoro peculiar».[60] Hendriksen cree que los vv. del 11 al 14 nos enseñan «que la razón por la que todo miembro de la familia debiera tener una vida de dominio propio, justicia y piedad es que la gracia de Dios en Cristo ha penetrado nuestras tinieblas morales y espirituales y ha traído salvación a todos los hombres».[61] También hace hincapié en que «esta gracia es nuestro

59 La opinión de algunos de estos autores la hemos comprobado personalmente en sus escritos, las otras proceden de listas preparadas por el canónigo Hanson, *op. cit.*, p. 184.

60 Donald Guthrie, *op. cit.*, p. 201.

61 *Op. cit.*, p. 427.

gran pedagogo que nos aleja de la impiedad y de las pasiones mundanas y nos guía por el sendero de la santificación».[62]

V. 15. La siguiente pudiera ser una especie de conclusión de este capítulo y tal vez hasta del anterior: «Tú enseña estas cosas, aconsejando y reprendiendo con toda autoridad. No dejes que nadie te menosprecie» (NBLA). Esta es una ratificación clara de la clase de autoridad que Tito necesitaba en Creta. Nadie podía menospreciarle. El era el siervo de Dios que el Apóstol había descrito en otros pasajes del libro. El conocía acerca de las epifanías, de la encarnación, de la esperanza bienaventurada, de la redención. El aceptar su autoridad no era opcional, como tal vez el simple uso de «nadie te menosprecie» pudiera indicarlo. Pablo se ha especializado en estas cartas en hacer resaltar la autoridad suya y la de sus delegados o sucesores, otros siervos fieles de Dios comisionados por él y como él para tareas significativas. Con este versículo se nos prepara para la discusión del tema de la fe y las obras que está a punto de producirse en la epístola. Debido a que se trata de materiales algo heterogéneos, este versículo sirve tal vez de puente. Los versículos anteriores son considerados generalmente como litúrgicos. Ahora puede hablar, exhortar y reprender con autoridad. Eso se aplica a los temas anteriores y a los que siguen en el capítulo tercero.

Autorizados a exhortar

En la aplicación de estos pasajes a nuestro contexto hispanoamericano encontramos, después de leer el capítulo 2, una evidencia adicional de que todo debe estar bajo la influencia santificadora del Espíritu de Dios. En el caso inmediato nos referimos a personas de diferentes edades y clases sociales. El evangelio tiene relevancia para los problemas de las personas mayores, los jóvenes, la mujer, los empleadores y los que trabajan para ellos. No es posible vivir el evangelio sin dejar que la obra santificadora y benéfica se manifieste. El Señor debe ser reconocido como Dios y Salvador. Esto tiene relación directa con la forma en que nos comportamos, con el estilo de vida, con las relaciones laborales, con los problemas antiguos y nuevos. Dejar a un lado la dimensión cristiana cuando nos enfrentamos a las condiciones sociales, económicas y políticas o a los temas como la condición de la mujer, sería comprensible en una persona no creyente, pero un cristiano debe tener todo esto en cuenta y no rehuir su obligación de dar testimonio del poder que tiene el evangelio para cambiar las situaciones más adversas. El mensaje del cristianismo puede renovar la sociedad y hacerla más

[62] *Ibid.*

justa, limpia y humana. También la acercaría a los ideales divinos. Pero no debe olvidarse que el mensaje del evangelio no es solamente para la historia sino para la eternidad. La intervención decisiva de Dios en la historia, el aspecto escatológico, deben ser considerados como parte del mensaje cristiano. Por lo tanto, pensar que todo se resolverá aquí y que el reino de Dios se establecerá mediante el triunfo de éste o aquél partido, contradice la esencia del evangelio. Por otro lado, la iglesia y sus líderes tienen autoridad para proclamar al mundo de hoy un mensaje que empezó a proclamarse en la antigüedad pero que tiene vigencia hoy. A pesar de que ha crecido la demanda de credenciales académicas, sociales y económicas, el siervo de Dios sigue hablando en nombre del Señor, siempre y cuanto ajuste su mensaje a lo que Dios ha establecido y no a sus propias inclinaciones.

El ministro de Dios en nuestros países, aunque no representa la voluntad o los intereses de quienes «parecen ser algo», posee una autoridad superior a la de jerarcas, tecnócratas, politólogos, gobernantes, burócratas, empresarios, economistas y agitadores. Se trata de un siervo de Dios que se dirige a una sociedad imperfecta para recordarle que tiene que someterse al Dios y Salvador. Muy apropiadas son las palabras dirigidas por Dios a su profeta Jeremías: «Mira que te he puesto en este día sobre naciones y sobre reinos, para arrancar y para destruir, para arruinar y para derribar, para edificar y para plantar» (Jer. 1.10). No nos extrañe que teólogos y predicadores latinoamericanos empiecen a hacer un impacto que está sorprendiendo a muchos. Si los líderes políticos han fracasado, los creyentes no deben tratar de reemplazarlos, pero sí de advertir de los peligros de levantar una sociedad injusta y sobre todo alejada de Dios y de su santa palabra. Entre los hispanos de Norteamérica hemos encontrado una situación muy especial. Muchas veces los pastores ministran en comunidades donde las calles están pobladas por personas sin hogar.[63] En 1990, en la ciudad de Miami, un grupo de comerciantes impidió se otorgara permiso a una iglesia para albergar a estos seres desdichados por un rato cada día, para ofrecerles alguna comida. Un grupo de pastores hispanos acudió al ayuntamiento y allí, literalmente, «exhortaron» a las autoridades recordándoles que las iglesias tenían derecho a ministrar a esas necesidades precisamente porque ellos, los miembros de las distintas instancias de gobierno, los habían abandonado. El comentarista Hendriksen encabeza de

63 El fenómeno de los *homeless* o personas sin hogar se ha generalizado en los EE.UU. a partir de principios de la década de 1980 al abandonar el gobierno central gran parte de su responsabilidad social.

la siguiente manera los versículos iniciales del capítulo 3: «Instrucciones para la promoción del espíritu de santificación en la vida pública». La Epístola a Tito no puede ser entendida propiamente si no se tiene en cuenta ese importante aspecto que no se reduce a unos cuantos versículos de la misma.

Es muy significativo que algunos pastores se sientan incapaces de exhortar a sus miembros. Esos creyentes pueden ser los que controlan la iglesia local, los de más influencia comunitaria o los que cuentan con mayores recursos. A veces el pastor está consciente que algunos de sus miembros poseen mejor preparación académica. Pero es necesario reprender «con toda autoridad» y perderle el miedo al «menosprecio».

III

El ministro y toda buena obra

En los versículos finales del capítulo anterior se habla de un pueblo «celoso de buenas obras». En el capítulo tercero notamos un énfasis en «ocuparse de buenas obras». Aquí vemos nuevamente la labor del pastor que está dedicado a promover la mejor conducta entre sus fieles. Por lo general se trata de un líder que intenta que los creyentes produzcan obras que confirmen su fe. No era cuestión simplemente de que Tito se ocupara de los encargos recibidos, sino de lograr que su gente imitara ese tipo de conducta. Los miembros de las congregaciones y los encargados del trabajo pastoral debían hacerlo. Por otra parte, Hendriksen ve al principio del capítulo un énfasis en «la santificación en las relaciones públicas. Los creyentes debieran ser obedientes a las autoridades. Deben ser bondadosos para con todos los hombres...».[64] Además, no podemos olvidar el recordatorio de lo que éramos antes de la conversión (3.3) y de lo que hemos llegado a ser (3.4-8). Como sucede generalmente, la epístola termina con instrucciones personales y saludos.

A. Las buenas obras (3.1-2)

> Recuérdales que se sujeten a los gobernantes y autoridades, que obedezcan, que estén dispuestos a toda buena obra. Que a nadie difamen, que no sean pendencieros, sino amables, mostrando toda mansedumbre para con todos los hombres.

V. 1. Reuss insiste en que «en sus instrucciones para la ordenación de la vida cristiana se refiere finalmente el Apóstol a los deberes para con la autoridad... Como cristianos, los cretenses deben también sumisión y obediencia a la autoridad pagana».[65] Tanto Reuss como otros comentaristas nos

64 *Op. cit.*, p. 454.
65 *Op. cit.*, p. 57.

recuerdan que en este lugar no se dice nada sobre la legitimidad o ilegitimidad de la autoridad. En otra versión se lee: «Recuérdales que se sometan y obedezcan a los jefes y autoridades; que estén preparados para toda clase de obras buenas» (CI). A partir de ahora veremos varias instrucciones de carácter general para todos los creyentes. Turrado considera los primeros once versículos como «Deberes generales del cristiano» y utiliza, por lo tanto, ese encabezamiento.[66] Es interesante que Pablo inicie una breve lista de estos deberes refiriéndose a la obediencia a los gobernantes seculares y el respeto a todos los hombres, presumiblemente incluyendo a los no creyentes. Los paganos parecen estar incluidos y Turrado cree que era «como estímulo que ha de mover a los cristianos cretenses a ser atentos y considerados con ellos».[67] Sería bueno acudir a otros pasajes del Nuevo Testamento. En Romanos 13.1 se nos dice: «Sométase toda persona a las autoridades superiores; porque no hay autoridad sino de parte de Dios, y las que hay, por Dios han sido establecidas». Sería bueno leer los primeros siete versículos de ese capítulo, pero aquí ya tenemos la idea. En 1 Pedro 2.13 leemos: «Por causa del Señor someteos a toda institución humana, ya sea al rey, como al superior». En el v. 15 se nos dice «...esta es la voluntad de Dios». Sería útil leer también los vv. 14 al 17 en su integridad. En Primera de Pedro encontramos todos los elementos, los cuales, según Hanson, son los siguientes: «obedecer a los gobernantes seculares», «ellos son agentes de Dios», «mostrar respeto a todos los hombres», «amar especialmente a todos los hermanos». Tito contiene el primero: «obedecer a los gobernantes seculares» y el tercero: «mostrar respeto a todos los hombres».[68] Lo que hemos recordado hasta aquí no contradice que en ocasiones sea necesario tomar otra actitud. No podemos aprobar ni justificar lo que se oponga a Dios o sea de carácter contrario a los más elevados principios. Recordemos la actitud de Pedro y Juan hacia las autoridades: «...Juzgad si es justo delante de Dios obedecer a vosotros antes que a Dios» (Hch. 4.19). Además, independientemente de lo que hemos comentado, sería difícil utilizar lo de «sujetarse» para justificar el silencio de los cristianos y la iglesia ante persecuciones como las ocurridas en Rumania hasta 1989 o los latrocinios en América Latina. Si un grupo de cristianos, en forma correcta, en Nueva York o San Antonio, se ponen de acuerdo para protestar por algo que se ha hecho en contra de los derechos humanos, no creemos que esto sea una violación de lo de «sujetarse». Como en todos los asuntos, «no hay texto sin su contexto».

Pablo no tiene necesidad de referirse a todos los aspectos que en otras epístolas y escritos bíblicos se discuten, pero por lo menos enfrenta la situación ya que existía tal vez la posibilidad de que el carácter de los cretenses les llevara

66 *Op. cit.*, p. 422.

67 *Ibid.*

68 *Op. cit.*, pp. 188-189.

a algún tipo de insurrección, en la cual, de participar los cristianos, la causa del evangelio sufriría considerablemente en aquella región.

Sería tal vez útil acudir a los escritos de Oscar Cullmann, sobre todo a su obra *El Estado en el Nuevo Testamento.* El profesor Cullmann señala que Jesús aceptó el estado, pero no lo consideró como una institución divina. En su libro, el académico francés expone su punto de vista acerca de una actitud doble, pero no contradictoria. Jesús se refirió al estado en forma crítica, pero aceptó en su reino a colaboradores o «colaboracionistas» como los publicanos, aunque en ese caso en particular los clasificaba junto a los pecadores, las rameras, etc.[69] Cullmann explica por qué no le dedica un capítulo especial a Tito 3.1 ya que lo relaciona, al igual que a I Pedro 2.13, con Romanos 13. Creemos que sería interesante tener en cuenta estas palabras de su capítulo sobre Pablo y el estado: «...parece especialmente claro que el estado es ahora una institución temporal que no tiene una naturaleza divina, pero en cualquier caso es la voluntad de Dios que exista; debemos mantener una actitud crítica hacia cada estado para que podamos sin embargo obedecer a cada estado siempre que permanezca dentro de sus parámetros».[70]

No olvidemos que Cullmann al tratar en su obra al estado dentro del Apocalipsis insiste en que hay una base en ese libro para que los cristianos rechacen cualquier pretensión totalitaria de un estado, como sería el caso de las exigencias de adoración de la bestia mencionada reiteradamente en pasajes como Apocalipsis 13.[71]

V. 2. El cristiano debe estar dispuesto a toda buena obra y se van a mencionar varios asuntos que se deben atender. Con la palabra «recuérdales», utilizada en el v. 1, no hay una indicación clara acerca de a quién debía él dirigirse aunque el contexto lo sugiere inmediatamente. Por lo tanto, a gente que podía escuchar estas palabras de buen grado, es decir, a creyentes, se les dice en el v. 2 que no solamente tengan en cuenta lo de «a nadie difamen» sino también que no sean «pendencieros, sino amables». Lo de «no pendencieros» (el adjetivo griego *amajos*) y «amables» o «modestos» *(epieikês)* aparecen en las condiciones del obispo cristiano que encontramos en 1 Timoteo 3.3. Es decir, se trata de una indicación clara de que algunas de las condiciones de los líderes son en realidad condiciones que debe llenar un buen cristiano. Lo anterior se complementa con «mostrando toda mansedumbre con todos los hombres». Debemos notar nuevamente que esto se extiende literalmente a «todos los hombres», no solamente a los cristianos. Por mucho que abundaran en el ambiente los difamadores y los pendencieros, los cristianos debían mostrarles a sus coterráneos que ellos eran diferentes.

69 *Op. cit.*, pp. 18-19.
70 *Ibid.*, pp. 69-70.
71 *Ibid.*, pp. 82-83.

El cristiano y la difamación

De gran actualidad para nuestro ambiente son las palabras «que a nadie difamen». Se ha puesto de moda la difamación. Hemos leído en revistas cristianas una serie de ataques que están basados en la más flagrante difamación. A algunos teólogos se les acusa de «comunistas». Ciertos misioneros han sido llamados «agentes de la Agencia Central de Inteligencia de Estados Unidos». En algunos círculos se acusa de herejía a cualquier creyente que tenga una interpretación distinta a la favorita. Por otra parte, a los más conservadores se les acusa de reaccionarios. En otras palabras, se difama con una facilidad espantosa. No creemos que se deba perder demasiado tiempo con ese tipo de actividades. La Escritura se limita a condenarla. Sentimos el más profundo desprecio por esa actitud. Tal parece que algunos se consideran hasta con la autoridad de decidir quién es y quién no es «cristiano», quién es y quién no es «progresista», quién es y quién no es «ortodoxo». Algunos ya se consideran en la práctica como divinos, otros se conforman con ser voceros infalibles de la divinidad. Nos resulta interesante que algunos hayan llegado a criticar a los católicos por la doctrina de la infalibilidad papal mientras han creado nuevas infalibilidades teológicas y políticas, liberales y conservadoras, de izquierda y de derecha. Dios tenga piedad de estos personajes de opereta que traen sobre el evangelio el más escandaloso de los ridículos. Se convocan reuniones para examinar «la teología» o «la política» de un hermano en la fe y se emiten opiniones categóricas, generalmente producto de la ignorancia y en ocasiones resultado de la mala fe. Hacer pedazos la reputación de un creyente es tan pecaminoso como cometer literalmente un asesinato. Hemos conocido casos de pastores cuyos ministerios han sido arruinados por los difamadores profesionales de todas las vertientes. No les interesa que la difamación implique perder el trabajo, única fuente de sustento para una familia que incluye a veces hijos pequeños. Como dijimos en otra parte de este comentario, no les importa obligar a la persona a estudiar otra carrera u oficio secular después de años y años de servicio ministerial. Los difamadores no tienen escrúpulos. Hacen una lista negra de sus enemigos y van destruyéndolos uno tras otro. A veces se trata de enemigos personales. Su propósito pudiera ser, en ciertos casos, controlar agencias, juntas misioneras y denominaciones. El difamador se constituye en acusador al estilo de Maximiliano Robespierre en los días de la

Revolución Francesa, considerándose a sí mismo como «incorruptible». La advertencia del autor sobre no difamar llega a nuestra época y lugar con gran fuerza. Tiene tanta vigencia que parece se acaba de escribir en cualquier lugar de nuestros países.

B. El cristiano y su propio pasado (3.3)

Porque nosotros también éramos en otro tiempo insensatos, rebeldes, extraviados, esclavos de concupiscencias y deleites diversos, viviendo en malicia y envidia, aborrecibles y aborreciéndonos unos a otros.

V. 3. Sería innecesario explicar cada palabra en detalle porque se trata de una descripción casi perfecta de la vida antes de la conversión. Si se quiere puede utilizarse para hacer una comparación entre la vida de los cristianos cretenses y sus compatriotas paganos. Es probable, como señala Guthrie, que Tito se sintiera algo desalentado por la forma de ser de los cretenses. Pero debía recordar su propio pasado y su vida antes del conocimiento de Cristo. Había sido una existencia llena de insensatez, desobediencia, error y esclavitud de las pasiones. Era merecedor del título «aborrecible», que extendía a los demás. El ser «esclavos de concupiscencias y deleites» era un tema popular en la filosofía griega como bien lo señala el comentarista Brox. Para él todo esto es paulino en pensamiento, pero no en el lenguaje. Opinión muy distinta de las expresadas por Spicq, Hasler y otros. Sin embargo, son muchos los que entienden que 3.3-7 es un fragmento litúrgico.

C. El Salvador manifestado para justificación (3.4-7)

Pero cuando se manifestó la bondad de Dios nuestro Salvador, y su amor para con los hombres, nos salvó, no por obras de justicia que nosotros hubiéramos hecho, sino por su misericordia, por el lavamiento de la regeneración y por la renovación en el Espíritu Santo, el cual derramó en nosotros abundantemente por Jesucristo nuestro Salvador, para que justificados por su gracia, viniésemos a ser herederos conforme a la esperanza de la vida eterna.

V. 4. Para Hanson y otros muchos, 3.4-7 ha sido extraído de un primitivo himno cristiano sobre la gracia en el bautismo.[72] También existen opiniones acerca de que se trata de una añadidura posterior para hacer resaltar un pensamiento básico de la predicación de Pablo. Independientemente de las opiniones, resalta el hecho siguiente: cuando Dios decidió cambiar el curso de la historia humana se manifestó en forma salvífica. Es impresionante lo que

72 *Op. cit.*, p. 189.

se nos acaba de decir acerca de la situación del cristiano antes de la conversión, así como de la condición humana en general. El autor tiene algo hermoso que decirnos, lo cual, por supuesto, tiene relación con Cristo y, nuevamente en las Epístolas Pastorales, su manifestación. Resalta en este caso la bondad *(crêstotês)* de Dios. Se trata de una palabra absolutamente paulina en el lenguaje del Nuevo Testamento. Pablo la usa como la bondad en la redención (Ro. 2.4; 11.22, etc.). Su amor para todos los humanos es ya bien conocido. Reuss entiende que son «palabras solemnes que han sido tomadas de las fórmulas de expresión del estilo aúlico de otro tiempo».[73]

V. 5-7. En otra versión leemos lo siguiente: «él nos salvó, no por obras de justicia que hubiésemos hecho nosotros, sino según su misericordia, por medio del baño de regeneración y de renovación del Espíritu santo, que él derramó sobre nosotros con largueza por medio de Jesucristo nuestro Salvador, para que, justificados por su gracia, fuésemos constituidos herederos, en esperanza, de vida eterna» (BJ).

Ante nosotros, una vez más, la supuesta pelea entre la fe y las obras. Tal vez las más famosas de las palabras atribuidas al apóstol Pablo son las siguientes: «Porque por gracia sois salvos, por medio de la fe; y esto no de vosotros, pues es don de Dios; no por obras para que nadie se gloríe» (Ef. 2.8-9). Algunos creen que Pablo nunca hubiera usado la palabra «justicia» *(dikaiosunê)* en este contexto; pero no creemos pueda probarse mucho en relación con la autoría, con un detalle como ese. Las dudas de comentaristas como Brox, Houlden y Hanson tienen probablemente más que ver con la forma de decir las cosas que con el mensaje, al menos en este caso.

Otras palabras que requieren tratamiento especial son «lavamiento de la regeneración y por la renovación en el Espíritu Santo». La primera parte ha sido muy discutida. La palabra «lavamiento» o «lavacro» *(loutron)* ha sido traducida así y también como el receptáculo donde se lleva a cabo el lavamiento. Creemos que se trata literalmente del «lavacro». Así es el caso en Efesios 5.26.

Algunos comentaristas creen que aquí hay una referencia al bautismo. Otros estiman que el bautismo es un símbolo de todo esto y acostumbran a citar las siguientes palabras: «La sangre de Jesucristo su Hijo nos limpia de todo pecado» (1 Jn. 1.7). Es posible objetar diciendo que el lavamiento implica agua y no sangre. También se pudiera acudir a ciertas dudas acerca del manuscrito que menciona el lavamiento por la sangre. Este pasaje tiene relación con Juan 3.5 y con 2 Corintios 5.17, es decir, debe tener vinculación con el nuevo nacimiento, la nueva criatura, la obra regeneradora de Dios, etc.

La interpretación tendrá una probable relación directa con la opinión del intérprete acerca de la regeneración bautismal. Son muchos los versículos, pasajes y dogmas que tienen relación con todo esto. Lo que leemos claramente

[73] *Op. cit.*, p. 31.

es que somos salvos únicamente por la fe. Por la regeneración somos lavados. Algunos entendemos que esto ocurre en el momento de la salvación y que el bautismo sirve para simbolizarlo y proclamarlo. Otros le dan un papel mucho más grande a la ceremonia misma del bautismo en este proceso en que todos los elementos mencionados tienen necesariamente alguna relación.

En cuanto a «la renovación en el Espíritu Santo», no olvidemos que la regeneración está acompañada en este versículo por la renovación y así parece ser en la experiencia del creyente. Una nueva vida implica una renovación. En este caso el Espíritu Santo es el agente. Según el canónigo Ward: «Entonces, como ahora, la regeneración puede producirse antes o después del bautismo. El bautismo es necesario como uno de los mandatos del Señor, como muchas otras cosas». El bautismo tiene, según él, una relación estrecha con la regeneración, pero admite que muchos de los «peores dictadores y algunos de los hombres más malvados han sido bautizados. ¿Fueron ellos regenerados como consecuencia de su bautismo?». El comentarista hace bien en hacer énfasis en que el bautismo no puede ser interpretado en forma mecánica.[74] Por supuesto que todo lo anterior está sujeto a múltiples interpretaciones.

Menos difícil resulta el v. 7 con el tema de la justificación por la gracia. Todo se lo debemos a Dios. La vida eterna es el más grande regalo que nos ha dado, somos sus herederos. Eramos hijos de ira, pero hemos recibido la vida. Hemos sido declarados justos. La justificación es un acto de Dios el Padre quién cargó sobre Cristo nuestros pecados y nos imputa la justicia de este (2 Co. 5.21).

¿Evangelizados por el bautismo?

Independientemente del mayor o menor grado de relación que tengan estos pasajes con el bautismo cristiano, debemos estar conscientes del papel que este sacramento u ordenanza ocupa en el plan de Dios. Se trata de un mandamiento divino y no de algo que se puede pasar por alto. Por otro lado nuestros países están llenos de personas bautizadas cuyas vidas no coinciden con las normas del cristianismo. Para muchos grupos el ser bautizados nos hace cristianos automáticamente. Admitimos que es una señal de la profesión de fe en Cristo. Todo eso está bien pues existen diferentes interpretaciones sobré el bautismo. Pero el entender que la América Latina fue evangelizada simplemente por el derramamiento de agua sobre los indios y otros habitantes de la región ha dejado de ser un pensamiento predominante. Falta mucho por hacer. Los estudiosos de la pastoral hispana en EE.UU. han llegado

74 *Op. cit.*, pp. 270-272.

a la conclusión de que existen enormes lagunas en el razonamiento de considerar como «católicos» a todos los que se radican en ese país procedentes de países latinoamericanos.

Los temas de la regeneración y la renovación son sumamente importantes para que se les dé solamente un tratamiento superficial. Pero sin esos elementos es imposible que hablemos de un «continente cristiano» o de una serie de «pueblos cristianos» a no ser en aspectos culturales, sociológicos o tradicionales. La historia de la evangelización entre nosotros tiene muchos capítulos por escribirse. Creemos que tanto católicos como evangélicos han llegado a la conclusión de que una simple profesión de fe o una ceremonia no nos hacen verdaderamente seguidores de aquél que nos ha dado por herencia la vida eterna. El mismo hecho de que haya prevalecido entre nosotros tanta opresión y tanto pecado nos llama la atención a las gravísimas limitaciones a las que nos enfrentamos. Por otra parte, hablamos mucho de conseguir conversiones y de lograr que la gente nazca de nuevo. Nosotros estamos personalmente dentro de esa tradición teológica. Pero no olvidemos los frutos. Todo el discurso bíblico acerca de la salvación por fe no contradice la necesidad de obras que sean el resultado de una experiencia personal con Dios y que se deje ver en lo individual y lo colectivo. La iglesia de Dios tiene que imitar a Jesús en lo de «luz del mundo» y «sal de la tierra». Es posible que hayamos sido «lavados», en el sentido de haber sido perdonados. Somos convertidos y bautizados. Pero nuestra influencia renovadora debe sentirse por todas partes. Un pueblo renovado no es solamente aquél que tiene una creencia correcta o adecuada acerca del plan de salvación sino también el que hace un impacto grande, como lo hicieron los primitivos cristianos, en la transformación del individuo y de la sociedad. Un pueblo renovado no es uno que se hace cómplice de pecados, vicios, injusticia y opresión. Cuando la renovación y la regeneración sean entendidas plenamente podremos dar un testimonio completo de nuestra fe en la gracia de Dios.

Ch. Admoniciones sobre obras y maestros (3.8-11)

Palabra fiel es esta, y en estas cosas quiero que insistas con firmeza, para que los que creen en Dios procuren ocuparse en buenas obras. Estas cosas son buenas y útiles a los hombres. Pero evita las cuestiones, y genealogías, y contenciones, y discusiones acerca de la ley; porque son vanas y sin provecho. Al hombre que cause divisiones, después de una y otra amonestación deséchalo, sabiendo que el tal se ha pervertido, y peca y está condenado por su propio juicio.

V. 8. En la Versión Moderna se traduce la última de las llamadas «palabras fieles» de la siguiente manera: «Fiel es esta palabra; y respecto de estas cosas deseo que uses de constante afirmación, para que los que han creído en Dios pongan solicitud en practicar las buenas obras. Estas cosas son buenas y provechosas para los hombres» (VM). Es posible entender que este versículo se aplica a las palabras anteriores. Pero pudiera tener relación con los versículos siguientes. Existe también la opinión de que no tiene relación con ninguna de las partes del capítulo. Para complicar la situación, un pequeño grupo entiende que se relaciona con todo el capítulo. Pues bien, nos inclinamos a esa última opinión, aunque creemos que de tener una relación especial con alguna parte sería con los vv. 4 al 7, que contienen una clara teología paulina. Llegar a la conclusión de que no tiene relación con lo demás nos obligaría a presentar esta «palabra fiel» como la forma de pasar de una parte a la otra en el uso de las fuentes de las cuales se extrajo el material.

Con estas palabras, se le pide a Tito que sea muy cuidadoso e insistente en el tema de las buenas obras y su utilidad. Son los creyentes los que pueden recibir su mensaje al respecto. Ese puede ser el significado de la última de las «palabras fieles» que encontramos en las Epístolas Pastorales.

V. 9-11. Tan pronto leemos el versículo 9 pensamos en 1 Timoteo 1.4-7; 4.7 y 6.4. A primera vista pensamos en maestros que hacían un énfasis especial en el Antiguo Testamento y la ley. La presencia de una fuerte comunidad judía en Creta facilita el comprender por qué se discutía la ley judía. Se utilizan aquí dos palabras que parecen indicar lo mismo: «vanas» y sin «provecho», haciendo resaltar aun más la situación. El tema era muy importante y es por eso que se añade a lo ya dicho en 1.10-16. Por mucho que se insista en su posible y exclusivo carácter gnóstico, nos enfrentamos probablemente a una herejía de origen judío con ribetes de gnosticismo. La relación con la situación de Efeso es evidente, por lo parecido de ambos casos en situaciones, palabras, énfasis, etc. Tito debe evitar todo esto.

La enseñanza de las Pastorales es precisamente que no vale la pena mezclarse demasiado en estas discusiones. Pero, si alguien persiste en ellas y causa divisiones graves, debe ser desechado después del proceso correcto que utilizan los cristianos en esos casos. Es curioso que «evitar» *(periistêmi)* significa en este contexto: «el dar una vuelta y mirar en posición opuesta». El causar divisiones equivale a la palabra *hairetikos,* que se traduce como «hereje», y su significado ha cambiado algo. Aquí nos enfrentamos realmente a un propagador incesante que causa disensiones más bien que a un hereje en la forma que entendemos la palabra hoy. El v. 11 identifica su actividad como un pecado pues se afirma abiertamente que «el tal es pervertido, y peca y está condenado por su propio juicio». La palabra «amonestación» como aparece aquí, es decir, *nouthesia,* es netamente paulina. No se desecha enseguida a la persona sino después de amonestaciones. Entonces se considera que él mismo se ha condenado y separado. En un caso como éste, si las enseñanzas han causado división, y hay un error grave de por medio, el cual es bien conocido, la implicación sería que se le considera oficialmente fuera del grupo, lo cual abre la puerta a una posible proclamación oficial del hecho. No debemos especular sobre detalles porque algunos comentaristas se atreven a describir el proceso con un lujo de detalles que es imposible extraer de esta información tan limitada.

D. Conclusión (3.12-15)

> Cuando envíe a ti a Artemas o a Tíquico, apresúrate a venir a mí en Nicópolis, porque allí he determinado pasar el invierno. A Zenas intérprete de la ley, y a Apolos, encamínales con solicitud, de modo que nada les falte. Y aprendan también los nuestros a ocuparse en buenas obras para los casos de necesidad, para que no sean sin fruto. Todos los que están conmigo te saludan. Saluda a los que nos aman en la fe. La gracia sea con todos vosotros. Amén.

Ya que en este comentario nos hemos preocupado mucho por cuestiones de autoría, deseamos indicar que Hendriksen se preguntaba, al comentar estos versículos que vienen después del cuerpo de la carta, si fueron escritos «por un amanuense que reproducía fielmente el mensaje de Pablo, reteniendo en todo caso el estilo de éste y la mayor parte de su vocabulario, pero que aquí o allá hace uso de su propio vocabulario, sometiendo finalmente todo a la aprobación del apóstol».[75] El mismo Hendriksen menciona que las palabras que se usan ahora también se encuentran en las demás epístolas de Pablo.

V. 12. Le correspondía a Artemas o a Tíquico la misión de sustituir a Tito en Creta durante su ausencia. Pablo estaba demandando su presencia. Acerca de Artemas[76] no conocemos nada, pero ya hemos mencionado en esta obra a Tíquico.[77] Los planes de Pablo acerca del invierno en Nicópolis los encontramos también en 2 Timoteo 4.21. Parece que se refiere a la ciudad situada en el promontorio sudoccidental de Epiro en Grecia, al norte de la moderna Preveza. Era indudablemente un buen lugar para pasar el invierno y tenía valores estratégicos.

V. 13. Acerca de «Zenas intérprete de la ley» no tenemos información; pero sí sabemos bastante acerca de Apolos. La palabra «intérprete de la ley» *(nomikos)*, traducida también como «abogado» o doctor de la ley, pudiera

[75] *Op. cit.*, p. 451.

[76] Artemas puede ser una abreviatura de Artemidoro o «don de Artemisa».

[77] Sobre este podemos decir que su nombre quiere decir «afortunado». Era un cristiano del Asia Menor que acompañó a Pablo en su último viaje a Jerusalén (Hch. 20.4). Tíquico fue enviado por Pablo a Efeso para sustituir a Timoteo (2 Ti. 4.12) y realizó otras misiones a las que Pablo le envió.

indicar un especialista en la ley de Moisés o en el derecho romano. Lo desconocemos, pero nos inclinamos a pensar que Zenas era lo primero y no lo segundo. En los evangelios de Mateo y de Lucas la palabra se usa para referirse a un escriba conocedor de la Tora. Barclay sugiere que puede haber sido un rabino convertido al evangelio. Hanson trabaja en su comentario con las teorías de Hasler. Este entiende que debe tenerse en cuenta una de estas dos posibilidades: que se menciona el nombre para indicar que Pablo no estaba en prisión al escribir la carta, y por lo tanto podía prescindir de los servicios de Zenas, o que la iglesia ya tenía relaciones con la sociedad y tenía necesidad de los servicios de un abogado.[78] La opinión de Fee sobre Zenas merece ser incluida: «Nada más se conoce acerca de Zenas el abogado, designación que probablemente significa que era un jurista (experto en derecho romano) de profesión. Es un toque paulino el identificar a un profesional mediante su título (por ejemplo, el médico Lucas de Col. 4.14 o Erasto el tesorero de la ciudad de Ro. 16.23)».[79] Fee también entiende que el Apolos de la Epístola a Tito es el mismo personaje mencionado en los Hechos de los Apóstoles y en Primera de Corintios. Era un judío de Alejandría con habilidades retóricas, posiblemente un estudiante de Filón. Conocía muy bien los textos sagrados. Había sido seguidor de Juan el Bautista pero pasó a las filas del cristianismo primitivo en Efeso gracias al ministerio de Priscila y Aquila. Era tan popular que algunas personas afirmaban ser sus seguidores en Corinto. Una vez más notamos la relación personal intensa y el interés de Pablo por sus colaboradores en el evangelio. Por ejemplo, al mencionar a Zenas y Apolos pide que «nada les falte» y le suplica a Tito que los encamine con solicitud.

V. 14. El autor vuelve al tema de las buenas obras, relacionándolas ahora con «los casos de necesidad». Las buenas obras para estos casos de necesidad serían más bien «para los necesitados». El autor pudiera estar refiriéndose al caso del personaje causante de divisiones mencionado en el v. 10, como lo entiende Ward. Hasler piensa que se trata de la hospitalidad. Hanson hace bien en resumir las opiniones en busca de consenso. Lo hace con estas palabras: «Si es así, el autor termina su carta con una nota característica: el cristianismo debe expresarse en acción práctica».[80] Guthrie también hace énfasis en ese aspecto práctico del cristianismo. Tito debía necesariamente animar a los creyentes de Creta, pidiéndoles que cooperaran generosamente como parte de su proceso de crecimiento espiritual. Algunos creen que la referencia a «casos de necesidad» tiene relación con la obligación de los cristianos a trabajar y vivir vidas fructíferas. Erdman señala que «Los egoístas cretenses quizá alegarían que eran demasiado pobres para ayudar a los misioneros. Ha de enseñárseles, por tanto, a que se dediquen a ocupaciones honradas, tanto para

78 *Op. cit.*, p. 196.
79 *Op. cit.*, p. 215.
80 *Op. cit.*, pp. 185-186.

sostenerse a sí mismos como para que puedan participar en forma substancial en las empresas cristianas...».[81] También se utilizan estas palabras para promover la mayordomía entre los creyentes. Además, ¿no pueden tener algo que ver con la ofrenda para los pobres, que juega un papel tan importante en las cartas de Pablo?

Para Fee: «La probabilidad de que Zenas y Apolos fueran los portadores de esta carta es apoyada también por esta intrusión inesperada en los saludos finales de tipo personal».[82]

V. 15. Nuestro estudio de las Epístolas Pastorales finaliza necesariamente con la bendición de Pablo en el v. 15: «Te saludan todos los que están conmigo. Saluda a los que nos aman en la fe. La gracia sea con todos ustedes» (NBLA). Le acompañaba un grupo de creyentes que le amaban. También conocía del amor de otros hermanos. Algunos ven en todo esto el intento de otra persona de terminar la carta en una forma muy personal. La cuestión de la autoría nos ha perseguido constantemente, a veces de versículo en versículo, según pasamos de una fuente a otra, de un comentario a otro. Sin detenernos de nuevo en ese importante asunto, terminamos reconociendo que no podemos identificar a todos los que estaban con el autor de la epístola cuando escribía este saludo. Turrado hace énfasis en las palabras «los que nos aman en la fe» como una manera de «hacer distinción con los amantes de novedades atraídos por la predicación de los falsos apóstoles».[83] Para nuestro uso, en el día de hoy, bastaría reconocer en ellos a hermanos en la común fe de Jesús en los primeros tiempos del cristianismo, como lo fue también un famoso personaje conocido como Saulo de Tarso. Barclay nos dice que Pablo termina como siempre con la palabra de gracia. Con el himnólogo podemos repetir: «sublime gracia» la de Jesús. Es una gracia sublime que ha unido a millones de creyentes a través de los siglos y de las millas o kilómetros que nos separan.

Saludando a los que nos aman en la fe

Hemos sido beneficiados por esa gracia de Jesús que ha cambiado nuestras vidas y ha hecho posible que, sin merecerlo, seamos presentados «sin mancha delante de su gloria con gran alegría» (Jud. 24). Por lo tanto, deseamos terminar este comentario sobre las Epístolas Pastorales con una referencia a esa gracia. En nuestros países vivimos días de gran confusión política, económica y social, aunque los mayores problemas siguen siendo espirituales. Hasta la «condición humana» del título de una obra de André

81 *Op. cit.*, p. 174.

82 *Op. cit.*, p. 215.

83 *Op. cit.*, p. 425.

Malraux, se encarga de recordarnos nuestras gravísimas limitaciones. Las palabras finales de la Epístola a Tito, sus referencias a la «gracia» y a «todos los hermanos», nos dan la oportunidad de recordar de nuevo que los creyentes de América Latina, España y las comunidades hispanas de la América del Norte y del resto del mundo debemos evitar polarizaciones que perjudiquen. Somos hermanos en una fe común, hemos sido lavados por la misma sangre de Jesucristo que ha quitado nuestras manchas, y nos amparamos en una gracia que trae salvación a todos los humanos, no solamente a los ubicados en una vertiente determinada. Hay muchos personajes y movimientos interesados en dividirnos, en sembrar el odio, la suspicacia, la división, la superioridad espiritual. La Escritura no deja lugar a dudas: «todo aquel que invocare el nombre del Señor será salvo». Por lo tanto, no somos los indicados para sacar del cuerpo de Cristo a aquellos que son, por la gracia de Dios, sus miembros. Si comparamos nuestras divergencias en cuanto a interpretación o énfasis, así como la diversidad política prevaleciente, con cuestiones como las de los falsos maestros de Efeso y Creta, nos daremos cuenta que se trata de asuntos bastante diferentes. Es cierto que hay enseñanzas falsas sobre la persona de Cristo y abundan las opiniones radicalmente opuestas a las del Nuevo Testamento. Con frecuencia se predica «otro evangelio» entre nosotros. Pero los que invocamos el nombre de Jesús, Dios y hombre al mismo tiempo, somos hermanos. No importa cuántas diferencias puedan citarse o si nos reunimos en locales separados. Estamos igualmente obligados a ser fieles a la palabra de Dios.

Este esfuerzo aspira a ser una contribución a la común tarea de hacer prevalecer en nuestro ambiente la dependencia en la gracia de Dios y la buena doctrina. Sólo ellas nos pueden unir en el amor de Cristo. Mientras tanto, en el espíritu de estas cartas pastorales, saludamos a los «que nos aman en la fe». Y «para el cruel que me arranca el corazón con que vivo», de los versos del héroe nacional y apóstol de la independencia de Cuba José Martí,[84] un saludo igualmente entusiasta. Tenemos la esperanza de que alguien quiera añadir un sincero ¡Amén!

84 José Martí (1853-1895). El famoso patriota y escritor cubano fue también el autor de «La Rosa Blanca» un poema que llama al perdón y a la solidaridad: «Cultivo una rosa blanca, en junio como en enero, para el amigo sincero que me da su mano franca. Y para el cruel que me arranca el corazón con que vivo, cardo ni oruga cultivo, cultivo una rosa blanca».